FOLIO JUNIOR
P9-DDG-705

Déjà parus aux Éditions Gallimard

1. Harry Potter à l'école des sorciers
2. Harry Potter et la Chambre des Secrets
3. Harry Potter et le prisonnier d'Azkaban
4. Harry Potter et la Coupe de Feu
5. Harry Potter et l'Ordre du Phénix
6. Harry Potter et le Prince de Sang-Mêlé

dans la collection Folio Junior

1. Harry Potter à l'école des sorciers
2. Harry Potter et la Chambre des Secrets
3. Harry Potter et le prisonnier d'Azkaban
4. Harry Potter et la Coupe de Feu
5. Harry Potter et l'Ordre du Phénix
6. Harry Potter et le Prince de Sang-Mêlé

Titre original : *Harry Potter and the Half-Blood Prince*
Édition originale publiée par Bloomsbury Publishing Plc, Londres, 2005

Traduit de l'anglais
par Jean-François Ménard

Gallimard Jeunesse

A Mackenzie, ma merveilleuse fille
je dédie son jumeau d'encre et de papier.

1
L'AUTRE MINISTRE

Il était près de minuit et le Premier Ministre, assis seul dans son bureau, lisait un long rapport dont les mots lui traversaient l'esprit sans qu'il parvienne à en saisir le moindre sens. Il attendait un coup de téléphone du président d'un pays lointain en se demandant à quel moment ce satané personnage allait enfin l'appeler ; si on ajoutait à cela la longue semaine, épuisante et difficile, qu'il venait de passer, il ne restait plus guère de place dans sa tête pour songer à autre chose. Il avait beau essayer de se concentrer sur la page qu'il lisait, il ne pouvait s'empêcher de voir surgir devant ses yeux les visages réjouis de ses adversaires politiques. L'un d'eux en particulier était passé au journal télévisé le soir même, non seulement pour énumérer tous les événements tragiques qui s'étaient produits au cours de la semaine (comme s'il était nécessaire de les rappeler à qui que ce soit) mais également pour expliquer en quoi le gouvernement était entièrement responsable de chacun d'eux.

Le rythme cardiaque du Premier Ministre s'accéléra à la seule pensée de ces accusations, injustes et fausses. Comment son gouvernement aurait-il pu empêcher ce pont de s'écrouler ? Il était scandaleux d'entendre quelqu'un suggérer que les pouvoirs publics ne dépensaient pas assez d'argent pour l'entretien des ponts. Celui-ci avait été construit moins de dix ans auparavant et les meilleurs experts s'étaient révélés incapables d'expliquer pourquoi il s'était tout à coup cassé en deux, précipitant une douzaine de voitures dans les profondeurs de la rivière qu'il enjambait. Et comment pouvait-on insinuer que ces deux crimes atroces dont la presse avait abondamment parlé étaient la conséquence d'un manque d'effectifs de la police ? Ou que le gouvernement aurait dû être capable de prévoir l'ouragan exceptionnel qui s'était abattu sur le sud-ouest du pays et avait provoqué tant de dommages matériels et humains ? Enfin, était-ce sa faute si l'un de ses secrétaires d'État, Herbert Chorley, avait choisi cette même semaine pour se comporter si étrangement qu'il aurait désormais beaucoup plus de temps à consacrer à sa famille ?

« Une atmosphère sinistre s'est répandue dans le pays », avait conclu son adversaire en parvenant difficilement à masquer un large sourire.

Malheureusement, c'était la pure vérité. Le Premier Ministre le ressentait lui-même ; les gens semblaient manifestement plus abattus qu'à l'ordinaire. Le temps lui-même était déprimant ; cette brume glacée en plein mois de juillet… quelque chose n'allait pas, ce n'était pas normal.

Il tourna la deuxième page du rapport, vit tout ce qui restait à lire et en conclut qu'il s'agissait d'un mauvais travail indigne de son attention. Étirant les bras au-dessus de sa tête, il jeta un regard morne autour de lui. Son bureau était élégamment décoré, avec une cheminée de marbre fin qui faisait face aux longues fenêtres à guillotine, hermétiquement closes pour lutter contre cette fraîcheur hors de saison.

Avec un léger frisson, le Premier Ministre se leva et regarda au-dehors, contemplant la fine brume qui se collait contre les carreaux. Ce fut au moment où il tournait le dos à la pièce qu'il entendit derrière lui une toux discrète.

Il se figea, nez à nez avec son visage soudain apeuré qui se reflétait dans la vitre sombre. Il connaissait cette toux. Il l'avait déjà entendue. Très lentement, il se tourna vers la pièce vide.

– Bonjour..., dit-il en essayant d'afficher plus de courage qu'il n'en ressentait.

Pendant un instant, il se laissa aller à espérer que personne ne lui répondrait. Mais une voix s'éleva aussitôt, tranchante, décidée, comme celle de quelqu'un qui s'apprête à lire une déclaration écrite. Elle appartenait – comme le Premier Ministre l'avait su dès qu'il avait entendu tousser – à un petit homme à la silhouette de grenouille, coiffé d'une longue perruque argentée, représenté dans un tableau ancien et poussiéreux accroché à l'autre bout de la pièce.

– Message au Premier Ministre des Moldus : « Devons nous rencontrer de toute urgence. Veuillez répondre immédiatement. Sentiments distingués, Fudge. »

L'homme du tableau adressa au Premier Ministre un regard interrogateur.

– Heu..., répondit le Premier Ministre, écoutez... ce n'est pas le meilleur moment pour moi... J'attends un coup de téléphone, voyez-vous... du président de...

– Ça peut s'arranger, interrompit le portrait.

Le Premier Ministre sentit son cœur se serrer. C'était la réponse qu'il avait redoutée.

– Mais j'espérais justement parler au...

– Nous nous débrouillerons pour que le président oublie

de vous appeler. Il vous téléphonera demain soir, dit le petit homme. Veuillez répondre immédiatement à Mr Fudge.

– Je... heu... très bien, dit le Premier Ministre d'une voix défaillante. D'accord, je veux bien voir Fudge.

Il se dépêcha d'aller se rasseoir à son bureau et rajusta sa cravate. A peine avait-il repris place dans son fauteuil en donnant à son visage une expression qu'il espérait détendue et flegmatique que des flammes vertes et brillantes jaillirent dans le foyer vide de la cheminée, sous le manteau de marbre. Il regarda dans cette direction, s'efforçant de ne trahir ni surprise ni inquiétude, tandis qu'un homme corpulent apparaissait au milieu des flammes, tournant sur lui-même à la vitesse d'une toupie. Quelques secondes plus tard, il sortit de la cheminée et s'avança sur un assez beau tapis ancien, époussetant la suie collée aux manches de sa longue cape à rayures, un chapeau melon vert vif à la main.

– Ah... monsieur le Premier Ministre, dit Cornelius Fudge en marchant vers lui à grands pas, la main tendue. Je suis content de vous revoir.

Le Premier Ministre ne pouvait sincèrement lui retourner le compliment et il décida de ne rien répondre du tout. Il n'appréciait pas le moins du monde la visite de Fudge dont les apparitions occasionnelles, déjà peu rassurantes en elles-mêmes, signifiaient généralement qu'il allait apprendre de très mauvaises nouvelles. Par surcroît, Fudge paraissait manifestement soucieux. Il avait maigri, son front était un peu plus dégarni, ses cheveux avaient encore blanchi et son visage semblait fripé. Le Premier Ministre avait déjà vu des hommes politiques avec une mine semblable et c'était toujours un mauvais présage.

– En quoi puis-je vous être utile ? interrogea-t-il.

Il serra très brièvement la main de Fudge et lui fit signe de s'asseoir dans le fauteuil le plus inconfortable de son bureau.

– Difficile de savoir par où commencer, marmonna Fudge.

Il tira le fauteuil vers lui, s'installa et posa son chapeau melon vert sur ses genoux.

– Quelle semaine, quelle semaine...

– Pour vous aussi, elle a été mauvaise ? demanda le Premier Ministre avec raideur, espérant lui faire comprendre qu'il avait déjà suffisamment de pain sur la planche pour que Fudge n'en rajoute pas.

– Oh, oui, bien sûr, répondit Fudge qui se frotta les yeux d'un geste las puis posa sur son interlocuteur un regard morose. J'ai eu la même semaine que vous, monsieur le Premier Ministre. Le pont de Brockdale... Le meurtre de Bones et de Vance... sans parler de ces ravages dans le Sud-Ouest...

– Vous... heu... vous... Je veux dire, des gens de chez vous sont... sont impliqués dans ces... ces affaires ?

Fudge fixa le Premier Ministre d'un air sévère.

– Bien entendu, répliqua-t-il. Vous vous êtes sans doute rendu compte de ce qui se passait ?

– Je..., hésita le Premier Ministre.

C'était précisément ce genre d'attitude qui lui faisait tant détester les visites de Fudge. Il était quand même Premier Ministre et, à ce titre, n'appréciait guère qu'on le traite comme un écolier ignorant. Il en avait été ainsi, cependant, depuis sa toute première rencontre avec Fudge, le soir même où il était devenu chef du gouvernement. Il s'en souvenait comme si c'était hier et savait que ce souvenir le hanterait jusqu'à sa mort.

Ce jour-là, il se trouvait seul dans ce même bureau, savourant son triomphe après tant d'années passées à rêver de ce poste et à intriguer pour l'obtenir, lorsqu'il avait entendu tousser derrière lui, comme ce soir; il s'était retourné et cet affreux petit portrait lui avait annoncé que le ministre de la Magie n'allait pas tarder à arriver et à se présenter lui-même.

Naturellement, il avait tout d'abord pensé qu'une longue campagne électorale et l'attente angoissante des résultats l'avaient rendu fou. Entendre un tableau lui parler l'avait proprement terrifié mais ce n'était rien comparé à ce qu'il avait ressenti quand un soi-disant sorcier avait bondi de la cheminée pour lui serrer la main. Il était resté sans voix tandis que Fudge lui expliquait aimablement que des sorcières et des sorciers vivaient encore en secret un peu partout dans le monde et qu'il ne devait pas s'inquiéter à leur sujet car le ministère de la Magie prenait en charge leur communauté tout entière et veillait à ce que la population non magique n'entende pas parler d'eux. C'était, disait Fudge, un travail difficile qui englobait les domaines les plus divers, depuis les règles d'utilisation des balais volants jusqu'au contrôle des dragons (le Premier Ministre se rappelait qu'à ce moment-là, il avait dû se cramponner à son bureau pour ne pas tomber à la renverse). Avec un geste paternel, Fudge avait alors tapoté l'épaule du Premier Ministre qui était resté muet de stupéfaction.

– Ne vous inquiétez pas, avait-il répété. Il y a tout à parier que vous ne me reverrez plus. Je ne viendrai vous embêter que s'il se passe quelque chose de vraiment grave de notre côté, quelque chose qui risque d'affecter les Moldus – ou plutôt la population non magique, devrais-je dire. Sinon, que chacun mène sa vie sans s'occuper des autres. Je dois reconnaître que vous prenez cela beaucoup mieux que votre prédécesseur. *Lui* a essayé de me jeter par la fenêtre, il pensait qu'il s'agissait d'un canular monté par l'opposition.

Le Premier Ministre avait soudain retrouvé sa voix.

– Alors, vous... vous n'êtes pas en train de me monter un canular ?

C'était le dernier espoir auquel il s'était désespérément raccroché.

– Non, avait répondu Fudge avec douceur. Non, j'ai bien peur que non. Regardez.

Et il avait transformé en gerboise la tasse de thé posée sur le bureau.

– Mais pourquoi, s'était indigné le Premier Ministre, le souffle coupé, en regardant sa tasse de thé ronger un morceau de son prochain discours, pourquoi personne ne m'a jamais dit...

– Le ministre de la Magie ne se révèle qu'au Premier Ministre en exercice, avait expliqué Fudge, rangeant sa baguette dans une poche intérieure de sa veste. C'est le meilleur moyen que nous ayons trouvé pour garantir le secret de notre existence.

– Dans ce cas, avait repris le Premier Ministre d'une voix chevrotante, pourquoi un ancien Premier Ministre ne m'a-t-il pas averti... ?

Fudge avait franchement éclaté de rire.

– Mon cher Premier Ministre, allez-vous, *vous-même*, raconter cela à quelqu'un ?

Pouffant de rire, Fudge avait alors jeté de la poudre dans la cheminée puis s'était avancé au milieu d'un jaillissement de flammes vert émeraude et avait disparu dans un bruit de bourrasque. Le Premier Ministre était resté là sans bouger en songeant que, en effet, jamais de sa vie il n'oserait évoquer cette rencontre devant qui que ce soit, car qui donc au monde aurait pu le croire ?

Il avait mis un certain temps à surmonter le choc. Pendant plusieurs jours, il avait essayé de se convaincre lui-même que Fudge n'était qu'une hallucination consécutive au manque de sommeil imposé par une campagne électorale éprouvante. Dans une vaine tentative pour effacer tout rappel de cette désagréable rencontre, il avait donné la gerboise à sa nièce, ravie de ce cadeau, et ordonné à son secrétaire privé d'enlever le portrait du petit homme repoussant qui lui avait annoncé l'arrivée de Fudge. Mais, à la grande horreur du Premier Ministre, on s'était aperçu qu'il était impossible de décrocher le tableau. Lorsque plusieurs menuisiers, un ou deux entrepreneurs de travaux publics, un historien d'art et le chancelier de l'Échiquier eurent essayé sans succès de l'arracher du mur, le Premier Ministre finit par abandonner et se contenta d'espérer que la chose resterait immobile et silencieuse jusqu'à la fin de son mandat. De temps à autre, il aurait juré avoir vu du coin de l'œil l'occupant du tableau bâiller ou se gratter le nez ; et même, à une ou deux reprises, quitter simplement son cadre et ne laisser derrière lui qu'un morceau de toile marron, couleur de boue. Il s'était cependant entraîné à ne pas regarder le tableau trop souvent et se répétait toujours avec conviction que ses yeux lui jouaient des tours chaque fois qu'un tel phénomène se produisait.

Puis, trois ans auparavant, une nuit comme celle-ci, alors que le Premier Ministre se trouvait encore une fois seul dans son bureau, le portrait lui avait à nouveau annoncé l'arrivée imminente de Fudge qui avait surgi de la cheminée, trempé jusqu'aux os et dans un état de terreur considérable. Avant que le Premier Ministre ait eu le temps de lui demander pourquoi il était venu dégouliner sur son précieux tapis d'Axminster, Fudge avait tenu des propos extravagants au sujet d'une prison dont le Premier Ministre n'avait jamais entendu parler, d'un homme du nom de « Sérieux » Black, d'un endroit appelé Poudlard, d'après ce qu'il avait compris, et d'un garçon nommé Harry Potter, toutes choses qui n'avaient rigoureusement aucun sens pour le chef du gouvernement.

– Je reviens d'Azkaban, disait Fudge d'une voix haletante, laissant couler du bord de son chapeau melon une bonne quantité d'eau qui s'était engouffrée dans sa poche. Au milieu de la mer du Nord, des conditions de vol épouvantables... les Détraqueurs sont furieux...

Il frissonnait des pieds à la tête.

– Il n'y avait encore jamais eu d'évasion. En tout cas, il fallait absolument que je vous voie, monsieur le Premier Ministre. Black est un tueur de Moldus bien connu et il a peut-être l'intention de rejoindre Vous-Savez-Qui... mais bien sûr, vous ne savez même pas qui est Vous-Savez-Qui !

Après avoir regardé un moment le Premier Ministre d'un air navré, il reprit :

– Allons, asseyez-vous, asseyez-vous, il vaut mieux que je vous mette au courant... Prenez donc un whisky...

Le Premier Ministre n'aimait pas beaucoup qu'on l'invite à s'asseoir dans son propre bureau, encore moins qu'on lui offre son propre whisky, mais il s'installa quand même dans son fauteuil. Fudge avait sorti sa baguette et fait apparaître deux grands verres pleins d'un liquide ambré. Il en mit un dans la main du Premier Ministre et s'assit à son tour.

Fudge avait parlé pendant plus d'une heure. A un moment de son récit, il s'était refusé à prononcer un certain nom à haute voix et avait préféré l'écrire sur un morceau de parchemin qu'il avait glissé dans l'autre main du Premier Ministre, celle qui ne tenait pas le whisky. Lorsque Fudge s'était enfin levé pour partir, le Premier Ministre s'était levé à son tour.

– Vous pensez donc que...

Il avait jeté un coup d'œil au morceau de parchemin dans sa main gauche.

– Que Lord Vol...

– *Celui-Dont-On-Ne-Doit-Pas-Prononcer-Le-Nom !* gronda Fudge.

– Désolé... vous pensez donc que Celui-Dont-On-Ne-Doit-Pas-Prononcer-Le-Nom est toujours vivant ?

– D'après Dumbledore, oui, répondit Fudge qui avait attaché sous son menton sa cape à rayures, mais nous ne l'avons jamais retrouvé. Si vous voulez mon avis, il n'est pas dangereux tant qu'il n'est pas aidé par quelqu'un, c'est donc de Black qu'il faut s'occuper. Vous allez publier cette mise en garde, n'est-ce pas ? Parfait. Eh bien, j'espère que nous n'aurons plus l'occasion de nous revoir, monsieur le Premier Ministre ! Bonne nuit.

Mais ils s'étaient revus. Moins d'un an plus tard, un Fudge à la mine désemparée avait surgi de nulle part au milieu du bureau pour informer le Premier Ministre qu'ils avaient eu quelques soucis lors de la Coupe du Monde de Kouidditch (c'était en tout cas le mot qu'il avait cru entendre) et que plusieurs Moldus s'étaient trouvés « impliqués » mais il n'y avait pas lieu de s'inquiéter, le fait qu'on ait vu réapparaître la Marque de Vous-Savez-Qui ne signifiait rien ; Fudge était certain qu'il s'agissait d'un incident isolé et le Bureau de liaison des Moldus procédait en ce moment même à toutes les modifications de mémoire nécessaires.

– Ah, j'allais oublier, avait ajouté Fudge. Nous allons faire venir de l'étranger trois dragons et un sphinx pour le Tournoi des Trois Sorciers, simple routine, mais le Département de contrôle et de régulation des créatures magiques m'a rappelé que le règlement obligeait à vous avertir lorsqu'on amène dans le pays des animaux hautement dangereux.

– Je... Quoi ? Des *dragons* ? balbutia le Premier Ministre.

– Oui, trois, répondit Fudge. Et un sphinx. Voilà, bonne journée.

Le Premier Ministre espérait contre toute attente qu'on avait atteint le pire avec les dragons et les sphinx, mais il se trompait. Moins de deux ans plus tard, Fudge avait à nouveau surgi de la cheminée pour annoncer cette fois qu'il y avait eu une évasion massive de prisonniers à Azkaban.

– Une évasion *massive* ? avait répété le Premier Ministre d'une voix rauque.

– Ne vous inquiétez pas, ne vous inquiétez pas ! s'était écrié Fudge qui avait déjà remis un pied dans les flammes. Nous allons les retrouver en un rien de temps – j'ai simplement pensé qu'il valait mieux vous tenir au courant.

Et avant que le Premier Ministre ait eu le temps de s'exclamer : « Attendez un peu ! », Fudge avait disparu dans une pluie d'étincelles vertes.

Malgré tout ce que pouvaient dire la presse et l'opposition, le Premier Ministre n'était pas un imbécile. Il ne lui avait pas échappé qu'en dépit des assurances de Fudge lors de leur première rencontre, ils se voyaient désormais assez souvent et que Fudge semblait de plus en plus agité à chaque visite. Même s'il s'efforçait de penser le moins possible au ministre de la Magie (ou plutôt, comme il l'appelait dans sa tête, à l'*autre* ministre), le chef du gouvernement ne pouvait s'empêcher de craindre qu'à sa prochaine apparition, Fudge n'ait des nouvelles plus graves encore à lui annoncer. Aussi, lorsqu'il vit Fudge sortir une fois de plus de sa cheminée, échevelé, fébrile, et sérieusement étonné que le Premier Ministre ne sache pas pourquoi il était venu, ce fut pour lui le pire événement qui se soit produit au cours d'une semaine déjà particulièrement sombre.

– Comment pourrais-je savoir ce qui se passe dans la... heu... communauté des sorciers ? lança le Premier Ministre d'un ton sec. J'ai tout un pays à gouverner et suffisamment de soucis en ce moment sans que...

– Nos soucis sont les mêmes, l'interrompit Fudge. Ce n'est pas l'usure qui a provoqué l'effondrement du pont de Brockdale. L'ouragan n'en était pas vraiment un. Ces meurtres n'étaient pas l'œuvre de Moldus. Et la famille de Herbert Chorley serait beaucoup plus en sécurité si elle le voyait moins souvent. Nous sommes en train d'organiser son transfert à l'hôpital Ste Mangouste pour les maladies et blessures magiques. Il devrait y être transporté cette nuit.

– Qu'est-ce que vous... J'ai peur de ne... *Quoi ?* s'exclama le Premier Ministre.

Fudge prit une longue et profonde inspiration avant de répondre :

– Monsieur le Premier Ministre, j'ai le très grand regret de vous informer qu'il est de retour. Celui-Dont-On-Ne-Doit-Pas-Prononcer-Le-Nom est revenu.

– Revenu ? Quand vous dites revenu... Cela signifie qu'il est vivant ? Je veux dire...

Le Premier Ministre essaya de retrouver dans sa mémoire les détails de cette horrible conversation qu'ils avaient eue trois ans auparavant, lorsque Fudge lui avait parlé du sorcier qu'on redoutait le plus au monde, celui qui avait commis un bon millier de crimes avant de disparaître mystérieusement quinze ans plus tôt.

– Oui, vivant, confirma Fudge. Ou plutôt – je ne sais pas – un homme est-il vivant s'il est impossible de le tuer ? C'est une chose que j'ai du mal à comprendre et que Dumbledore ne m'a jamais expliquée clairement, mais en tout cas, il a un corps et il marche, il parle, il assassine, donc je suppose que, faute d'un meilleur terme, on peut affirmer qu'il est vivant.

Le Premier Ministre ne sut que répondre mais, fidèle à une vieille habitude qui consistait à vouloir toujours apparaître bien informé sur tous les sujets, il fouilla dans ses souvenirs pour y retrouver quelques détails de leurs entretiens passés.

– Est-ce que ce Sérieux Black a... heu... rejoint Celui-Dont-On-Ne-Doit-Pas-Prononcer-Le-Nom ?

– Black ? Black ? dit Fudge, l'air affolé, en tournant précipitamment son chapeau melon entre ses mains. Vous voulez dire Sirius Black ? Par la barbe de Merlin, non. Black est mort. Il se trouve que nous nous étions... heu... trompés à son sujet. Finalement, il était innocent. Et il n'était pas non plus allié à Celui-Dont-On-Ne-Doit-Pas-Prononcer-Le-Nom. Je veux dire par là, ajouta-t-il sur la défensive, en faisant tourner son chapeau melon de plus en plus vite, que tous les indices le désignaient comme coupable – nous avions plus de cinquante témoins – mais de toute façon, comme je le disais, il est mort. Assassiné, pour être précis. Dans l'enceinte du ministère de la Magie. Une enquête va être menée...

A sa grande surprise, le Premier Ministre éprouva pour Fudge un élan fugitif de compassion qui fit place presque aussitôt à un sentiment de supériorité : peut-être n'était-il pas très doué pour surgir des cheminées mais au moins, il n'y avait jamais eu de meurtre dans aucun ministère sous *son* gouvernement... pas encore en tout cas...

Tandis que le Premier Ministre touchait subrepticement le bois de son bureau, Fudge poursuivit :

– Mais Black est passé au second plan. L'important, c'est que nous sommes en guerre, à présent, monsieur le Premier Ministre, et il faut prendre des dispositions.

– En guerre ? répéta le Premier Ministre, mal à l'aise. Le terme est sans doute un peu exagéré.

– Celui-Dont-On-Ne-Doit-Pas-Prononcer-Le-Nom a désormais été rejoint par ceux de ses fidèles qui se sont évadés d'Azkaban en janvier, dit Fudge qui parlait de plus en plus rapidement et tournait son chapeau melon si vite qu'on ne voyait plus qu'une tache vert vif. Depuis qu'ils sont revenus au grand jour, ils ont provoqué des ravages. Le pont de Brockdale – c'est lui, monsieur le Premier Ministre, il a menacé de tuer des Moldus en masse si je ne m'écartais pas de son chemin pour que lui et ses...

– Grand Dieu, ces gens ont donc été tués par *votre* faute alors que c'est moi qui dois répondre aux questions sur les haubans rouillés, les joints de dilatation corrodés et je ne sais quoi encore ! s'écria le Premier Ministre furieux.

– Ma faute ! répliqua Fudge dont le teint avait pris une couleur plus soutenue. Êtes-vous en train de dire que vous-même auriez cédé à un tel chantage ?

– Peut-être pas, admit le Premier Ministre qui se leva et

fit les cent pas dans son bureau. Mais j'aurais fait tous les efforts possibles pour attraper le maître chanteur avant qu'il n'ait le temps de commettre une telle atrocité !

– Vous croyez donc que je n'ai fait aucun effort ? demanda Fudge avec fougue. Tous les Aurors du ministère ont essayé – et essayent toujours – de le retrouver et d'arrêter ses partisans, mais nous avons affaire là au plus puissant sorcier de tous les temps, un sorcier qui a réussi à échapper à la justice pendant près de trois décennies !

– Et maintenant, vous allez m'annoncer que c'est lui aussi qui a provoqué l'ouragan dans le Sud-Ouest, j'imagine ? dit le Premier Ministre, s'énervant un peu plus à chaque pas.

Il était exaspérant de découvrir la raison de tous ces terribles désastres sans pouvoir en informer le public ; c'était finalement presque pire que si le gouvernement en avait été le véritable responsable.

– Ce n'était pas un ouragan, répondit Fudge d'un ton piteux.

– Je vous demande pardon ! aboya le Premier Ministre qui, à présent, tapait littéralement du pied en arpentant son bureau. Des arbres déracinés, des toitures arrachées, des réverbères tordus, d'horribles blessures...

– C'était l'œuvre des Mangemorts, expliqua Fudge. Les fidèles de Celui-Dont-On-Ne-Doit-Pas-Prononcer-Le-Nom. Et... nous soupçonnons la complicité de géants.

Le Premier Ministre se figea sur place comme s'il avait heurté un mur invisible.

– La complicité de *qui* ?

Fudge fit une grimace.

– Il a eu recours à des géants la dernière fois, quand il a voulu faire du grand spectacle. Le Bureau de la désinformation a travaillé jour et nuit, nous avons envoyé des équipes d'Oubliators pour essayer de modifier la mémoire des Moldus qui avaient vu ce qui s'était véritablement passé, la plupart des membres du Département de contrôle et de régulation des créatures magiques ont sillonné tout le comté du Somerset, dans le sud-ouest du pays, mais nous n'avons pas retrouvé de géant – c'était un désastre.

– Je ne vous le fais pas dire ! commenta le Premier Ministre d'un ton furieux.

– Je ne vous cache pas que le moral est plutôt bas au ministère, déclara Fudge. Et avec tout ça, nous avons eu en plus à déplorer la perte d'Amelia Bones.

– La perte de qui ?

– Amelia Bones, directrice du Département de la justice magique. Nous pensons que Celui-Dont-On-Ne-Doit-Pas-Prononcer-Le-Nom pourrait bien l'avoir tuée de sa main car c'était une sorcière très douée et... et d'après tous les indices dont nous disposons, elle a livré un combat acharné.

Fudge s'éclaircit la gorge, puis, faisant apparemment un effort sur lui-même, cessa de tourner son chapeau melon entre ses mains.

– Mais ce meurtre a été relaté dans les journaux, remarqua le Premier Ministre, qui oublia momentanément sa colère. Dans *nos* journaux. Amelia Bones... On a simplement dit que c'était une femme d'âge mûr qui vivait seule. Le meurtre a été... cruel, n'est-ce pas ? On en a pas mal parlé. La police ne comprend pas ce qui a pu se passer.

Fudge soupira.

– Ça ne m'étonne pas. Tuée dans une pièce fermée de l'intérieur. De notre côté, nous savons parfaitement qui est le coupable, ce qui ne nous permet pas pour autant de le retrouver. Et puis, il y a eu Emmeline Vance, peut-être n'avez-vous pas entendu parler d'elle...

– Oh mais si ! répondit le Premier Ministre. Ça s'est même produit à deux pas d'ici. Les journaux en ont fait leurs choux gras : *Crime dans le jardin du Premier Ministre*...

– Et comme si tout cela n'était pas suffisant, reprit Fudge qui écoutait à peine son interlocuteur, nous avons des Détraqueurs qui se promènent un peu partout en attaquant les gens à droite et à gauche...

Autrefois, en des temps plus heureux, cette phrase n'aurait eu aucun sens pour le Premier Ministre mais il avait beaucoup appris depuis.

– Je croyais que les Détraqueurs gardaient les détenus d'Azkaban ? dit-il avec prudence.

– C'était vrai, répondit Fudge d'un ton las. Mais ce n'est plus le cas. Ils ont déserté leurs postes et rejoint Celui-Dont-On-Ne-Doit-Pas-Prononcer-Le-Nom. Je ne vous cache pas que ce fut un rude coup.

– Mais, reprit le Premier Ministre, qui sentait naître en lui un sentiment d'horreur, ne m'avez-vous pas dit que ces créatures enlèvent à ceux qu'ils approchent tout bonheur et tout espoir ?

– En effet. Et ils se multiplient. C'est cela qui provoque toute cette brume.

Le Premier Ministre, les jambes soudain flageolantes, se laissa tomber dans le fauteuil le plus proche. A l'idée que des créatures invisibles s'abattaient sur les villes et les campagnes en répandant le désespoir et la consternation parmi ses électeurs, il se sentit au bord de l'évanouissement.

– Écoutez, Fudge... Il faut absolument que vous fassiez

quelque chose ! C'est votre responsabilité en tant que ministre de la Magie !

– Mon cher Premier Ministre, vous n'allez quand même pas penser que je suis toujours ministre de la Magie après tout cela ? J'ai été remercié il y a trois jours ! La communauté des sorciers au complet a hurlé pendant deux semaines pour exiger ma démission. Je ne les avais jamais vus aussi unis tout au long de mon mandat ! dit Fudge en essayant courageusement de sourire.

Pendant quelques instants, le Premier Ministre resta sans voix. Tout indigné qu'il fût d'avoir été placé dans cette situation, il ne pouvait s'empêcher de ressentir une certaine sympathie pour l'homme à la mine fripée assis en face de lui.

– Je suis vraiment désolé, dit-il enfin. Puis-je vous apporter mon aide ?

– C'est très aimable à vous, monsieur le Premier Ministre, mais vous ne pouvez rien faire. J'ai été envoyé chez vous ce soir pour vous mettre au courant des derniers événements et vous présenter à mon successeur. Il devrait déjà être arrivé maintenant mais bien sûr, il est débordé ces temps-ci, avec tout ce qui se passe.

Fudge se retourna vers le portrait de l'affreux petit homme coiffé de sa perruque aux longues boucles argentées. Il était occupé à se curer l'oreille avec la pointe d'une plume.

Croisant le regard de Fudge, le portrait annonça :

– Il sera là dans un instant. Il termine une lettre destinée à Dumbledore.

– Je lui souhaite bien du plaisir, dit Fudge qui, pour la première fois, eut un ton amer. J'ai écrit à Dumbledore deux lettres par jour au cours des deux dernières semaines mais il n'a pas réagi. S'il avait été disposé à convaincre le jeune homme, j'aurais pu être encore... Enfin, peut-être que Scrimgeour aura plus de succès.

Fudge se réfugia dans un silence manifestement agacé mais presque aussitôt rompu par le portrait qui reprit soudain la parole, de sa voix tranchante, officielle :

– Au Premier Ministre des Moldus : « Demande de rendez-vous urgent. Veuillez répondre immédiatement. Rufus Scrimgeour, ministre de la Magie. »

– Oui, oui, très bien, répondit distraitement le Premier Ministre.

Il tressaillit à peine lorsque les flammes de la cheminée se teintèrent à nouveau d'une couleur vert émeraude puis s'élevèrent dans l'âtre, laissant apparaître en leur centre un deuxième sorcier qui tourna sur lui-même et atterrit à son tour sur le tapis ancien. Fudge se leva. Après un moment d'hésitation, le Premier Ministre l'imita, regardant le nouveau venu se redresser, épousseter sa longue robe noire et jeter un coup d'œil autour de lui.

La première pensée, irréfléchie, du Premier Ministre fut que Rufus Scrimgeour ressemblait à un vieux lion. Il y avait des traînées grises dans sa crinière de cheveux fauves et ses sourcils broussailleux ; ses yeux au regard aigu brillaient d'un reflet jaune derrière des lunettes cerclées de fer et il marchait à longs pas souples et gracieux malgré une légère claudication. Il se dégageait de lui une impression immédiate d'intelligence, de sagacité, de dureté aussi ; le Premier Ministre comprenait pourquoi la communauté des sorciers avait préféré choisir comme chef Scrimgeour plutôt que Fudge en ces temps périlleux.

– Très heureux de faire votre connaissance, dit le Premier Ministre d'un ton courtois en tendant la main.

Scrimgeour la lui serra brièvement, son regard examinant la pièce, puis il sortit une baguette magique de sa robe de sorcier.

– Fudge vous a mis au courant de tout ? demanda-t-il.

Il s'avança vers la porte à grandes enjambées et tapota le trou de la serrure avec sa baguette. Le Premier Ministre entendit le cliquetis du verrou qui s'enclenchait.

– Heu... oui, répondit-il. Et si vous n'y voyez pas d'inconvénient, je préférerais que cette porte ne soit pas fermée à clé.

– Et moi, je préférerais ne pas être interrompu, répliqua sèchement Scrimgeour, ni observé, ajouta-t-il en pointant sa baguette vers la fenêtre pour fermer les rideaux. J'ai beaucoup de travail alors, justement, parlons travail. Tout d'abord, il faut s'occuper de votre sécurité.

Le Premier Ministre se redressa de toute sa taille et répliqua :

– Je suis parfaitement satisfait des mesures de sécurité qui m'entourent, merci beau...

– Eh bien, pas nous, coupa Scrimgeour. Il serait fort regrettable pour les Moldus que leur Premier Ministre soit soumis au sortilège de l'Imperium. Le nouveau secrétaire, dans le bureau d'accueil...

– Il n'est pas question que je me sépare de Kingsley Shacklebolt, si c'est ce que vous entendez par là ! protesta le Premier Ministre avec fougue. Il est très efficace et accomplit deux fois plus de travail que tous les autres...

– Parce que c'est un sorcier, dit Scrimgeour sans l'ombre d'un sourire. Un Auror d'élite à qui nous avons confié le soin de vous protéger.

– Attendez un peu ! s'exclama le Premier Ministre. Vous n'avez pas le droit de mettre qui bon vous semble dans mon bureau, c'est moi qui choisis mes collaborateurs...

– Je croyais que vous étiez content de Shacklebolt ? répliqua froidement Scrimgeour.

– Je suis... je veux dire, j'étais...

– Dans ce cas, il n'y a pas de problème, n'est-ce pas ?

– Je... du moment que le travail de Shacklebolt continue d'être... heu... excellent, déclara le Premier Ministre d'une voix mal assurée mais Scrimgeour semblait à peine l'entendre.

– Venons-en maintenant à Herbert Chorley, votre secrétaire d'État, reprit Scrimgeour. Celui qui amusait le public en imitant un canard.

– Qu'avez-vous à m'apprendre à son sujet ? interrogea le Premier Ministre.

– Il a manifestement agi sous l'emprise d'un sortilège d'Imperium médiocrement exécuté, répondit Scrimgeour. Il est en pleine confusion mentale mais peut encore être dangereux.

– Il se contente de faire coin coin ! dit le Premier Ministre d'une voix faible. Je suis sûr que s'il prend un peu de repos... s'il ne force pas trop sur la bouteille...

– Une équipe de guérisseurs de l'hôpital Ste Mangouste pour les maladies et blessures magiques est en train de l'examiner en ce moment même. Jusqu'à présent, il a essayé d'en étrangler trois. Je pense qu'il est préférable de l'éloigner de la société des Moldus pendant quelque temps.

– Je... enfin... il va s'en sortir, n'est-ce pas ? demanda le Premier Ministre, anxieux.

Scrimgeour se contenta de hausser les épaules, en retournant déjà vers la cheminée.

– Voilà tout ce que j'avais à vous dire. Je vous tiendrai informé de la suite des événements, monsieur le Premier Ministre – ou en tout cas, comme je serai sans doute trop occupé pour venir moi-même, je vous enverrai Fudge. Il a bien voulu continuer à travailler pour nous comme consultant.

Fudge essaya de sourire mais sans succès ; il donnait plutôt l'impression d'avoir une rage de dent. Scrimgeour fouillait dans sa poche pour y prendre une pincée de la mystérieuse poudre qui colorait les flammes en vert. Pendant un moment, le Premier Ministre les regarda tous les deux d'un air désespéré puis les mots qu'il s'était efforcé de ravaler toute la soirée jaillirent enfin :

– Voyons, pour l'amour du ciel... vous êtes des *sorciers* ! Vous pratiquez la *magie* ! Vous êtes sûrement capables d'arranger... *tout ce qui se passe* !

Scrimgeour tourna lentement sur lui-même et échangea un regard incrédule avec Fudge qui parvint cette fois à sourire en répondant d'un ton aimable :

– L'ennui, monsieur le Premier Ministre, c'est que l'autre camp aussi pratique la magie.

Sans rien ajouter, les deux sorciers s'avancèrent l'un derrière l'autre dans les flammes d'un vert étincelant et disparurent aussitôt.

2
L'IMPASSE DU TISSEUR

A des kilomètres de là, la brume glacée que le Premier Ministre avait vue se coller contre les carreaux de ses fenêtres flottait au-dessus des eaux sales de la rivière qui serpentait entre des berges envahies de mauvaises herbes et parsemées d'ordures. Une immense cheminée, vestige d'une usine désaffectée, se dressait comme une ombre menaçante. Il n'y avait aucun son en dehors du murmure de l'eau noire et aucun signe de vie à part un renard décharné qui s'était avancé furtivement sur la rive pour venir renifler avec espoir de vieux emballages de poisson-frites abandonnés dans l'herbe haute.

A cet instant, avec un léger *pop*, une silhouette mince, surgie de nulle part, apparut au bord de la rivière, la tête enveloppée d'un capuchon. Le renard se figea, fixant d'un regard méfiant l'étrange phénomène. Pendant quelques instants, la silhouette sembla examiner les alentours puis elle s'éloigna à pas légers et rapides, sa longue cape bruissant au-dessus des herbes.

Avec un deuxième *pop* plus sonore, une autre silhouette encapuchonnée se matérialisa.

– Attends !

La voix cassante fit sursauter le renard qui s'était tapi, presque à plat ventre, dans les broussailles. Il bondit de sa cachette et remonta précipitamment la berge. Il y eut alors un éclair de lumière verte, un glapissement, et le renard tomba en arrière, mort.

La deuxième silhouette retourna l'animal du bout du pied.

– Un simple renard, dit avec dédain une voix de femme sous le capuchon. Je pensais que c'était peut-être un Auror... Cissy, attends !

Mais l'autre silhouette, qui s'était arrêtée un instant pour regarder l'éclair de lumière verte, grimpait déjà la berge au bas de laquelle le renard était tombé.

– Cissy... Narcissa... écoute-moi...

La deuxième femme rattrapa la première et lui saisit le bras mais l'autre se dégagea d'un geste.

– Va-t'en, Bella !

– Il faut que tu m'écoutes.

– Je t'ai déjà écoutée. J'ai pris ma décision. Laisse-moi tranquille !

La nommée Narcissa atteignit le sommet du talus où une vieille balustrade séparait la rivière d'une étroite rue pavée. L'autre femme, Bella, la suivit aussitôt. Côte à côte, elles regardèrent les interminables rangées de maisons délabrées aux murs de brique qui s'étendaient devant elles, leurs fenêtres éteintes, aveugles dans l'obscurité.

– C'est ici qu'il habite ? demanda Bella d'un ton méprisant. *Ici ?* Dans ce trou de Moldus ? Nous devons être les premières de notre rang à avoir jamais mis les pieds dans...

Mais Narcissa n'écoutait pas ; elle s'était glissée dans une ouverture entre les barreaux rouillés de la balustrade et se hâtait déjà de traverser la rue.

– Cissy, *attends* !

Bella s'élança à sa poursuite, sa cape voltigeant derrière elle, et vit Narcissa s'engouffrer entre deux maisons, dans une allée qui menait à une autre rue presque identique. Plusieurs réverbères étaient cassés et les deux femmes couraient entre des taches de lumière et des ombres noires. La poursuivante rattrapa sa proie au moment où celle-ci tournait à l'angle d'une autre rue, et elle parvint cette fois à lui agripper le bras pour l'obliger à la regarder en face.

– Cissy, il ne faut pas agir ainsi, tu ne peux pas lui faire confiance.

– Le Seigneur des Ténèbres a confiance en lui, non ?

– Je crois que... le Seigneur des Ténèbres... a été abusé..., dit Bella, la voix haletante.

Ses yeux brillèrent un instant sous son capuchon quand elle regarda autour d'elle pour s'assurer qu'elles étaient bien seules.

– En tout cas, on nous a dit qu'il ne fallait parler du plan à personne. Ce serait trahir le Seigneur des Ténèbres que de...

– Lâche-moi, Bella ! gronda Narcissa.

Elle tira une baguette magique de sous sa cape et la pointa d'un air menaçant sur le visage de l'autre femme. Bella se contenta d'éclater de rire.

– Cissy, ta propre sœur ? Tu n'oserais quand même pas...

– Il n'y a plus rien que je n'oserais pas ! répliqua Narcissa dans un souffle, une pointe d'hystérie dans la voix.

Elle abaissa la baguette magique à la manière d'un couteau et un nouvel éclair jaillit. Bella lâcha aussitôt le bras de sa sœur comme si quelque chose l'avait brûlée.

– *Narcissa !*

Mais Narcissa était déjà repartie en courant. Sa sœur se frotta la main et se lança à nouveau à sa poursuite, gardant ses distances à présent, alors qu'elles s'enfonçaient plus profondément dans le labyrinthe désert des maisons de brique. Enfin, Narcissa se précipita dans une rue qui s'appelait l'impasse du Tisseur et au-dessus de laquelle la haute cheminée d'usine semblait planer comme un doigt géant dressé dans un geste de réprimande. L'écho de ses pas résonna sur les pavés, tandis qu'elle passait devant des fenêtres cassées et masquées par des planches, jusqu'à ce qu'elle atteigne la toute dernière maison où une faible lueur filtrait à travers les rideaux d'une fenêtre du rez-de-chaussée.

Elle avait déjà frappé à la porte avant que Bella, marmonnant des jurons, n'ait eu le temps de la rattraper. Elles attendirent côte à côte, légèrement essoufflées, respirant l'odeur d'eau croupie qu'une brise nocturne apportait de la rivière. Quelques secondes plus tard, elles entendirent remuer derrière la porte qui s'entrebâilla légèrement. Elles entrevirent alors un homme qui les regarda, un homme aux longs cheveux noirs encadrant comme deux rideaux un visage cireux, et aux yeux également noirs.

Narcissa ôta son capuchon. Elle était si pâle qu'elle semblait briller dans l'obscurité ; sa chevelure blonde qui ruisselait dans son dos lui donnait l'air d'une noyée.

– Narcissa ! dit l'homme.

Il ouvrit la porte un peu plus largement, la lumière qui venait de l'intérieur éclairant les deux sœurs.

– Quelle bonne surprise !

– Severus, dit Narcissa dans un murmure, la voix tendue. Puis-je te parler ? C'est urgent.

– Mais bien sûr.

Il s'écarta pour la laisser entrer. Sa sœur qui avait gardé son capuchon sur la tête la suivit sans y avoir été invitée.

– Rogue, bonsoir, dit-elle d'un ton cassant en passant devant lui.

– Bonsoir, Bellatrix, répondit-il, ses lèvres minces se recourbant en un sourire légèrement moqueur tandis qu'il refermait la porte d'un coup sec.

Elles étaient entrées directement dans un minuscule salon qui faisait penser à une cellule capitonnée, plongée dans la pénombre. Les murs étaient entièrement couverts de livres, la plupart reliés en vieux cuir noir ou marron ; un canapé élimé, un fauteuil délabré et une table branlante étaient regroupés dans le faible rond de lumière que projetaient les chandelles d'une lampe accrochée au plafond. L'endroit paraissait négligé, comme s'il n'était habité qu'occasionnellement.

Rogue fit signe à Narcissa de s'asseoir sur le canapé. Elle se débarrassa de sa cape, la jeta à côté d'elle et s'assit, regardant ses mains blanches et tremblantes serrées sur ses genoux. Bellatrix enleva son capuchon plus lentement. Aussi brune que sa sœur était blonde, les paupières lourdes, la mâchoire forte, elle garda les yeux fixés sur Rogue pendant qu'elle allait rejoindre Narcissa, restant debout derrière elle.

– Que puis-je faire pour vous ? demanda Rogue qui s'installa lui-même dans le fauteuil, face aux deux sœurs.

– Nous… nous sommes seuls, n'est-ce pas ? demanda Narcissa à voix basse.

– Bien sûr. Enfin, il y a Queudver, mais la vermine ne compte pas.

Il pointa sa baguette magique vers le mur de livres situé derrière lui. Avec un *bang* sonore, une porte secrète s'ouvrit à la volée, révélant un escalier étroit sur lequel un petit homme se tenait debout, figé sur place.

– Comme tu t'en es sûrement aperçu, Queudver, nous avons des invitées, annonça Rogue d'un ton nonchalant.

Le dos voûté, l'homme descendit lentement les dernières marches et entra dans la pièce. Il avait de petits yeux larmoyants, un nez pointu et affichait un sourire affecté particulièrement déplaisant. De la main gauche, il se caressait la main droite qui semblait couverte d'un gant en argent étincelant.

– Narcissa ! s'exclama-t-il d'une petite voix aiguë, et Bellatrix ! Quelle joie...

– Si vous le désirez, Queudver peut aller nous chercher quelque chose à boire, dit Rogue. Ensuite, il retournera dans sa chambre.

Queudver tressaillit comme si Rogue lui avait jeté un objet à la tête.

– Je ne suis pas ton serviteur ! couina-t-il en évitant le regard de Rogue.

– Vraiment ? J'avais pourtant l'impression que le Seigneur des Ténèbres t'avait envoyé ici pour m'assister.

– T'assister, oui, mais pas pour t'apporter à boire et... faire le ménage !

– Je ne savais pas, Queudver, que tu éprouvais l'envie irrésistible d'accomplir des missions plus dangereuses, dit Rogue d'une voix mielleuse. Il serait très facile de t'arranger cela : j'en parlerai au Seigneur des Ténèbres...

– Je peux lui parler moi-même, si je le veux !

– Bien sûr que tu le peux, répliqua Rogue d'un ton sarcastique. Mais en attendant, apporte-nous à boire. Le vin des elfes fera l'affaire.

Queudver hésita un instant, en ayant l'air de vouloir discuter, mais il finit par tourner les talons et se dirigea vers une deuxième porte cachée. Ils entendirent des bruits sonores puis un tintement de verre. Quelques secondes plus tard, il était de retour, portant une bouteille poussiéreuse et trois verres sur un plateau. Il laissa tomber le tout sur la table branlante et se hâta de fuir leur présence, claquant derrière lui la porte recouverte de livres.

Rogue versa trois verres de vin rouge sang et en tendit un à chacune des deux sœurs. Narcissa murmura un mot de remerciement tandis que Bellatrix se taisait en continuant de fixer Rogue d'un regard flamboyant, ce qui ne semblait nullement l'impressionner ; il paraissait au contraire plutôt amusé.

– Au Seigneur des Ténèbres, lança-t-il.

Il leva son verre et le vida.

Les deux sœurs l'imitèrent et Rogue remplit à nouveau leurs verres.

Après avoir repris le sien, Narcissa dit précipitamment :

– Severus, je suis désolée de venir ici à l'improviste mais il fallait que je te voie. Je pense que tu es le seul à pouvoir m'aider...

Rogue leva une main pour l'interrompre puis il pointa une nouvelle fois sa baguette vers la porte de l'escalier dérobé. Il y eut un grand *bang* puis un petit cri, suivi du bruit des pas de Queudver qui remontait les marches quatre à quatre.

– Toutes mes excuses, dit Rogue. Ces temps derniers, il s'est mis à écouter aux portes. Je ne sais pas ce qu'il a derrière la tête... Tu disais donc, Narcissa ?

Elle prit une profonde inspiration qui la fit frissonner puis poursuivit :

– Severus, je sais que je ne devrais pas être ici. On m'a

bien expliqué que je ne devais rien révéler à personne, mais...

– Dans ce cas, tu devrais tenir ta langue ! gronda Bellatrix. Surtout en pareille compagnie !

– En pareille compagnie ? répéta Rogue d'un ton railleur. Que dois-je comprendre par là, Bellatrix ?

– Que je n'ai pas confiance en toi, Rogue, comme tu le sais très bien !

Narcissa émit un son qui ressemblait à un sanglot et se couvrit le visage de ses mains. Rogue posa son verre sur la table et s'installa confortablement, les mains sur les bras de son fauteuil, souriant devant la mine furieuse de Bellatrix.

– Narcissa, je crois que nous devrions écouter ce que Bellatrix brûle de nous dire ; cela nous évitera des interruptions fastidieuses. Vas-y, Bellatrix, continue, l'encouragea Rogue. Pourquoi n'as-tu pas confiance en moi ?

– Pour une bonne centaine de raisons ! répondit-elle d'une voix forte, contournant le canapé à grands pas pour venir poser brutalement son verre sur la table. Je ne sais pas par où commencer ! Où étais-tu lors de la chute du Seigneur des Ténèbres ? Pourquoi n'as-tu jamais tenté de le retrouver quand il a disparu ? Qu'as-tu fait pendant toutes ces années où tu as vécu dans le giron de Dumbledore ? Pourquoi as-tu empêché le Seigneur des Ténèbres de se procurer la pierre philosophale ? Pourquoi n'es-tu pas aussitôt retourné auprès de lui lorsqu'il est revenu à la vie ? Où étais-tu, il y a quelques semaines, quand nous nous sommes battus pour essayer de récupérer la prophétie que voulait le Seigneur des Ténèbres ? Et pourquoi, Rogue, Harry Potter est-il toujours vivant, alors que tu l'as eu à ta merci pendant cinq ans ?

Elle s'interrompit, sa poitrine se soulevant à un rythme accéléré, le rouge lui montant aux joues. Derrière elle,

Narcissa était restée assise, immobile, le visage toujours caché dans ses mains.

Rogue sourit.

– Avant de te répondre – car je vais te répondre, Bellatrix ! Tu pourras répéter mes paroles aux autres, à tous ceux qui chuchotent derrière mon dos et colportent des histoires fausses sur ma trahison du Seigneur des Ténèbres ! Avant de te répondre, dis-je, permets-moi à mon tour de te demander quelque chose. Crois-tu donc vraiment que le Seigneur des Ténèbres ne m'a pas déjà posé chacune de ces questions ? Et crois-tu vraiment que si je n'avais pas été capable de lui donner des réponses satisfaisantes, je serais assis là à parler avec toi ?

Elle hésita.

– Je sais qu'il te croit, mais…

– Tu penses qu'il se trompe ? Que j'aurais réussi à le berner ? A duper le Seigneur des Ténèbres, le plus grand sorcier, le legilimens le plus accompli que le monde ait jamais connu ?

Bellatrix ne répondit rien mais pour la première fois, elle parut un peu déconcertée. Rogue n'insista pas sur ce point. Il reprit son verre, but une gorgée et poursuivit :

– Tu me demandes où j'étais lors de la chute du Seigneur des Ténèbres. J'étais là où il m'avait ordonné d'aller, à l'école de sorcellerie de Poudlard, parce qu'il voulait que j'espionne Albus Dumbledore. Tu sais sans doute que c'est sur l'ordre du Seigneur des Ténèbres que j'ai pris ce poste ?

Bellatrix eut un hochement de tête presque imperceptible puis ouvrit la bouche, mais Rogue la devança :

– Tu demandes pourquoi je n'ai pas essayé de le retrouver quand il a disparu. Pour la même raison qu'Avery, Axley, les Carrow, Greyback, Lucius – il inclina légèrement la tête vers Narcissa – et bien d'autres qui, eux non plus, n'ont pas cherché à le retrouver. Je le croyais fini. Je ne suis pas fier de l'avouer, je me suis trompé, mais c'est ainsi... S'il ne nous avait pas pardonné, à nous qui avions perdu foi à cette époque, il ne lui serait resté que très peu de fidèles.

– Il m'aurait eue moi ! dit Bellatrix avec passion. Moi qui ai passé tant d'années à Azkaban pour lui !

– Oui, en effet, c'est admirable, répondit Rogue d'une voix teintée d'ennui. Bien sûr, tu ne lui as pas été très utile en prison mais le geste était beau, sans nul doute...

– Le geste ! s'écria-t-elle d'un ton perçant.

Dans sa fureur, elle avait l'air un peu démente.

– Pendant que je subissais les Détraqueurs, toi, tu étais confortablement installé à Poudlard, où tu jouais le caniche de Dumbledore !

– Pas vraiment, répliqua Rogue avec calme. Tu sais bien qu'il a refusé de me confier les cours de défense contre les forces du Mal. Il avait l'air de penser que cela pourrait, disons, provoquer une rechute... m'inciter à reprendre mes anciennes habitudes.

– C'était ça, ton sacrifice au Seigneur des Ténèbres, ne pas enseigner ta matière préférée ? ironisa Bellatrix. Pourquoi es-tu resté là-bas tout ce temps, Rogue ? Tu continuais à espionner Dumbledore pour le compte d'un maître que tu croyais mort ?

– Certainement pas, répondit Rogue, bien que le Seigneur des Ténèbres soit très content que je n'aie jamais abandonné mon poste ; pendant seize ans, j'ai recueilli sur Dumbledore des informations que j'ai pu lui communiquer, un cadeau un peu plus utile pour saluer son retour que les interminables rappels des désagréments de la vie à Azkaban...

– Mais tu es resté…

– Oui, Bellatrix, je suis resté, dit Rogue en trahissant pour la première fois une pointe d'agacement. J'avais un travail confortable que je préférais à un séjour à Azkaban. Ils arrêtaient les Mangemorts, comme tu le sais. La protection de Dumbledore m'a épargné la prison, c'était très pratique et je m'en suis servi. Je le répète : le Seigneur des Ténèbres ne se plaint pas que je sois resté, donc je ne vois pas pourquoi toi, tu me le reprocherais. Ensuite, poursuivit-il d'une voix un peu plus forte, car Bellatrix manifestait l'envie de l'interrompre, je crois que tu voulais savoir pourquoi j'ai fait obstacle à ce que le Seigneur des Ténèbres s'empare de la pierre philosophale. La réponse est facile. Il ne savait pas à l'époque s'il pouvait avoir confiance en moi. Il pensait, comme toi, que j'avais cessé d'être un fidèle Mangemort pour devenir le comparse de Dumbledore. Il était dans un état pitoyable, très faible, partageant le corps d'un sorcier médiocre. Il n'osait pas se dévoiler à un ancien allié si cet allié risquait de le dénoncer à Dumbledore ou au ministère. Je regrette profondément qu'il n'ait pas eu confiance en moi. Il serait revenu au pouvoir trois ans plus tôt. Mais je ne voyais pour ma part que ce Quirrell cupide et indigne qui essayait de voler la pierre, et j'avoue avoir tout fait pour qu'il n'y parvienne pas.

La bouche de Bellatrix se tordit comme si elle venait d'avaler un médicament au goût infect.

– Mais tu n'as pas repris ta place auprès de lui au moment de son retour, tu n'as pas volé immédiatement vers lui lorsque tu as senti la brûlure de la Marque des Ténèbres…

– Exact, je suis venu le retrouver deux heures plus tard. Sur ordre de Dumbledore.

– Sur ordre de…, commença-t-elle d'un ton outragé.

– Réfléchis un peu, l'interrompit Rogue, à nouveau agacé. Réfléchis ! En attendant deux heures, simplement deux heures, je m'assurais que je pourrais rester à Poudlard comme espion ! En laissant croire à Dumbledore que je revenais auprès du Seigneur des Ténèbres uniquement parce que j'en recevais l'ordre, j'ai pu communiquer pendant tout ce temps des informations sur Dumbledore et l'Ordre du Phénix ! Pense à cela, Bellatrix : la Marque des Ténèbres était devenue plus intense depuis des mois, je savais que son retour était proche, tous les Mangemorts le savaient ! J'avais alors bien assez de temps pour songer à ce que je voulais faire, m'organiser, m'enfuir comme Karkaroff, tu ne crois pas ?

« Le déplaisir que mon retard avait tout d'abord suscité chez le Seigneur des Ténèbres s'est très vite évanoui, je peux te l'assurer, lorsque j'ai expliqué que je lui étais resté fidèle alors que Dumbledore croyait que je travaillais pour lui. Oui, le Seigneur des Ténèbres pensait que je l'avais quitté à jamais, mais il se trompait.

– Et à quoi as-tu servi ? demanda Bellatrix d'un ton railleur. Quelles sont les informations utiles que nous avons obtenues grâce à toi ?

– Elles ont été directement livrées au Seigneur des Ténèbres, répondit Rogue. S'il a décidé de ne pas les partager avec toi…

– Il partage tout avec moi ! s'exclama Bellatrix, s'enflammant aussitôt. Il me considère comme sa plus loyale, sa plus fidèle…

– Vraiment ? dit Rogue, avec dans la voix une subtile inflexion qui laissait deviner son incrédulité. Est-ce toujours le cas, après le fiasco du ministère ?

– Ce n'était pas ma faute, protesta Bellatrix en s'empourprant. Dans le passé, le Seigneur des Ténèbres m'a confié ses plus précieux... si Lucius n'avait pas...

– Comment oses-tu... comment *oses-tu* mettre mon mari en cause ? s'indigna Narcissa d'une voix basse, menaçante, en levant les yeux vers sa sœur.

– Il n'y a pas lieu de distribuer des blâmes, dit Rogue avec douceur. Ce qui est fait est fait.

– Mais pas par toi ! s'exclama Bellatrix, furieuse. Une fois de plus, tu étais absent pendant que les autres affrontaient le danger, n'est-ce pas, Rogue ?

– J'avais reçu l'ordre de rester en arrière. Peut-être n'es-tu pas d'accord avec le Seigneur des Ténèbres, peut-être penses-tu que Dumbledore n'aurait rien remarqué si j'avais combattu l'Ordre du Phénix aux côtés des Mangemorts ? Et – pardonne-moi – mais quand tu parles de danger... vous aviez en face de vous six adolescents, je crois ?

– Ils ont très vite été rejoints, comme tu le sais parfaitement, par la moitié de l'Ordre du Phénix ! gronda Bellatrix. Et puisqu'on parle de l'Ordre, tu prétends toujours qu'il t'est impossible de révéler le lieu de leur quartier général, n'est-ce pas ?

– Je ne suis pas le Gardien du Secret, je ne peux pas prononcer le nom de l'endroit. Tu dois comprendre comment fonctionne ce sortilège, je pense ? Le Seigneur des Ténèbres est satisfait des renseignements que je lui ai fournis au sujet de l'Ordre. Ils ont conduit, comme tu l'as peut-être deviné, à la capture et au meurtre d'Emmeline Vance et ont sûrement aidé à nous débarrasser de Sirius Black, bien que l'honneur te revienne de l'avoir achevé, je le reconnais volontiers.

Il inclina la tête et leva son verre en signe d'hommage mais l'expression de Bellatrix ne s'adoucit pas pour autant.

– Tu évites de répondre à ma dernière question, Rogue. Harry Potter. Tu aurais pu le tuer à tout moment au cours de ces cinq dernières années. Tu ne l'as pas fait. Pourquoi ?

– As-tu parlé de ce sujet avec le Seigneur des Ténèbres ? demanda Rogue.

– Il... Ces derniers temps, nous... C'est à *toi* que je pose la question, Rogue !

– Si j'avais tué Harry Potter, le Seigneur des Ténèbres n'aurait pas pu se servir de son sang pour renaître et devenir invincible...

– Tu prétends avoir prévu l'usage qu'il ferait de ce garçon ? lança Bellatrix d'un ton moqueur.

– Je ne le prétends pas, je n'avais aucune idée de ses projets ; je t'ai déjà avoué que je le pensais mort. J'essaye seulement de t'expliquer pourquoi le Seigneur des Ténèbres ne regrette pas que Potter ait survécu, au moins jusqu'à l'année dernière...

– Mais pourquoi le laisses-tu en vie ?

– Tu ne m'as donc pas compris ? Seule la protection de Dumbledore m'a épargné de finir à Azkaban ! Ne penses-tu pas que tuer son élève préféré aurait pu le retourner contre moi ? Mais il y avait autre chose. Je dois te rappeler que lorsque Potter est arrivé à Poudlard, beaucoup d'histoires circulaient à son sujet, des rumeurs selon lesquelles il était lui-même un grand mage noir, ce qui expliquait qu'il ait survécu à l'attaque du Seigneur des Ténèbres. En fait, nombre de ses anciens fidèles pensaient que Potter deviendrait peut-être le porte-drapeau autour duquel nous pourrions tous nous regrouper à nouveau. Lorsqu'il a mis les pieds au château pour la première fois, j'étais curieux de le voir, je l'avoue, et pas du tout enclin à le tuer. Bien entendu, il m'est très vite apparu qu'il n'avait aucun talent extraordinaire. Il s'est tiré de situations difficiles grâce à de purs coups de chance et à l'aide d'amis plus doués que lui. C'est un garçon des plus médiocres bien qu'il soit aussi odieux et suffisant que l'était son père autrefois. J'ai fait tout mon possible pour qu'on le renvoie de Poudlard, où je pense qu'il n'a pas vraiment sa place, mais de là à le tuer ou à le laisser tuer sous mes yeux... j'aurais été idiot de prendre ce risque, avec Dumbledore si près de moi.

– Et avec tout ça, nous sommes censés croire que Dumbledore ne t'a jamais soupçonné ? demanda Bellatrix. Il n'a aucune idée de ta véritable allégeance, il continue aveuglément à te faire confiance ?

– J'ai bien joué mon rôle, répondit Rogue. Et tu oublies la plus grande faiblesse de Dumbledore : il voit toujours les gens meilleurs qu'ils ne sont. Quand je suis venu travailler chez lui, fraîchement débarqué de chez les Mangemorts, je lui ai raconté toute une histoire sur les profonds remords que j'éprouvais et il m'a accueilli à bras ouverts – tout en s'efforçant de me tenir soigneusement à distance de la défense contre les forces du Mal. Dumbledore a été un très grand sorcier – oui, oui, c'est vrai (car Bellatrix avait eu une exclamation dédaigneuse), le Seigneur des Ténèbres le reconnaît lui-même. Mais aujourd'hui, j'ai grand plaisir à le dire, Dumbledore vieillit. Le duel avec le Seigneur des Ténèbres, le mois dernier, l'a ébranlé. Depuis, il a subi une blessure grave parce que ses réflexes sont moins vifs qu'auparavant. Mais au cours de toutes ces années, il n'a cessé d'avoir confiance en Severus Rogue, et c'est ce qui fait toute ma valeur aux yeux du Seigneur des Ténèbres.

Bellatrix semblait toujours aussi mécontente mais apparemment, elle ne savait plus très bien comment repartir à l'attaque. Profitant de son silence, Rogue se tourna vers sa sœur.

– Tu étais venue me demander quelque chose, Narcissa ?

Narcissa leva le regard vers lui, avec une expression de désespoir.

– Oui, Severus. Je… je pense que tu es le seul à pouvoir m'aider, je n'ai personne d'autre à qui m'adresser. Lucius est en prison et…

Elle ferma les yeux et deux grosses larmes apparurent sous ses paupières.

– Le Seigneur des Ténèbres m'a interdit d'en parler, poursuivit Narcissa, les yeux toujours fermés. Il veut que personne ne sache rien du plan. C'est… très secret. Mais…

– S'il te l'a interdit, tu dois te taire, dit aussitôt Rogue. La parole du Seigneur des Ténèbres a force de loi.

Narcissa sursauta comme s'il l'avait aspergée d'eau froide. Pour la première fois depuis qu'elle était entrée dans la maison, Bellatrix parut satisfaite.

– Et voilà ! lança-t-elle à sa sœur d'un ton triomphant. Même Rogue te le dit. Si tu as reçu l'ordre de ne pas parler, tais-toi !

Mais Rogue s'était levé. Il s'approcha à grands pas de la petite fenêtre, écarta les rideaux pour regarder la rue déserte puis les referma d'un coup sec. Les sourcils froncés, il revint devant Narcissa.

– Il se trouve que je connais ce plan, déclara-t-il à voix basse. Je suis l'un des rares à qui le Seigneur des Ténèbres l'ait révélé. Mais si je n'avais pas été dans le secret, Narcissa, tu te serais rendue coupable de haute trahison envers lui.

– J'ai bien pensé que tu devais être au courant ! reprit

Narcissa en respirant plus facilement. Il a tellement confiance en toi, Severus…

– Tu connais le plan ? s'écria Bellatrix, sa satisfaction fugitive laissant place à une expression indignée. *Tu* le connais ?

– Bien sûr, répondit Rogue. Mais qu'attends-tu de moi, Narcissa ? Si tu imagines que je vais pouvoir convaincre le Seigneur des Ténèbres de changer d'avis, j'ai bien peur qu'il n'y ait pas le moindre espoir.

– Severus, murmura-t-elle, des larmes coulant le long de ses joues pâles. Mon fils… mon fils unique…

– Drago devrait être fier, dit Bellatrix d'un ton indifférent. Le Seigneur des Ténèbres lui accorde un grand honneur. Et je dois reconnaître que Drago n'a pas cherché à se dérober à son devoir, il semble content d'avoir cette chance de faire ses preuves, il est enthousiasmé par cette perspective…

Narcissa se mit à pleurer véritablement, implorant Rogue du regard.

– Parce qu'il n'a que seize ans et ne sait pas ce qui l'attend ! Pourquoi, Severus ? Pourquoi mon fils ? C'est trop dangereux ! Il s'agit d'une vengeance pour punir l'erreur de Lucius, je le sais !

Rogue resta silencieux. Il détourna la tête pour ne pas voir ses larmes, comme s'il les jugeait indécentes, mais il ne pouvait faire semblant de ne pas l'entendre.

– C'est bien pour cela qu'il a choisi Drago, n'est-ce pas ? insista-t-elle. Pour punir Lucius ?

– Si Drago réussit, dit Rogue, toujours sans la regarder, il sera honoré plus que tout autre.

– Mais il ne réussira pas ! sanglota Narcissa. Comment y parviendrait-il alors que le Seigneur des Ténèbres lui-même…

Bellatrix étouffa une exclamation ; Narcissa semblait perdre le contrôle de ses nerfs.

– Je voulais simplement dire... que personne n'a encore réussi... Severus... s'il te plaît... tu es, tu as toujours été le professeur préféré de Drago... tu es un vieil ami de Lucius... je t'en supplie... tu es aussi le conseiller préféré du Seigneur des Ténèbres, celui en qui il a le plus confiance... voudrais-tu lui parler, le convaincre ?

– Le Seigneur des Ténèbres ne se laissera pas convaincre et je ne suis pas assez bête pour essayer, répondit Rogue d'un ton catégorique. Je ne peux pas prétendre qu'il ne soit pas en colère contre Lucius. Lucius devait diriger les opérations. Il s'est fait prendre, avec beaucoup d'autres, et en plus, sans parvenir à récupérer la prophétie. Oui, Narcissa, c'est vrai, le Seigneur des Ténèbres est en colère, très en colère, même.

– Alors, je ne me trompe pas, il a choisi Drago par vengeance ! s'écria Narcissa d'une voix étranglée. Il ne veut pas qu'il réussisse, il veut qu'il soit tué dans sa tentative !

Devant le silence de Rogue, Narcissa sembla perdre le peu de retenue qui lui restait. Elle se leva, s'avança vers lui d'un pas chancelant et s'agrippa à sa robe. Le visage tout près du sien, ses larmes coulant sur la poitrine de Rogue, elle dit d'une voix haletante :

– Tu pourrais t'en charger toi-même. *Tu* pourrais le faire à la place de Drago, Severus. Toi, tu réussirais, c'est certain, et il te récompenserait plus que n'importe qui d'entre nous...

Rogue la prit par les poignets et l'obligea à le lâcher. Baissant les yeux vers son visage ruisselant de larmes, il répondit avec lenteur :

– Je crois qu'en définitive, il a l'intention de me confier

la tâche. Mais il est décidé à ce que Drago essaye d'abord. Tu comprends, dans l'hypothèse peu probable où Drago y parviendrait, je pourrais rester un peu plus longtemps à Poudlard pour y jouer mon rôle d'espion, ce qui serait toujours utile.

– En d'autres termes, ça lui est égal si Drago se fait tuer !

– Le Seigneur des Ténèbres est très en colère, répéta Rogue à voix basse. Il n'a pas pu entendre la prophétie. Tu sais aussi bien que moi, Narcissa, qu'il ne pardonne pas facilement.

Elle s'effondra à ses pieds, recroquevillée sur le sol, sanglotant et gémissant.

– Mon fils unique... mon fils unique...

– Tu devrais être fière ! dit Bellatrix d'un ton implacable. Si j'avais des fils, je serais heureuse de les mettre au service du Seigneur des Ténèbres !

Narcissa poussa un petit cri de désespoir et tortilla ses longs cheveux blonds. Rogue se pencha vers elle, la prit par les bras, l'aida à se relever et la fit rasseoir sur le canapé. Puis il lui versa encore un peu de vin et la força à prendre le verre.

– Ça suffit, maintenant, Narcissa, bois ça et écoute-moi.

Elle se calma un peu ; renversant du vin sur elle, elle en but une gorgée, la main tremblante.

– Il me serait peut-être possible... d'aider Drago.

Elle se redressa, le visage blanc comme un linge, les yeux écarquillés.

– Severus... Oh, Severus... tu veux bien l'aider ? Tu veux bien t'occuper de lui, veiller à ce qu'il ne lui arrive rien ?

– Je peux essayer.

Elle jeta son verre qui glissa à travers la table tandis qu'elle se laissait tomber du sofa ; elle s'agenouilla aux pieds de Rogue, lui prit les mains dans les siennes et les embrassa.

– Si tu es là pour le protéger... Severus, tu me le jures ? Es-tu prêt à faire le Serment Inviolable ?

– Le Serment Inviolable ?

Le visage de Rogue paraissait neutre, indéchiffrable ; Bellatrix eut un ricanement de triomphe.

– Tu entends, Narcissa ? Oh, il va *essayer*, j'en suis sûre... Des paroles vides, comme toujours, sa façon habituelle de se défiler quand il faut agir... Mais sur ordre du Seigneur des Ténèbres, bien sûr !

Rogue n'accorda aucune attention à Bellatrix. Son regard noir était fixé sur les yeux bleus et baignés de larmes de Narcissa qui continuait de serrer ses mains entre les siennes.

– Certainement, Narcissa, je ferai le Serment Inviolable, dit-il à voix basse. Peut-être ta sœur consentira-t-elle à être notre Enchaîneur ?

Bellatrix resta bouche bée. Rogue se baissa pour s'agenouiller face à Narcissa et, sous le regard stupéfait de Bellatrix, tous deux joignirent leurs mains droites.

– Tu auras besoin de ta baguette, Bellatrix, lança Rogue avec froideur.

L'air toujours abasourdi, elle sortit sa baguette magique de sa poche.

– Et il faudra que tu t'approches un peu, ajouta-t-il.

Elle s'avança, debout au-dessus d'eux, et plaça l'extrémité de sa baguette sur leurs mains unies.

Narcissa parla :

– Severus, t'engages-tu à veiller sur mon fils Drago lorsqu'il tentera de réaliser les souhaits du Seigneur des Ténèbres ?

– Oui, répondit Rogue.

Une mince flamme étincelante jaillit alors de la baguette et s'enroula autour de leurs mains comme un fil de fer chauffé au rouge.

– Et t'engages-tu à faire tout ton possible pour le protéger du danger ?

– Oui, répéta Rogue.

Une deuxième langue de feu fusa de la baguette et s'entrelaça avec la première, formant comme une chaîne fine et luisante.

– Et si cela était nécessaire… s'il semblait que Drago ne puisse réussir…, murmura Narcissa (la main de Rogue tressaillit dans la sienne mais il ne la retira pas), t'engages-tu à accomplir toi-même la mission que le Seigneur des Ténèbres a confiée à Drago ?

Il y eut un instant de silence. Bellatrix, les yeux grands ouverts, les regardait, sa baguette posée sur l'étreinte de leurs mains.

– Oui, répondit Rogue.

Le visage stupéfait de Bellatrix brilla d'une lueur rougeâtre lorsque jaillit de sa baguette la troisième flamme qui s'entortilla autour des deux autres et serra étroitement leurs mains jointes, telle une corde, tel un serpent de feu.

3
Dernières volontés et mauvaise volonté

Harry Potter ronflait bruyamment. Pendant près de quatre heures, il était resté assis dans un fauteuil, devant la fenêtre de sa chambre, à regarder le soir tomber sur la rue et avait fini par s'endormir, la tête appuyée contre la vitre froide, ses lunettes de travers, la bouche grande ouverte. La tache de buée que son souffle avait dessinée sur le carreau scintillait dans la clarté orange d'un réverbère dont la lumière artificielle effaçait toute couleur de son visage, lui donnant une mine fantomatique sous ses cheveux noirs en bataille.

La pièce était parsemée d'objets divers et d'une bonne quantité de détritus. Des plumes de hibou, des trognons de pomme et des papiers de bonbon étaient répandus sur le sol, des grimoires s'entassaient pêle-mêle sur son lit, parmi des robes de sorcier enchevêtrées, et au milieu de son bureau, un amas de journaux s'étalait dans une flaque de lumière. La manchette de l'un d'eux annonçait en grosses lettres :

HARRY POTTER : L'ÉLU ?

Des rumeurs continuent de circuler au sujet des incidents survenus récemment au ministère de la Magie et au cours desquels Celui-Dont-On-Ne-Doit-Pas-Prononcer-Le-Nom a été vu une nouvelle fois.

« Ne me demandez rien, nous ne sommes pas autorisés à en parler », nous a déclaré hier soir, au moment où il quittait le ministère, un Oubliator très agité qui a refusé de nous donner son nom.

Cependant, des sources bien informées dans les hautes sphères du ministère ont confirmé que ces incidents avaient eu pour origine la légendaire salle des Prophéties.

Bien que les sorciers de presse du ministère aient jusqu'à présent refusé ne serait-ce que de confirmer l'existence d'un tel lieu, les membres de la communauté magique sont de plus en plus nombreux à croire que les Mangemorts actuellement en prison à Azkaban pour effraction et tentative de vol avaient essayé de s'emparer d'une prophétie. La nature de celle-ci reste mystérieuse mais on pense généralement qu'elle concernerait Harry Potter, la seule personne à avoir jamais survécu au sortilège de la Mort, et dont on sait également qu'il se trouvait au ministère au cours de la nuit en question. Certains vont jusqu'à surnommer Potter « l'Élu », pensant que la prophétie le désigne comme le seul qui sera jamais capable de nous débarrasser de Celui-Dont-On-Ne-Doit-Pas-Prononcer-Le-Nom.

On ignore où se trouve actuellement cette prophétie, si toutefois elle existe, bien que (suite en page 2, cinquième colonne)

A la une d'un deuxième journal posé à côté du premier, on lisait ce titre :

SCRIMGEOUR SUCCÈDE À FUDGE

La page était en grande partie occupée par la photo noir et blanc d'un homme aux cheveux épais comme une crinière de lion et au visage marqué. La photo bougeait : on voyait l'homme agiter la main vers le plafond.

Rufus Scrimgeour, ancien directeur du Bureau des Aurors au Département de la justice magique, a succédé à Cornelius Fudge comme ministre de la Magie. Cette nomination a été accueillie avec enthousiasme par la communauté des sorciers, bien que des rumeurs de désaccord entre le nouveau ministre et Albus Dumbledore, récemment rétabli à son poste de président-sorcier du Magenmagot, aient commencé à se répandre quelques heures seulement après l'entrée en fonction de Scrimgeour.

Les représentants de Scrimgeour ont reconnu qu'il avait rencontré Dumbledore tout de suite après la passation de pouvoirs mais n'ont pas voulu révéler les sujets abordés au cours de leur conversation. Albus Dumbledore est connu pour *(suite page 3, deuxième colonne)*

A la gauche de ce journal, un autre quotidien plié en quatre ne laissait voir qu'un article ayant pour titre :

LE MINISTÈRE GARANTIT
LA SÉCURITÉ DES ÉLÈVES

Rufus Scrimgeour, le ministre de la Magie récemment nommé, a parlé aujourd'hui des nouvelles mesures radicales prises par ses services pour assurer la sécurité des élèves de l'école de sorcellerie Poudlard lors de la rentrée qui aura lieu à l'automne prochain.

« Pour des raisons évidentes, le ministère ne donnera pas

les détails de ce nouveau plan de sécurité particulièrement rigoureux », a déclaré le ministre. Un membre du cabinet a cependant confirmé que les nouvelles dispositions comportaient des sortilèges et enchantements de défense, un ensemble complexe de contre-maléfices et la constitution d'une petite unité d'Aurors qui auront pour seule mission la protection de l'école Poudlard.

La plupart des réactions ont été favorables à la position très ferme du nouveau ministre sur la question de la sécurité des élèves. Mrs Augusta Londubat nous a déclaré : « Neville, mon petit-fils – qui est, soit dit en passant, un très proche ami de Harry Potter – a combattu les Mangemorts à ses côtés au ministère, en juin dernier et

Mais le reste de l'article était caché par la grande cage posée sur le journal. A l'intérieur, une magnifique chouette des neiges observait la pièce de ses yeux d'ambre au regard impérieux, tournant parfois la tête vers son maître qui ronflait toujours. Une ou deux fois, elle claqua du bec d'un air impatient, mais Harry dormait trop profondément pour l'entendre.

Une grosse valise ouverte, posée au milieu de la pièce, semblait attendre qu'on la remplisse mais pour l'instant, elle était presque vide, à part un résidu de vieux sous-vêtements, de bonbons, de bouteilles d'encre vides et de plumes cassées qui recouvraient le fond. A côté, sur le sol, une brochure violette portait ces mots gravés :

Publié par le ministère de la Magie
COMMENT PROTÉGER
VOTRE MAISON ET VOTRE FAMILLE
CONTRE LES FORCES DU MAL

La communauté des sorciers se trouve actuellement sous la menace d'une organisation qui se fait appeler les Mangemorts. Le respect des conseils élémentaires de sécurité qui vous sont donnés ci-dessous vous aidera à vous protéger, vous, votre famille et votre maison contre d'éventuelles attaques.

1) Il est recommandé de ne pas laisser sa maison vide.

2) Des précautions particulières doivent être prises la nuit. Chaque fois que cela est possible, essayez de rentrer chez vous avant la tombée du jour.

3) Vérifiez les dispositifs de sécurité autour de votre maison en vous assurant que tous les membres de votre famille connaissent les mesures d'urgence à prendre en cas de besoin, telles que le sortilège de Désillusion, le charme du Bouclier et, si vous avez des enfants mineurs, le transplanage d'escorte.

4) Déterminez des mesures de vérification particulières avec les membres de votre famille et vos amis proches afin de détecter les Mangemorts qui tenteraient de se faire passer pour eux à l'aide de Polynectar (voir page 2).

5) Si vous avez l'impression qu'un membre de votre famille, un collègue, un ami ou un voisin se comporte d'une étrange manière, appelez aussitôt la Brigade de police magique. Il se peut qu'il ait été soumis au sortilège de l'Imperium (voir page 4).

6) Si la Marque des Ténèbres apparaît au-dessus d'une habitation ou de tout autre bâtiment, N'Y PÉNÉTREZ PAS et contactez immédiatement le Bureau des Aurors.

7) Selon certains témoignages non confirmés, des Mangemorts auraient recours à des Inferi (voir page 10). Si vous voyez un Inferius ou si vous vous trouvez confronté à l'un d'eux, signalez-le IMMÉDIATEMENT au ministère.

Harry grogna dans son sommeil, sa tête glissa de quelques centimètres le long de la vitre et ses lunettes se mirent un peu plus de travers, mais il resta endormi. Sur le rebord de la fenêtre, un réveille-matin qu'il avait réparé quelques années auparavant émettait un tic-tac sonore et indiquait onze heures moins une. A côté, maintenu en place par la main inerte de Harry, il y avait un morceau de parchemin couvert d'une écriture fine et penchée. Depuis qu'il l'avait reçue, trois jours plus tôt, sous la forme d'un rouleau étroitement serré, Harry avait si souvent relu cette lettre qu'elle s'était à présent transformée en une feuille parfaitement plate.

Cher Harry,

Si cela te convient, je viendrai te chercher au 4, Privet Drive vendredi prochain à onze heures du soir pour t'emmener au Terrier où tu es invité à passer le reste de tes vacances scolaires.

Si tu es d'accord, je serais très heureux d'obtenir ton aide dans une affaire que j'espère pouvoir régler sur le chemin du Terrier. Je te donnerai de plus amples explications de vive voix.

Sois gentil de m'envoyer ta réponse par retour de hibou. En espérant te voir vendredi,

Je t'adresse mes salutations les plus cordiales,

Albus Dumbledore

Bien qu'il connût déjà la missive par cœur, Harry y avait jeté des coups d'œil toutes les deux minutes depuis sept heures du soir, lorsqu'il s'était installé devant la fenêtre de sa chambre d'où l'on avait une assez bonne vue sur Privet Drive. Il savait pourtant que continuer à lire les mots écrits par Dumbledore ne servait à rien ; Harry avait aussitôt répondu oui par le même hibou, comme il le lui avait demandé, et tout ce qu'il pouvait faire à présent, c'était attendre ; ou bien Dumbledore viendrait, ou bien il ne viendrait pas.

Harry n'avait pas encore bouclé sa valise. Être délivré des Dursley après seulement une quinzaine de jours en leur compagnie lui semblait trop beau pour être vrai. Il n'arrivait pas à se débarrasser de l'impression que quelque chose irait de travers – sa réponse à la lettre de Dumbledore s'était peut-être perdue, ou alors Dumbledore avait eu un empêchement ; il se pouvait aussi que la lettre ne soit pas du tout de la main de Dumbledore mais qu'il s'agisse d'une plaisanterie ou d'un piège. Harry n'aurait pas supporté de remplir sa valise pour devoir la vider à nouveau si ses espoirs étaient déçus. La seule disposition qu'il avait prise en vue d'un éventuel voyage avait été de mettre Hedwige, sa chouette des neiges, en sûreté dans sa cage.

Sur le cadran du réveil, l'aiguille des minutes atteignit le chiffre douze. A cet instant précis, le réverbère qui se trouvait devant sa fenêtre s'éteignit.

L'obscurité soudaine réveilla Harry comme s'il s'était agi d'une sonnerie de réveil. Il rajusta précipitamment ses lunettes et arracha sa joue de la vitre pour y coller le nez, scrutant le trottoir devant la maison. Une haute silhouette enveloppée d'une longue cape virevoltante remontait l'allée du jardin.

Harry se leva d'un bond, comme s'il avait reçu une décharge électrique, renversa son fauteuil et commença à jeter dans sa valise tout ce qu'il pouvait attraper autour de lui. Au moment où il lançait à travers la pièce plusieurs robes de sorcier, deux grimoires et un paquet de chips, la sonnette de la porte d'entrée retentit.

En bas, dans le salon, son oncle Vernon s'écria :

– Qui diable peut bien passer nous voir à cette heure-ci ?

Harry se figea, un télescope de cuivre dans une main, une paire de baskets dans l'autre. Il avait complètement oublié d'avertir les Dursley que Dumbledore allait peut-être venir. Se sentant gagné à la fois par la panique et l'envie de rire, il enjamba tant bien que mal sa grosse valise et ouvrit la porte de sa chambre à la volée juste à temps pour entendre une voix grave dire :

– Bonsoir. Vous devez être Mr Dursley. J'imagine que Harry vous a prévenu que je venais le chercher ?

Harry descendit l'escalier quatre à quatre et s'arrêta net à quelques marches du rez-de-chaussée : une longue expérience lui avait en effet appris à rester hors de portée de son oncle chaque fois que c'était possible. Là, dans l'encadrement de la porte d'entrée, se tenait un homme de haute taille, la silhouette mince, avec une barbe et des cheveux argentés qui lui arrivaient à la taille. Des lunettes en demi-lune étaient perchées sur son nez aquilin et il portait une longue cape de voyage noire ainsi qu'un chapeau pointu. Vernon Dursley, vêtu d'une robe de chambre rouge foncé, sa moustache noire aussi touffue que celle de Dumbledore, regardait fixement son visiteur comme s'il n'arrivait pas à en croire ses yeux minuscules.

– A en juger par votre expression de franche incrédulité, Harry ne vous a *pas* averti de mon arrivée, dit aimablement Dumbledore. Mais faisons comme si vous m'aviez chaleureusement invité à entrer chez vous. Il n'est guère prudent de s'attarder longtemps sur le seuil d'une maison en ces temps troublés.

D'un pas vif, il franchit la porte qu'il referma derrière lui.

– Ma dernière visite remonte à bien longtemps, poursuivit Dumbledore en baissant les yeux vers l'oncle Vernon. Vos agapanthes sont magnifiques, je dois le reconnaître.

Vernon Dursley ne répondit rien. Harry ne doutait pas qu'il retrouverait bientôt l'usage de la parole – une veine palpitait dangereusement sur la tempe de son oncle – mais quelque chose chez Dumbledore semblait lui avoir momentanément coupé le souffle. Peut-être était-ce son apparence, qui dénotait sans ambiguïté sa qualité de sorcier, ou peut-être que même l'oncle Vernon avait senti qu'il valait mieux ne pas malmener cet homme-là.

– Ah, bonsoir, Harry, lança Dumbledore en le regardant derrière ses lunettes en demi-lune avec un air de grande satisfaction. Très bien, parfait.

Ces paroles eurent le don d'échauffer l'oncle Vernon. Jamais il ne pourrait s'entendre avec quelqu'un qui regardait Harry en disant « très bien, parfait ».

– Je ne voudrais pas paraître impoli..., commença-t-il d'un ton où l'impolitesse menaçait à chaque mot.

– ... malheureusement, l'impolitesse accidentelle se manifeste à une fréquence alarmante, acheva Dumbledore avec gravité. Et dans ces cas-là, mon cher monsieur, il vaut mieux ne rien dire du tout. Ah, voici sans doute Pétunia.

La porte de la cuisine s'était ouverte et la tante de Harry était apparue, portant des gants en caoutchouc et un peignoir par-dessus sa chemise de nuit ; de toute évidence, elle était en plein milieu du nettoyage systématique de toutes les surfaces de la cuisine auquel elle se livrait chaque soir avant d'aller se coucher. Son visage chevalin prit une expression choquée.

– Albus Dumbledore, annonça Dumbledore en voyant que l'oncle Vernon tardait à faire les présentations. Nous nous connaissons par correspondance, bien sûr.

Harry trouva que c'était une étrange manière de rappeler à la tante Pétunia qu'il lui avait un jour envoyé une lettre explosive, mais elle ne réagit pas.

– Et voici certainement votre fils Dudley ?

Dudley venait de jeter un coup d'œil derrière la porte du living-room. Sa grosse tête blonde qui sortait du col de son pyjama à rayures semblait bizarrement privée de corps, sa bouche ouverte dans une expression de stupéfaction apeurée. Dumbledore attendit quelques instants pour voir si l'un des Dursley allait dire quelque chose, mais comme le silence se prolongeait, il eut un sourire.

– Nous pourrions peut-être supposer que vous m'avez invité à m'asseoir dans votre salon ?

Dudley s'écarta précipitamment de son chemin lorsqu'il passa devant lui. Harry, tenant toujours dans ses mains le télescope et la paire de baskets, sauta les dernières marches et suivit Dumbledore qui s'installa dans le fauteuil le plus proche de la cheminée en regardant autour de lui avec un intérêt bienveillant. Il paraissait extraordinairement déplacé dans ce décor.

– Nous... nous ne partons pas, monsieur ? demanda Harry d'un ton anxieux.

– Si, bien sûr mais il y a diverses choses dont nous devons d'abord parler, répondit Dumbledore. Et je préférerais ne pas le faire dehors. Nous allons donc abuser encore un peu de l'hospitalité de ton oncle.

– Ah, vous croyez ça ?

Vernon Dursley était entré à son tour dans la pièce, Pétunia à côté de lui, Dudley se cachant derrière eux.

– Oui, dit simplement Dumbledore, je le crois.

Il tira sa baguette magique d'un mouvement si vif que Harry eut à peine le temps de s'en apercevoir ; lorsqu'il l'agita d'un geste nonchalant, le canapé avança brusquement et heurta par-derrière les genoux des trois Dursley qui tombèrent dessus à la renverse, les uns sur les autres. Un autre coup de baguette et le canapé reprit sa place initiale.

– Autant être confortablement installé, dit Dumbledore d'un ton aimable.

Au moment où il remit sa baguette dans sa poche, Harry remarqua que sa main était noircie et recroquevillée ; on aurait dit que la chair avait été consumée.

– Monsieur... qu'est-il arrivé à votre...

– Plus tard, Harry, répondit Dumbledore. Assieds-toi, s'il te plaît.

Harry prit le dernier fauteuil, évitant de regarder les Dursley qui semblaient pétrifiés dans le silence.

– Je pensais que vous alliez me proposer des rafraîchissements, dit Dumbledore à l'oncle Vernon, mais d'après ce que j'ai pu observer jusqu'à présent, il semble que ce serait d'un optimisme proche de la sottise.

Il ressortit sa baguette et en donna un petit coup, faisant apparaître cinq verres et une bouteille poussiéreuse qui flottaient dans les airs. La bouteille s'inclina et versa une bonne mesure d'un liquide couleur de miel dans chacun des verres qui s'envolèrent en direction des cinq personnes assises dans la pièce.

– Le meilleur hydromel, vieilli en fût, de Madame Rosmerta, déclara Dumbledore en levant son verre devant Harry qui attrapa le sien et but une gorgée.

Il n'avait encore jamais goûté quelque chose de semblable et il y prit un immense plaisir. Les Dursley, après avoir échangé quelques brefs regards apeurés, s'efforcèrent de ne prêter aucune attention à leurs propres verres, un exploit difficile car ils ne cessaient de leur tapoter la tempe avec douceur. Harry soupçonnait Dumbledore de bien s'amuser.

– Harry, reprit-il alors en se tournant vers lui, nous sommes confrontés à une petite difficulté et j'espère que tu pourras nous aider à la résoudre. Quand je dis nous, j'entends par là l'Ordre du Phénix. Mais tout d'abord, je dois t'annoncer que le testament de Sirius a été découvert il y a une semaine et qu'il te lègue tout ce qu'il possédait.

Là-bas, sur le canapé, l'oncle Vernon tourna la tête mais Harry ne le regarda pas et se contenta de répondre :

– Ah, très bien.

– Pour l'essentiel, c'est assez simple, poursuivit Dumbledore. Tu ajoutes ainsi une quantité d'or raisonnable à celle que tu possèdes déjà chez Gringotts et tu hérites tous les biens personnels de Sirius. Le seul point légèrement problématique de cette succession...

– Son parrain est mort ? lança l'oncle Vernon d'une voix forte, depuis son canapé.

Dumbledore et Harry se tournèrent tous les deux vers lui. A présent, le verre d'hydromel lui frappait la tête avec insistance ; il essaya de le repousser.

– Il est mort ? Son parrain ?

– Oui, répondit Dumbledore.

Il ne demanda pas à Harry pourquoi il ne l'avait pas fait savoir aux Dursley.

– Notre problème, continua-t-il, comme s'il n'y avait eu aucune interruption, c'est que Sirius t'a également légué le 12, square Grimmaurd.

– Il hérite d'une maison ? demanda l'oncle Vernon avec une expression cupide, ses petits yeux plissés, mais personne ne lui répondit.

– Vous pouvez continuer à l'utiliser comme quartier général, assura Harry. Ça m'est égal. Gardez-la, moi je n'y tiens pas.

Harry ne voulait plus remettre les pieds au 12, square Grimmaurd s'il pouvait l'éviter. Il pensait qu'il serait à jamais hanté par le souvenir de Sirius arpentant seul ces vastes pièces sombres à l'odeur de moisi, prisonnier de l'endroit qu'il avait voulu fuir si désespérément.

– C'est très généreux de ta part, dit Dumbledore. Nous avons cependant évacué provisoirement les lieux.

– Pourquoi ?

– Eh bien, voilà, répondit-il, indifférent aux marmonnements de l'oncle Vernon dont la tête était à présent martelée avec obstination par le verre d'hydromel, la tradition familiale des Black veut que cette maison soit léguée en ligne directe au premier héritier mâle portant le nom de Black. Sirius était le tout dernier de la lignée car Regulus, son frère cadet, est mort avant lui et aucun d'eux n'avait d'enfant. Bien que dans son testament, il déclare clairement qu'il veut te voir hériter de la maison, il est néanmoins possible qu'elle ait fait l'objet d'un sortilège ou d'un enchantement pour être sûr qu'elle ne puisse avoir d'autre propriétaire qu'un sang-pur.

L'image vivante du portrait accroché dans le hall du 12, square Grimmaurd, représentant la mère de Sirius qui hurlait, vomissait des injures, traversa l'esprit de Harry comme un éclair.

– C'est sûrement le cas, dit-il.

– En effet, approuva Dumbledore, et si un tel enchantement existe, alors le titre de propriété reviendrait très probablement à l'aîné des parents de Sirius encore vivant, à savoir sa cousine, Bellatrix Lestrange.

Sans se rendre compte de ce qu'il faisait, Harry se leva d'un bond ; le télescope et les baskets qu'il avait posés sur ses genoux tombèrent en roulant sur le sol. Bellatrix Lestrange, la meurtrière de Sirius, hériter de sa maison ?

– Non ! s'écria-t-il.

– A l'évidence, nous aussi, nous préférerions qu'elle ne lui revienne pas, continua calmement Dumbledore. La situation présente bien des complications. Nous ne savons pas si les enchantements auxquels nous avons nous-mêmes soumis la maison, en la rendant incartable, par exemple, continueront à produire leur effet, maintenant qu'elle n'appartient plus à Sirius. Il se peut que Bellatrix arrive à tout moment devant la porte. Bien entendu, nous avons dû déménager jusqu'à ce que les choses s'éclaircissent.

– Mais comment allez-vous savoir si je peux en être propriétaire ?

– Fort heureusement, il existe un test très simple, répondit Dumbledore.

Il posa son verre vide sur une petite table près du fauteuil, mais avant qu'il ait pu faire un geste de plus, l'oncle Vernon s'exclama :

– *Allez-vous nous débarrasser de ces fichus objets ?*

Harry se retourna ; les trois Dursley, recroquevillés sur le canapé, se protégeaient la tête de leurs bras tandis que les verres bondissaient sur leurs crânes en répandant leur contenu un peu partout.

– Oh, je suis désolé, s'excusa Dumbledore avec courtoisie.

Il leva à nouveau sa baguette et les trois verres disparurent aussitôt.

– Mais il aurait été plus poli de les boire, voyez-vous.

L'oncle Vernon parut sur le point de déverser un flot de

répliques cinglantes, mais il ne dit rien et se contenta de s'enfoncer dans les coussins avec la tante Pétunia et Dudley, ses petits yeux porcins fixés sur la baguette magique de Dumbledore.

– Tu comprends, reprit Dumbledore qui se tourna à nouveau vers Harry comme si l'oncle Vernon ne l'avait pas interrompu, en héritant de la maison, tu as aussi hérité de...

Pour la cinquième fois, il donna un coup de baguette magique. Il y eut alors un *crac* sonore et un elfe de maison apparut, avec un groin en guise de nez, des oreilles géantes de chauve-souris et des yeux immenses injectés de sang. Couvert de haillons crasseux, il était accroupi sur la moquette à longs poils des Dursley. La tante Pétunia poussa un hurlement à faire dresser les cheveux sur la tête : de mémoire d'homme, rien d'aussi sale n'était jamais entré dans sa maison. Dudley leva du sol ses grands pieds roses et les tendit presque au-dessus de sa tête comme s'il avait peur que la créature puisse se glisser dans son pantalon de pyjama.

– Qu'est-ce que c'est que cette horreur ? mugit l'oncle Vernon.

– Kreattur, répondit Dumbledore.

– Kreattur ne veut pas, Kreattur ne veut pas, Kreattur ne veut pas ! croassa l'elfe de maison, d'une voix aussi forte que celle de l'oncle Vernon, tapant par terre de ses longs pieds noueux et tirant sur ses oreilles. Kreattur appartient à Miss Bellatrix, oh, oui, Kreattur appartient à la famille Black, Kreattur veut sa nouvelle maîtresse, Kreattur ne veut pas aller avec le sale petit Potter, Kreattur ne veut pas, veut pas, veut pas...

– Comme tu peux le voir, Harry, dit Dumbledore en haussant le ton pour couvrir les « veut pas, veut pas, veut pas » que l'elfe continuait de hurler, Kreattur manifeste une certaine mauvaise volonté à l'idée de t'appartenir.

– Ça m'est égal, déclara à nouveau Harry en regardant avec dégoût l'elfe de maison qui se tortillait et trépignait sous ses yeux. Moi non plus, je ne veux pas de lui.

– *Veut pas, veut pas, veut pas…*

– Tu préfères qu'il devienne la propriété de Bellatrix Lestrange ? En n'oubliant pas qu'il a vécu au quartier général de l'Ordre du Phénix tout au long de l'année passée ?

– *Veut pas, veut pas, veut pas…*

Harry regarda fixement Dumbledore. Il savait qu'on ne pouvait permettre à l'elfe d'aller vivre avec Bellatrix Lestrange mais l'idée d'en être le maître, d'avoir la responsabilité de la créature qui avait trahi Sirius, lui était odieuse.

– Donne-lui un ordre, conseilla Dumbledore. S'il t'appartient, il devra obéir. Sinon, il faudra réfléchir à un autre moyen de l'éloigner de sa maîtresse légitime.

– *Veut pas, veut pas, veut pas, VEUT PAS !*

La voix de Kreattur s'était transformée en un cri perçant. Harry ne trouva rien d'autre à dire que :

– Kreattur, tais-toi !

Pendant un instant, l'elfe parut s'étouffer. Il se prit la gorge à deux mains, ses lèvres remuant toujours furieusement, les yeux exorbités. Après quelques secondes de hoquets frénétiques, il se jeta face contre terre sur la moquette (la tante Pétunia poussa un gémissement) et frappa le sol à coups de pied et de poing, en proie à une crise de rage violente mais totalement silencieuse.

– Eh bien, voilà qui simplifie les choses, dit Dumbledore d'un ton joyeux. Il semble que Sirius savait ce qu'il faisait. Tu es désormais le légitime propriétaire du 12, square Grimmaurd et de Kreattur.

– Est-ce que… est-ce qu'il faut que je l'emmène avec moi ? demanda Harry effaré, tandis que l'elfe gigotait à ses pieds.

– Non, si tu ne le veux pas, répondit Dumbledore. Mais si tu me permets une suggestion, tu pourrais l'envoyer à Poudlard pour y travailler aux cuisines. De cette façon, les autres elfes de maison garderaient un œil sur lui.

– Oui, approuva Harry, soulagé, oui, c'est ce que je vais faire. Heu… Kreattur… je veux que tu ailles à Poudlard pour y travailler dans les cuisines avec les autres elfes de maison.

Kreattur, qui était à présent étendu sur le dos, les bras et les jambes en l'air, lança à Harry un regard de profond dégoût et disparut avec un nouveau *crac* sonore.

– Bien, dit Dumbledore. Il y a aussi le cas de Buck, l'hippogriffe. Hagrid s'en est occupé depuis la mort de Sirius mais Buck est à toi, maintenant, et donc, si tu as d'autres projets pour lui…

– Non, répondit aussitôt Harry. Il n'a qu'à rester avec Hagrid. Je pense que c'est ce que Buck préférerait.

– Hagrid sera enchanté, assura Dumbledore avec un sourire. Il était fou de joie en le revoyant. Je dois également te prévenir que pour la sécurité de Buck, nous avons décidé de le rebaptiser Ventdebout, pour le moment en tout cas. Je doute que les gens du ministère reconnaissent en lui l'hippogriffe qu'ils ont un jour condamné à mort, mais sait-on jamais ? Et maintenant, Harry, ta valise est-elle prête ?

– Heu…

– Tu doutais de ma venue ? suggéra Dumbledore avec perspicacité.

– Je vais monter… heu… la finir, dit précipitamment

Harry en se hâtant de ramasser son télescope et ses baskets.

Il lui fallut un peu plus de dix minutes pour retrouver tout ce dont il avait besoin ; enfin, il parvint à extraire sa cape d'invisibilité de sous son lit, revissa le bouchon de sa bouteille d'encre à Changement de Couleur et monta sur le couvercle de la valise pour la refermer sur son chaudron. Puis, la hissant d'une main, la cage d'Hedwige dans l'autre, il redescendit l'escalier.

Il fut déçu de voir que Dumbledore ne l'attendait pas dans le hall d'entrée, ce qui l'obligeait à retourner dans le living-room.

Personne ne disait mot. Dumbledore fredonnait à voix basse, apparemment très à l'aise, mais l'atmosphère avait l'épaisseur d'une crème caramel et Harry n'osa pas regarder les Dursley lorsqu'il annonça à Dumbledore :

– Professeur, je suis prêt, maintenant.

– Très bien, répondit Dumbledore. Encore une dernière chose, à présent.

Il se tourna à nouveau vers les Dursley.

– Comme vous le savez sûrement, Harry sera majeur dans un an.

– Non, répliqua la tante Pétunia qui ouvrait la bouche pour la première fois depuis l'arrivée de Dumbledore.

– Pardon ? s'étonna celui-ci d'un ton poli.

– Non, car il a un mois de moins que Dudley et Duddy aura dix-huit ans dans deux ans.

– Ah oui, bien sûr, reprit Dumbledore d'un air affable, mais dans le monde de la sorcellerie, il se trouve que nous sommes majeurs à dix-sept ans.

– Ridicule, marmonna l'oncle Vernon, sans que Dumbledore lui prête la moindre attention.

– Comme vous l'avez appris, le sorcier qui porte le nom de Lord Voldemort est revenu dans ce pays. La communauté magique est à l'heure actuelle en état de guerre ouverte. Harry, que Lord Voldemort a déjà essayé de tuer à de nombreuses occasions, est encore en plus grand danger aujourd'hui que le jour où je l'ai déposé devant votre porte, il y a quinze ans, avec une lettre qui vous informait du meurtre de ses parents et exprimait l'espoir que vous voudriez bien prendre soin de lui comme si c'était votre propre enfant.

Dumbledore s'interrompit. Bien qu'il eût parlé d'un ton léger et très calme, sans laisser paraître aucun signe manifeste de colère, Harry sentait émaner de lui une certaine froideur et remarqua que les Dursley se serraient un peu plus les uns contre les autres.

– Vous n'avez pas fait ce que je demandais. Jamais vous n'avez traité Harry comme un fils. Avec vous, il n'a connu que l'indifférence et même souvent la cruauté. Le mieux qu'on puisse dire, c'est qu'au moins il n'aura pas subi les terribles dommages infligés au malheureux garçon assis entre vous.

La tante Pétunia et l'oncle Vernon tournèrent instinctivement la tête comme s'ils s'attendaient à voir quelqu'un d'autre que Dudley coincé entre eux.

– Nous... maltraiter Duddy ? Qu'est-ce que vous..., commença l'oncle Vernon, furieux, mais Dumbledore leva un doigt pour lui imposer le silence, et l'oncle Vernon sembla soudain devenu muet.

– La magie que j'ai mise en œuvre il y a quinze ans signifie que Harry bénéficie d'une puissante protection tant qu'il peut considérer cette maison comme son foyer. Si malheureux qu'il ait été ici, si rejeté, si malmené, vous lui avez au moins, même si c'est à contrecœur, fourni un hébergement. Cette magie cessera d'opérer lorsque Harry atteindra l'âge de dix-sept ans, en d'autres termes, lorsqu'il deviendra un homme. Je vous demande simplement ceci : que vous lui permettiez de revenir une fois de plus dans cette maison avant son dix-septième anniversaire, ce qui assurera sa protection jusqu'à cette date.

Aucun des Dursley ne prononça un mot. Dudley fronçait légèrement les sourcils comme s'il essayait de se rappeler à quel moment de sa vie il avait été maltraité. L'oncle Vernon avait l'air de s'être coincé quelque chose en travers de la gorge ; la tante Pétunia, elle, avait étrangement rougi.

– Eh bien, Harry... il est temps d'y aller, dit enfin Dumbledore en se levant et en lissant sa longue cape noire. A la prochaine fois, ajouta-t-il à l'adresse des Dursley qui semblaient espérer que ce moment n'arriverait jamais.

Il mit son chapeau et quitta la pièce à grands pas.

– Au revoir, lança précipitamment Harry aux Dursley.

Il suivit Dumbledore qui s'arrêta devant la grosse valise sur laquelle était posée la cage d'Hedwige.

– Nous n'allons pas nous encombrer de ça maintenant, dit-il en sortant une nouvelle fois sa baguette. Je vais les envoyer directement au Terrier. En revanche, j'aimerais bien que tu emportes ta cape d'invisibilité... au cas où.

Harry extirpa avec difficulté la cape de sa valise, s'efforçant de cacher au regard de Dumbledore le fouillis qu'elle contenait. Lorsqu'il l'eut fourrée dans la poche intérieure de son blouson, Dumbledore brandit sa baguette et la valise ainsi que la cage disparurent aussitôt. Il donna un nouveau coup de baguette et la porte d'entrée s'ouvrit sur l'obscurité froide et brumeuse.

– A présent, Harry, sortons dans la nuit noire à la poursuite de cette fantasque tentatrice, l'aventure.

4
Horace Slughorn

Bien qu'il eût passé chaque instant de ces derniers jours à espérer de toutes ses forces que Dumbledore viendrait véritablement le chercher, Harry se sentit nettement mal à l'aise lorsqu'ils se retrouvèrent tous deux dans Privet Drive. Il n'avait jamais eu de vraie conversation avec son directeur en dehors de Poudlard ; d'habitude, il y avait toujours un bureau entre eux. Le souvenir de leur dernier face-à-face ne cessait de lui revenir en tête, ce qui ne pouvait qu'accentuer son embarras ; il avait beaucoup crié cette fois-là, sans parler de ses efforts pour mettre en pièces quelques-uns des objets auxquels Dumbledore tenait le plus.

Dumbledore, pour sa part, semblait parfaitement détendu.

– Tiens ta baguette prête, Harry, dit-il d'un ton joyeux.

– Mais monsieur, je croyais que je n'avais pas le droit de faire usage de magie en dehors de l'école ?

– Si nous sommes attaqués, répondit Dumbledore, je te donne l'autorisation de recourir à tous les antisorts et contre-maléfices qui te viendront à l'esprit. Mais je crois que nous n'avons pas à craindre d'attaque, cette nuit.

– Pourquoi, monsieur ?

– Parce que tu es avec moi, dit simplement Dumbledore. Ce devrait être suffisant.

Arrivé au bout de Privet Drive, il s'arrêta brusquement.

– Tu n'as pas encore passé ton permis de transplaner, bien sûr ? demanda-t-il.

– Non, répondit Harry. Je croyais qu'il fallait avoir dix-sept ans.

– C'est vrai, dit Dumbledore. Tu devras donc te cramponner très fort à mon bras. Le gauche, si tu veux bien – comme tu l'as remarqué, le droit est un peu fragile, ces temps-ci.

Harry s'agrippa au bras que lui offrait Dumbledore.

– Très bien, allons-y.

Harry sentit le bras de Dumbledore s'écarter de lui et il redoubla son étreinte : tout devint alors complètement noir ; une très forte pression s'exerça sur toute la surface de son corps ; il n'arrivait plus à respirer, on aurait dit que des cercles d'acier lui enserraient la poitrine ; ses yeux s'enfonçaient dans leurs orbites et ses tympans semblaient s'étirer de plus en plus profondément à l'intérieur de son crâne. Puis, soudain...

Il respira à pleins poumons de longues bouffées d'air frais et ouvrit ses yeux ruisselants. C'était comme si on l'avait passé de force dans un tuyau de caoutchouc très étroit. Il lui fallut quelques instants pour s'apercevoir que Privet Drive avait disparu. Dumbledore et lui se trouvaient à présent sur la place déserte d'un village, avec en son centre un monument aux morts et quelques bancs publics. Sa faculté de compréhension reprenant le dessus, Harry se rendit compte qu'il venait de transplaner pour la première fois de sa vie.

– Ça va ? demanda Dumbledore en le regardant avec

sollicitude. Il faut un peu de temps pour s'habituer à la sensation.

– Ça va très bien, répondit Harry.

Il frotta ses oreilles qui lui donnaient l'impression de n'avoir quitté Privet Drive qu'à contrecœur.

– Mais je crois que je préfère les balais.

Dumbledore sourit, resserra un peu sa cape de voyage autour de son cou et dit :

– Par là.

Il repartit d'un pas vif, passant devant une auberge vide et quelques maisons. A en croire l'horloge d'une église proche, il était près de minuit.

– Dis-moi, Harry, reprit Dumbledore. Ta cicatrice... est-ce qu'elle t'a fait mal ?

Harry porta machinalement la main à son front et caressa la marque en forme d'éclair.

– Non, répondit-il, et je me suis demandé pourquoi. Je pensais qu'elle me brûlerait en permanence maintenant que Voldemort a retrouvé un tel pouvoir.

Il leva les yeux vers Dumbledore et vit son expression satisfaite.

– Eh bien, moi, je n'aurais pas le même avis, dit-il. Lord Voldemort a fini par comprendre qu'il était dangereux que tu puisses accéder à ses pensées et à ses sentiments. Apparemment, il a désormais recours à l'occlumancie contre toi.

– Je ne m'en plains pas, assura Harry qui ne regrettait ni les rêves angoissants ni les troublantes incursions dans l'esprit de Voldemort.

Ils tournèrent à l'angle d'une rue, passèrent devant une cabine téléphonique et un abribus. Harry regarda à nouveau Dumbledore.

– Professeur ?

– Harry ?

– Heu… Où sommes-nous, exactement ?

– Dans un charmant village du nom de Budly Babberton.

– Et que faisons-nous là ?

– Ah oui, bien sûr, je ne t'ai pas encore mis au courant, répondit Dumbledore. Je ne sais plus combien de fois j'ai dû répéter cela ces dernières années, mais il nous manque encore un professeur. Nous sommes ici pour convaincre un de mes anciens collègues de sortir de sa retraite et de revenir à Poudlard.

– Et en quoi puis-je vous aider ?

– Oh, je pense que tu seras utile, dit Dumbledore d'un ton vague. A gauche, Harry.

Ils s'engagèrent dans une rue étroite et escarpée, bordée de maisons. Aucune lumière ne brillait aux fenêtres. La fraîcheur qui s'était installée sur Privet Drive depuis deux semaines persistait ici aussi. Pensant aux Détraqueurs, Harry jeta un coup d'œil par-dessus son épaule, la main dans la poche de son blouson, serrant sa baguette pour se rassurer.

– Professeur, pourquoi n'aurions-nous pas pu transplaner directement dans la maison de votre ancien collègue ?

– Parce que ce serait aussi grossier que de défoncer la porte à coups de pied, répondit Dumbledore. La courtoisie exige que nous respections le droit d'un autre sorcier à ne pas nous laisser entrer chez lui. De toute façon, la plupart des demeures magiques sont protégées contre les transplaneurs indésirables. A Poudlard, par exemple…

– On ne peut transplaner nulle part, ni dans le château ni dans le parc, acheva précipitamment Harry. C'est Hermione Granger qui me l'a dit.

– Et elle a tout à fait raison. On tourne encore à gauche.

La cloche de l'église sonna minuit derrière eux. Harry s'étonna que Dumbledore ne considère pas comme impoli d'aller voir son ancien collègue si tard, mais maintenant que la conversation était entamée, il avait des questions plus urgentes à éclaircir.

– J'ai lu dans *La Gazette du sorcier* que Fudge avait été renvoyé...

– Exact, dit Dumbledore qui tournait à présent dans une petite rue en pente raide. Il a été remplacé, comme tu l'as sûrement appris, par Rufus Scrimgeour qui était auparavant directeur du Bureau des Aurors.

– Est-ce qu'il est... Vous croyez qu'il sera bien à ce poste ? demanda Harry.

– Intéressante question, répondit Dumbledore. Il a des capacités, sans aucun doute. Une personnalité plus volontaire, plus affirmée que Cornelius.

– Oui, mais je voulais dire...

– Je sais ce que tu voulais dire. Rufus est un homme d'action et comme il a passé la plus grande partie de sa vie active à combattre les mages noirs, il ne sous-estime pas Lord Voldemort.

Harry attendit mais Dumbledore ne lui parla pas du désaccord qui, à en croire *La Gazette du sorcier*, l'avait opposé à Scrimgeour et il n'osait pas évoquer lui-même le sujet. Il préféra donc en changer.

– J'ai vu aussi... ce qui était arrivé à Mrs Bones.

– Oui, dit Dumbledore à voix basse. Une terrible perte. C'était une grande sorcière. C'est là-haut, je crois... Aïe !

Il avait tendu sa main blessée pour montrer l'endroit.

– Professeur, qu'avez-vous à votre...

– Je n'ai pas le temps de te l'expliquer maintenant, répondit Dumbledore. Il s'agit d'une histoire palpitante, je ne voudrais pas la gâcher en la racontant trop vite.

Il adressa à Harry un sourire qui lui fit comprendre que ce n'était pas une rebuffade et qu'il avait la permission de poursuivre ses questions.

– J'ai reçu par hibou une brochure du ministère de la Magie à propos des mesures de sécurité que nous devrions tous prendre contre les Mangemorts…

– Oui, moi aussi, j'en ai reçu une, dit Dumbledore, toujours souriant. Elle t'a semblé utile ?

– Pas vraiment.

– C'est ce que je pense. Tu ne m'as pas demandé, par exemple, quelle est la confiture que je préfère, afin de vérifier que je suis bien le professeur Dumbledore et non un imposteur.

– Je n'ai pas…, commença Harry, sans très bien savoir si c'était ou non un reproche.

– Pour que tu le saches à l'avenir, je te signale que c'est la confiture de framboises… mais bien sûr, si j'étais un Mangemort, j'aurais cherché quelle était ma confiture préférée avant de me faire passer pour moi.

– Heu… en effet, dit Harry. Au fait, dans la brochure, il était question des Inferi. Qu'est-ce que c'est, exactement ? Il n'y avait pas d'explication très claire.

– Ce sont des cadavres, répondit Dumbledore d'un ton très calme. Des morts ensorcelés par un mage noir pour lui obéir. Il y a longtemps qu'on n'avait plus vu d'Inferi. Depuis l'époque où Voldemort était au pouvoir… Il a tué, bien sûr, suffisamment de gens pour s'en constituer une véritable armée. Ah, nous sommes arrivés. C'est ici…

Ils approchaient d'une jolie petite maison de pierre entourée d'un jardin. Harry était trop occupé à digérer l'horreur que lui inspirait l'idée des Inferi pour accorder beaucoup d'attention au reste, mais lorsqu'ils atteignirent la grille du jardin, Dumbledore s'arrêta net et Harry le heurta de plein fouet.

– Oh, mon Dieu, mon Dieu, mon Dieu !

Harry suivit son regard, au-delà de l'allée soigneusement entretenue, et sentit son cœur chavirer. La porte d'entrée de la maison pendait sur ses gonds.

Dumbledore jeta un coup d'œil des deux côtés de la rue. Elle semblait totalement déserte.

– Sors ta baguette et reste derrière moi, Harry, dit-il à voix basse.

Il ouvrit la grille et s'avança dans l'allée, le pas vif et feutré, Harry sur ses talons. Puis il poussa très lentement la porte d'entrée, sa baguette brandie, prêt à l'action.

– *Lumos*.

L'extrémité de la baguette de Dumbledore s'alluma, projetant son faisceau dans un couloir étroit. A gauche, une autre porte était ouverte. Levant sa baguette illuminée, Dumbledore pénétra dans le salon, suivi par Harry.

Un spectacle de totale dévastation apparut alors à leurs yeux. Une pendule de grand-mère était fracassée à leurs pieds, son cadran brisé, son balancier tombé un peu plus loin, telle une épée abandonnée. Un piano avait été renversé, ses touches répandues sur le sol. Les débris d'un lustre arraché du plafond luisaient à côté. Des coussins éventrés laissaient échapper leurs plumes à travers leurs enveloppes tailladées ; des morceaux de verre et de porcelaine recouvraient tout comme une poudre. Dumbledore leva sa baguette encore plus haut pour éclairer les murs. Une substance gluante d'un rouge foncé avait éclaboussé le papier peint. Harry eut un haut-le-corps et Dumbledore se tourna vers lui.

– Pas très joli à voir, n'est-ce pas ? dit-il d'une voix accablée. Oui, il s'est passé ici des choses atroces.

Dumbledore s'avança avec précaution jusqu'au milieu de la pièce et examina les décombres qui jonchaient le sol. Harry le suivit, jetant des regards autour de lui, craignant un peu ce qui pourrait apparaître derrière les restes du piano ou le canapé retourné, mais on ne voyait aucune trace de cadavre.

– Il y a peut-être eu un combat et ses agresseurs l'ont emmené, vous ne croyez pas, professeur ? suggéra Harry, en essayant de ne pas imaginer les blessures qu'il aurait fallu infliger pour laisser toutes ces taches de sang au milieu des murs.

– Je ne crois pas, répondit Dumbledore à voix basse.

Il regardait attentivement derrière un gros fauteuil rembourré, renversé sur le côté.

– Vous voulez dire qu'il est…

– Toujours ici, quelque part ? Oui.

Sans le moindre avertissement, Dumbledore fit un grand geste du bras et enfonça l'extrémité de sa baguette dans le fond du fauteuil qui poussa un hurlement :

– Ouille !

– Bonsoir, Horace, dit Dumbledore en se redressant.

Harry resta bouche bée. A la place du fauteuil qu'il avait vu une fraction de seconde auparavant se trouvait à présent, accroupi par terre, un homme chauve, extraordinairement gras, qui se massait le ventre et fixait Dumbledore d'un regard offensé et larmoyant.

– Il n'était pas nécessaire d'enfoncer la baguette aussi

fort, se plaignit-il d'un ton grincheux en se relevant à grand-peine. Ça fait mal.

La lumière de la baguette magique étincela sur son crâne luisant, ses yeux globuleux, son énorme moustache de morse aux poils argentés, et les boutons soigneusement astiqués de la veste de velours bordeaux qu'il portait par-dessus un pyjama couleur lilas. Le sommet de sa tête arrivait à peine au menton de Dumbledore.

– Qu'est-ce qui m'a trahi ? grommela-t-il, vacillant sur ses jambes et se frottant toujours le ventre.

Pour quelqu'un qui venait d'être surpris à essayer de se faire passer pour un fauteuil, il ne semblait pas le moins du monde embarrassé.

– Mon cher Horace, répondit Dumbledore d'un air amusé, si les Mangemorts étaient vraiment venus ici, la Marque des Ténèbres aurait flotté au-dessus de la maison.

Le sorcier frappa son large front d'une main potelée.

– La Marque des Ténèbres, marmonna-t-il. Je savais bien qu'il manquait quelque chose… Tant pis. Je n'aurais pas eu le temps, de toute façon. Je venais tout juste de mettre la dernière main à mon capitonnage quand tu es entré dans la pièce.

Il poussa un profond soupir qui fit voleter les extrémités de sa moustache.

– Tu veux que je t'aide à ranger un peu ? demanda poliment Dumbledore.

– Oui, s'il te plaît, répondit l'autre.

Ils se placèrent dos à dos, le grand sorcier mince et le petit rond, et brandirent tous deux leurs baguettes en décrivant un mouvement identique.

Aussitôt, les meubles s'envolèrent pour reprendre leur place initiale ; les bibelots se reconstituèrent dans les airs ; les plumes rentrèrent dans leurs coussins ; les livres déchirés se réparèrent tout seuls en atterrissant sur leurs étagères ; les lampes à pétrole bondirent sur leurs guéridons et se rallumèrent ; une vaste collection de cadres en argent fracassés traversèrent la pièce dans un arc scintillant et se posèrent délicatement sur un bureau, intacts et sans taches ; les déchirures, les fissures et les trous s'effacèrent un peu partout ; et les murs se nettoyèrent d'eux-mêmes.

– Au fait, c'était du sang de quoi ? demanda Dumbledore d'une voix forte pour couvrir le carillon de l'horloge de grand-mère fraîchement remise à neuf.

– Sur les murs ? De dragon, s'écria le dénommé Horace tandis que, dans un mélange de grincements et de tintements assourdissants, le lustre se revissait tout seul au plafond.

Il y eut un dernier *plonk* émis par le piano puis ce fut le silence.

– Oui, de dragon, répéta le sorcier sur le ton de la conversation. C'était mon dernier flacon et les prix atteignent des sommets en ce moment. Mais je pourrai peut-être m'en resservir.

D'un pas lourd, il s'approcha d'un buffet sur lequel était posée une petite bouteille de cristal qu'il leva dans la lumière pour examiner l'épais liquide qu'elle contenait.

– Mmm. Un peu poussiéreux.

Il reposa la bouteille sur le buffet et soupira. Ce fut alors que son regard tomba sur Harry.

– Oh, oh, dit-il, ses grands yeux ronds se posant aussitôt sur la cicatrice en forme d'éclair que Harry portait au front. *Oh, oh !*

– Voici Harry Potter, dit Dumbledore en s'avançant

pour faire les présentations. Harry, je te présente un vieil ami et collègue, Horace Slughorn.

Slughorn tourna vers Dumbledore un regard pénétrant.

– Alors, c'est comme ça que tu pensais me convaincre, n'est-ce pas ? Eh bien, la réponse est non, Albus.

Il passa devant Harry en évitant résolument de le regarder, comme quelqu'un qui s'efforce de résister à la tentation.

– On peut quand même boire un verre, non ? proposa Dumbledore. En souvenir du bon vieux temps ?

Slughorn hésita.

– Bon, d'accord, un seul verre, répondit-il de mauvaise grâce.

Dumbledore sourit à Harry et le conduisit vers un fauteuil semblable à celui dont Slughorn avait récemment pris l'aspect. Le fauteuil se trouvait devant la cheminée, où un feu venait de s'allumer, juste à côté d'une lampe à huile à la flamme étincelante. Harry s'assit avec la nette impression que Dumbledore, pour il ne savait quelle raison, voulait le placer bien en évidence. Et en effet, lorsque Slughorn, après s'être affairé avec une carafe et des verres, se retourna vers le centre de la pièce, son regard tomba aussitôt sur Harry.

– Humf, dit-il en détournant précipitamment les yeux comme s'il avait eu peur de les brûler. Voilà.

Il donna un verre à Dumbledore qui s'était assis sans y avoir été invité, tendit le plateau à Harry puis s'enfonça à la fois dans les coussins du canapé réparé, et dans un silence bougon. Ses jambes étaient si courtes qu'elles ne touchaient pas le sol.

– Alors, comment va ta santé, Horace ? demanda Dumbledore.

– Pas trop bien, répondit Slughorn. Les poumons fragiles. Du mal à respirer. Des rhumatismes, aussi. Je ne peux plus bouger comme avant. Il faut s'y attendre. C'est l'âge. La fatigue.

– Pourtant, il a bien fallu que tu bouges assez vite pour nous préparer un tel accueil en si peu de temps, remarqua Dumbledore. Tu n'as pas dû avoir plus de trois minutes.

– Deux, précisa Slughorn, moitié irrité, moitié fier de lui. Je n'avais pas entendu mon sortilège d'Intrusion se déclencher, j'étais dans mon bain. Mais quand même, ajouta-t-il d'un air sérieux, en semblant se ressaisir, le fait est que je suis un vieil homme, Albus. Un vieil homme fatigué qui a bien mérité de mener une petite vie tranquille, entouré d'un peu de confort.

Le confort ne lui manquait pas, songea Harry en regardant autour de la pièce. Elle était étouffante, surchargée, mais on ne pouvait lui reprocher d'être inconfortable ; elle était remplie de fauteuils moelleux avec de petits tabourets pour poser les pieds, de boissons diverses, de livres, de boîtes de chocolats, de coussins épais. Si Harry n'avait pas su qui habitait là, il aurait pensé que c'était une vieille dame riche et maniaque.

– Tu n'es pas aussi âgé que moi, Horace, dit Dumbledore.

– Peut-être devrais-tu toi aussi songer à la retraite, répliqua Slughorn d'un ton abrupt.

Ses yeux pâles et ronds comme des groseilles s'étaient posés sur la main blessée de Dumbledore.

– Je vois que tes réflexes ne sont plus ce qu'ils étaient.

– Tu as parfaitement raison, répondit Dumbledore avec sérénité en secouant sa manche pour montrer le bout de ses doigts brûlés et noircis.

En les voyant, Harry ressentit un frisson désagréable dans la nuque.

– Je suis sans aucun doute moins rapide qu'avant. Mais d'un autre côté...

Il haussa les épaules et écarta largement les mains comme pour dire que l'âge avait ses compensations. Harry remarqua alors à sa main valide une bague qu'il n'avait jamais vu Dumbledore porter auparavant : elle était grosse, maladroitement exécutée dans ce qui semblait de l'or et sertie d'une lourde pierre noire fendue par le milieu. Le regard de Slughorn s'attarda également sur la bague et Harry vit un imperceptible froncement de sourcils dessiner quelques rides sur son large front.

– Et toutes ces précautions contre les intrus, Horace... elles sont destinées aux Mangemorts ou simplement à moi ? demanda Dumbledore.

– Qu'est-ce que les Mangemorts pourraient bien vouloir à un vieux bougre exténué tel que moi ? répliqua Slughorn.

– J'imagine qu'ils voudraient te voir utiliser tes considérables talents pour intimider, torturer, assassiner, répondit Dumbledore. Tu prétends me faire croire qu'ils n'ont pas encore essayé de te recruter ?

Pendant un moment, Slughorn regarda Dumbledore d'un air sombre puis il marmonna :

– Il y a un an maintenant que je change sans arrêt d'endroit. Je ne reste jamais nulle part plus d'une semaine. Je vais de maison de Moldu en maison de Moldu – les propriétaires de celle-ci sont en vacances aux Canaries. Elle est très agréable, je la regretterai quand je m'en irai. Il est très facile d'entrer, il suffit de jeter un sortilège de Blocage sur ces absurdes alarmes anticambriolage qu'ils utilisent au lieu de Scrutoscopes, et de s'assurer que les voisins ne vous surprennent pas au moment où on apporte le piano.

– Ingénieux, reconnut Dumbledore, mais c'est une existence qui doit être assez fatigante pour un vieux bougre exténué en quête d'une petite vie tranquille. A Poudlard, en revanche...

– Si tu essayes de me dire que ma vie serait plus paisible dans cette effroyable école, tu peux épargner ta salive, Albus ! Même si je passe mon temps à me cacher, de drôles de rumeurs me sont parvenues depuis que Dolores Ombrage est partie ! Si c'est comme ça qu'on traite les enseignants, de nos jours...

– Le professeur Ombrage s'est attiré les foudres de notre troupeau de centaures, expliqua Dumbledore. Je crois que toi, tu n'aurais pas commis l'imprudence d'aller dans la Forêt interdite et de traiter de « répugnants hybrides » une horde de centaures furieux.

– Elle a fait ça ? s'étonna Slughorn. Quelle idiote. Je ne l'ai jamais beaucoup aimée.

Entendant Harry pouffer de rire, Dumbledore et Slughorn se tournèrent tous deux vers lui.

– Désolé, dit Harry. Simplement... moi non plus, je ne l'aimais pas beaucoup.

Dumbledore se leva brusquement.

– Tu t'en vas ? demanda Slughorn avec espoir.

– Non, je voulais seulement te demander si je peux utiliser tes toilettes, répondit Dumbledore.

– Oh, oui, bien sûr, dit Slughorn, visiblement déçu. Deuxième porte à gauche dans le couloir.

Dumbledore traversa la pièce et le silence s'installa dès qu'il eut refermé la porte derrière lui. Au bout d'un moment, Slughorn se leva mais sans savoir très bien ce qu'il voulait faire. Il lança un coup d'œil furtif à Harry puis s'approcha de la cheminée et tourna le dos aux flammes, réchauffant son large derrière.

– Ne croyez pas que j'ignore pourquoi il vous a amené avec lui, lança-t-il soudain.

Harry se contenta de le regarder. Les yeux humides de Slughorn passèrent rapidement sur sa cicatrice, observant cette fois son visage tout entier.

– Vous ressemblez beaucoup à votre père.

– C'est ce qu'on m'a dit, répondit Harry.

– Sauf les yeux. Vous avez...

– Ceux de ma mère, je sais.

Harry l'avait entendu répéter si souvent qu'il commençait à s'en lasser.

– Humf. Oui, bon. Un professeur, bien sûr, ne devrait pas avoir de préférence pour tel ou tel de ses élèves mais elle a toujours été mon chouchou. Votre mère, ajouta Slughorn en réponse au regard interrogateur de Harry. Lily Evans. L'une des plus brillantes élèves que j'aie jamais eues dans ma classe. Très vive. Une jeune fille charmante. Je lui répétais toujours qu'elle aurait dû appartenir à ma maison. Je dois dire aussi qu'elle n'avait pas la langue dans sa poche.

– Quelle était votre maison ?

– J'étais directeur de Serpentard, répondit Slughorn.

Devant la réaction de Harry, il s'empressa d'ajouter en agitant vers lui un index boudiné :

– Mais il ne faut pas m'en vouloir pour ça ! Vous êtes à Gryffondor, comme elle, j'imagine ? Oui, en général, c'est toute la famille. Mais pas toujours. Vous avez déjà entendu parler de Sirius Black ? Sûrement – il était dans tous les journaux ces deux dernières années. Il est mort il y a quelques semaines...

Harry eut l'impression qu'une main invisible lui serrait les entrailles.

– Enfin, en tout cas, c'était un grand ami de votre père quand ils étaient à l'école. Toute la famille Black avait été dans ma maison mais Sirius a atterri à Gryffondor ! Dommage... Il avait beaucoup de talent. J'ai eu son frère Regulus quand il est arrivé à son tour mais j'aurais bien aimé avoir les deux.

On aurait dit un collectionneur passionné auquel un objet a échappé dans une vente aux enchères. Apparemment perdu dans ses souvenirs, il contemplait le mur d'en face, changeant nonchalamment de position pour répartir la chaleur sur son derrière.

– Bien sûr, votre mère était née moldue. Je n'y croyais pas quand je l'ai découvert. Je pensais qu'elle était de sang pur. Elle était tellement douée.

– L'une de mes plus proches amies a des parents moldus, dit Harry, et c'est la meilleure élève de notre année.

– Curieux comme cela arrive parfois, vous ne trouvez pas ? remarqua Slughorn.

– Pas vraiment, répondit froidement Harry.

Slughorn le regarda d'un air surpris.

– N'allez pas penser que j'ai des préjugés ! protesta-t-il. Non, non, non ! N'ai-je pas dit que votre mère a toujours été une de mes élèves préférées ? Il y a eu aussi Dirk Cresswell, qui avait un an de moins – il est maintenant directeur du Bureau de liaison des gobelins –, encore un fils de Moldu, un élève très doué qui me donne toujours d'excellentes informations sur ce qui se passe chez Gringotts !

Il se dressa sur la pointe des pieds et retomba sur ses talons, l'air satisfait, puis il montra les nombreuses photos encadrées qu'on voyait scintiller sur le buffet, chacune représentant de minuscules personnages animés.

– Tous d'anciens élèves et tous ont signé. Vous remarquerez Barnabas Cuffe, directeur de *La Gazette du sorcier*, il est toujours content d'entendre mon avis sur les nouvelles du jour. Et Ambrosius Flume, de chez Honeydukes – j'ai droit à un panier de friandises à chacun de mes anniversaires, simplement parce que je l'ai présenté à Cicéron Harkiss qui lui a donné son premier travail ! Et derrière – vous la verrez en tendant le cou –, c'est Gwenog Jones, capitaine des Harpies de Holyhead, comme vous le savez... les gens sont toujours étonnés de savoir que je tutoie les Harpies et qu'elles m'envoient des billets gratuits quand je le demande !

Cette pensée semblait le réjouir considérablement.

– Et tous ces gens savent où vous joindre et où vous faire parvenir du courrier ? s'étonna Harry qui se demandait pourquoi les Mangemorts n'arrivaient pas à suivre sa trace alors que les paniers de bonbons, les billets d'entrée pour les matches de Quidditch et les visiteurs avides de conseils n'avaient aucun mal à le trouver.

Son sourire disparut du visage de Slughorn aussi vite que le sang de dragon s'était effacé de ses murs.

– Bien sûr que non, dit-il en regardant Harry. J'ai perdu le contact avec tout le monde depuis un an.

Harry eut l'impression que sa réponse le choquait lui-même ; pendant un instant, il sembla mal à l'aise. Puis il haussa les épaules.

– Quoi qu'il en soit, par les temps qui courent, un sorcier avisé a tout intérêt à garder un profil bas. Dumbledore peut bien faire de beaux discours, mais prendre un poste à Poudlard aujourd'hui reviendrait à déclarer publiquement son allégeance à l'Ordre du Phénix ! Et bien que je les trouve admirables, d'un courage extraordinaire et tout ce qu'on voudra, leur taux de mortalité me laisse un peu perplexe...

– Il n'est pas nécessaire d'appartenir à l'Ordre du Phénix pour enseigner à Poudlard, fit remarquer Harry qui ne parvenait pas à chasser de sa voix une certaine ironie : il était difficile de compatir avec Slughorn et son existence douillette quand on se souvenait de Sirius tapi dans une caverne et se nourrissant de rats. La plupart des professeurs n'en sont pas membres et aucun d'eux n'a été tué – sauf Quirrell, mais il n'a eu que ce qu'il méritait puisqu'il était au service de Voldemort.

Harry se doutait que Slughorn était de ces sorciers qui ne peuvent supporter d'entendre le nom de Voldemort prononcé à haute voix et il ne fut pas déçu : Slughorn frissonna et poussa un cri de protestation que Harry décida d'ignorer.

– Je pense que les professeurs de Poudlard sont plus en sécurité que n'importe qui d'autre tant que Dumbledore sera directeur ; il est le seul que Voldemort ait jamais craint, non ? poursuivit Harry.

Pendant un certain temps, Slughorn regarda dans le vide : il semblait réfléchir à ce que Harry venait de dire.

– Oui, il est vrai que Celui-Dont-On-Ne-Doit-Pas-Prononcer-Le-Nom n'a jamais cherché le combat avec Dumbledore, marmonna-t-il à contrecœur. Et on pourrait sans doute m'objecter que comme je n'ai pas rejoint les rangs des Mangemorts, Celui-Dont-On-Ne-Doit-Pas-Prononcer-Le-Nom ne saurait me compter parmi ses amis... Auquel cas, je serais peut-être un peu plus en sécurité auprès d'Albus... Je ne prétendrai pas que la mort d'Amelia Bones ne m'a pas secoué... Si elle-même, avec toutes les relations et les protections dont elle bénéficiait au ministère...

Dumbledore revint dans la pièce et Slughorn sursauta comme s'il avait oublié qu'il était dans la maison.

– Ah, tu es là, Albus, dit-il. Tu es resté absent longtemps. Des problèmes d'estomac ?

– Non, je lisais simplement des magazines moldus, répondit Dumbledore. J'adore ces modèles de tricot. Mais je crois que nous avons suffisamment abusé de l'hospitalité d'Horace, Harry, il est temps de nous en aller.

Sans se faire prier, Harry se leva d'un bond. Slughorn sembla pris au dépourvu.

– Vous partez ?

– Oui. Quand une cause est perdue, je sais le reconnaître.

– Perdue...

Slughorn parut s'agiter soudain. Il tourna ses pouces boudinés et se dandina sur place en voyant Dumbledore attacher sa cape de voyage et Harry remonter la fermeture Éclair de son blouson.

– Je suis désolé que tu n'aies pas accepté ce poste, Horace, continua Dumbledore qui lui adressa un signe d'adieu de sa main valide. Poudlard aurait aimé te voir revenir en son sein. Malgré le renforcement considérable de nos mesures de sécurité, tu seras toujours le bienvenu si tu décides de nous rendre visite.

– Eh bien... C'est très aimable à toi... Comme je le dis toujours...

– Alors, au revoir.

– Au revoir, dit Harry.

Ils avaient atteint la porte d'entrée lorsqu'un cri retentit derrière eux :

– D'accord, d'accord, j'accepte !

Dumbledore se retourna et vit Slughorn debout sur le seuil du salon, le souffle court.

– Tu veux bien sortir de ta retraite ?

– Oui, oui, répondit Slughorn d'un ton impatient. Je dois être fou mais c'est d'accord.

– Merveilleux, s'exclama Dumbledore, le visage rayonnant. Dans ce cas, Horace, nous te reverrons le 1er septembre.

– Oui, sûrement, grogna Slughorn.

Tandis qu'ils s'éloignaient dans l'allée, la voix de Slughorn leur parvint à nouveau :

– Et je veux une augmentation, Dumbledore !

Dumbledore pouffa de rire. La grille d'entrée du jardin se referma derrière eux et ils redescendirent la colline dans l'obscurité et la brume qui tournoyait autour d'eux.

– Bravo, Harry, dit Dumbledore.

– Je n'ai rien fait, répliqua Harry, surpris.

– Oh mais si. Tu as montré à Horace tout ce qu'il a à gagner en retournant à Poudlard. Comment le trouves-tu ?

– Heu...

Harry ne savait pas très bien si Slughorn lui avait plu ou pas. Il était sans doute sympathique à sa manière mais il lui avait paru également vaniteux et, malgré ses protestations, beaucoup trop étonné qu'une fille de Moldus puisse devenir une bonne sorcière.

– Horace aime son confort, dit Dumbledore, dispensant Harry de lui faire part de ses pensées. Il aime aussi la compagnie des gens célèbres, de ceux qui ont du succès et du pouvoir. Il est ravi quand il a l'impression qu'il peut les influencer. Il n'a jamais voulu occuper le trône lui-même, il préfère rester en retrait – ce qui lui donne davantage de place pour prendre ses aises. Il avait toujours des chouchous à Poudlard, parfois en raison de leurs ambitions ou de leur intelligence, parfois à cause de leur charme ou de leur talent, et il possédait un don fantastique pour repérer ceux qui, plus tard, se révéleraient exceptionnels dans leurs domaines respectifs. Horace avait constitué une sorte de club où il rassemblait ses élèves préférés et dont il était le centre, faisant les présentations, établissant des contacts utiles entre ses membres et récoltant toujours un quelconque avantage en échange, que ce soit une boîte d'ananas confits ou l'occasion de recommander un jeune collaborateur au Bureau de liaison des gobelins.

Harry eut soudain la vision saisissante d'une grosse araignée qui tissait sa toile autour d'elle, secouant un fil ici ou là pour rapprocher ses grosses mouches bien juteuses.

– Si je te raconte tout ça, reprit Dumbledore, ce n'est pas pour te dresser contre Horace – ou, comme nous devrons désormais l'appeler, le professeur Slughorn – mais pour te mettre en garde. Il essayera très certainement de t'avoir dans son cercle, Harry. Tu serais le clou de sa collection : le Survivant... ou, comme on t'appelle ces temps-ci, l'Élu.

A ces mots, Harry ressentit une impression de froid qui n'avait rien à voir avec la brume environnante. Il se souvenait des paroles entendues quelques semaines plus tôt, des paroles qui avaient pour lui un sens particulier, redoutable : « Aucun d'eux ne peut vivre tant que l'autre survit... »

Dumbledore s'était arrêté à la hauteur de l'église devant laquelle ils étaient passés en arrivant.

– Ici, ça devrait aller. Harry, si tu veux bien t'accrocher à mon bras.

Cette fois, Harry se prépara au transplanage mais la sensation lui parut tout aussi déplaisante que lors de sa première expérience. Lorsque la pression sur son corps se relâcha et qu'il fut à nouveau capable de respirer, il se retrouva debout à côté de Dumbledore, sur une route de campagne, face à une demeure biscornue, celle qu'il aimait le plus après Poudlard : le Terrier. En dépit de la terreur qui venait de le submerger, cette vision ne pouvait que lui remonter le moral. Ron habitait cette maison... ainsi que Mrs Weasley, la meilleure cuisinière qu'il eût jamais connue...

– Si cela ne t'ennuie pas, Harry, dit Dumbledore en franchissant la porte du jardin, j'aimerais bien avoir une petite conversation avec toi avant que nous nous séparions. En privé. Là-dedans, peut-être ?

Dumbledore montra une cabane en pierre délabrée où les Weasley rangeaient leurs balais. Quelque peu intrigué, Harry suivit Dumbledore qui ouvrit une porte grinçante et tous deux pénétrèrent dans un espace un peu plus petit qu'un placard moyen. Dumbledore alluma sa baguette magique qui brilla comme une torche et adressa un sourire à Harry.

– J'espère que tu me pardonneras de te le dire, Harry, mais je suis heureux et même assez fier de la façon dont tu réagis après tout ce qui s'est passé au ministère. Permets-moi d'ajouter que, à mon avis, Sirius aussi aurait été fier de toi.

Harry déglutit, il lui sembla que sa voix l'avait abandonné. Il ne pensait pas pouvoir supporter de parler de Sirius. Entendre l'oncle Vernon dire : « Son parrain est mort ? » lui avait paru suffisamment douloureux, et pire encore le ton dégagé sur lequel Slughorn avait lancé son nom.

– Il est cruel, reprit Dumbledore d'une voix douce, que

Sirius et toi ayez passé si peu de temps ensemble. Une fin brutale à des liens qui auraient pu durer longtemps et vous apporter de grandes joies.

Harry approuva d'un signe de tête, les yeux résolument fixés sur l'araignée qui montait à présent le long du chapeau de Dumbledore. Il vit que Dumbledore comprenait ; peut-être même devinait-il que, jusqu'à l'arrivée de sa lettre, Harry avait passé presque tout son temps chez les Dursley allongé sur son lit, refusant de manger et contemplant la brume dont il avait fini par associer le vide glacé à celui que répandaient les Détraqueurs.

– J'ai simplement du mal, dit enfin Harry à voix basse, à me faire à l'idée qu'il ne m'écrira plus jamais.

Il sentit soudain un picotement dans les yeux et battit des paupières. Il trouvait stupide de l'avouer mais savoir que quelqu'un, en dehors de Poudlard, se souciait de lui, presque comme un parent, était l'une des plus belles choses qui lui soient arrivées lorsqu'il avait découvert son parrain... et maintenant, plus jamais les hiboux ne lui apporteraient ce réconfort...

– Sirius représentait pour toi ce que tu n'avais jamais connu auparavant, dit Dumbledore avec douceur. Bien entendu, cette perte est accablante...

– Mais quand j'étais chez les Dursley, l'interrompit Harry, la voix plus ferme, j'ai compris que je ne pouvais pas me refermer sur moi-même – ni me laisser abattre. Sirius ne l'aurait pas voulu, n'est-ce pas ? D'ailleurs, la vie est trop courte... Regardez Mrs Bones, regardez Emmeline Vance... La prochaine fois, ce pourrait être moi, non ? Mais si c'est le cas, poursuivit-il d'un ton féroce en regardant à présent Dumbledore droit dans ses yeux bleus qui brillaient à la lueur de la baguette magique, je ferai tout pour emmener avec moi autant de Mangemorts que je pourrai et Voldemort aussi, si j'y arrive.

– Tu as parlé à la fois comme le fils de ton père et de ta mère et comme le digne filleul de Sirius ! assura Dumbledore en exprimant son approbation par une petite tape sur l'épaule. Je te tire mon chapeau – ou tout au moins, je le ferais si je n'avais pas peur de te couvrir d'araignées.

« Maintenant, Harry, venons-en à un autre sujet très lié à celui-ci... J'imagine que tu as lu *La Gazette du sorcier* au cours des quinze derniers jours ?

– Oui, répondit Harry, dont le cœur se mit à battre un peu plus vite.

– Tu as donc vu qu'il y a eu de nombreuses fuites, pour ne pas dire une inondation, au sujet de ton aventure dans la salle des Prophéties ?

– Oui, dit encore Harry. Maintenant, tout le monde sait que je suis celui...

– Non, ils ne le savent pas, l'interrompit Dumbledore. Il n'existe que deux personnes au monde qui connaissent le contenu intégral de la prophétie sur toi et Lord Voldemort, et ces deux personnes se trouvent dans cette cabane à balais malodorante, remplie d'araignées. Il est vrai, toutefois, que beaucoup de gens ont effectivement deviné que Voldemort avait envoyé ses Mangemorts voler une prophétie et que cette prophétie te concernait. Mais je ne pense pas me tromper en affirmant que tu n'as jamais raconté à personne que tu la connaissais en détail ?

– C'est vrai, répondit Harry.

– Une sage décision, dans l'ensemble, approuva Dumbledore. Je crois pourtant que tu pourrais faire une entorse à ce principe au bénéfice de tes amis, Mr Ronald

Weasley et Miss Hermione Granger. Oui, poursuivit-il en voyant la réaction de surprise de Harry, je pense qu'ils devraient savoir. Tu leur rends un mauvais service en ne leur confiant pas quelque chose d'aussi important pour eux.

– Je ne voulais pas…

– Les inquiéter ou les effrayer ? acheva Dumbledore qui fixait Harry par-dessus ses lunettes en demi-lune. Ou peut-être avouer que toi aussi tu es inquiet et effrayé ? Tu as besoin de tes amis, Harry. Comme tu l'as si justement fait remarquer, Sirius n'aurait pas voulu que tu te refermes sur toi-même.

Harry ne dit rien mais Dumbledore ne semblait pas attendre de réponse.

– Une autre chose encore, reprit-il, mais qui est liée au reste : je voudrais te donner des cours privés, cette année.

– Des cours privés… avec vous ? s'étonna Harry, que la surprise arracha à son silence.

– Oui, je crois qu'il est temps pour moi de prendre une plus grande part à ton éducation.

– Qu'allez-vous m'enseigner, professeur ?

– Oh, un peu de tout, répondit Dumbledore d'un ton dégagé.

Harry attendit avec espoir mais Dumbledore n'ajouta rien. Il lui posa donc une autre question qui l'inquiétait :

– Si je prends des cours avec vous, je n'aurai plus besoin d'étudier l'occlumancie avec Rogue, n'est-ce pas ?

– Le *professeur* Rogue, Harry. En effet, ce sera fini.

– Très bien, dit Harry, soulagé. C'était vraiment un…

Il s'interrompit de peur d'avouer le fond de sa pensée.

– Je crois que le mot fiasco conviendrait bien en l'occurrence, déclara Dumbledore avec un hochement de tête.

Harry éclata de rire.

– Ça signifie que je ne verrai plus beaucoup le professeur Rogue désormais, parce qu'il ne m'admettra pas dans sa classe si je n'ai pas obtenu un « Optimal » à mon examen de BUSE et je suis certain que ce n'est pas le cas.

– Comme dit le proverbe, attends donc d'avoir vu tes BUSE avant de les compter, répondit Dumbledore avec gravité. D'ailleurs, maintenant que j'y pense, les résultats devraient arriver dans la journée. Encore deux autres points, Harry, avant de nous séparer. D'abord, à partir de maintenant, je voudrais que tu gardes toujours ta cape d'invisibilité sur toi. Même dans l'enceinte de Poudlard. En cas de besoin, tu comprends ?

Harry acquiesça d'un signe de tête.

– Ensuite, en prévision de ton séjour ici, le Terrier a été doté des plus hautes mesures de sécurité que le ministère puisse fournir. Ces mesures ont entraîné un certain nombre d'inconvénients pour Arthur et Molly – leur courrier, par exemple, est examiné au ministère avant de leur être renvoyé. Ils ne s'en plaignent nullement car ta sécurité est leur seul souci. Mais ce serait bien mal les remercier si tu prenais des risques pendant que tu seras chez eux.

– Je comprends, répondit précipitamment Harry.

– Très bien, dit Dumbledore qui poussa la porte de la cabane à balais et sortit dans le jardin. Je vois de la lumière dans la cuisine. Ne privons pas plus longtemps Molly d'une nouvelle occasion de déplorer à quel point tu es maigre.

5
FLEURK

Harry et Dumbledore se dirigèrent vers la porte de derrière du Terrier, entourée comme d'habitude d'un amas de vieilles bottes et de chaudrons rouillés ; Harry entendait les faibles gloussements de poules endormies dans une lointaine basse-cour. Dumbledore frappa trois fois et Harry vit soudain quelqu'un bouger derrière la fenêtre de la cuisine.

– Qui est là ? demanda une voix tendue qu'il reconnut comme celle de Mrs Weasley. Annoncez-vous !

– C'est moi, Dumbledore, j'amène Harry.

La porte s'ouvrit aussitôt et Mrs Weasley apparut dans l'encadrement, petite, replète, vêtue d'une vieille robe de chambre verte.

– Harry, mon chéri ! Bonté divine, Albus, vous m'avez fait peur. Vous m'aviez dit de ne pas vous attendre avant demain matin !

– Nous avons eu de la chance, répondit Dumbledore en poussant Harry à l'intérieur. Slughorn s'est laissé convaincre beaucoup plus facilement que je ne l'espérais. Grâce à Harry, bien sûr. Tiens, bonjour Nymphadora !

Harry tourna la tête et vit qu'en dépit de l'heure tardive,

Mrs Weasley n'était pas seule. Une jeune sorcière au teint pâle, le visage en forme de cœur et les cheveux d'un châtain clair, couleur souris, était assise à la table, tenant fermement une grande tasse entre ses mains.

– Bonjour, professeur, dit-elle. Salut, Harry.

– Bonjour, Tonks.

Harry trouva qu'elle avait l'air fatiguée, malade même, et que son sourire avait quelque chose de forcé. Son apparence était sans nul doute beaucoup moins haute en couleur qu'à l'ordinaire, sans l'habituelle teinte rose chewing-gum de ses cheveux.

– Je ferais bien d'y aller, lança-t-elle précipitamment en se levant et en jetant sa cape sur ses épaules. Merci pour le thé et le soutien moral.

– Il ne faut pas partir à cause de moi, dit aimablement Dumbledore. Je ne peux pas rester, j'ai des choses importantes à voir avec Rufus Scrimgeour.

– Non, non, je dois y aller, assura Tonks en évitant le regard de Dumbledore. Bonne nuit…

– Pourquoi ne viendrais-tu pas dîner pendant le week-end ? Remus et Fol Œil seront là…

– Non, vraiment, Molly… Merci quand même… Au revoir tout le monde.

Tonks passa en hâte devant Dumbledore et Harry, puis sortit dans le jardin ; après avoir fait quelques pas au-dehors, elle tourna sur place et se volatilisa. Harry remarqua que Mrs Weasley semblait contrariée.

– Eh bien, je te reverrai à Poudlard, Harry, dit Dumbledore. Prends bien soin de toi. Molly, mes hommages.

Il s'inclina devant Mrs Weasley et imita Tonks, disparaissant à son tour au même endroit. Mrs Weasley referma la porte sur le jardin désert puis elle prit Harry par les épaules et l'amena à la lumière de la lanterne posée sur la table pour l'examiner de plus près.

– Tu es comme Ron, commenta-t-elle, en le regardant de la tête aux pieds. On dirait que vous avez subi un maléfice d'Élongation, tous les deux. Je jurerais que Ron a pris dix centimètres depuis la dernière fois que je lui ai acheté des robes pour l'école. Tu as faim, Harry ?

– Oui, répondit-il, s'apercevant soudain qu'il était affamé.

– Assieds-toi, mon chéri, je vais te préparer un petit quelque chose.

Lorsque Harry s'assit, un chat orange, au pelage touffu et au museau écrasé, lui sauta sur les genoux et s'y installa en ronronnant.

– Hermione est là ? demanda-t-il d'une voix réjouie tandis qu'il grattait Pattenrond derrière l'oreille.

– Oui, elle est arrivée avant-hier, répondit Mrs Weasley en tapotant de sa baguette une grande marmite de fer qui bondit sur la cuisinière avec un grand bruit et se mit aussitôt à bouillonner. Tout le monde dort, bien sûr, nous ne t'attendions pas avant plusieurs heures. Tiens, voilà...

Elle donna à nouveau un petit coup de baguette ; cette fois, la marmite s'envola vers Harry et s'inclina. Mrs Weasley glissa un bol au-dessous, juste à temps pour recueillir l'épaisse soupe à l'oignon fumante qui s'en déversait.

– Du pain, mon chéri ?

– Oui, merci, madame Weasley.

Elle agita sa baguette par-dessus son épaule et une miche de pain accompagnée d'un couteau vinrent atterrir avec grâce sur la table. La miche de pain se coupa d'elle-même et la marmite de soupe retourna se poser sur la cuisinière pendant que Mrs Weasley venait s'installer face à Harry.

– Alors, tu as réussi à convaincre Horace Slughorn d'accepter ce travail ?

Harry acquiesça d'un signe de tête, la bouche pleine de soupe chaude qui l'empêchait de parler.

– Il a été notre professeur, à Arthur et à moi, poursuivit Mrs Weasley. Il a enseigné à Poudlard pendant une éternité. Je crois qu'il a dû commencer à peu près au même moment que Dumbledore. Qu'est-ce que tu penses de lui ?

La bouche à présent pleine de pain, Harry haussa les épaules et eut un mouvement de tête qui n'engageait à rien.

– Je comprends ce que tu veux dire, assura Mrs Weasley d'un air entendu. Bien sûr, il peut être charmant quand il le veut mais Arthur ne l'a jamais beaucoup aimé. Le ministère est rempli d'anciens chouchous de Slughorn, il a toujours été habile à donner des coups de pouce mais il n'a jamais eu beaucoup de temps pour s'occuper d'Arthur – il ne le trouvait pas assez ambitieux. Ce qui montre que même Slughorn peut commettre des erreurs. Je ne sais pas si Ron te l'a dit dans une de ses lettres – ça vient juste d'arriver – mais Arthur a eu une promotion !

Il était évident que Mrs Weasley brûlait de le lui apprendre. Harry avala une bonne quantité de soupe très chaude et eut l'impression que des cloques se formaient dans sa gorge.

– C'est magnifique ! s'exclama-t-il dans un hoquet.

– Tu es adorable, dit Mrs Weasley, le visage rayonnant, interprétant peut-être les larmes dans les yeux de Harry comme un signe d'émotion à l'annonce de la nouvelle. Oui, Rufus Scrimgeour a créé plusieurs nouveaux services pour mieux répondre à la situation actuelle et Arthur a été nommé directeur du Bureau de détection et de confiscation des faux sortilèges de défense et objets de protection. C'est un poste important, il a dix personnes sous ses ordres, maintenant !

– Et qu'est-ce que…

– Eh bien, vois-tu, dans la panique provoquée par le retour de Tu-Sais-Qui, des choses étranges ont commencé à se vendre un peu partout, des objets censés prémunir leurs propriétaires contre Tu-Sais-Qui et les Mangemorts. Tu peux imaginer quel genre – de prétendues potions de protection qui sont simplement de la sauce de viande avec un peu de pus de Bubobulb ou des instructions pour des maléfices de défense qui en réalité te font tomber les oreilles… Dans leur grande majorité, ces escrocs sont des gens dans le style de Mondingus Fletcher qui n'ont jamais exercé un travail honnête un seul jour dans leur vie et cherchent à tirer profit de la terreur collective. Mais parfois, on trouve de vraies horreurs. L'autre jour, Arthur a confisqué une boîte de Scrutoscopes ensorcelés qui ont certainement été introduits par les Mangemorts. Comme tu le vois, c'est un travail très important et je lui ai dit qu'il était idiot de regretter les bougies de moteur, les toasters et toute cette pacotille de Moldus, conclut Mrs Weasley avec un regard sévère comme si Harry avait laissé entendre qu'il était bien naturel d'avoir la nostalgie des bougies de moteur.

– Mr Weasley est toujours à son travail, à cette heure-ci ? demanda Harry.

– Oui. En fait, il est un peu en retard… Il m'avait dit qu'il serait de retour vers minuit…

Elle se retourna pour regarder une grande horloge posée de travers sur une pile de draps dans le panier de linge sale, au bout de la table. Harry la reconnut aussitôt : elle avait neuf aiguilles qui portaient chacune le nom d'un des membres de la famille ; en général, elle était accrochée au mur du salon mais à en juger par la place qu'elle occupait à présent, Mrs Weasley avait dû prendre l'habitude de l'emporter avec elle partout dans la maison. En cet instant, chacune de ses neuf aiguilles pointait sur « En danger de mort ».

– Il y a un bout de temps que c'est comme ça, dit Mrs Weasley, d'un ton qu'elle essayait sans succès de rendre désinvolte. Depuis que Tu-Sais-Qui est revenu au grand jour. J'imagine que tout le monde est en danger de mort, désormais... pas seulement notre famille... mais je ne connais personne d'autre qui possède une telle horloge, je ne peux donc pas vérifier. Oh !

Avec une soudaine exclamation, elle montra le cadran. L'aiguille de Mr Weasley était passée sur « En déplacement ».

– Il arrive !

Et en effet, un instant plus tard, on frappa à la porte de derrière. Mrs Weasley se leva d'un bond et se précipita. Une main sur la poignée, le visage contre le panneau, elle murmura :

– Arthur, c'est toi ?

– Oui, répondit la voix fatiguée de Mr Weasley. Mais c'est ce que je dirais même si j'étais un Mangemort, ma chérie. Alors, pose la question !

– Oh, tu crois vraiment ?

– Molly !

– Très bien, très bien... Quelle est ta plus chère ambition ?

– Découvrir comment font les avions pour voler.

Mrs Weasley approuva d'un signe de tête et tourna la poignée mais, apparemment, Mr Weasley la bloquait de l'autre côté car la porte resta solidement fermée.

– Molly ! Il faut d'abord que je te pose ta question !

– Arthur, vraiment, c'est complètement idiot...

– Quel est le petit nom par lequel tu aimes bien que je t'appelle quand nous sommes seuls tous les deux ?

Même à la faible lumière de la lanterne, Harry vit que Mrs Weasley était devenue écarlate. Lui-même éprouva une sensation de chaleur qui lui monta dans le cou et jusqu'aux oreilles. Il avala précipitamment sa soupe en cognant aussi bruyamment que possible sa cuillère contre le bol.

– Mollynette, murmura Mrs Weasley, mortifiée, dans l'interstice qui séparait le bord de la porte du chambranle.

– Exact, approuva Mr Weasley. Maintenant, tu peux me laisser entrer.

Mrs Weasley ouvrit la porte et son mari apparut, un sorcier mince au front dégarni avec des cheveux roux, des lunettes d'écaille et une longue cape de voyage poussiéreuse.

– Je ne vois toujours pas pourquoi il faut recommencer tout cela chaque fois que tu reviens à la maison, dit Mrs Weasley, le teint toujours rose tandis qu'elle aidait son époux à enlever sa cape. Après tout, un Mangemort aurait très bien pu t'arracher la réponse avant de prendre ton aspect.

– Je sais ma chérie mais ce sont les procédures imposées par le ministère et il faut que je donne l'exemple. Il y a quelque chose qui sent bon, ici. De la soupe à l'oignon ?

Mr Weasley se tourna vers la table avec espoir.

– Harry ! Nous ne t'attendions pas avant demain matin !

Ils se serrèrent la main et Mr Weasley se laissa tomber sur la chaise à côté de Harry pendant que Mrs Weasley posait devant lui un autre bol de soupe.

– Merci, Molly. La nuit a été rude. Un idiot avait commencé à vendre des Médailles Métamorphes. Il suffisait, disait-il, de les mettre autour du cou pour pouvoir changer d'apparence à volonté. Cent mille déguisements possibles pour dix Gallions seulement !

– Et qu'est-ce qui se passe quand on les porte ?

– La plupart du temps, on prend simplement une horrible couleur orange mais deux ou trois personnes ont aussi vu des verrues en forme de tentacules leur pousser sur tout le corps. Comme s'ils n'avaient pas déjà suffisamment de travail à Ste Mangouste !

– C'est le genre d'objet que Fred et George trouveraient très amusant, dit Mrs Weasley d'un ton hésitant. Tu es sûr que…

– Évidemment, j'en suis sûr ! répliqua Mr Weasley. Ils ne feraient jamais une chose pareille en ce moment, alors que les gens sont prêts à tout pour se protéger !

– Et c'est donc à cause des Médailles Métamorphes que vous êtes arrivé si tard ?

– Non. Nous avons entendu parler d'un maléfice de Retour de Flamme dans le quartier d'Elephant and Castle mais heureusement, la Brigade de police magique avait déjà réglé l'affaire quand nous sommes arrivés sur place…

La main devant sa bouche, Harry étouffa un bâillement.

– Au lit, s'exclama aussitôt Mrs Weasley, à qui rien n'échappait. Je t'ai préparé la chambre de Fred et George, tu l'auras pour toi tout seul.

– Pourquoi ? Où sont-ils ?

– Oh, ils habitent le Chemin de Traverse maintenant, dans un petit appartement au-dessus de leur magasin de farces et attrapes, répondit Mrs Weasley. Ils sont trop occupés pour revenir ici. J'avoue que je ne les approuvais pas au début mais ils semblent vraiment avoir le sens des affaires ! Viens, mon chéri, ta valise est déjà là-haut.

– Bonne nuit, monsieur Weasley, dit Harry en repoussant sa chaise.

Pattenrond sauta de ses genoux avec légèreté et se faufila hors de la pièce.

– Bonne nuit, Harry, répondit Mr Weasley.

Lorsqu'ils quittèrent la cuisine, Harry vit Mrs Weasley jeter un coup d'œil à l'horloge, dans le panier à linge sale. Toutes les aiguilles pointaient à nouveau sur « En danger de mort ».

La chambre de Fred et George se trouvait au deuxième étage. Mrs Weasley donna un coup de baguette magique en direction d'une lampe qui s'alluma sur la table de chevet, baignant la pièce d'une agréable lueur dorée. Un grand vase de fleurs était posé devant la petite fenêtre, mais leur parfum ne parvenait pas à masquer une odeur persistante que Harry identifia comme celle de la poudre à canon. Une grande partie du plancher était occupée par d'innombrables boîtes en carton fermées et sans étiquette, au milieu desquelles se trouvait la grosse valise de Harry. La pièce semblait servir de remise provisoire.

Hedwige, perchée sur une grande armoire, accueillit Harry avec un hululement enjoué puis s'envola par la fenêtre ; Harry savait qu'elle l'avait attendu avant de partir chasser. Il souhaita une bonne nuit à Mrs Weasley, mit un pyjama et se coucha dans l'un des lits. Il y avait quelque chose de dur dans la taie d'oreiller. Harry y glissa la main et trouva un bonbon gluant, violet et orange : une pastille de Gerbe. Avec un sourire, il se tourna de l'autre côté et s'endormit instantanément.

Quelques instants plus tard – c'est en tout cas l'impression qu'il eut –, il fut réveillé par un bruit qui ressemblait à un coup de canon tandis que la porte s'ouvrait à la volée. Se redressant brusquement, il entendit le grincement des rideaux qu'on écartait ; il lui sembla alors que les rayons d'un soleil aveuglant lui transperçaient les yeux. Se protégeant d'une main, il tâtonna fébrilement de l'autre, à la recherche de ses lunettes.

– Squisspasse ?

– On ne savait pas que tu étais déjà là ! lança une voix sonore et surexcitée.

Il reçut alors un coup sec sur le crâne.

– Ron, ne le frappe pas ! protesta une voix de fille sur un ton de reproche.

La main de Harry trouva enfin ses lunettes qu'il mit aussitôt, mais la lumière était si vive qu'il ne voyait presque rien. Pendant un instant, une ombre se dessina en tremblotant devant lui ; il cligna des yeux et Ron Weasley entra dans son champ de vision, affichant un grand sourire.

– Ça va ?

– Je ne me suis jamais senti aussi bien, répondit Harry.

Il se massa le sommet de la tête et se laissa retomber sur ses oreillers.

– Et toi ?

– Ça va pas mal, dit Ron.

Il tira vers lui une des boîtes en carton et s'assit dessus.

– Tu es arrivé quand ? Maman vient juste de nous prévenir !

– Vers une heure du matin.

– Comment se sont conduits les Moldus ? Ils t'ont bien traité ?

– Comme d'habitude, répondit Harry, pendant qu'Hermione s'asseyait au bord du lit. Ils ne m'ont pas beaucoup parlé mais je préfère ça. Et toi, Hermione, ça va ?

– Oh, très bien, assura-t-elle en scrutant le visage de Harry comme s'il couvait une maladie.

Il devinait ce qu'elle avait en tête mais, comme il n'éprouvait pour le moment aucune envie de parler de la mort de Sirius ou de tout autre sujet attristant, il se contenta de demander :

– Quelle heure est-il ? J'ai raté le petit déjeuner ?

– Ne t'inquiète pas pour ça. Maman va te monter un plateau. Elle trouve que tu as l'air sous-alimenté, dit Ron en levant les yeux au ciel. Alors, quoi de neuf ?

– Rien d'extraordinaire. Que veux-tu qu'il se passe chez ma tante et mon oncle ?

– Arrête ! protesta Ron. Tu es reparti avec Dumbledore !

– Ça n'avait rien de palpitant. Il voulait simplement que je l'aide à convaincre un ancien professeur de sortir de sa retraite. Il s'appelle Horace Slughorn.

– Ah bon ? dit Ron, l'air déçu. On pensait...

Hermione lui jeta un regard réprobateur et Ron changea aussitôt de cap.

– On pensait bien que ce serait quelque chose dans ce genre-là.

– Vraiment ? répliqua Harry, amusé.

– Oui... maintenant qu'Ombrage est partie, il a forcément besoin d'un nouveau professeur de défense contre les forces du Mal, non ? Et... heu... comment est-il ?

– Il ressemble vaguement à un morse et il était directeur de Serpentard, répondit Harry. Qu'est-ce qu'il y a, Hermione ?

Elle l'observait comme si elle s'attendait à le voir

manifester à tout moment d'étranges symptômes. Elle changea très vite d'expression, affichant un sourire peu convaincant.

– Rien, rien du tout ! Et... heu... d'après toi, Slughorn a l'air d'un bon professeur ?

– Je ne sais pas, dit Harry. De toute façon, il ne peut pas être pire qu'Ombrage.

– Je connais quelqu'un de pire qu'Ombrage, lança une voix à la porte.

La jeune sœur de Ron entra dans la pièce d'un pas traînant, l'air exaspéré.

– Salut, Harry.

– Qu'est-ce qui t'arrive ? s'étonna Ron.

– C'est *elle*, répondit Ginny en se laissant tomber lourdement sur le lit de Harry. Elle me rend folle.

– Qu'est-ce qu'elle a encore fait ? demanda Hermione, compatissante.

– C'est sa façon de me parler... On dirait que j'ai trois ans !

– Je sais, murmura Hermione, elle est tellement sûre d'elle.

Harry s'étonna d'entendre Hermione parler ainsi de Mrs Weasley et il ne put reprocher à Ron de s'exclamer avec colère :

– Vous ne pourriez pas l'oublier cinq secondes ?

– Ah oui, bien sûr, prends sa défense, répliqua sèchement Ginny. On sait que tu ne te lasses jamais d'elle.

Qu'une telle remarque s'applique à la mère de Ron paraissait bien étrange ; Harry eut soudain le sentiment que quelque chose lui échappait et il demanda :

– De qui vous...

Mais il obtint la réponse à sa question avant même

d'avoir fini de la poser. A nouveau, la porte de la chambre s'ouvrit à la volée et Harry remonta instinctivement ses couvertures jusqu'au menton avec une telle brusquerie qu'Hermione et Ginny glissèrent du lit et tombèrent par terre.

Sur le seuil se tenait une jeune femme d'une beauté si époustouflante que la pièce sembla soudain étrangement immobile. Elle était grande, élancée, avec de longs cheveux blonds, et une pâle lueur argentée semblait émaner d'elle comme un halo. Pour parachever cette vision parfaite, elle portait un plateau lourdement chargé d'un petit déjeuner copieux.

– Arry, dit-elle d'une voix de gorge. Ça fait si longtemps !

Elle franchit la porte d'un pas léger, laissant apparaître Mrs Weasley qui la suivait d'une démarche chaloupée, l'air furibond.

– Ce n'était pas la peine d'apporter le plateau, je m'apprêtais à le faire moi-même !

– Oh, là, là, mais ça ne m'a pas dérangée du tout, dit Fleur Delacour en posant le plateau sur les genoux de Harry.

Puis elle fondit sur lui pour l'embrasser sur les deux joues et il sentit sa peau le brûler à l'endroit où ses lèvres l'avaient touché.

– J'avais tellement envie de le voir, celui-là. Tu te souviens de ma sœur Gabrielle ? Oh, là, là, si tu savais, elle n'arrête pas de me parler d'Arry Potter. Elle va être absolument enchantée de te revoir.

– Ah… elle est là aussi ? demanda Harry d'une voix rauque.

– Mais non, voyons, ce que tu es bête, Arry ! s'exclama

Fleur avec un rire cristallin. Je voulais dire l'été prochain, quand on… ah mais, ce n'est pas possible, oh, là, là, tu n'es pas au courant ?

Ses grands yeux bleus s'arrondirent et elle adressa un regard de reproche à Mrs Weasley qui marmonna :

– Nous n'avons pas encore eu l'occasion de le lui annoncer.

Fleur se tourna à nouveau vers Harry dans un grand mouvement de ses cheveux blond argenté qui fouettèrent au passage le visage de Mrs Weasley.

– Bill et moi, on va se marier !

– Ah, dit Harry, l'air perplexe.

Il ne put lui échapper que Mrs Weasley, Hermione et Ginny évitaient soigneusement d'échanger le moindre regard.

– Eh bien… heu… félicitations !

A nouveau, elle se précipita sur lui pour l'embrasser.

– Bill est terriblement occupé en ce moment, oh, là, là, c'est fou ce qu'il travaille, moi je suis seulement employée à mi-temps chez Gringotts, ça me permet d'améliorer mon anglais, tu comprends ? Alors il m'a amenée ici quelques jours pour que je puisse mieux connaître sa famille. Mais j'étais *tellement* ravie d'apprendre que tu devais venir, tu ne peux pas savoir ! Il n'y a pas grand-chose à faire dans cette maison, sauf si on aime la cuisine et les poulets ! Enfin, je te laisse prendre ton petit déjeuner, Arry !

Elle se tourna avec grâce et parut flotter dans les airs tandis qu'elle sortait de la pièce en refermant silencieusement la porte derrière elle.

Mrs Weasley émit un son qui ressemblait à : « Tchah ! »

– Maman la déteste, dit Ginny à voix basse.

– Je ne la déteste pas ! protesta Mrs Weasley dans un chuchotement furieux. Je trouve simplement qu'ils se sont fiancés un peu trop vite, c'est tout !

– Il y a un an qu'ils se connaissent, fit remarquer Ron, qui paraissait étrangement étourdi, le regard fixé sur la porte fermée.

– Ce n'est pas très long ! Et puis je sais comment ça s'est passé. C'est à cause de l'incertitude qui règne depuis le retour de Vous-Savez-Qui, les gens pensent qu'ils peuvent mourir d'un instant à l'autre et ils se hâtent de prendre des décisions qui auraient dû leur demander une plus grande réflexion. On a vu la même chose autrefois au temps de sa puissance, des couples à droite et à gauche qui partaient vivre ensemble sur un coup de tête.

– Toi et papa, par exemple, dit Ginny d'un air malicieux.

– Oui mais, ton père et moi, nous étions faits l'un pour l'autre, à quoi aurait-il servi d'attendre ? demanda Mrs Weasley. Alors que Bill et Fleur... enfin quoi... qu'est-ce qu'ils ont en commun ? Lui a le sens des réalités, il aime travailler dur, alors qu'elle...

– Une vraie dinde, trancha Ginny avec un signe de tête approbateur. Mais Bill n'est pas si réaliste. Son métier, c'est de conjurer les mauvais sorts, il aime bien l'aventure, il est sensible au charme... J'imagine que c'est pour ça qu'il est tombé amoureux de Fleurk.

– Arrête de l'appeler comme ça, Ginny, répliqua sèchement Mrs Weasley, tandis que Harry et Hermione éclataient de rire. Bon, je ferais bien d'y aller... Mange tes œufs pendant qu'ils sont chauds, Harry.

L'air soucieux, elle quitta la chambre. Ron semblait toujours un peu sonné ; il essaya de secouer la tête comme un chien qui a de l'eau dans les oreilles.

– Vous ne finissez pas par vous habituer à elle, à force de vivre sous le même toit ? demanda Harry.

– Oh, si, répondit Ron, mais quand elle te tombe dessus sans que tu t'y attendes, comme tout à l'heure…

– C'est lamentable, déclara Hermione d'un ton furieux.

Elle s'éloigna de Ron à grands pas en mettant le plus de distance possible entre eux et, lorsqu'elle eut atteint le mur, elle se tourna face à lui, les bras croisés.

– Tu n'as quand même pas envie de l'avoir près de toi éternellement ? dit Ginny à Ron d'un air incrédule.

Voyant qu'il se contentait de hausser les épaules, elle ajouta :

– En tout cas, je te parie que maman va essayer d'arrêter ça le plus vite possible, si elle le peut.

– Et comment s'y prendra-t-elle ? interrogea Harry.

– Elle fait son possible pour inviter Tonks à dîner. Je crois qu'elle voudrait bien que Bill tombe amoureux d'elle. J'espère que c'est ce qui se passera, je préfère que ce soit elle qui entre dans la famille.

– Oh oui, ça marchera très bien, assura Ron d'un ton sarcastique. Sois raisonnable, aucun type sain d'esprit ne va préférer Tonks si Fleur est dans les parages. D'accord, Tonks n'est pas mal, quand elle ne s'arrange pas le nez et les cheveux avec des trucs stupides, mais…

– Elle est sacrément plus agréable que *Fleurk*, l'interrompit Ginny.

– Et elle est plus intelligente, c'est une Auror ! lança Hermione dans son coin de mur.

– Fleur n'est pas bête du tout, elle a été choisie pour le Tournoi des Trois Sorciers, fit remarquer Harry.

– Tu ne vas pas t'y mettre aussi ! s'exclama Hermione d'un ton amer.

– J'imagine que tu aimes bien la façon dont Fleurk t'appelle « Arry » ? demanda Ginny d'un air méprisant.

– Non, répondit Harry en regrettant d'avoir ouvert la bouche, je faisais simplement remarquer que Fleurk – je veux dire Fleur…

– Je préférerais avoir Tonks dans la famille, répéta Ginny. Au moins, elle est drôle.

– Elle n'est pas si drôle que ça, ces temps-ci, commenta Ron. Chaque fois que je la vois, on dirait plutôt Mimi Geignarde.

– C'est injuste, protesta Hermione. Simplement, elle ne s'est pas encore remise de ce qui s'est passé… tu sais bien… Je veux dire qu'il était son cousin !

Harry sentit son cœur se serrer. Ils en arrivaient à parler de Sirius. Il prit une fourchette et commença à enfourner ses œufs brouillés, espérant pouvoir échapper à cette partie de la conversation.

– Tonks et Sirius se connaissaient à peine ! s'exclama Ron. Sirius a passé la moitié de sa vie à Azkaban, et avant leurs familles ne s'étaient jamais rencontrées…

– Ce n'est pas la question, répliqua Hermione. Elle pense qu'elle est responsable de sa mort !

– Et comment en arrive-t-elle à penser ça ? demanda Harry malgré lui.

– Eh bien, elle se battait contre Bellatrix Lestrange, tu te souviens ? Et elle pense que si elle avait réussi à la vaincre, Bellatrix n'aurait pas pu tuer Sirius.

– C'est idiot, dit Ron.

– C'est la culpabilité du survivant, déclara Hermione. Je sais que Lupin a essayé de la raisonner mais elle est toujours déprimée. En fait, elle a des ennuis avec son Métamorphosisme.

– Son quoi ?

– Elle n'arrive plus à changer d'apparence comme avant, expliqua Hermione. Je pense que ses pouvoirs ont peut-être été affectés par le choc.

– Je ne savais pas que c'était possible, s'étonna Harry.

– Moi non plus, répondit Hermione, mais je suppose que si on est vraiment déprimé…

La porte s'ouvrit à nouveau et Mrs Weasley passa la tête par l'entrebâillement.

– Ginny, murmura-t-elle, viens m'aider à préparer le déjeuner.

– Je suis en train de parler avec les autres ! répondit Ginny, outrée.

– Tu descends tout de suite ! ordonna Mrs Weasley et elle repartit.

– Elle veut que je sois là pour ne pas se retrouver seule avec Fleurk ! s'indigna Ginny.

Elle ramena ses cheveux roux en arrière dans une très bonne imitation de Fleur et traversa la chambre d'un pas léger, les bras levés comme une ballerine.

– Vous aussi, vous avez intérêt à descendre vite, conseilla-t-elle en sortant.

Harry profita du silence momentané qui suivit pour finir son petit déjeuner. Hermione regarda dans les boîtes de Fred et George tout en lançant de temps à autre des coups d'œil obliques à Harry. Ron, qui mangeait à présent un des toasts posés sur le plateau, contemplait toujours la porte d'un air rêveur.

– Qu'est-ce que c'est que ça ? demanda Hermione qui tenait dans sa main un objet semblable à un petit télescope.

– Sais pas, dit Ron, mais si Fred et George l'ont laissé ici, c'est sans doute qu'il n'est pas encore prêt pour la vente, alors fais attention.

– D'après ta mère, leur magasin marche bien, dit Harry. Il paraît qu'ils ont vraiment le sens des affaires.

– C'est le moins qu'on puisse dire, répondit Ron. Ils se font un paquet de Gallions ! J'ai hâte de voir leur boutique. On n'est pas encore allés sur le Chemin de Traverse parce que maman dit que papa doit venir avec nous pour des questions de sécurité et, ces temps-ci, il a trop de travail. Mais apparemment, ça marche à fond.

– Et Percy, qu'est-ce qu'il devient ? demanda Harry.

Le troisième fils des Weasley s'était fâché avec le reste de la famille.

– Est-ce qu'il parle de nouveau à tes parents ?

– Non.

– Pourtant, maintenant, il sait que ton père avait raison depuis le début au sujet du retour de Voldemort…

– Dumbledore affirme qu'on pardonne plus facilement aux autres d'avoir eu tort que d'avoir eu raison, déclara Hermione. Je l'ai entendu dire ça à ta mère, Ron.

– Tout à fait le genre de trucs dingues que peut raconter Dumbledore, commenta Ron.

– Il va me donner des cours privés, cette année, dit Harry, sur le ton de la conversation.

Ron avala de travers son morceau de toast et Hermione sursauta.

– Et tu gardais ça pour toi ! s'exclama Ron.

– Je viens juste de m'en souvenir, répondit Harry, ce qui était vrai. Il me l'a annoncé la nuit dernière dans votre cabane à balais.

– Ça alors… Des cours privés avec Dumbledore ! répéta Ron, impressionné. Je me demande pourquoi il a…

Sa voix se perdit. Harry le vit échanger un regard avec Hermione. Il posa son couteau et sa fourchette, le cœur battant un peu trop vite pour quelqu'un qui se contentait d'être assis dans son lit. C'était Dumbledore qui lui avait conseillé de le faire... alors, pourquoi pas maintenant ? Les yeux fixés sur sa fourchette qui brillait dans un rayon de soleil, il dit :

– Je ne sais pas exactement pourquoi il veut me donner des leçons mais je pense que c'est lié à la prophétie.

Ni Ron ni Hermione ne prononcèrent un mot. Harry eut l'impression qu'ils étaient tous deux pétrifiés. Parlant toujours à sa fourchette, il poursuivit :

– Vous savez, celle qu'ils ont essayé de voler au ministère.

– Mais personne ne sait ce qu'elle contenait, dit précipitamment Hermione. Elle a été détruite.

– *La Gazette* a quand même raconté que..., commença Ron mais Hermione l'interrompit d'un « chut ! » péremptoire.

– *La Gazette* avait raison, reprit Harry en faisant un grand effort pour lever les yeux vers eux.

Hermione semblait effrayée et Ron stupéfait.

– Le globe de verre qui a été brisé n'était pas l'unique trace de la prophétie. Je l'ai entendue en entier dans le bureau de Dumbledore, c'est à lui que la prophétie a été faite, il a donc pu me la répéter. D'après ce qu'elle dit – Harry prit une profonde inspiration –, il semble que je sois celui qui devra tuer Voldemort... elle affirme en tout cas qu'aucun de nous ne peut vivre tant que l'autre survit.

Pendant un moment, tous trois se regardèrent en silence. Puis il y eut un grand *bang !* et Hermione disparut derrière un panache de fumée noire.

– Hermione ! s'écrièrent Harry et Ron d'une même voix.

Le plateau du petit déjeuner glissa du lit et se fracassa par terre.

Prise d'une quinte de toux, Hermione émergea de la fumée, avec le télescope à la main et un œil poché d'une couleur violette éclatante.

– Je l'ai serré et il... il m'a donné un coup de poing ! s'exclama-t-elle, le souffle coupé.

En effet, ils voyaient à présent un poing minuscule au bout d'un long ressort qui pendait à l'extrémité du télescope.

– Ne t'inquiète pas, dit Ron qui s'efforçait de ne pas éclater de rire. Maman t'arrangera ça, elle sait très bien guérir les petites blessures.

– Enfin, bon, ce n'est pas le moment de s'occuper de ça ! Harry, oh, Harry...

Elle s'assit à nouveau au bord du lit.

– On s'était demandé en revenant du ministère... On ne voulait pas t'en parler, mais d'après ce que Lucius Malefoy avait dit de la prophétie... qu'elle te concernait, toi et Voldemort... on pensait bien que ça pouvait être quelque chose dans ce genre-là... Oh, Harry...

Elle le regarda fixement, puis murmura :

– Tu as peur ?

– Moins qu'avant, répondit Harry. Quand je l'ai entendue la première fois, j'ai eu peur... mais maintenant, j'ai l'impression d'avoir toujours su que je serais obligé de l'affronter un jour...

– Quand on a appris que Dumbledore allait te chercher lui-même, on a pensé qu'il allait peut-être te dire ou te montrer quelque chose au sujet de la prophétie, déclara Ron, surexcité. Et on avait raison, non ? Il ne te donnerait pas de leçons s'il pensait que tu es condamné, il ne perdrait pas son temps... Il doit penser que tu as une chance de le vaincre !

– C'est vrai, approuva Hermione. Je me demande ce qu'il va t'apprendre, Harry. Sans doute des techniques de défense magique très avancées... des antisorts et des contre-maléfices puissants...

Harry ne l'écoutait pas vraiment. Une chaleur se répandait en lui, qui n'avait rien à voir avec celle du soleil. Il sentait une étreinte se relâcher dans sa poitrine. Il savait que Ron et Hermione étaient plus ébranlés qu'ils ne le laissaient paraître mais le simple fait qu'ils soient toujours là, tous les deux à ses côtés, prononçant des mots de réconfort qui lui donnaient du courage, sans s'éloigner de lui comme s'il était contagieux ou dangereux, avait à ses yeux plus de valeur qu'il n'aurait su le dire.

– Et plus généralement, des sortilèges d'esquive, acheva Hermione. Enfin, toi, au moins, tu connais déjà un des cours que tu auras cette année, c'est mieux que Ron et moi. Je me demande quand on va enfin avoir les résultats de nos BUSE.

– Ils ne devraient plus tarder, ça fait un mois, maintenant, remarqua Ron.

– Attendez, dit Harry qui venait de se souvenir d'un détail de la conversation de la veille. Je crois bien que d'après Dumbledore, les résultats des BUSE devraient arriver aujourd'hui !

– Aujourd'hui ? s'écria Hermione d'une voix perçante. Aujourd'hui ? Mais pourquoi ne l'as-tu pas... Oh, mon Dieu... Tu aurais dû prévenir...

Elle se leva d'un bond.

– Je vais voir s'il n'y a pas eu de hiboux...

Mais lorsque Harry descendit dix minutes plus tard, habillé de pied en cap, rapportant le plateau vide du petit déjeuner, il trouva Hermione assise à la table de la cuisine, en proie à une grande agitation, tandis que Mrs Weasley essayait de soigner son œil au beurre noir qui lui donnait un profil de panda.

– Ça ne veut pas partir, dit Mrs Weasley d'un ton anxieux, penchée sur Hermione avec dans une main sa baguette magique et dans l'autre un exemplaire du *Guide du guérisseur* ouvert au chapitre « Contusions, coupures et écorchures ». Pourtant, ça marchait toujours, avant. Je n'y comprends rien.

– S'arranger pour qu'on ne puisse pas l'enlever, c'est ça l'idée que Fred et George se font d'une bonne plaisanterie, commenta Ginny.

– Mais il faut bien que ça s'en aille, gémit Hermione. Je ne vais quand même pas continuer à me promener comme ça !

– Ne t'inquiète pas, ma chérie, nous trouverons bien un antidote, assura Mrs Weasley d'un ton apaisant.

– Bill m'a raconté, c'est fou ce que Fred et George sont amusants ! dit Fleur avec un sourire serein.

– Oui, je m'étouffe de rire, répliqua sèchement Hermione.

Elle se leva soudain et commença à faire les cent pas autour de la cuisine en se tordant les mains.

– Madame Weasley, vous êtes vraiment sûre qu'aucun hibou n'est arrivé ce matin ?

– Oui, ma chérie, je l'aurais remarqué, répondit Mrs Weasley avec patience. Mais il est à peine neuf heures, il y a encore tout le temps...

– Je sais que j'ai raté les runes anciennes, marmonna Hermione, fébrile. J'ai fait au moins un contresens. Et je n'ai pas été bonne du tout à l'épreuve pratique de défense contre les forces du Mal. Au début, je pensais avoir réussi en métamorphose mais, maintenant, en y réfléchissant...

– Hermione, tu veux bien te taire, tu n'es pas la seule à avoir le trac, aboya Ron. Et quand tu auras eu tes dix « Optimal »...

– Arrête, arrête, arrête ! l'interrompit Hermione en agitant les mains dans un geste hystérique. Je sais bien que j'ai tout raté !

– Qu'est-ce qui se passe si on rate ? demanda Harry à la cantonade, mais ce fut Hermione qui répondit.

– On discute de ses options avec le directeur de sa maison. C'est le professeur McGonagall qui me l'a dit, je lui avais posé la question à la fin du dernier trimestre.

L'estomac de Harry se contracta. Il regretta d'avoir tant mangé au petit déjeuner.

– A Beauxbâtons, ça ne se passait pas *du tout* comme ça, intervint Fleur d'un air suffisant. Et c'était beaucoup mieux, je peux vous le dire. On avait nos examens au bout de six ans d'études, pas cinq, et ensuite...

Les paroles de Fleur furent noyées dans un hurlement. Hermione tendait le doigt vers la fenêtre de la cuisine, montrant dans le ciel trois petits points noirs, nettement visibles, qui grossissaient régulièrement.

– Ce sont des hiboux, dit Ron d'une voix rauque.

Il se rua vers la fenêtre, rejoignant Hermione.

– Et il y en a trois, ajouta Harry qui se précipita à son tour, se plaçant de l'autre côté d'Hermione.

– Un pour chacun de nous, murmura celle-ci, terrifiée. Oh, non... oh, non... oh, non...

Elle agrippa Harry et Ron chacun par un bras.

Trois magnifiques chouettes hulottes volaient droit vers

le Terrier. Lorsqu'elles descendirent au-dessus du chemin qui menait à la maison, ils virent clairement que chacune d'elles portait une grande enveloppe carrée.

– Oh, *non* ! couina Hermione.

Mrs Weasley se glissa entre eux et ouvrit la fenêtre. Une, deux, trois, les chouettes hulottes s'y engouffrèrent et atterrirent sur la table, dans un alignement impeccable. Toutes trois levèrent la patte droite.

Harry s'avança vers elles. La lettre qui lui était adressée était attachée à la chouette du milieu. Avec des gestes maladroits, il entreprit de dénouer la ficelle. A sa gauche, Ron s'efforçait de prendre sa propre lettre ; à sa droite, les mains d'Hermione tremblaient tellement que sa chouette en frémissait de la tête aux pattes.

Personne ne prononça un mot. Enfin, Harry parvint à détacher son enveloppe. Il l'ouvrit aussitôt et déplia le parchemin qu'elle contenait.

BREVET UNIVERSEL
DE SORCELLERIE ÉLÉMENTAIRE

Le candidat est admis s'il obtient l'une des notes suivantes :	*Le candidat est recalé s'il obtient l'une des notes suivantes :*
Optimal (O)	*Piètre (P)*
Effort exceptionnel (E)	*Désolant (D)*
Acceptable (A)	*Troll (T)*

HARRY JAMES POTTER A OBTENU :

Astronomie :	*A*
Soins aux créatures magiques :	*E*

Sortilèges :	*E*
Défense contre les forces du Mal :	*O*
Divination :	*P*
Botanique :	*E*
Histoire de la magie :	*D*
Potions :	*E*
Métamorphose :	*E*

Harry relut le parchemin à plusieurs reprises, respirant un peu plus facilement à chaque fois. Tout allait bien : il avait toujours su qu'il raterait la divination et il n'avait aucune chance de passer en histoire de la magie puisqu'il s'était effondré par terre en plein milieu de l'examen, mais il était reçu dans toutes les autres épreuves ! Il lut à nouveau la colonne des notes en suivant avec le doigt... il avait bien réussi la métamorphose et la botanique, il avait même un « Effort exceptionnel » en potions ! Et mieux que tout, il obtenait un « Optimal » en défense contre les forces du Mal !

Il regarda autour de lui. Hermione lui tournait le dos, la tête baissée, mais Ron avait l'air ravi.

– Je n'ai raté que la divination et l'histoire de la magie, mais qui donc s'y intéresse ? dit-il à Harry d'un ton joyeux. Tiens... on échange...

Harry parcourut les notes de Ron : il n'avait aucun « Optimal »...

– Je savais que tu aurais le maximum en défense contre les forces du Mal, dit Ron qui donna à Harry un coup de poing sur l'épaule. On s'est bien débrouillés, non ?

– Bravo ! s'exclama Mrs Weasley avec fierté en ébouriffant les cheveux de Ron. Sept BUSE, c'est plus que ce que Fred et George ont jamais obtenu à eux deux !

– Et toi ? demanda timidement Ginny à Hermione qui leur tournait toujours le dos. Qu'est-ce que tu as eu ?

– Je... Ce n'est pas trop mal, répondit-elle d'une petite voix.

– Eh, arrête un peu, coupa Ron en s'avançant vers elle pour lui prendre ses résultats des mains. Ouais, c'est ça... neuf « Optimal » et un « Effort exceptionnel » en défense contre les forces du Mal.

Il lui jeta un coup d'œil, moitié amusé, moitié exaspéré.

– Tu dois être très déçue, non ?

Hermione hocha la tête et Harry éclata de rire.

– Eh bien, maintenant, nous allons préparer nos ASPIC ! dit Ron avec un sourire. Maman, il reste des saucisses ?

Harry regarda à nouveau ses résultats. Il n'aurait pas pu espérer mieux. Il éprouva cependant une petite pointe de déception... c'était la fin de ses ambitions d'Auror. Il n'avait pas décroché la note requise en potions. Il savait depuis toujours qu'il n'y parviendrait pas mais son cœur se serra quand même lorsqu'il posa encore une fois les yeux sur le petit « E » noir.

Il était étrange que ce soit un Mangemort déguisé qui ait été le premier à dire à Harry qu'il ferait un bon Auror, mais l'idée s'était emparée de lui et il n'arrivait pas à imaginer une autre carrière. En plus, il avait vu là une destinée toute tracée depuis qu'il avait entendu la prophétie, un mois plus tôt... « Aucun d'eux ne peut vivre tant que l'autre survit... » Ne se montrerait-il pas à la hauteur de la prophétie, ne se donnerait-il pas les meilleures chances de survivre, s'il rejoignait les rangs de ces sorciers d'exception dont la tâche consistait à trouver et à tuer Voldemort ?

6
L'ESCAPADE DE DRAGO

Pendant les quelques semaines qui suivirent, Harry resta confiné dans le jardin du Terrier. Il passait le plus clair de ses journées à jouer au Quidditch en double dans le verger des Weasley (Hermione et lui contre Ginny et Ron ; Hermione était consternante et Ginny très bonne, ce qui rétablissait l'équilibre) et ses soirées à reprendre trois fois de tout ce que Mrs Weasley mettait dans son assiette.

Ces vacances auraient pu être paisibles et heureuses sans les récits de disparitions, d'accidents bizarres, et même de meurtres qui paraissaient presque quotidiennement dans *La Gazette du sorcier*. Parfois, Bill et Mr Weasley rapportaient des informations qui n'étaient même pas encore dans le journal. Au grand déplaisir de Mrs Weasley, la célébration du seizième anniversaire de Harry fut assombrie par les abominables nouvelles qu'annonça Remus Lupin, la mine sinistre, le visage émacié, ses cheveux bruns largement sillonnés de gris, ses vêtements plus miteux et rapiécés que jamais.

– Il y a encore eu deux attaques de Détraqueurs, déclara-t-il tandis que Mrs Weasley lui servait une grosse tranche de gâteau d'anniversaire. Le corps d'Igor

Karkaroff a été découvert à l'intérieur d'une cabane, dans le nord du pays. La Marque des Ténèbres flottait au-dessus. Franchement, je suis même surpris qu'il ait réussi à survivre une année entière après avoir déserté les Mangemorts ; si je me souviens bien, Regulus, le frère de Sirius, n'a tenu que quelques jours.

– Oui, bon, dit Mrs Weasley en fronçant les sourcils, il vaudrait peut-être mieux parler d'autre cho…

– Tu as appris ce qui est arrivé à Florian Fortarôme, Remus ? demanda Bill que Fleur abreuvait de vin. Celui qui…

– … vendait des glaces sur le Chemin de Traverse ? l'interrompit Harry avec une désagréable sensation de vide au creux de l'estomac. Il me donnait des glaces gratuites. Qu'est-ce qu'il lui est arrivé ?

– Emmené de force à en juger par l'état de sa boutique.

– Pourquoi ? s'étonna Ron, alors que Mrs Weasley lançait à Bill un regard furieux.

– Qui sait ? Il a dû leur déplaire. C'était un homme bien, Florian.

– En parlant du Chemin de Traverse, dit Mr Weasley, il semble qu'Ollivander aussi ait disparu.

– Le fabricant de baguettes ? s'exclama Ginny, surprise.

– Lui-même. Son magasin est vide. Aucune trace de lutte. Personne ne sait s'il est parti volontairement ou s'il a été enlevé.

– Et les baguettes ? Comment vont faire les gens, maintenant, pour avoir des baguettes ?

– Ils devront s'adresser à d'autres fabricants, répondit Lupin. Mais Ollivander était le meilleur et si le camp d'en face l'a récupéré, ce n'est pas très bon pour nous.

Le lendemain de ce goûter d'anniversaire plutôt maussade, les listes de livres de Poudlard arrivèrent. En lisant sa lettre d'accompagnement, Harry eut une surprise : il avait été nommé capitaine de l'équipe de Quidditch de Gryffondor.

– Ça te donne un rang équivalent à celui de préfet ! s'écria Hermione d'un ton joyeux. Maintenant, tu vas pouvoir utiliser la salle de bains qui nous est réservée, et tout ce qui va avec !

– Wouao, je me souviens quand Charlie avait le même, dit Ron en examinant avec ravissement le badge envoyé à Harry. Alors, tu vas être mon capitaine, ça, c'est vraiment cool... si tu m'acceptes dans ton équipe, bien sûr, ha, ha...

– Maintenant que vous les avez reçues, je pense que nous ne pourrons plus retarder bien longtemps notre petit voyage sur le Chemin de Traverse, soupira Mrs Weasley en regardant la liste des livres de Ron. On ira samedi si votre père n'est pas obligé de travailler. Je refuse d'aller là-bas sans lui.

– Maman, tu crois sincèrement que Tu-Sais-Qui va se cacher derrière une étagère chez Fleury et Bott ? ironisa Ron.

– Fortarôme et Ollivander sont sans doute en vacances ? répliqua Mrs Weasley, s'enflammant aussitôt. Si tu crois que la sécurité est un sujet de rigolade, tu n'as qu'à rester ici et j'achèterai tes affaires moi-même...

– Non, je veux venir, je veux voir le magasin de Fred et George ! s'exclama précipitamment Ron.

– Alors tu changes d'attitude, jeune homme, sinon j'estimerai que tu es trop immature pour nous accompagner ! lança Mrs Weasley avec colère.

Elle saisit l'horloge dont les neuf aiguilles pointaient toujours sur « En danger de mort » et la posa en équilibre sur une pile de serviettes fraîchement lavées.

– C'est aussi valable si tu veux retourner à Poudlard !

– Ça alors... On ne peut même plus rire un peu, ici...

Mais dans les jours qui suivirent, Ron évita soigneusement toute plaisanterie concernant Voldemort. Le samedi arriva sans autres éclats de Mrs Weasley, bien qu'elle parût très tendue au cours du petit déjeuner. Bill, qui resterait à la maison avec Fleur (pour le plus grand plaisir d'Hermione et de Ginny), fit glisser vers Harry une bourse pleine.

– Et moi ? demanda aussitôt Ron, les yeux écarquillés.

– C'est son argent, idiot, répondit Bill. Je l'ai pris dans ton coffre pour toi, Harry, parce que, ces temps-ci, il faut cinq heures de queue pour récupérer son or, tellement les gobelins ont renforcé leurs mesures de sécurité. Il y a deux jours, Arkie Philpott s'est fait enfoncer une Sonde de Sincérité dans le... Enfin, crois-moi, c'est plus facile comme ça.

– Merci, Bill, dit Harry qui rangea son or dans sa poche.

– C'est fou ce qu'il pense aux autres, ronronna Fleur en caressant le nez de Bill avec adoration.

Derrière le dos de Fleur, Ginny fit semblant de vomir dans son bol de céréales. Harry s'étrangla en avalant des corn flakes de travers et Ron lui tapa dans le dos.

Le temps était couvert, obscur. Lorsqu'ils sortirent de la maison en attachant leurs capes, l'une des voitures spéciales du ministère de la Magie, dans laquelle Harry avait déjà eu l'occasion de voyager un jour, les attendait à l'entrée du jardin.

– C'est bien que papa ait de nouveau réussi à en avoir une, dit Ron d'un ton approbateur en s'étalant voluptueusement sur les coussins tandis que la voiture s'éloignait du Terrier en douceur.

Fleur et Bill les regardèrent partir en leur adressant des signes de la main par la fenêtre de la cuisine. Ron, Harry, Hermione et Ginny s'étaient confortablement installés sur la vaste banquette arrière.

– Il ne faudra pas en prendre l'habitude, c'est seulement à cause de Harry, dit Mr Weasley par-dessus son épaule.

Mrs Weasley et lui étaient assis à l'avant, à côté du chauffeur du ministère, sur la banquette qui s'était obligeamment transformée en une sorte de canapé à deux places.

– Harry a droit à la sécurité maximum. Et nous aurons aussi des renforts quand nous serons arrivés au Chaudron Baveur.

Harry resta silencieux : l'idée de faire ses achats entouré d'un bataillon d'Aurors ne le séduisait guère. Il avait rangé sa cape d'invisibilité dans son sac à dos et pensa que si c'était une mesure de précaution suffisante pour Dumbledore, ce devrait également l'être pour le ministère. Mais maintenant qu'il y songeait, il n'était pas sûr que le ministère soit au courant de l'existence de cette cape.

– Nous y sommes, annonça le chauffeur, parlant pour la première fois après un trajet étonnamment court.

La voiture ralentit dans Charing Cross Road et s'arrêta devant Le Chaudron Baveur.

– Je dois vous attendre. Vous avez une idée du temps que vous allez mettre ?

– Environ deux heures, j'imagine, répondit Mr Weasley. Ah, très bien, il est là.

Imitant Mr Weasley, Harry regarda à travers la vitre et sentit son cœur faire un bond. Ce n'était pas des Aurors qui attendaient devant l'auberge mais la silhouette gigantesque, à la barbe noire, de Rubeus Hagrid, le garde-chasse de Poudlard, vêtu d'un long manteau en peau de castor. Indifférent aux passants moldus qui l'observaient interloqués, Hagrid adressa à Harry un sourire rayonnant.

– Harry ! s'exclama-t-il d'une voix tonitruante en le serrant dans une étreinte à lui faire craquer les os dès qu'il eut posé le pied sur le trottoir. Tu devrais voir Buck – je veux dire Ventdebout –, il est tellement heureux d'être revenu à l'air libre...

– Content pour lui, répondit Harry avec un sourire en se massant les côtes. Nous ne savions pas que c'était vous, les « renforts » de sécurité !

– Comme au bon vieux temps, pas vrai ? Le ministère voulait envoyer une bande d'Aurors mais Dumbledore a dit que je ferais l'affaire, déclara fièrement Hagrid, gonflant la poitrine et glissant ses pouces dans ses poches. Allons-y, maintenant. Après vous, Molly, Arthur...

C'était la première fois que Harry voyait Le Chaudron Baveur complètement désert. Tom, le patron, desséché et édenté, était le seul encore présent. A leur arrivée, il les regarda avec espoir mais avant qu'il ait pu prononcer un seul mot, Hagrid annonça d'un ton important :

– On ne fait que passer, aujourd'hui, Tom. Tu comprendras, j'en suis sûr. Les affaires de Poudlard...

Tom acquiesça d'un air sombre et retourna essuyer ses verres. Harry, Hermione, Hagrid et les Weasley traversèrent le bar et sortirent par la porte de derrière, dans la petite cour glacée où étaient rangées les poubelles. Hagrid leva son parapluie rose et tapota une brique du mur qui s'ouvrit aussitôt pour former une arcade donnant accès à une rue pavée et sinueuse. Ils passèrent de l'autre côté et s'arrêtèrent pour jeter un coup d'œil autour d'eux.

Le Chemin de Traverse avait changé. Les vitrines colorées, étincelantes, qui exposaient des grimoires, des ingrédients pour potions, des chaudrons, étaient désormais masquées par les grandes affiches du ministère de la Magie qu'on avait collées par-dessus. La plupart d'entre elles, d'un violet foncé, n'étaient qu'une version agrandie des conseils de sécurité contenus dans la brochure que le ministère avait envoyée au cours de l'été, mais d'autres montraient des photos animées en noir et blanc de Mangemorts évadés. A la façade d'un apothicaire, Bellatrix Lestrange les regardait d'un air dédaigneux. Quelques vitrines étaient condamnées par des planches, notamment celle de Florian Fortarôme, le glacier. Par ailleurs, un grand nombre d'éventaires miteux s'alignaient à présent tout au long de la rue. Le plus proche, dressé devant Fleury et Bott sous une toile à rayures maculée, arborait un écriteau en carton sur lequel on pouvait lire :

Amulettes : efficaces contre les loups-garous,
les Détraqueurs et les Inferi.

Un petit sorcier d'apparence minable agitait sous le nez des passants des poignées de médailles et de chaînes en argent qu'il faisait cliqueter au creux de sa main.

– Vous en voulez une pour votre petite fille, madame ? lança-t-il à Mrs Weasley en lorgnant Ginny. Pour protéger son joli petit cou ?

– Si j'étais en service..., dit Mr Weasley, qui lança un regard courroucé au marchand d'amulettes.

– Je sais, chéri, mais ce n'est pas le moment d'arrêter qui que ce soit, nous sommes pressés, répliqua Mrs Weasley en consultant d'un air inquiet une des listes envoyées par Poudlard. Je crois que nous devrions commencer par

Madame Guipure, Hermione veut de nouvelles robes de soirée et les robes d'école de Ron sont devenues trop courtes, on voit ses chevilles. Toi aussi, il t'en faut d'autres, Harry, tu as tellement grandi. Allez, venez, tous...

– Molly, c'est un peu idiot de se retrouver tous en même temps chez Madame Guipure, fit remarquer Mr Weasley. Ils n'ont qu'à y aller tous les trois avec Hagrid et pendant ce temps-là, nous irons chercher les livres chez Fleury et Bott, non ?

– Je ne sais pas, dit Mrs Weasley, anxieuse, manifestement déchirée entre le désir d'en finir au plus vite avec les achats et le souhait de voir tout le monde rester groupé. Hagrid, pensez-vous que...

– Ne vous inquiétez pas, Molly, ils seront très bien avec moi, la rassura Hagrid, en agitant d'un geste désinvolte une main de la taille d'un couvercle de poubelle.

Mrs Weasley ne parut pas entièrement convaincue mais elle consentit à la séparation, se hâtant en direction de Fleury et Bott en compagnie de son mari et de Ginny tandis que Harry, Ron, Hermione et Hagrid se rendaient chez Madame Guipure.

Harry remarqua que la plupart des gens qu'ils croisaient avaient la même expression tourmentée, anxieuse, que Mrs Weasley et que plus personne ne s'arrêtait dans la rue pour bavarder ; les clients des magasins restaient étroitement rassemblés en petits groupes, uniquement occupés par leurs achats. Personne ne paraissait faire ses courses tout seul.

– On sera peut-être un peu serrés là-dedans, si j'y vais avec vous, dit Hagrid qui s'était arrêté devant la vitrine de Madame Guipure en se penchant pour jeter un coup d'œil à l'intérieur. Je monterai la garde dehors, d'accord ?

Harry, Ron et Hermione entrèrent donc ensemble dans la petite boutique. A première vue, elle avait l'air vide, mais à peine la porte s'était-elle refermée sur eux qu'ils entendirent une voix familière s'élever derrière une rangée de robes de soirée pailletées de vert et de bleu.

– ... ne suis plus un enfant, au cas où tu ne l'aurais pas remarqué, maman. Je suis parfaitement capable de faire mes achats *seul*.

Il y eut une sorte de gloussement puis une voix que Harry reconnut comme celle de Madame Guipure déclara :

– Votre mère a tout à fait raison, mon petit, personne ne doit plus se promener seul, qu'on soit un enfant ou pas n'a rien à voir avec ça...

– Faites attention où vous mettez cette épingle, s'il vous plaît !

Un adolescent au visage pointu et aux cheveux d'un blond presque blanc apparut alors, vêtu d'une élégante robe de sorcier vert foncé sur laquelle brillaient des épingles, autour de l'ourlet et au bout des manches. Il s'avança vers le miroir et se regarda. Quelques instants passèrent avant qu'il n'aperçoive par-dessus son épaule le reflet de Harry, Ron et Hermione. Il plissa aussitôt ses yeux gris clair.

– Si tu te demandes quelle est cette odeur, maman, je te signale qu'une Sang-de-Bourbe vient d'entrer ici, dit Drago Malefoy.

– Je ne pense pas qu'il soit nécessaire de tenir ce genre de propos ! protesta Madame Guipure en sortant de derrière la rangée de vêtements, un mètre ruban et une baguette magique à la main. Et je ne veux pas non plus qu'on se batte dans ma boutique ! se hâta-t-elle d'ajouter après avoir vu Harry et Ron pointer leurs propres baguettes sur Malefoy.

Hermione, qui se tenait légèrement en retrait, murmura :

– Arrêtez, franchement, ça n'en vaut pas la peine…

– Ouais, comme si vous alliez oser vous servir de vos baguettes en dehors de l'école, ricana Malefoy. Qui est-ce qui t'a collé un œil au beurre noir, Granger, que je lui envoie des fleurs ?

– Ça suffit ! s'exclama Madame Guipure, qui regardait par-dessus son épaule en quête d'un soutien. Madame, s'il vous plaît…

Narcissa Malefoy apparut à son tour.

– Rangez ça, lança-t-elle d'un ton glacial à Harry et à Ron. Si vous recommencez à attaquer mon fils, vous pouvez être sûrs que ce sera la dernière chose que vous aurez jamais faite dans votre vie.

– Vraiment ? répliqua Harry.

Il s'avança d'un pas et fixa le visage lisse et arrogant qui, en dépit de sa pâleur, ressemblait toujours à celui de sa sœur. Harry était aussi grand qu'elle, à présent.

– Vous avez l'intention d'aller chercher quelques-uns de vos amis Mangemorts pour en finir avec nous ?

Madame Guipure poussa un cri perçant et porta la main à son cœur.

– Voyons, il ne faut pas accuser… c'est très dangereux de dire ça… rangez vos baguettes, s'il vous plaît !

Mais Harry continua de brandir la sienne. Narcissa Malefoy eut un sourire déplaisant.

– Je constate qu'être le chouchou de Dumbledore vous a donné l'illusion que vous étiez invincible, Harry Potter. Mais Dumbledore ne sera pas toujours là pour vous protéger.

Harry jeta un regard moqueur autour de la boutique.

– Tiens… vous avez vu… il n'est pas là pour l'instant ! C'est le moment de tenter votre chance, non ? Peut-être qu'à Azkaban, ils vous trouveront une cellule double à partager avec votre mari vaincu !

Malefoy, furieux, s'élança vers Harry, mais il se prit les pieds dans sa robe trop longue et trébucha. Ron éclata d'un rire sonore.

– Ne t'avise pas de parler à ma mère comme ça, Potter ! gronda Malefoy.

– Ça n'a pas d'importance, Drago, dit Narcissa qui le retenait en posant ses doigts pâles et fins sur son épaule. Je pense que Potter ira rejoindre le cher Sirius avant que je ne retrouve Lucius.

Harry leva sa baguette un peu plus haut.

– Harry, non ! gémit Hermione.

Elle l'attrapa par le poignet en essayant de lui faire baisser le bras.

– Il ne faut pas... Tu aurais trop d'ennuis...

Pendant un moment, Madame Guipure parut désemparée puis elle décida de se comporter comme si de rien n'était dans l'espoir que tout allait s'arranger. Elle se pencha vers Malefoy qui regardait toujours Harry d'un air furieux.

– Je crois qu'on pourrait encore raccourcir un peu la manche gauche, ne bougez pas, mon petit, je vais...

– Aïe ! s'écria Malefoy en lui écartant la main d'une tape. Faites attention où vous mettez vos aiguilles, femme ! Maman... je crois que je ne veux pas de cette robe, finalement...

Il l'enleva en la passant par-dessus sa tête et la jeta par terre, aux pieds de Madame Guipure.

– Tu as raison, Drago, approuva Narcissa qui lança à Hermione un regard méprisant. Maintenant que je vois quel genre de racaille vient se fournir ici... On trouvera mieux chez Tissard et Brodette.

La mère et le fils sortirent alors de la boutique, Malefoy bousculant brutalement Ron au passage.

– Non mais vraiment ! s'indigna Madame Guipure.

Elle ramassa la robe et passa l'extrémité de sa baguette magique à sa surface, comme un aspirateur, pour la débarrasser de sa poussière.

Elle était encore dans tous ses états pendant le temps que durèrent les essayages de Ron et de Harry ; elle voulut même vendre à Hermione une robe de sorcier au lieu d'une robe de sorcière et lorsqu'elle les raccompagna enfin jusqu'à la porte, elle eut l'air contente de les voir partir.

– Vous avez tout trouvé ? demanda Hagrid d'une voix joyeuse lorsqu'ils revinrent auprès de lui.

– A peu près, répondit Harry. Vous avez vu les Malefoy ?

– Oui, dit Hagrid, indifférent, mais ils n'oseraient pas tenter quelque chose en plein milieu du Chemin de Traverse, Harry, ne t'inquiète pas.

Harry, Ron et Hermione échangèrent des regards mais avant d'avoir pu détromper Hagrid de cette idée un peu trop confortable, Mr et Mrs Weasley apparurent avec Ginny, les bras chargés de lourds paquets de livres.

– Tout va bien ? demanda Mr Weasley. Vous avez vos robes ? Parfait, nous passerons chez l'apothicaire et chez Eeylops, au Royaume du Hibou, en allant voir Fred et George... Restez bien groupés, maintenant...

Ni Harry ni Ron n'avaient besoin d'ingrédients chez l'apothicaire puisqu'ils n'iraient plus en cours de potions, mais tous deux achetèrent chez Eeylops de grandes boîtes de noix spécial hibou pour Hedwige et Coquecigrue. Puis, tandis que Mrs Weasley consultait sa montre toutes les deux minutes, ils poursuivirent leur chemin en direction des Farces pour sorciers facétieux, le magasin de farces et attrapes de Fred et George.

– Nous n'avons pas beaucoup de temps, prévint Mrs Weasley. Alors, on jette juste un coup d'œil et on revient à la voiture. Ça ne doit plus être très loin, voilà le numéro 92… 94…

– Wooah ! s'exclama Ron en se figeant sur place.

Nichée entre les façades ternes, masquées d'affiches, des magasins qui l'entouraient, la vitrine de Fred et George attirait l'œil comme un feu d'artifice. Les passants regardaient par-dessus leur épaule et quelques-uns d'entre eux, la mine ébahie, s'étaient arrêtés, fascinés. La vitrine de gauche offrait une éblouissante variété d'objets qui tournaient, éclataient, clignotaient, bondissaient, hurlaient ; Harry sentit ses yeux s'embuer rien qu'en les regardant. La vitrine de droite était recouverte d'une immense affiche, de la même couleur violette que celles du ministère mais sur laquelle scintillait en lettres jaunes :

Vous avez peur de Vous-Savez-Qui ?
Craignez plutôt
POUSSE-RIKIKI
le constipateur magique qui vous prend aux tripes !

Harry éclata de rire. Il entendit un faible gémissement à côté de lui et vit Mrs Weasley qui contemplait l'affiche, l'air interdit. Elle remuait les lèvres, en prononçant silencieusement le nom : Pousse-Rikiki.

– Ils vont se faire tuer dans leurs lits ! murmura-t-elle.

– Mais non ! dit Ron qui riait autant que Harry. C'est très drôle !

Harry et lui entrèrent les premiers dans la boutique.

L'endroit était bondé et Harry ne parvint pas à s'approcher des étagères. Il jeta un coup d'œil autour de lui, regardant les cartons qui s'empilaient jusqu'au plafond : il y avait les boîtes à Flemme que les jumeaux avaient mises au point au cours de leur dernière année, inachevée, à Poudlard. Harry remarqua que c'étaient les nougats Néansang qui se vendaient le mieux ; il n'en restait plus qu'un vieux carton cabossé. Il vit aussi des boîtes pleines de baguettes farceuses : la moins chère se transformait en poulet de caoutchouc ou en caleçon quand on la brandissait, la plus coûteuse donnait des coups sur la tête de l'utilisateur sans méfiance. Ailleurs, des caisses débordaient de plumes diverses, depuis le modèle autoencreur jusqu'à la Plume à Réplique Cinglante en passant par celles munies d'un vérificateur d'orthographe. Un espace s'ouvrit dans la foule et Harry se fraya un chemin en direction du comptoir devant lequel un groupe d'enfants de dix ans regardaient d'un air ravi un petit bonhomme de bois monter les marches d'une potence. Au-dessous, on pouvait lire sur la boîte : « Le Pendu Réutilisable – Trouvez le bon sort ou il aura la corde au cou ! »

– « Rêve Éveillé, sortilège breveté… »

Hermione avait réussi à se glisser jusqu'à un grand présentoir, à côté du comptoir, et lisait à haute voix ce qui était écrit sur une boîte ornée d'une image montrant un jeune homme séduisant et une jeune fille pâmée d'admiration sur le pont d'un navire de pirates.

– « Une simple incantation et vous entrerez dans un rêve éveillé de trente minutes, hautement réaliste et d'une exceptionnelle qualité, facile à utiliser dans un cours de durée moyenne et pratiquement indétectable (les effets secondaires peuvent entraîner un regard vide et une tendance à bavER). Interdit à la vente aux moins de seize ans. » Tu sais, fit remarquer Hermione en levant les yeux vers Harry, c'est vraiment extraordinaire, comme magie !

– Pour avoir dit ça, lança une voix derrière eux, tu as droit à une boîte gratuite.

Fred s'était approché, la mine réjouie, vêtu d'une robe de sorcier magenta qui jurait magnifiquement avec ses cheveux d'un roux flamboyant.

– Comment vas-tu, Harry ?

Ils se serrèrent la main.

– Qu'est-ce que tu as à l'œil, Hermione ?

– Ton télescope m'a donné un coup de poing, répondit-elle d'un air piteux.

– Oh, mince, je les avais oubliés, ceux-là, dit Fred. Tiens…

Il sortit un flacon de sa poche et le lui tendit. Hermione dévissa précautionneusement le bouchon et découvrit à l'intérieur une épaisse pâte jaune.

– Tu en mets juste un peu et tu n'auras plus rien dans une heure, assura Fred. On a été obligés de trouver un bon effaceur de bleus, vu qu'on teste la plupart de nos produits nous-mêmes.

Hermione paraissait inquiète.

– C'est *sans* danger, hein ?

– Bien sûr que oui, répliqua Fred d'un ton rassurant. Viens, Harry, je vais te faire visiter.

Harry laissa Hermione soigner son œil au beurre noir et suivit Fred vers le fond du magasin où se trouvait un présentoir de tours de cartes et de cordes.

– De la magie de Moldus ! dit Fred d'une voix enjouée. Pour les cinglés comme mon père, ceux qui adorent les trucs de Moldus. Ça ne rapporte pas beaucoup mais les ventes sont régulières, ce sont de grandes nouveautés... Ah, voilà George...

Le jumeau de Fred serra énergiquement la main de Harry.

– Tu lui fais visiter ? Viens dans l'arrière-boutique, Harry, c'est là qu'on gagne vraiment de l'argent – *essaye de voler quelque chose, toi, et ça te coûtera beaucoup plus cher que des Gallions !* ajouta-t-il d'un ton menaçant à l'adresse d'un petit garçon qui ôta précipitamment sa main d'un bac portant l'étiquette : « Marques des Ténèbres comestibles – elles rendent malade à tous les coups ! »

George écarta un rideau à côté des tours de magie moldus et Harry découvrit une pièce plus sombre où il y avait moins de monde. Les emballages des produits alignés sur les étagères étaient plus discrets.

– Nous sommes en train de lancer une ligne plus sérieuse, expliqua Fred. C'est drôle, la façon dont ça s'est passé...

– Tu n'imagines pas combien de gens, même parmi ceux qui travaillent au ministère, sont incapables d'exécuter convenablement le charme du Bouclier, dit George. Bien sûr, ils ne t'ont pas eu comme professeur, Harry.

– C'est vrai... Au début, on avait pensé que des Chapeaux Boucliers pourraient être amusants. Tu mets ton chapeau, tu défies quelqu'un de te jeter un sort et tu regardes sa tête quand le sort se retourne contre lui. Mais figure-toi que le ministère a acheté cinq cents chapeaux pour son personnel ! Et on continue de recevoir des commandes en masse !

– On a donc élargi la gamme et fabriqué des Capes Boucliers, des Gants Boucliers...

– Évidemment, ils ne serviraient pas à grand-chose face

à un Sortilège Impardonnable, mais pour des maléfices mineurs ou modérés…

– Ensuite, on s'est dit qu'on devrait se lancer dans la défense contre les forces du Mal d'une manière plus générale, parce que c'est ça qui rapporte, poursuivit George avec enthousiasme. Voilà un truc formidable. Regarde, la poudre d'Obscurité Instantanée, on la fait venir du Pérou. Très commode si tu veux disparaître rapidement.

– Et nos Leurres Explosifs se vendent comme des petits pains. Regarde, dit Fred en montrant d'étranges objets noirs en forme de trompe d'automobile qui essayaient de s'enfuir. Tu en fais tomber un subrepticement, il se met à courir et produit une belle explosion un peu plus loin en t'offrant la diversion dont tu as besoin.

– Pratique, commenta Harry, impressionné.

– Tiens, pour toi, dit George qui en prit deux et les lui lança.

Une jeune sorcière aux cheveux blonds coupés court passa la tête derrière le rideau. Harry remarqua qu'elle aussi portait une robe magenta, l'uniforme de la boutique.

– Il y a un client qui cherche un Chaudron Farceur, monsieur et monsieur Weasley, annonça-t-elle.

Harry trouva très étrange d'entendre appeler Fred et George « Mr Weasley » mais eux-mêmes ne parurent pas étonnés.

– Très bien, Verity, j'arrive, répondit George. Harry, tu choisis tout ce que tu veux, d'accord ? Pour toi, c'est gratuit.

– Je ne peux pas accepter ! protesta Harry qui avait déjà sorti sa bourse pour payer les Leurres Explosifs.

– Ici, tu ne payes rien, déclara Fred d'un ton ferme en refusant l'or de Harry d'un geste de la main.

– Mais...

– C'est toi qui nous as fourni notre mise de fonds, on ne l'a pas oublié, dit George, très sérieux. Tu prends tout ce que tu veux, simplement, n'oublie pas de préciser d'où ça vient si jamais on te le demande.

George repassa de l'autre côté du rideau pour aider à servir les clients et Fred ramena Harry dans la partie principale du magasin où il retrouva Hermione et Ginny qui continuaient à s'intéresser de près aux sortilèges brevetés de Rêve Éveillé.

– Dites-moi, les filles, est-ce que vous avez vu notre gamme Charme de Sorcière ? demanda Fred. Suivez-moi, mesdemoiselles...

Près de la vitrine étaient exposées des rangées de produits d'un rose violent autour desquels un groupe de filles surexcitées gloussaient d'enthousiasme. Hermione et Ginny restèrent en arrière, l'air réticent.

– Et voilà, s'exclama Fred avec fierté. Le meilleur choix de philtres d'amour que vous puissiez trouver.

Ginny, visiblement sceptique, haussa un sourcil.

– Et ça marche ?

– Bien sûr ! Jusqu'à vingt-quatre heures d'affilée, selon le poids du garçon...

– ... et la beauté de la fille, dit George en réapparaissant à côté d'elles. Mais nous n'en vendons pas à notre sœur, ajouta-t-il, soudain sérieux, surtout pas quand on sait qu'elle a déjà cinq petits amis, d'après ce que nous avons...

– Tout ce que raconte Ron n'est qu'un énorme mensonge, répliqua Ginny d'un ton très calme en se penchant pour prendre un petit pot rose sur l'étagère. Qu'est-ce que c'est que ça ?

– Un Efface-Boutons dix secondes garanties, répondit

Fred. Convient à tout, depuis les points noirs jusqu'aux furoncles mais n'essaye pas de changer de conversation. Est-ce que oui ou non tu sors ces temps-ci avec un garçon nommé Dean Thomas ?

– Oui, dit Ginny. Et la dernière fois que je l'ai eu devant moi, je n'ai vu qu'un seul garçon, pas cinq. C'est quoi, ça ?

Elle montrait des petites boules rondes et duveteuses, dont la couleur variait du rose au violet et qui roulaient sur elles-mêmes au fond d'une cage en émettant des cris aigus.

– Des Boursouflets, répondit George. En fait, ce sont des Boursoufs miniatures. Nous avons du mal à en élever suffisamment pour répondre à la demande. Et Michael Corner ?

– Je l'ai laissé tomber, c'était un mauvais joueur, dit Ginny, passant un doigt entre les barreaux de la cage et regardant les Boursouflets se précipiter tout autour. Ils sont adorables !

– C'est vrai, on a envie de les caresser, admit Fred. Mais tu ne crois pas que tu changes de petit ami un peu trop souvent ?

Ginny se tourna vers lui, les mains sur les hanches. Son regard ressemblait tellement à celui de Mrs Weasley quand elle était en colère que Harry fut surpris de ne pas voir Fred reculer.

– Ça ne te regarde pas. Et toi, ajouta-t-elle d'un ton furieux à l'adresse de Ron qui venait d'apparaître, chargé de marchandises, au côté de George, je te serais très reconnaissante de ne pas raconter à ces deux-là des histoires qui ne concernent que moi !

– Ça te fera trois Gallions, neuf Mornilles et une Noise, annonça Fred en examinant les nombreuses boîtes que Ron portait dans les bras. Allonge la monnaie.

– Je suis ton frère !

– Et ce sont nos produits que tu essayes de piquer. Trois Gallions, neuf Mornilles, je te fais grâce de la Noise.

– Je n'ai pas trois Gallions, neuf Mornilles !

– Alors, tu remets tout ça où tu l'as pris et ne te trompe pas d'étagères.

Ron laissa tomber plusieurs boîtes, poussa un juron et adressa à Fred un geste grossier de la main, malheureusement surpris par Mrs Weasley qui avait choisi ce moment pour se montrer.

– Si je te vois encore faire ça, je te jette un sort qui te collera les doigts, lança-t-elle sèchement.

– Maman, je peux avoir un Boursouflet ? demanda aussitôt Ginny.

– Un quoi ? dit Mrs Weasley, méfiante.

– Ils sont tellement mignons...

Mrs Weasley fit un pas de côté pour regarder les Boursouflets, dégageant la vitrine du magasin. Hermione, Ron et Harry virent alors Drago Malefoy, seul, remonter la rue d'un pas vif. Lorsqu'il passa devant les Farces pour sorciers facétieux, il jeta un coup d'œil par-dessus son épaule. Quelques secondes plus tard, il était déjà loin et ils l'avaient perdu de vue.

– Je me demande où est sa mère, dit Harry, les sourcils froncés.

– Apparemment, il lui a faussé compagnie, constata Ron.

– Mais pourquoi ? s'interrogea Hermione.

Harry, trop absorbé dans ses réflexions, resta silencieux. Narcissa Malefoy n'aurait pas laissé de son plein gré son précieux fils quitter son champ de vision. Malefoy avait dû déployer de grands efforts pour échapper à ses griffes.

Harry, connaissant et détestant Malefoy, était certain que ce ne pouvait être pour d'innocentes raisons.

Il jeta un regard autour de lui. Mrs Weasley et Ginny étaient penchées sur les Boursouflets pendant que Mr Weasley examinait avec ravissement un jeu moldu de cartes biseautées. Fred et George s'occupaient de leurs clients et, au-dehors, Hagrid leur tournait le dos, surveillant la rue des deux côtés.

– Venez vite là-dessous, chuchota Harry en sortant la cape d'invisibilité de son sac.

– Oh... tu crois, Harry ? dit Hermione en lançant un regard incertain vers Mrs Weasley.

– Allez, *viens* ! dit Ron.

Elle hésita encore un instant puis rejoignit les deux autres sous la cape. Personne ne les avait vus se volatiliser, tout le monde étant beaucoup trop occupé par la contemplation des étalages. Harry, Ron et Hermione se faufilèrent par la porte aussi vite que possible mais lorsqu'ils arrivèrent dans la rue, Malefoy avait réussi à disparaître aussi bien qu'eux.

– Il allait dans cette direction, murmura Harry à voix très basse pour que Hagrid, qui chantonnait à côté d'eux, ne puisse l'entendre. Venez.

Ils s'éloignèrent rapidement, regardant à droite et à gauche, à travers les vitrines et les portes des boutiques, jusqu'au moment où Hermione pointa l'index devant eux.

– C'est lui, là-bas, qui tourne à gauche, non ? chuchota-t-elle.

– Pas étonnant, dit Ron.

Malefoy avait jeté un coup d'œil alentour puis avait disparu dans l'allée des Embrumes.

– Vite ou on va le perdre, dit Harry en accélérant le pas.

– On va voir nos pieds ! s'inquiéta Hermione.

Maintenant qu'ils avaient grandi, il leur était beaucoup plus difficile de se cacher tous les trois sous la cape qui leur battait les chevilles.

– Ça ne fait rien, répliqua Harry avec impatience. Dépêchons-nous !

Mais l'allée des Embrumes, la rue adjacente consacrée à la magie noire, paraissait complètement déserte. Ils regardèrent à travers chaque vitrine mais aucune des boutiques devant lesquelles ils passèrent ne semblait avoir de clients. Harry supposa qu'en cette période de danger et de soupçons, il était trop compromettant d'acheter des objets liés aux forces du Mal – ou en tout cas d'être vu en train de les acheter.

Hermione lui pinça alors le bras.

– Aïe !

– Chut ! Regarde ! Il est là ! dit-elle dans un souffle à l'oreille de Harry.

Ils étaient arrivés à la hauteur du seul magasin de l'allée des Embrumes dans lequel Harry eût jamais mis les pieds : Barjow et Beurk, qui proposait un large choix d'articles particulièrement sinistres. Là, au milieu des rayons remplis de crânes et de vieux flacons, se tenait Drago Malefoy, le dos tourné vers eux, non loin de la grande armoire noire dans laquelle Harry s'était un jour caché pour éviter Malefoy et son père. A en juger par les mouvements de ses mains, Malefoy parlait avec animation. Mr Barjow, le propriétaire de la boutique, un homme aux épaules voûtées et aux cheveux huileux, lui faisait face, son visage exprimant un curieux mélange de crainte et de ressentiment.

– Si seulement on pouvait entendre ce qu'ils se racontent ! dit Hermione.

– On peut, assura Ron d'un ton surexcité. Attendez... Ah, zut...

Il laissa tomber deux des boîtes qu'ils avait gardées dans les bras en essayant d'en ouvrir une plus grande.

– Regardez, des Oreilles à rallonge !

– Fantastique ! dit Hermione tandis que Ron déroulait les longues ficelles couleur chair en les dirigeant vers l'entrée de la boutique. J'espère que la porte n'a pas subi un sort d'Impassibilité...

– Non ! s'exclama Ron d'une voix réjouie. Écoute !

Ils penchèrent la tête vers l'extrémité des ficelles grâce auxquelles la voix de Malefoy leur parvenait, claire et forte, comme s'ils avaient allumé une radio.

– ... vous savez comment la réparer ?

– Peut-être, répondit Barjow sur un ton qui laissait deviner une certaine réticence à s'engager. Il faudra que je voie ça. Pourquoi ne l'apportez-vous pas au magasin ?

– Je ne peux pas, répondit Malefoy. Elle doit rester là où elle est. Je veux simplement que vous m'expliquiez comment faire.

Harry vit Barjow se passer la langue sur les lèvres d'un air préoccupé.

– Si je ne la vois pas, je dois dire que ce sera très difficile, peut-être même impossible. Je ne peux rien vous garantir.

– Non ? répliqua Malefoy, d'une voix dans laquelle Harry décela son habituel mépris. Dans ce cas, peut-être que ceci vous rendra plus sûr de vous.

Il s'avança vers Barjow et fut alors caché par l'armoire. Harry, Ron et Hermione se déplacèrent légèrement sur le côté pour essayer de le garder dans leur champ de vision mais ils ne voyaient que Barjow qui semblait terrorisé.

– Si vous le dites à qui que ce soit, menaça Malefoy, il y aura des représailles. Vous connaissez Fenrir Greyback ? C'est un ami de ma famille, il viendra vous rendre visite de temps en temps pour vérifier que vous consacrez à la question toute l'attention qu'elle mérite.

– Il est inutile de…

– J'en jugerai moi-même, coupa Malefoy. Bon, il faut que j'y aille, maintenant. Et n'oubliez pas de mettre *celle-ci* de côté, j'en aurai besoin.

– Vous voulez peut-être l'emporter maintenant ?

– Certainement pas, petit homme stupide, de quoi aurais-je l'air si je portais ça dans la rue ? Ne la vendez pas, c'est tout.

– Bien sûr que non… monsieur.

Barjow le salua en se penchant aussi bas que le jour où Harry l'avait vu s'incliner devant Lucius Malefoy.

– Pas un mot à quiconque, Barjow, y compris à ma mère, d'accord ?

– Naturellement, naturellement, murmura Barjow en s'inclinant à nouveau.

Un instant plus tard, la clochette au-dessus de la porte tinta avec force tandis que Malefoy sortait de la boutique en paraissant très content de lui. Il passa si près de Harry, Ron et Hermione qu'ils sentirent la cape onduler à nouveau autour de leurs genoux. A l'intérieur du magasin, Barjow restait figé. Son sourire onctueux avait disparu, il semblait inquiet.

– De quoi parlaient-ils ? murmura Ron en réenroulant les Oreilles à rallonge.

– Je l'ignore, dit Harry qui réfléchissait. Il veut qu'on lui répare quelque chose… Et il veut qu'on lui mette un objet de côté dans la boutique… Tu as vu ce qu'il montrait du doigt quand il a dit « celle-ci » ?

– Non, il était derrière l'armoire...

– Restez ici, tous les deux, chuchota Hermione.

– Qu'est-ce que tu...

Mais elle s'était déjà dégagée de la cape. Elle vérifia sa coiffure dans le reflet de la vitrine puis entra dans la boutique d'un pas décidé, faisant à son tour tinter la clochette. Ron se hâta de dérouler une nouvelle fois les Oreilles à rallonge et passa une des ficelles à Harry.

– Bonjour. Quel horrible temps, ce matin, n'est-ce pas ? dit Hermione d'un ton allègre à Barjow qui ne répondit pas et lui jeta un regard soupçonneux.

Chantonnant d'un air enjoué, elle s'avança parmi le bric-à-brac d'objets exposés.

– Ce collier est-il à vendre ? demanda-t-elle en s'arrêtant devant une vitrine.

– Oui, si vous disposez de mille cinq cents Gallions, répondit froidement Barjow.

– Oh... heu... non, je n'ai pas tout à fait assez, dit Hermione qui fit encore quelques pas. Et cette... charmante petite... heu... tête ?

– Seize Gallions.

– Ah, elle est donc à vendre ? Vous ne l'avez pas mise de côté pour... pour quelqu'un ?

Barjow la regarda en plissant les paupières. Harry eut la très désagréable impression qu'il savait exactement ce qu'Hermione avait en tête. Apparemment, elle aussi s'était sentie démasquée car elle décida soudain d'abandonner toute prudence.

– Voilà, en fait, le... heu... garçon qui vient de sortir de chez vous, Drago Malefoy, est un de mes amis et je voudrais lui acheter un cadeau pour son anniversaire, mais s'il a déjà fait mettre un objet de côté, je ne voudrais pas risquer de lui offrir la même chose, alors... heu...

Son histoire ne tenait pas debout, estima Harry, et de toute évidence, Barjow pensait la même chose.

– Dehors, ordonna-t-il sèchement. Sortez d'ici !

Hermione ne se le fit pas répéter et se précipita vers la porte, Barjow sur ses talons. Lorsque la clochette eut à nouveau retenti, Barjow claqua la porte et accrocha une pancarte qui indiquait : « Fermé ».

– Bah, dit Ron, en recouvrant Hermione de la cape. Ça valait la peine d'essayer mais tu as peut-être été un peu trop directe...

– Eh bien, la prochaine fois, tu me montreras comment on doit s'y prendre, monsieur le maître du Mystère ! répliqua Hermione d'un ton abrupt.

Ron et Hermione se disputèrent jusqu'à ce qu'ils soient revenus devant les Farces pour sorciers facétieux. Là, ils durent se taire pour pouvoir se faufiler sans être découverts devant Hagrid et Mrs Weasley qui avaient remarqué leur absence et paraissaient tous deux très anxieux. Une fois dans le magasin, Harry ôta la cape d'invisibilité qu'il cacha dans son sac et confirma ce que les deux autres répétaient à Mrs Weasley en réponse à ses accusations, à savoir qu'ils étaient restés tout ce temps dans l'arrière-boutique et qu'elle n'avait pas dû bien regarder.

7
Le club de Slug

Harry passa une bonne partie de la dernière semaine de vacances à se demander ce que pouvait bien signifier la conduite de Malefoy dans l'allée des Embrumes. Ce qui le perturbait le plus, c'était son air satisfait lorsqu'il était sorti de la boutique. Quelque chose qui rendait Malefoy aussi heureux ne laissait rien présager de bon. Il était un peu agacé de voir que ni Ron, ni Hermione ne manifestaient la même curiosité que lui pour ses activités. Ils se lassèrent tout au moins d'en parler au bout de quelques jours.

– Oui, Harry, je t'ai déjà répété que moi aussi, je trouvais ça louche, dit Hermione avec une certaine impatience.

Elle était assise sur le rebord de la fenêtre, dans la chambre de Fred et George, les pieds sur une de leurs boîtes en carton et n'avait levé les yeux qu'à contrecœur de son *Traité supérieur de traduction des runes*.

– Mais nous sommes tombés d'accord pour dire qu'il pouvait y avoir beaucoup d'explications.

– Peut-être qu'il a cassé sa Main de la Gloire ? suggéra Ron d'un ton vague, tandis qu'il essayait de redresser les brindilles tordues de son balai. Tu te rappelles de cette main desséchée qu'il avait ?

– Mais vous vous souvenez quand il a dit : « N'oubliez pas de mettre *celle-ci* de côté » ? demanda Harry pour la énième fois. Pour moi, ça laisse entendre que Barjow a un autre objet comme celui qui a été cassé et que Malefoy les veut tous les deux.

– Tu crois ? marmonna Ron, qui s'efforçait à présent de gratter des saletés accrochées au manche de son balai.

– Oui, assura Harry.

Voyant que Ron et Hermione ne répondaient pas, il reprit :

– Le père de Malefoy est à Azkaban. Vous ne croyez pas que Malefoy cherche à se venger ?

Ron leva la tête en clignant des yeux.

– Malefoy, se venger ? Qu'est-ce que tu veux qu'il fasse ?

– Justement, je ne sais pas ! répliqua Harry, frustré. Mais il mijote quelque chose et nous devrions prendre ça au sérieux. Son père est un Mangemort…

Harry s'interrompit, bouche bée, les yeux fixés sur la fenêtre, derrière Hermione. Une brusque pensée lui était venue à l'esprit.

– Harry ? s'inquiéta Hermione. Qu'est-ce qu'il y a ?

– Ta cicatrice recommence à te faire mal ? demanda Ron, soudain alarmé.

– C'est un Mangemort, dit lentement Harry. Il a remplacé son père comme Mangemort !

Il y eut un silence puis Ron éclata de rire.

– *Malefoy ?* Il a seize ans, Harry ! Tu crois que Tu-Sais-Qui voudrait de *Malefoy* dans ses rangs ?

– C'est très improbable, Harry, estima Hermione, d'un ton qui trahissait une certaine réprobation. Qu'est-ce qui te fait penser…

– Chez Madame Guipure. Elle ne l'avait même pas touché mais il a protesté et a retiré son bras quand elle a voulu relever sa manche. C'était son bras gauche. Il porte la Marque des Ténèbres.

Ron et Hermione échangèrent un regard.

– Heu..., murmura Ron qui paraissait loin d'être convaincu.

– Je crois qu'il voulait simplement sortir de la boutique, dit Hermione.

– Il a montré à Barjow quelque chose qu'on n'a pas pu voir, insista Harry, entêté. Quelque chose qui a sérieusement effrayé Barjow. C'était la Marque, j'en suis sûr – il voulait que l'autre sache à qui il avait affaire, et vous avez remarqué comme Barjow a eu l'air inquiet !

Ron et Hermione échangèrent à nouveau un regard.

– Je ne sais pas, Harry...

– Ouais, je ne crois toujours pas que Tu-Sais-Qui accepterait Malefoy dans...

Agacé mais absolument convaincu qu'il avait raison, Harry attrapa une pile de robes de Quidditch crasseuses et quitta la pièce. Mrs Weasley leur avait répété pendant des jours de ne pas attendre le dernier moment pour faire leur lessive et leurs bagages. Dans le couloir, il tomba sur Ginny qui retournait dans sa chambre, chargée de vêtements fraîchement lavés.

– A ta place je ne descendrais pas à la cuisine maintenant, le prévint-elle. Il y a une grosse flaque de Fleurk.

– Je m'arrangerai pour ne pas glisser dessus, répondit Harry avec un sourire.

En effet, lorsqu'il entra dans la cuisine, Fleur était assise à la table et discourait sur les préparatifs de son mariage avec Bill pendant que Mrs Weasley, l'air de mauvaise humeur, surveillait un tas de choux de Bruxelles autoépluchants.

– Bill et moi, on a décidé qu'il n'y aura que deux demoiselles d'honneur, Ginny et Gabrielle vont être mignonnes comme tout, côte à côte. Je pense qu'on devrait les habiller dans une couleur or pâle – si on leur met du rose, ce sera horrible avec les cheveux de Ginny...

– Ah, Harry ! s'exclama Mrs Weasley d'une voix sonore, interrompant le monologue de Fleur. Je voulais t'expliquer les mesures de sécurité qui ont été prises pour le voyage à Poudlard, demain. Nous aurons de nouveau des voitures du ministère et des Aurors nous attendront à la gare...

– Est-ce que Tonks sera là ? demanda Harry en lui donnant ses affaires de Quidditch.

– Non, je ne pense pas, elle est affectée ailleurs d'après ce que m'a dit Arthur.

– C'est fou ce qu'elle se laisse aller, cette Tonks, commenta Fleur d'une voix songeuse en regardant sur le dos d'une cuillère son reflet d'une éblouissante beauté. C'est une grosse erreur, si vous voulez mon...

– C'est ça, merci, trancha Mrs Weasley d'un ton cassant, interrompant Fleur à nouveau. Tu ferais bien de remonter là-haut, Harry, je veux que les valises soient prêtes ce soir, si possible, pour éviter l'habituelle pagaille de dernière minute.

Et en effet, leur départ, le lendemain matin, fut plus tranquille qu'à l'ordinaire. Lorsque les voitures du ministère s'arrêtèrent en douceur devant le Terrier, ils attendaient déjà, leurs valises bouclées, Pattenrond, le chat d'Hermione, bien à l'abri dans son panier de voyage, Hedwige et Coquecigrue, le hibou de Ron, ainsi qu'Arnold, le Boursouflet violet de Ginny, installés dans leurs cages respectives.

– Goudebaille, Arry, dit Fleur d'une voix de gorge en l'embrassant.

Ron se précipita, plein d'espoir, mais Ginny tendit le pied et il trébucha, s'étalant de tout son long dans la poussière aux pieds de Fleur. Furieux, le teint rouge vif, sa robe parsemée de terre, il s'engouffra dans l'une des voitures sans dire au revoir à personne.

Ce ne fut pas le sourire de Hagrid qui les accueillit à la gare de King's Cross, mais les visages lugubres de deux Aurors barbus, vêtus de costumes sombres à la mode des Moldus. Dès que les voitures se furent arrêtées, ils s'avancèrent vers eux et les accompagnèrent à l'intérieur de la gare, chacun d'un côté, sans prononcer un mot.

– Vite, vite, passez la barrière, dit Mrs Weasley, un peu troublée par l'austère efficacité de leurs gardes du corps. Harry ferait mieux d'y aller le premier, avec...

Elle lança un regard interrogateur à l'un des Aurors qui approuva d'un bref signe de tête, saisit Harry par le bras et essaya de l'entraîner vers la barrière située entre les voies 9 et 10.

– Je peux marcher tout seul, merci, protesta Harry d'un ton irrité, en se dégageant d'un mouvement brusque.

Il poussa son chariot à bagages droit sur la barrière compacte, sans prêter attention à son compagnon muet, et se retrouva un instant plus tard sur le quai 9 3/4 où le Poudlard Express aux couleurs écarlates vomissait sur la foule un panache de vapeur.

Hermione et les Weasley le rejoignirent en quelques secondes et, sans demander l'avis de son Auror à la mine sinistre, Harry fit signe à Ron et à Hermione de le suivre sur le quai, à la recherche d'un compartiment vide.

– On ne peut pas, s'excusa Hermione. Ron et moi, nous

devons d'abord aller dans le wagon des préfets et ensuite patrouiller un peu dans les couloirs.

– Ah, c'est vrai, j'avais oublié, dit Harry.

– Vous feriez bien de monter dans le train tout de suite, conseilla Mrs Weasley en consultant sa montre. Il part dans quelques minutes. Bon trimestre, Ron...

– Monsieur Weasley, je peux vous dire un mot ? demanda Harry qui venait de se décider à l'instant même.

– Bien sûr, répondit Mr Weasley.

Il parut légèrement surpris mais suivit néanmoins Harry un peu à l'écart pour qu'on ne les entende pas.

Après avoir longuement réfléchi, Harry en était arrivé à la conclusion que, s'il devait se confier à quelqu'un, ce devait être à Mr Weasley ; d'abord parce qu'il travaillait au ministère et se trouvait ainsi dans la meilleure position pour mener une enquête, ensuite parce qu'il n'y avait pas grand risque que Mr Weasley explose de rage en l'entendant.

Il vit Mrs Weasley et l'Auror au visage lugubre leur jeter des regards soupçonneux tandis qu'ils s'éloignaient.

– Quand nous étions sur le Chemin de Traverse..., commença Harry, mais Mr Weasley l'interrompit avec une grimace.

– Vais-je enfin apprendre où vous avez disparu, Ron, Hermione et toi, pendant que vous étiez censés vous trouver dans l'arrière-boutique ?

– Comment avez-vous...

– Harry, s'il te plaît, tu parles à l'homme qui a élevé Fred et George.

– Heu... bon, d'accord, nous n'étions pas dans l'arrière-boutique.

– Très bien, je dois donc me préparer au pire.

– Nous avons suivi Drago Malefoy en utilisant ma cape d'invisibilité.

– Aviez-vous une raison particulière d'agir ainsi ou était-ce par simple caprice ?

– Je pensais que Malefoy mijotait quelque chose, répondit Harry, indifférent au mélange d'amusement et d'exaspération qu'exprimait le visage de Mr Weasley. Il avait faussé compagnie à sa mère et je voulais savoir pourquoi.

– Bien sûr, dit Mr Weasley, l'air résigné. Alors ? Tu as trouvé ?

– Il est allé chez Barjow et Beurk, poursuivit Harry, et s'est mis à menacer Barjow pour qu'il l'aide à réparer un objet. Il a dit aussi qu'il voulait que Barjow lui mette quelque chose de côté. Apparemment, le même genre d'objet que celui qu'il voulait faire réparer. Comme s'il y en avait deux. Et...

Harry prit une profonde inspiration.

– Ce n'est pas tout. Nous avons vu Malefoy faire un bond d'un kilomètre quand Madame Guipure a essayé de lui toucher le bras gauche. Je pense qu'il porte la Marque des Ténèbres. Et qu'il a pris la place de son père chez les Mangemorts.

Mr Weasley sembla interloqué. Au bout d'un moment, il dit enfin :

– Je doute que Tu-Sais-Qui admette un garçon de seize ans dans...

– Est-ce que quiconque sait vraiment ce que ferait ou ne ferait pas Vous-Savez-Qui ? demanda Harry avec colère. Excusez-moi, monsieur Weasley, mais ne croyez-vous pas qu'il faudrait chercher à en savoir plus ? Si Malefoy veut qu'un certain objet soit réparé et s'il a besoin d'intimider Barjow pour cela, c'est sans doute que cet objet est dangereux ou relève de la magie noire, non ?

– Franchement, j'en doute, Harry, répondit lentement Mr Weasley. Tu sais, quand Lucius Malefoy a été arrêté, nous avons perquisitionné sa maison et nous avons emporté tout ce qui pouvait représenter un danger.

– Je pense que quelque chose vous a échappé, s'entêta Harry.

– Peut-être, admit Mr Weasley, mais Harry savait bien qu'il lui disait cela par politesse.

Un coup de sifflet retentit derrière eux. Presque tout le monde était monté dans le train et les portières se fermaient.

– Tu ferais bien de te dépêcher, conseilla Mr Weasley tandis que Mrs Weasley lui criait :

– Harry, vite !

Il se précipita et les Weasley l'aidèrent à hisser sa grosse valise dans le train.

– Mon chéri, tu viens chez nous pour Noël, tout a été arrangé avec Dumbledore, nous te reverrons donc bientôt, dit Mrs Weasley par la fenêtre ouverte après que Harry eut claqué la portière derrière lui et que le train eut démarré. Fais bien attention à toi et…

Le convoi prit de la vitesse.

– … sois sage et…

Elle fut obligée de courir pour rester à sa hauteur.

– … pas d'imprudences !

Harry agita la main jusqu'à ce que le train prenne un virage et que Mr et Mrs Weasley disparaissent de son champ de vision. Puis il se tourna de l'autre côté pour voir où étaient les autres. Il pensa que Ron et Hermione devaient être enfermés dans le wagon des préfets, mais

Ginny se trouvait un peu plus loin dans le couloir où elle bavardait avec des amis. Traînant sa grosse valise, il se dirigea vers elle.

Sur son passage, les autres élèves ne se gênèrent pas pour le dévisager. Certains collaient même le nez contre la vitre de leur compartiment pour l'observer de plus près. Après les articles de *La Gazette du sorcier* sur « l'Élu », il s'était attendu à voir plus encore que d'habitude des bouches grandes ouvertes et des regards ébahis, mais il ne prenait aucun plaisir à se retrouver ainsi sous le feu des projecteurs. Lorsqu'il fut arrivé à sa hauteur, il tapota Ginny sur l'épaule.

– Ça te dirait de chercher un compartiment avec moi ?

– Je ne peux pas, Harry, j'ai promis à Dean d'aller le retrouver, répondit Ginny d'un ton joyeux. A plus tard.

– D'accord.

Harry éprouva une étrange contrariété quand il la vit s'éloigner, ses longs cheveux roux se balançant sur ses épaules. Il s'était tellement habitué à sa présence au cours de l'été qu'il en avait presque oublié que Ginny ne faisait pas partie de ses proches, avec Ron et Hermione, lorsqu'ils étaient à l'école. Clignant des yeux, il jeta un regard autour de lui et s'aperçut qu'il était entouré d'un cercle de filles littéralement hypnotisées.

– Salut, Harry ! lança derrière lui une voix familière.

– Neville ! s'exclama Harry, soulagé, en se retournant pour voir arriver le garçon au visage lunaire qui essayait de se frayer un chemin vers lui.

– *Hello*, Harry, dit une fille qui suivait Neville de près. Elle avait de longs cheveux et de grands yeux au regard nébuleux.

– Luna, salut, comment vas-tu ?

– Très bien, merci, répondit Luna.

Elle serrait contre sa poitrine un magazine dont la couverture annonçait en grosses lettres qu'il y avait en cadeau à l'intérieur une paire de Lorgnospectres.

– *Le Chicaneur* marche toujours bien ? demanda Harry qui ressentait une certaine affection pour le magazine depuis qu'il lui avait accordé une interview exclusive l'année précédente.

– Oh oui, le tirage a beaucoup augmenté, répondit Luna d'un air ravi.

– Allons chercher une place, proposa Harry et tous trois repartirent ensemble le long du train, parmi des hordes d'élèves aux yeux écarquillés.

Ils trouvèrent enfin un compartiment vide et Harry s'y précipita avec soulagement.

– Même nous, ils nous regardent avec des yeux ronds, dit Neville, désignant d'un geste Luna et lui, simplement parce qu'on est avec toi !

– Ils vous regardent parce que vous aussi, vous étiez au ministère, assura Harry en hissant sa valise dans le filet à bagages. *La Gazette du sorcier* a beaucoup parlé de notre petite aventure là-bas, vous avez dû le voir.

– Oui, je pensais que grand-mère serait furieuse de toute cette publicité, dit Neville, mais en fait, elle était très contente. Elle dit que j'y ai mis le temps mais que je finis par être digne de mon père. Elle m'a même acheté une nouvelle baguette magique, regarde !

Il la sortit de sa poche et la montra à Harry.

– Bois de cerisier et crin de licorne, annonça-t-il avec fierté. On pense que c'est la dernière qu'Ollivander ait jamais vendue. Il a disparu le lendemain – hé là, reviens ici, Trevor !

Il plongea sous la banquette pour retrouver son crapaud qui venait de faire une de ses nombreuses fugues.

– Est-ce qu'il y aura toujours des réunions de l'A.D. cette année ? demanda Luna, occupée à détacher des pages centrales du *Chicaneur* une paire de lunettes psychédéliques.

– Ce n'est plus la peine, maintenant que nous sommes débarrassés d'Ombrage, répondit Harry en s'asseyant.

Neville se cogna la tête contre la banquette sous laquelle il cherchait son crapaud. Il avait l'air terriblement déçu.

– J'aimais beaucoup l'A.D. ! J'ai appris des quantités de choses avec toi !

– Moi aussi, j'étais contente d'aller aux réunions, dit Luna d'un ton serein. J'avais l'impression d'avoir des amis.

C'était l'une de ces remarques gênantes que Luna lançait souvent et qui provoquait chez Harry un mélange déchirant de pitié et d'embarras. Mais avant qu'il ait pu songer à une réponse, il y eut un grand remue-ménage dans le couloir, devant leur compartiment. Un groupe de filles de quatrième année chuchotaient et gloussaient de l'autre côté de la vitre.

– C'est toi qui lui demandes !

– Non, c'est toi !

– Je m'en occupe !

L'une d'elles, une adolescente à l'air hardi, avec de grands yeux sombres, un menton proéminent et de longs cheveux noirs, se fraya un chemin jusqu'à la porte.

– Bonjour, Harry, je m'appelle Romilda, Romilda Vane, dit-elle d'une voix forte et assurée. Tu ne veux pas venir avec nous dans notre compartiment ? Tu n'es pas obligé de rester avec *eux*, ajouta-t-elle en aparté.

Elle montra le derrière de Neville qui dépassait de sous

la banquette, tandis qu'il cherchait Trevor à tâtons, et Luna qui portait à présent ses Lorgnospectres gratuites en ayant l'air d'un hibou bariolé et un peu fou.

– Ce sont des amis à moi, répliqua Harry d'un ton glacial.

– Ah bon ? s'étonna la fille. D'accord.

Elle battit en retraite et referma derrière elle la porte du compartiment.

– Les gens pensent que tu devrais avoir des amis plus *cool* que nous, dit Luna, manifestant à nouveau une sincérité embarrassante.

– Vous êtes très *cool* tous les deux, trancha sèchement Harry. Aucune d'elles ne se trouvait au ministère le jour où vous vous êtes battus à côté de moi.

– C'est très gentil de dire ça, répondit Luna, le visage rayonnant.

Elle remonta les Lorgnospectres sur son nez et s'installa confortablement pour lire *Le Chicaneur*.

– Mais nous, nous n'étions pas face à *lui*, fit remarquer Neville en émergeant de sous la banquette avec des moutons de poussière dans les cheveux et, dans la main, un Trevor au regard résigné. Toi, si. Tu devrais entendre ma grand-mère quand elle en parle. « Ce Harry Potter a une plus grande force morale que tout le ministère de la Magie réuni ! » Elle donnerait n'importe quoi pour t'avoir comme petit-fils…

Harry eut un rire gêné et changea de sujet, parlant plutôt des résultats des BUSE. Neville récita les notes qu'il avait obtenues en se demandant s'il pourrait continuer à prendre des cours de métamorphose en ASPIC avec seulement une note « Acceptable » dans cette matière, et Harry l'observa sans vraiment l'écouter.

L'enfance de Neville avait été dévastée par Voldemort autant que celle de Harry, mais Neville ignorait qu'il avait bien failli connaître la même destinée. La prophétie pouvait se rapporter à l'un ou l'autre d'entre eux bien que, pour des raisons insondables qui n'appartenaient qu'à lui, Voldemort eût choisi de croire que Harry était le seul concerné.

Si Voldemort avait choisi Neville, ce serait lui qui aurait une cicatrice en forme d'éclair sur le front et le poids de la prophétie sur ses épaules... mais en serait-il vraiment ainsi ? La mère de Neville aurait-elle sacrifié sa vie pour le sauver, comme Lily l'avait fait pour épargner Harry ? Oui, sûrement... Que serait-il arrivé, cependant, si elle n'avait pas pu s'interposer entre son fils et Voldemort ? Y aurait-il eu alors un « Élu » ? Un siège vide là où Neville était à présent assis et un Harry sans cicatrice que sa propre mère aurait embrassé sur le front pour lui dire au revoir, et non pas celle de Ron ?

– Ça va, Harry ? Tu as un drôle d'air, remarqua Neville.

Harry sursauta.

– Désolé, je...

– Tu as peut-être attrapé un Joncheruine ? s'inquiéta Luna d'un ton compatissant, derrière ses énormes lunettes colorées.

– Je... quoi ?

– Un Joncheruine... On ne les voit pas, ils entrent dans ta tête par les oreilles et t'embrouillent le cerveau, expliqua-t-elle. J'en ai senti un voler autour de nous.

Elle agita la main en l'air comme si elle chassait des insectes invisibles. Harry et Neville échangèrent un regard et se hâtèrent de parler de Quidditch.

A l'extérieur, le ciel restait incertain, comme depuis le

début de l'été. Ils traversaient les habituelles nappes de brume froide puis arrivaient parfois sous un soleil timide mais dégagé. Ce fut durant une de ces éclaircies, alors que le soleil brillait presque à la verticale, que Ron et Hermione entrèrent enfin dans le compartiment.

– J'aimerais bien que le chariot du déjeuner se dépêche d'arriver, je meurs de faim, dit Ron avec convoitise.

Il se laissa tomber à côté de Harry en se massant le ventre.

– Salut, Neville, salut, Luna. Tu sais quoi ? ajouta-t-il en se tournant vers Harry. Malefoy ne remplit pas ses obligations de préfet, il reste assis dans son compartiment avec les autres Serpentard. On l'a remarqué en passant.

Harry se redressa, intéressé. Cela ne ressemblait pas à Malefoy de laisser échapper une chance d'exercer son pouvoir de préfet dont il avait abusé avec joie tout au long de l'année précédente.

– Comment a-t-il réagi quand il vous a vus ?

– Comme d'habitude, répondit Ron, indifférent.

Il imita le geste grossier de la main que Malefoy leur avait adressé.

– Étonnant de sa part, non ? Enfin, pas *ça*, précisa-t-il en renouvelant son geste. On se demande pourquoi il ne profite pas de l'occasion pour brutaliser quelques élèves de première année.

– Oui, je ne sais pas ce qui lui prend, dit Harry.

Mais son esprit bouillonnait. N'était-ce pas le signe que Malefoy avait des choses plus importantes en tête que de malmener les nouveaux ?

– Il préférait peut-être la brigade inquisitoriale, suggéra Hermione. Le travail de préfet doit lui sembler un peu insipide après ça.

– Je ne crois pas, dit Harry. Je pense qu'il est...

Mais avant qu'il ne puisse développer sa théorie, la porte du compartiment se rouvrit et une fille de troisième année entra, hors d'haleine.

– Je dois apporter ça à Neville Londubat et à Harry P... Potter, balbutia-t-elle en devenant écarlate lorsqu'elle croisa le regard de Harry.

Elle avait à la main deux rouleaux de parchemin attachés avec des rubans violets. Perplexes, Harry et Neville prirent chacun le sien et la fille sortit à reculons du compartiment, d'un pas trébuchant.

– Qu'est-ce que c'est ? demanda Ron tandis que Harry déroulait son parchemin.

– Une invitation, répondit-il.

Harry,

Je serais ravi si vous pouviez venir vous joindre à moi pour prendre une petite collation dans le compartiment C.

Cordialement,

Professeur H.E.F. Slughorn

– Qui est le professeur Slughorn ? interrogea Neville en regardant sa propre invitation d'un air interdit.

– Un nouvel enseignant, dit Harry. J'imagine qu'il faut y aller, non ?

– Mais pourquoi veut-il que je vienne aussi ? s'inquiéta Neville, comme s'il avait peur qu'on lui inflige une retenue.

– Aucune idée, répondit Harry, ce qui n'était pas entièrement vrai, même s'il n'avait aucune preuve que son intuition soit fondée. Écoute, ajouta-t-il, pris d'une soudaine inspiration, on n'a qu'à mettre la cape d'invisibilité, comme ça, on pourra observer Malefoy au passage et voir ce qu'il fabrique.

Mais l'idée n'était pas réalisable : les couloirs étaient tellement encombrés d'élèves à l'affût du chariot de friandises qu'il était impossible de s'y déplacer sous la cape d'invisibilité. A regret, Harry la rangea dans son sac en songeant qu'il aurait été plus agréable de la porter, ne serait-ce que pour éviter les regards dont l'intensité s'était encore accrue depuis la dernière fois qu'il avait parcouru le train. Parfois, des élèves se précipitaient hors de leurs compartiments pour l'examiner de plus près. Cho Chang fit exception et se rua au contraire à l'intérieur du sien à l'approche de Harry. Lorsqu'il passa devant, il la vit résolument plongée dans une grande conversation avec son amie Marietta dont l'épaisse couche de maquillage ne parvenait pas à masquer entièrement l'étrange éruption de boutons toujours incrustés sur son visage. Avec un petit sourire moqueur, Harry poursuivit son chemin.

Lorsqu'ils arrivèrent au compartiment C, ils virent qu'ils n'étaient pas les seuls invités, bien qu'à en juger par l'accueil enthousiaste de Slughorn, Harry fût celui qu'il attendait avec le plus d'impatience.

– Harry, mon garçon ! s'exclama-t-il.

En le voyant arriver, Slughorn s'était levé d'un bond et son énorme ventre recouvert de velours semblait remplir tout l'espace resté libre dans le compartiment. Son crâne à la calvitie luisante et sa grosse moustache argentée brillaient à la lumière du soleil avec le même éclat que les boutons dorés de son gilet.

– Quel plaisir de vous voir, quel plaisir ! Et vous, vous devez être Mr Londubat !

Neville acquiesça d'un signe de tête, l'air apeuré. Sur un

geste de Slughorn, ils s'assirent face à face aux deux places restées libres, juste à côté de la porte. Harry jeta un coup d'œil aux autres invités. Il reconnut un Serpentard qui était en même année qu'eux, un garçon noir, grand, avec des pommettes hautes et de longs yeux en amande ; il y avait également deux élèves de septième année que Harry ne connaissait pas et, écrasée dans un coin, à côté de Slughorn, Ginny qui n'avait pas l'air de très bien savoir comment elle était arrivée là.

– Vous connaissez tout le monde ? demanda Slughorn à Harry et à Neville. Blaise Zabini est en même année que vous, bien sûr...

Zabini ne fit pas le moindre geste montrant qu'il les connaissait et ne leur adressa même pas un salut. Harry et Neville restèrent tout aussi indifférents. Les élèves de Gryffondor et de Serpentard se détestaient par principe.

– Voici Cormac McLaggen. Vous avez peut-être déjà eu l'occasion de vous rencontrer ? Non ?

McLaggen, un garçon massif aux cheveux drus leva une main et Harry et Neville répondirent d'un signe de tête.

– ...Marcus Belby. Je ne sais pas si...

Belby, qui était mince et paraissait nerveux, eut un sourire forcé.

– Et enfin, cette charmante jeune fille m'a dit qu'elle vous connaissait ! acheva Slughorn.

Derrière son dos, Ginny adressa une grimace à Harry et à Neville.

– Il m'est bien agréable de vous voir réunis, assura Slughorn d'un ton chaleureux. C'est une occasion pour moi de vous connaître un peu mieux. Tenez, prenez une serviette, j'ai apporté mon propre déjeuner. Le chariot, si mes souvenirs sont bons, est un peu trop riche en Baguettes réglisse et l'appareil digestif d'un pauvre vieil homme a bien du mal à s'en accommoder... Un peu de faisan, Belby ?

Belby sursauta et accepta ce qui semblait être la moitié d'un faisan froid.

– J'étais en train de dire au jeune Marcus que j'avais eu le plaisir de compter parmi mes élèves son oncle Damoclès, expliqua Slughorn à Harry et à Neville, tout en passant à la ronde un panier de petits pains. Un sorcier exceptionnel, exceptionnel, qui a largement mérité son Ordre de Merlin. Vous voyez souvent votre oncle, Marcus ?

Belby venait malencontreusement d'enfourner un gros morceau de faisan. Dans sa hâte de répondre à Slughorn, il avala trop vite, devint violet et commença d'étouffer.

– *Anapneo*, dit calmement Slughorn, sa baguette pointée sur Belby dont les voies respiratoires se libérèrent aussitôt.

– Non... non, pas vraiment, répondit Belby dans un hoquet, les yeux ruisselants.

– Bien sûr, j'imagine qu'il est très occupé, reprit Slughorn en regardant Belby d'un air interrogateur. Je doute qu'il ait pu inventer la potion Tue-Loup sans y consacrer un travail considérable !

– Je suppose..., dit Belby, qui paraissait avoir peur d'avaler une nouvelle bouchée de faisan avant d'être sûr que Slughorn en avait fini avec lui. Heu... mon père et lui ne s'entendent pas très bien, voyez-vous, je ne sais donc pas grand-chose sur...

Sa voix s'éteignit tandis que Slughorn lui souriait avec froideur et se tournait plutôt vers McLaggen.

– Et *vous*, Cormac, lança Slughorn, j'ai appris que vous voyiez souvent votre oncle Tiberius, car figurez-vous que j'ai eu sous les yeux une magnifique photo de vous deux prise lors d'une chasse aux Licheurs, dans le Norfolk, je crois ?

– Ah, oui, nous nous sommes beaucoup amusés, ce jour-là, répondit McLaggen. Nous étions avec Bertie Higgs et Rufus Scrimgeour – c'était avant qu'il devienne ministre, bien sûr...

– Ah, vous connaissez aussi Bertie et Rufus ? dit Slughorn, rayonnant.

Il faisait passer à présent parmi ses invités un petit plateau de tartes mais, curieusement, Belby fut oublié.

– A présent, dites-moi...

C'était ce que Harry avait soupçonné. Tout le monde ici semblait avoir été invité en raison de ses liens de parenté avec une personnalité connue ou influente – tout le monde sauf Ginny. Zabini, qui fut interrogé après McLaggen, se révéla être le fils d'une sorcière célèbre pour sa beauté (d'après ce que Harry put comprendre, elle avait été mariée sept fois et chacun de ses maris était mort mystérieusement en lui léguant des montagnes d'or). Vint le tour de Neville : ce furent dix minutes difficiles car ses parents, des Aurors renommés, avaient été torturés jusqu'à en devenir fous par Bellatrix Lestrange et deux autres de ses amis Mangemorts. Lorsque Slughorn eut fini de lui poser des questions, Harry eut l'impression qu'il réservait son jugement sur Neville, attendant de voir s'il avait hérité les dons de ses parents.

– Et maintenant, poursuivit Slughorn en changeant lourdement de position sur son siège, avec l'air d'un animateur présentant l'invité vedette de son émission, Harry Potter ! Par *où* commencer ? J'ai l'impression d'avoir à peine gratté la surface lorsque nous nous sommes rencontrés cet été !

Il contempla Harry un moment, comme s'il se trouvait devant un gros morceau de faisan particulièrement succulent puis il reprit :

– Désormais, on vous appelle « l'Élu » !

Harry ne répondit rien. Belby, McLaggen et Zabini le regardaient tous les trois fixement.

– Bien sûr, continua Slughorn en observant attentivement Harry, des rumeurs ont circulé depuis des années... Je me souviens quand... après cette terrible nuit... Lily... James... Mais vous, vous avez survécu. Le bruit a couru alors que vous étiez doté de pouvoirs qui dépassaient de très loin la moyenne...

Zabini eut un petit toussotement qui exprimait sans détour un scepticisme amusé. Une voix furieuse s'éleva aussitôt derrière Slughorn :

– Oui, Zabini, parce que toi, tu as *tellement* de talent... pour faire le malin...

– Oh, oh ! gloussa Slughorn, très à l'aise, en se retournant vers Ginny qui lançait à Zabini un regard noir par-dessus l'énorme ventre de leur hôte. Soyez très prudent, Blaise ! J'ai vu cette jeune personne exécuter un extraordinaire maléfice de Chauve-Furie au moment où je passais dans son wagon ! A votre place, j'éviterais de la mettre en colère !

Zabini se contenta d'afficher un air méprisant.

– Quoi qu'il en soit, reprit Slughorn en se tournant à nouveau vers Harry, il y a eu *tant* de rumeurs cet été... Bien sûr, on ne sait pas ce qu'on doit en penser, *La Gazette* a parfois imprimé des inexactitudes, elle a commis des erreurs – mais compte tenu du nombre de témoins, on ne peut guère douter qu'il y ait eu de *sérieux* troubles au ministère et que vous étiez en plein cœur de l'événement !

Harry, qui ne voyait aucun moyen de se sortir de là sans mentir effrontément, approuva d'un signe de tête mais resta silencieux. Slughorn le regarda avec un visage ravi.

– Vous êtes si modeste, si modeste, pas étonnant que Dumbledore vous apprécie tant – donc, vous *étiez* là-bas ? Mais le reste – toutes ces histoires si fantastiques qu'on ne sait plus très bien ce qu'il faut croire – cette fameuse prophétie, par exemple...

– Nous n'avons jamais entendu de prophétie, assura Neville, dont le teint prit une couleur de géranium.

– Exact, confirma Ginny, en venant à son secours. Neville et moi, on était là aussi et toutes ces idioties sur « l'Élu » sont une invention de *La Gazette*, comme d'habitude.

– Vous y étiez aussi ? s'étonna Slughorn, très intéressé.

Il regarda alternativement Ginny et Neville mais tous deux restèrent muets comme des huîtres devant son sourire qui les encourageait à en dire davantage.

– Oui... bon... il est vrai que *La Gazette* exagère souvent..., continua Slughorn, un peu déçu. Je me souviens que cette chère Gwenog me disait – je parle de Gwenog Jones, bien sûr, la capitaine de l'équipe des Harpies de Holyhead...

Il se lança dans un long récit mais Harry eut la nette impression que Slughorn n'en avait pas fini avec lui et qu'il n'avait pas été convaincu par ce que Ginny et Neville lui avaient raconté.

L'après-midi se poursuivit avec d'autres anecdotes concernant des sorciers illustres dont Slughorn avait été le professeur et qui avaient tous été enchantés de se joindre à ce qu'il appelait le « club de Slug » à Poudlard. Harry avait hâte de partir mais ne voyait pas comment s'y prendre sans paraître impoli. Enfin, après avoir traversé une nouvelle et longue nappe de brume, le train émergea dans un soleil couchant d'un rouge flamboyant et Slughorn jeta un regard alentour, clignant des yeux à la lumière du crépuscule.

– Bonté divine, le jour tombe déjà ! Je n'avais pas remarqué qu'ils avaient allumé les lampes ! Vous feriez bien d'aller vous changer, tous. McLaggen, il faudra venir me voir pour que je vous prête ce livre sur les Licheurs. Harry, Blaise – venez donc me dire bonjour de temps en temps. Vous aussi, mademoiselle – il lança un clin d'œil à Ginny. Allez-y, maintenant, allez-y !

Lorsqu'il passa devant Harry en le poussant pour sortir dans le couloir devenu sombre, Zabini lui jeta un regard féroce que Harry lui rendit avec les intérêts. Ginny, Neville et lui suivirent Zabini en direction de leurs compartiments.

– Je suis content que ce soit fini, marmonna Neville. Bizarre, ce bonhomme, non ?

– Oui, un peu, répondit Harry, les yeux fixés sur Zabini. Comment se fait-il que tu te sois retrouvée là, Ginny ?

– Il m'a vue jeter un maléfice à Zacharias Smith, expliqua Ginny. Tu te souviens, l'imbécile de Poufsouffle qui était dans l'A.D. ? Il n'arrêtait pas de me demander ce qui s'était passé au ministère, à la fin, il m'a tellement énervée que je lui ai jeté un sort. Quand Slughorn est arrivé, j'ai cru qu'il allait me donner une retenue mais il a jugé mon maléfice tellement réussi qu'il m'a invitée à déjeuner ! Dingue, non ?

– Il vaut mieux inviter quelqu'un pour cette raison-là

qu'à cause de la célébrité de sa mère, remarqua Harry qui fronçait les sourcils en fixant la nuque de Zabini, ou parce que son oncle…

Il s'interrompit. Une idée lui était venue, une idée téméraire mais qui pouvait donner d'excellents résultats… Dans une minute, Zabini retournerait dans le compartiment des sixième année de Serpentard et Malefoy y serait aussi, s'estimant à l'abri des oreilles indiscrètes… Si Harry parvenait à entrer dans le compartiment derrière Zabini sans qu'on s'en aperçoive, il pourrait voir et entendre bien des choses. Bien sûr, il ne restait guère de temps – la gare de Pré-au-Lard n'était plus qu'à une demi-heure, à en juger par la végétation sauvage qu'on apercevait à travers les fenêtres. Mais comme personne ne semblait prendre au sérieux les soupçons de Harry, c'était à lui de démontrer qu'ils étaient fondés.

– Je vous retrouve plus tard tous les deux, dit Harry dans un souffle.

Il sortit sa cape d'invisibilité et la jeta sur lui.

– Qu'est-ce que tu…, s'inquiéta Neville.

– Plus tard, chuchota Harry, filant derrière Zabini le plus silencieusement possible, bien que le fracas du train rendît une telle précaution quasiment inutile.

A présent, les couloirs avaient été désertés par la plupart des élèves qui étaient retournés dans leurs wagons pour mettre leurs robes d'école et rassembler leurs affaires. Harry suivait Zabini de si près qu'il le touchait presque. Il ne fut pas assez rapide, cependant, pour s'introduire dans le compartiment lorsque Zabini y entra. Mais au moment où ce dernier voulut refermer la porte derrière lui, Harry tendit le pied pour l'empêcher de glisser jusqu'au bout.

– Qu'est-ce qui se passe ? s'impatienta Zabini en repoussant à plusieurs reprises la porte coulissante qui heurtait à chaque fois le pied invisible de Harry.

Celui-ci empoigna la porte et la rouvrit brutalement. Zabini, toujours agrippé à la poignée, tomba de côté sur les genoux de Goyle. Dans la confusion qui s'ensuivit, Harry se précipita à l'intérieur du compartiment, bondit sur le siège de Zabini provisoirement vide et se hissa dans le filet à bagages. Il eut la chance que Goyle et Zabini soient occupés à échanger des injures, attirant tous les regards sur eux, car Harry était sûr que ses pieds et ses chevilles étaient apparus, trahis par les mouvements de la cape. Pendant un terrible moment, il avait même cru voir les yeux de Malefoy se poser sur l'une de ses baskets avant qu'elle ne disparaisse à nouveau. Mais Goyle referma la porte d'un coup sec et repoussa violemment Zabini qui s'effondra sur son propre siège, visiblement secoué. Vincent Crabbe se replongea dans sa bande dessinée et Malefoy, ricanant, s'allongea sur deux sièges, la tête sur les genoux de Pansy Parkinson. Harry, pelotonné dans une position inconfortable pour être sûr qu'il était entièrement caché sous sa cape, regarda Pansy caresser les cheveux blonds et soyeux de Malefoy, dégageant son front avec un petit rire satisfait, comme si elle pensait à toutes celles qui auraient tant aimé être à sa place. Les lanternes accrochées au plafond du wagon éclairaient la scène d'une lumière vive : Harry arrivait à distinguer chaque mot de la B.D. que Crabbe lisait juste au-dessous de lui.

– Alors, Zabini, dit Malefoy, qu'est-ce que voulait Slughorn ?

– Il essayait simplement de se faire bien voir par les fils

de bonne famille, répondit Zabini qui continuait de lancer à Goyle des regards furieux. Mais il n'a pas réussi à en trouver beaucoup.

Cette information ne sembla pas plaire à Malefoy.

– Qui étaient les autres invités ? demanda-t-il.

– McLaggen, de Gryffondor.

– Ah ouais, son oncle est une huile du ministère, commenta Malefoy.

– ... un autre qui s'appelle Belby, de Serdaigle...

– Ah non, pas lui, c'est un abruti ! s'exclama Pansy.

– ... et aussi Londubat, Potter et la fille Weasley, acheva Zabini.

Malefoy se redressa brusquement, écartant d'un coup sec la main de Pansy.

– Il a invité *Londubat* ?

– J'imagine, puisqu'il était là, dit Zabini d'un air indifférent.

– En quoi Londubat peut-il bien intéresser Slughorn ?

Zabini haussa les épaules.

– Potter, le précieux petit Potter, ça évidemment, il voulait voir à quoi ressemble *l'Élu*, poursuivit Malefoy avec un rictus méprisant, mais la petite Weasley ! Qu'est-ce qu'elle a de spécial, *celle-là* ?

– Il y a plein de garçons qui l'aiment bien, assura Pansy en jetant à Malefoy un regard en biais pour voir sa réaction. Même toi, Blaise, tu dis qu'elle est jolie et tout le monde sait à quel point il est difficile de te plaire !

– Je ne toucherai jamais à une fille qui a ignoblement trahi son sang, même si elle est jolie, affirma Zabini avec froideur, et Pansy parut satisfaite.

Malefoy reposa la tête sur ses genoux et la laissa à nouveau lui caresser les cheveux.

– Le mauvais goût de Slughorn me fait pitié. Peut-être qu'il devient un peu gâteux. Dommage, mon père, qui était un de ses élèves préférés, a toujours dit qu'il était un bon sorcier en son temps. Slughorn ne doit pas savoir que je suis dans le train, sinon...

– A ta place, je ne compterais pas sur une invitation, dit Zabini. Quand je suis arrivé, il m'a demandé des nouvelles du père de Nott. Ils étaient amis, apparemment, mais quand il a appris qu'il avait été arrêté au ministère, il ne semblait pas très content et Nott n'a pas été invité. Je ne crois pas que Slughorn s'intéresse aux Mangemorts.

Malefoy paraissait en colère mais il se força à rire, d'un rire singulièrement dépourvu d'humour.

– Personne ne se soucie de ce qui l'intéresse ou pas. Qui est-il, quand on y réfléchit ? Un imbécile de prof, rien de plus.

Malefoy bâilla avec ostentation.

– Peut-être que je ne serai même plus à Poudlard l'année prochaine, alors qu'est-ce que ça peut me faire qu'un vieux fossile obèse m'aime ou pas ?

– Qu'est-ce que tu veux dire, tu ne seras peut-être plus à Poudlard l'année prochaine ? s'exclama Pansy d'un ton indigné en interrompant ses caresses.

– On ne sait jamais, répondit Malefoy avec l'ombre d'un sourire. Il est possible que... heu... je m'occupe de choses plus importantes et plus intéressantes.

Recroquevillé sous sa cape dans le filet à bagages, Harry sentit son cœur battre plus vite. Que diraient Ron et Hermione s'ils entendaient cela ? Crabbe et Goyle restèrent bouche bée : apparemment, ils n'avaient pas la moindre idée de ce que pouvaient être ces choses plus importantes et plus intéressantes que projetait Malefoy. Même Zabini trahissait une curiosité qui tempérait l'expression hautaine de ses traits. Pansy, la mine ahurie, recommença à caresser lentement les cheveux de Malefoy.

– Tu veux dire... *Lui ?*

Malefoy haussa les épaules.

– Ma mère veut que je finisse mes études mais personnellement, je ne crois pas que ce soit si utile, de nos jours. Réfléchissez un peu... Quand le Seigneur des Ténèbres aura pris le pouvoir, vous croyez qu'il s'occupera de savoir combien de BUSE et d'ASPIC chacun peut avoir ? Bien sûr que non... Ce qui comptera, c'est le genre de services qu'on lui aura rendus, le degré de dévotion qu'on lui aura montré.

– Et tu crois que *toi*, tu seras capable de faire quelque chose pour lui ? demanda Zabini d'un ton cinglant. Seize ans et même pas encore diplômé ?

– Je viens de te le dire, non ? Peut-être qu'il s'en fiche que je sois diplômé ou pas. Peut-être que le travail qu'il veut me confier ne nécessite pas de diplôme, répondit Malefoy à voix basse.

Crabbe et Goyle avaient tous deux la bouche ouverte comme des gargouilles. Pansy baissait les yeux vers Malefoy comme si elle n'avait jamais rien vu d'aussi impressionnant.

– J'aperçois Poudlard, dit Malefoy.

Manifestement ravi de l'effet qu'il venait de créer, il montra du doigt la fenêtre obscurcie par la nuit tombante.

– Il est temps de mettre nos robes.

Harry était si occupé à observer Malefoy qu'il n'avait pas remarqué le geste de Goyle pour prendre sa valise.

Lorsqu'il la fit basculer du filet, elle heurta violemment Harry sur le côté de la tête et il ne put retenir un hoquet de douleur. Malefoy leva les yeux, les sourcils froncés.

Harry n'avait pas peur de Malefoy mais il n'aimait pas trop l'idée d'être découvert, caché sous sa cape d'invisibilité, par un groupe de Serpentard hostiles. Les yeux embués et la tête douloureuse, il tira sa baguette magique de sa poche en prenant garde à ne pas déplacer la cape et attendit, retenant son souffle. A son grand soulagement, Malefoy sembla croire que le bruit entendu n'était qu'un effet de son imagination. Il revêtit sa robe en même temps que les autres, referma sa valise et, tandis que le train réduisait son allure, se traînant avec une lenteur saccadée, il attacha autour de son cou une épaisse cape de voyage toute neuve.

Harry voyait les couloirs se remplir à nouveau et il espéra qu'Hermione et Ron sortiraient ses bagages sur le quai. Il ne pouvait bouger de sa cachette tant que le compartiment ne serait pas vide. Enfin, dans une dernière secousse, le train s'immobilisa. Goyle ouvrit la porte avec force et joua des muscles pour se frayer un chemin parmi une foule d'élèves de deuxième année qu'il écarta à coups de poing. Crabbe et Zabini le suivirent.

– Pars devant, dit Malefoy à Pansy qui l'attendait la main tendue comme si elle espérait qu'il allait la prendre. Je veux simplement vérifier quelque chose.

Pansy s'en alla. A présent, Harry et Malefoy étaient seuls dans le compartiment. Des élèves passaient dans le couloir, descendant sur le quai plongé dans l'obscurité. Malefoy s'approcha de la porte et tira les stores pour qu'on ne puisse pas le voir de l'extérieur. Puis il se pencha sur sa valise et l'ouvrit à nouveau.

Harry regarda par-dessus le bord du filet à bagages, le cœur battant un peu plus vite. Qu'est-ce que Malefoy voulait cacher à Pansy ? Allait-il bientôt voir le mystérieux objet cassé qu'il était si important de réparer ?

– *Petrificus totalus !*

Sans aucun avertissement, Malefoy pointa sa baguette sur Harry qui fut instantanément paralysé. Comme dans un film au ralenti, il bascula du filet à bagages et tomba aux pieds de Malefoy dans un choc douloureux qui fit trembler le plancher. Sa cape d'invisibilité, coincée sous lui, le révéla au grand jour, les jambes recroquevillées dans la position absurde, semblable à une génuflexion, que lui avait imposée l'étroitesse de sa cachette. Il n'arrivait plus à remuer un muscle et ne pouvait que regarder Malefoy afficher un large sourire.

– C'est bien ce que je pensais, jubila-t-il. J'ai entendu la valise de Goyle te cogner. Et j'ai cru voir passer un éclair blanc après le retour de Zabini...

Ses yeux s'attardèrent un instant sur les baskets de Harry.

– Je suppose que c'était toi qui bloquais la porte quand Zabini est revenu ?

Il observa Harry un moment.

– Tu n'as rien pu entendre d'important, Potter. Mais puisque tu es là...

Il lui donna un violent coup de pied en plein visage. Harry sentit son nez se casser, du sang gicla un peu partout.

– De la part de mon père. Et maintenant...

Malefoy dégagea la cape coincée sous le corps immobile de Harry et la jeta sur lui.

– Je pense qu'ils ne te retrouveront pas avant que le train soit rentré à Londres, dit-il à voix basse. A un de ces jours, Potter… ou peut-être pas.

Puis, prenant bien soin, au passage, de lui marcher sur les doigts, Malefoy quitta le compartiment.

8
La victoire de Rogue

Harry n'arrivait pas à faire le moindre geste. Il resta immobile sous la cape d'invisibilité, sentant sur son visage la tiédeur et l'humidité du sang qui coulait de son nez, écoutant les voix et les bruits de pas qui lui parvenaient du couloir. Il pensa tout d'abord que les compartiments devaient sûrement être vérifiés avant que le train ne reparte. Mais il songea aussitôt avec découragement que même si on regardait à l'intérieur, on ne le verrait pas, on ne l'entendrait pas. Son seul espoir, c'était que quelqu'un entre et trébuche contre lui.

Harry n'avait jamais autant haï Malefoy qu'à cet instant, paralysé sur le sol de ce compartiment, telle une absurde tortue renversée sur le dos, le sang coulant dans sa bouche ouverte à lui en donner la nausée. Il s'était mis dans une situation si stupide… et à présent, les derniers bruits de pas s'évanouissaient, tout le monde se pressait sur le quai, il entendait le frottement des bagages que les élèves traînaient derrière eux et le tumulte des conversations.

Ron et Hermione penseraient qu'il avait quitté le train sans eux. Le temps qu'ils arrivent à Poudlard, prennent leur place dans la Grande Salle, regardent autour de la table de Gryffondor et s'aperçoivent enfin qu'il n'était pas là, le train serait déjà à mi-chemin de Londres.

Il essaya de produire un son, ne serait-ce qu'un grognement, mais c'était impossible. Il se rappela alors que certains sorciers, Dumbledore par exemple, parvenaient à jeter des sorts sans parler et il essaya un sortilège d'Attraction pour récupérer sa baguette magique qui lui était tombée des mains, en répétant dans sa tête les mots : *« Accio baguette ! »* mais il ne se passa rien.

Il crut entendre le frémissement des arbres, autour du lac, et le hululement lointain d'un hibou, mais aucun son indiquant qu'on le cherchait, ou même (il s'en voulut un peu d'avoir cet espoir) des voix paniquées se demandant où était passé Harry Potter. Un sentiment d'accablement le saisit lorsqu'il imagina le convoi des diligences tirées par des Sombrals avançant lentement vers l'école et les éclats de rire étouffés qui devaient s'élever de celle où Malefoy racontait à ses amis de Serpentard comment il avait attaqué Harry.

Une secousse ébranla le train et fit rouler Harry sur le côté. A présent, au lieu du plafond, il regardait la poussière accumulée sous la banquette. Le sol se mit à vibrer tandis que la locomotive se remettait en marche. L'express repartait et personne ne savait qu'il se trouvait toujours à bord...

A cet instant, il sentit quelqu'un arracher sa cape d'invisibilité et une voix au-dessus de lui lança :

– Salut, Harry.

Il y eut un éclair de lumière rouge et le corps de Harry retrouva sa mobilité. Il put se redresser dans une position assise plus digne, essuyer précipitamment d'un revers de main le sang de son visage contusionné et lever la tête vers Tonks qui tenait à la main sa cape d'invisibilité.

– On ferait bien de sortir d'ici, dit-elle, alors qu'un panache de vapeur obscurcissait la fenêtre du compartiment et que le train commençait à rouler. Viens, on va sauter en marche.

Harry courut derrière elle dans le couloir. Tonks ouvrit la portière et bondit sur le quai qui donnait l'impression de glisser sous eux à mesure que le convoi prenait de la vitesse. Harry l'imita, vacilla un peu en atterrissant, puis se redressa à temps pour voir la locomotive écarlate s'éloigner de plus en plus vite avant de disparaître dans un virage.

L'air frais de la nuit apaisa les élancements douloureux de son nez. Tonks l'observait et il se sentit furieux, gêné, d'avoir été découvert dans une position aussi ridicule. Sans prononcer un mot, elle lui rendit sa cape d'invisibilité.

– Qui a fait ça ? demanda-t-elle enfin.

– Drago Malefoy, répondit Harry d'un ton amer. Merci de… enfin…

– Pas de quoi, dit Tonks sans sourire.

D'après ce que Harry pouvait distinguer dans l'obscurité, elle avait les mêmes cheveux ternes, couleur souris, et paraissait aussi misérable que lorsqu'il l'avait vue au Terrier.

– Je peux soigner ton nez si tu restes parfaitement immobile.

Harry n'était pas très emballé par cette idée. Il avait plutôt eu l'intention d'aller voir Madame Pomfresh, l'infirmière de Poudlard, en qui il avait beaucoup plus confiance pour exécuter des sortilèges de Guérison, mais il lui semblait impoli de l'avouer et il se figea sur place, les yeux fermés.

– *Episkey*, dit Tonks.

Harry ressentit dans son nez une intense chaleur, puis un froid glacial. Il leva une main et le tâta avec précaution. Il avait l'air guéri.

– Merci beaucoup !

– Remets donc cette cape sur toi, nous irons à l'école à pied, dit Tonks, toujours sans sourire.

Lorsque Harry s'enveloppa à nouveau dans la cape, elle agita sa baguette. La silhouette argentée d'une immense créature à quatre pattes en surgit alors et fila dans la nuit.

– C'était un Patronus ? demanda Harry qui avait déjà vu Dumbledore envoyer des messages de cette manière.

– Oui, j'annonce au château que tu es avec moi, sinon ils vont s'inquiéter. Viens, il ne faut pas traîner.

Ils partirent le long de la route qui menait à l'école.

– Comment m'avez-vous retrouvé ?

– J'ai remarqué que tu n'avais pas quitté le train et je savais que tu avais cette cape. Donc, je me suis dit que tu te cachais peut-être pour je ne sais quelle raison. Et quand j'ai vu les stores baissés sur la porte de ce compartiment, j'ai décidé de jeter un coup d'œil à l'intérieur.

– Mais qu'est-ce que vous faites là ? demanda Harry.

– J'ai été affectée à Pré-au-Lard, une mesure de sécurité supplémentaire pour protéger l'école, répondit Tonks.

– Il n'y a que vous ou bien…

– Non, Fiertalon, Savage et Dawlish sont avec moi.

– Dawlish, l'Auror que Dumbledore a attaqué l'année dernière ?

– C'est ça.

Ils avancèrent à pas lourds sur la route sombre et déserte, suivant les traces fraîches des diligences. Sous sa cape, Harry jetait des regards en biais à Tonks. L'année précédente, elle lui posait sans cesse des questions (au point d'en devenir un peu agaçante par moments), elle riait facilement, elle plaisantait. A présent, elle paraissait plus âgée, plus sérieuse, plus déterminée. Était-ce la conséquence de ce qui s'était passé au ministère ? Il songea avec un certain malaise qu'Hermione l'aurait incité à dire quelque chose de réconfortant au sujet de Sirius, lui assurer qu'elle n'y était pour rien, mais il n'arrivait pas à s'y résoudre. Il n'avait aucun reproche à lui faire à propos de la mort de son parrain. Ce n'était pas plus sa faute que celle de n'importe qui d'autre (et bien moins que la sienne), mais il n'aimait pas parler de Sirius lorsqu'il pouvait l'éviter. Ils poursuivirent donc leur chemin en silence dans la nuit froide, la longue cape de Tonks traînant sur le sol dans un bruissement semblable à un murmure.

Ayant toujours fait ce trajet en diligence, Harry ne s'était jamais rendu compte de la longue distance qui séparait Poudlard de la gare. Avec un grand soulagement, il vit enfin les hauts piliers qui encadraient le portail, chacun surmonté d'un sanglier ailé. Il avait froid, il avait faim et il avait hâte de laisser derrière lui cette nouvelle Tonks si lugubre. Mais lorsqu'il tendit la main pour pousser les grilles, il s'aperçut qu'elles étaient fermées par une chaîne.

– *Alohomora !* lança-t-il d'une voix assurée, sa baguette pointée sur le cadenas, mais rien ne se produisit.

– Ça ne marchera pas, dit Tonks. C'est Dumbledore lui-même qui a ensorcelé le portail.

Harry regarda autour de lui.

– Je pourrais escalader la muraille, suggéra-t-il.

– Non, tu ne pourrais pas, répondit Tonks d'un ton catégorique. Elles sont toutes protégées par des maléfices

Anti-intrusion. La sécurité a été multipliée par cent, cette année.

– Dans ce cas, répliqua Harry, qui commençait à être agacé par son manque de coopération, j'imagine qu'il ne me reste plus qu'à dormir ici jusqu'à demain matin.

– Quelqu'un vient te chercher, dit Tonks, regarde.

Une lanterne se balançait au pied du château. Harry fut si heureux de la voir qu'il se sentit prêt à endurer les réprimandes de Rusard, lancées de sa voix sifflante, et ses tirades sur les élèves qui seraient moins souvent en retard si seulement on leur écrasait les pouces dans un étau. Ce fut seulement lorsque la lueur jaune arriva à trois mètres d'eux que Harry, débarrassé de sa cape d'invisibilité, reconnut avec une profonde répugnance le nez crochu et les longs cheveux noirs et graisseux de Severus Rogue, que la lanterne éclairait par en dessous.

– Tiens, tiens, tiens, ricana Rogue.

Il sortit sa baguette magique et donna une petite tape sur le cadenas. Aussitôt, les chaînes se détachèrent en ondulant comme des serpents et les grilles s'ouvrirent dans un grincement.

– C'est gentil à vous de venir nous voir, Potter. Dommage que vous jugiez les robes de l'école indignes de votre élégance naturelle.

– Je n'ai pas eu le temps de me changer, je n'avais pas mes..., commença Harry mais Rogue l'interrompit.

– Inutile d'attendre, Nymphadora. Potter est tout à fait en... heu... sécurité entre mes mains.

– C'était à Hagrid que j'avais envoyé le message, dit Tonks avec un froncement de sourcils.

– Hagrid était en retard au festin de début d'année, tout comme Potter maintenant, c'est donc moi qui l'ai reçu. Au fait, ajouta Rogue en reculant d'un pas pour laisser passer Harry, j'ai été très intéressé par votre nouveau Patronus.

Il lui referma la grille au nez dans un grand fracas métallique et donna un autre coup de baguette sur les chaînes qui reprirent leur place dans un cliquetis.

– Je crois que l'ancien vous réussissait beaucoup mieux, dit Rogue, avec une indéniable malveillance. Le nouveau paraît un peu faible.

Lorsque Rogue balança la lanterne, Harry vit sur le visage de Tonks une expression fugitive d'indignation et de colère. Puis l'obscurité la recouvrit à nouveau.

– Bonne nuit, lui lança Harry par-dessus son épaule tandis qu'il prenait la direction de l'école au côté de Rogue. Merci pour... tout.

– A bientôt, Harry.

Pendant une minute environ, Rogue ne prononça pas un mot. Harry avait l'impression de répandre autour de lui des ondes de haine si puissantes qu'il semblait incroyable que Rogue n'en ressente pas la brûlure. Il l'avait détesté dès leur première rencontre et jamais plus il ne pourrait lui accorder son pardon en raison de son attitude à l'égard de Sirius. Dumbledore pouvait dire ce qu'il voulait, Harry avait eu le temps de réfléchir au cours de l'été et il était arrivé à la conclusion que les remarques narquoises de Rogue, insinuant que Sirius préférait rester bien caché pendant que les autres membres de l'Ordre du Phénix combattaient Voldemort, avaient constitué un facteur déterminant dans la décision de son parrain de se précipiter au ministère la nuit où il était mort. Harry s'accrochait à cette idée parce qu'elle lui permettait d'incriminer Rogue, ce qui était en soi satisfaisant, mais aussi parce qu'il savait que s'il y avait quelqu'un qui ne regrettait en rien la mort de Sirius, c'était bien l'homme à côté duquel il marchait dans l'obscurité.

– Je pense que je vais enlever cinquante points à Gryffondor pour votre retard, dit Rogue. Et, voyons... encore vingt pour votre accoutrement de Moldu. Je crois qu'aucune maison n'a eu un nombre négatif de points si tôt dans le trimestre – nous n'en sommes même pas au dessert. Il se peut que vous ayez établi un record, Potter.

La fureur et la haine qui bouillonnaient en lui donnaient à Harry l'impression d'être chauffé à blanc, mais il aurait encore mieux aimé rester immobilisé pendant tout le trajet de retour à Londres plutôt que de révéler à Rogue les raisons de son retard.

– J'imagine que vous aviez l'intention de faire une entrée remarquée ? poursuivit Rogue. Et comme il n'y avait pas de voiture volante disponible, vous avez pensé que surgir dans la Grande Salle en plein milieu du festin aurait un effet spectaculaire.

Harry resta silencieux, bien qu'il sentît sa poitrine sur le point d'exploser. Il savait que Rogue était venu le chercher uniquement pour ça, pour les quelques minutes pendant lesquelles il pourrait le harceler, le tourmenter, sans que personne s'en aperçoive.

Ils atteignirent enfin les marches du château et lorsque les grandes portes de chêne s'écartèrent sur le vaste hall d'entrée au sol couvert de dalles, un tumulte de conversations, de rires, de tintements de verres et d'assiettes les accueillit, en provenance de la Grande Salle dont les portes étaient restées ouvertes. Harry se demanda s'il ne pourrait pas remettre sur lui la cape d'invisibilité et regagner ainsi sans être remarqué sa place à la longue table de

Gryffondor (qui avait le défaut d'être la plus éloignée de l'entrée).

Mais, comme s'il avait lu dans ses pensées, Rogue dit aussitôt :

– Pas de cape. Vous traverserez la salle en marchant normalement pour que tout le monde puisse vous voir, ce qui était votre intention, j'en suis sûr.

Harry pivota sur ses talons et franchit les portes d'un pas décidé. Tout valait mieux que de rester auprès de Rogue. La Grande Salle, avec ses quatre longues tables – une pour chaque maison – et celle, tout au bout, réservée aux professeurs, était décorée comme d'habitude de chandelles qui flottaient dans les airs et dont la clarté étincelait sur les assiettes. Mais tout n'était plus qu'un vague miroitement aux yeux de Harry dont le pas fut si rapide qu'il était déjà passé devant la table des Poufsouffle avant que les autres élèves aient vraiment eu le temps de le regarder. Lorsqu'ils se levèrent pour l'observer plus attentivement, il avait déjà repéré Ron et Hermione et se précipitait dans leur direction, le long des bancs, pour se glisser entre eux.

– Où est-ce que tu... Ça alors, qu'est-ce que tu as sur la figure ? s'étonna Ron en le regardant les yeux écarquillés, comme tous ceux qui étaient assis à leurs côtés.

– Pourquoi, il y a quelque chose qui ne va pas ? s'inquiéta Harry en prenant une cuillère, les yeux plissés pour regarder son reflet déformé.

– Tu es couvert de sang ! s'exclama Hermione. Viens là...

Elle leva sa baguette, prononça la formule : « *Tergeo !* » et fit disparaître le sang séché.

– Merci, dit Harry en passant la main sur son visage propre. Et mon nez, ça va ?

– Il est normal, répondit Hermione d'un ton anxieux. Pourquoi ? Qu'est-ce qui s'est passé, Harry ? On a eu une peur bleue !

– Je vous raconterai plus tard, répliqua-t-il sèchement.

Il était parfaitement conscient que Ginny, Neville, Dean et Seamus l'écoutaient. Même Nick Quasi-Sans-Tête, le fantôme de Gryffondor, était venu flotter le long du banc pour surprendre la conversation.

– Mais..., dit Hermione.

– Pas maintenant, Hermione, coupa Harry, avec une gravité éloquente.

Il espérait beaucoup qu'on le croirait rescapé d'un épisode héroïque, impliquant de préférence un ou deux Mangemorts et un Détraqueur. Bien sûr, Malefoy répandrait l'histoire aussi largement que possible mais il y avait toujours une chance pour qu'elle n'atteigne pas trop les oreilles de Gryffondor.

Il tendit le bras devant Ron pour attraper deux cuisses de poulet et une poignée de frites mais avant qu'il ait pu mettre la main dessus, elles avaient disparu, remplacées par des gâteaux.

– Tu as raté la Répartition, en tout cas, dit Hermione tandis que Ron plongeait sur un gros gâteau au chocolat.

– Le Choixpeau a raconté quelque chose d'intéressant ? demanda Harry en prenant un morceau de tarte à la mélasse.

– Toujours pareil... il nous a conseillé de rester unis face à l'ennemi, tu vois le genre.

– Dumbledore a parlé de Voldemort ?

– Pas encore, mais il réserve toujours son vrai discours pour la fin du festin. Ça ne devrait plus tarder, maintenant.

– Rogue m'a dit que Hagrid était arrivé en retard...

– Tu as vu Rogue ? Comment ça se fait ? s'étonna Ron entre deux bouchées de gâteau qu'il avalait avec frénésie.

– Je suis tombé sur lui, répondit Harry, évasif.

– Hagrid n'avait que quelques minutes de retard, dit Hermione. Tiens, regarde, Harry, il te fait signe.

Harry tourna la tête vers la table des professeurs et sourit à Hagrid qui, en effet, lui adressait un geste de la main. Hagrid n'avait jamais vraiment réussi à se comporter avec la dignité de sa voisine de table, le professeur McGonagall, directrice de Gryffondor, dont la tête lui arrivait quelque part entre le coude et l'épaule et qui observait d'un regard désapprobateur cette façon un peu trop enthousiaste de saluer un élève. Harry remarqua avec surprise la présence du professeur Trelawney, qui enseignait la divination, assise de l'autre côté de Hagrid. Elle quittait rarement sa chambre située en haut d'une tour et il ne l'avait encore jamais vue participer au festin de début d'année. Elle paraissait aussi bizarre qu'à l'ordinaire, couverte de perles scintillantes et de longs châles, les yeux agrandis par les verres de ses immenses lunettes. L'ayant toujours un peu considérée comme une mystificatrice, Harry avait été stupéfait de découvrir, à la fin de l'année précédente, qu'elle était l'auteur de la prédiction qui avait poussé Lord Voldemort à tuer ses parents et à l'attaquer lui-même. Depuis qu'il l'avait appris, il éprouvait moins que jamais l'envie de se trouver en sa compagnie. Fort heureusement, il ne suivrait plus les cours de divination cette année. Ses grands yeux, semblables à un phare, se posèrent sur lui et il tourna précipitamment la tête en direction de la table de Serpentard. Sous des rires et des applaudissements tapageurs, Drago Malefoy était en train de mimer quelqu'un qui se fait fracasser le nez. Harry baissa les yeux sur sa tarte à la mélasse avec, à nouveau, une sensation de brûlure dans les entrailles. Que n'aurait-il pas donné pour affronter Malefoy seul à seul…

– Alors, que voulait le professeur Slughorn ? demanda Hermione.

– Savoir ce qui s'était vraiment passé au ministère, répondit Harry.

– Il n'est pas le seul, lança Hermione avec dédain. On n'a pas arrêté de nous poser des questions là-dessus dans le train, n'est-ce pas, Ron ?

– Oui, dit Ron. Ils veulent tous savoir si tu es vraiment l'Élu…

– Même parmi les fantômes, il y a eu beaucoup de conversations à ce sujet, interrompit Nick Quasi-Sans-Tête.

Il inclina vers Harry sa tête à peine rattachée au reste de son corps en la faisant osciller dangereusement sur la fraise qu'il portait autour du cou.

– Je suis considéré comme une sorte d'autorité quand il s'agit de Harry Potter. Il est de notoriété publique que nous entretenons des relations amicales. Mais j'ai assuré la communauté des esprits que je ne vous importunerai pas avec des questions. « Harry Potter sait qu'il peut se confier à moi en toute tranquillité, leur ai-je dit, j'aimerais mieux mourir que de trahir sa confiance. »

– Ça ne vous engage pas beaucoup puisque vous êtes déjà mort, fit remarquer Ron.

– Une fois de plus, vous manifestez à mon égard autant de sensibilité qu'une hache émoussée, dit Nick Quasi-Sans-Tête d'un air offensé.

Puis il s'éleva dans les airs et retourna à l'autre bout de la table de Gryffondor au moment où Dumbledore se levait à celle des professeurs. Les conversations et les rires qui résonnaient dans la salle s'évanouirent presque aussitôt.

– Je vous souhaite chaleureusement le bonsoir ! dit-il avec un grand sourire, les bras largement écartés comme s'il avait voulu étreindre tout le monde à la fois.

– Qu'est-ce qui est arrivé à sa main ? s'inquiéta Hermione en sursautant.

Elle n'était pas la seule à l'avoir remarqué. La main droite de Dumbledore était toujours aussi noircie et cadavérique que le soir où il était venu chercher Harry chez les Dursley. Des chuchotements se répandirent d'un bout à l'autre de la salle. Dumbledore, qui en avait deviné la cause, se contenta de sourire et tira sa manche pourpre et or sur sa main blessée.

– Rien d'inquiétant, assura-t-il d'un ton dégagé. A présent... je souhaite la bienvenue aux nouveaux élèves et je salue le retour des anciens ! Une nouvelle année d'apprentissage de la magie vous attend...

– Sa main était déjà comme ça quand je l'ai vu cet été, murmura Harry à Hermione. Je pensais qu'elle serait guérie maintenant... ou que Madame Pomfresh aurait fait quelque chose.

– On dirait qu'elle est morte, remarqua Hermione avec une expression dégoûtée. Il y a des blessures qu'on ne peut pas guérir... des anciennes malédictions... il existe aussi des poisons sans antidote...

– ... et Mr Rusard, notre concierge, m'a chargé de vous informer que tous les objets provenant du magasin des frères Weasley, Farces pour sorciers facétieux, sont rigoureusement interdits, sans aucune exception. Comme d'habitude, ceux qui voudraient jouer dans leur équipe de Quidditch devront donner leur nom au directeur ou à la directrice de leurs maisons respectives. Nous cherchons également de nouveaux commentateurs pour les matches. Les candidats devront se signaler de la même manière. Nous sommes heureux d'accueillir cette année un nouvel enseignant dans notre équipe, le professeur Slughorn.

Slughorn se leva, son crâne chauve brillant à la lumière des chandelles, son gros ventre, dans son gilet, plongeant la table dans l'ombre.

– Le professeur Slughorn est un de mes vieux collègues qui a accepté de reprendre son ancien poste de maître des potions.

– Des potions ?

– Des *potions* ?

Le mot se répéta en écho dans toute la salle, les élèves se demandant s'ils avaient bien entendu.

– Des potions ? s'exclamèrent Ron et Hermione en tournant vers Harry un regard ébahi. Mais tu avais dit...

– Le professeur Rogue, quant à lui, poursuivit Dumbledore en élevant la voix pour couvrir la rumeur, se chargera des cours de défense contre les forces du Mal.

– Non ! s'écria Harry si fort que de nombreuses têtes se tournèrent vers lui.

Il n'y prêta aucune attention, fixant la table des professeurs d'un regard indigné. Comment Rogue avait-il pu devenir professeur de défense contre les forces du Mal après tout ce temps ? Ne savait-on pas depuis des années que Dumbledore ne lui faisait pas confiance pour occuper ce poste ?

– Harry, tu nous avais annoncé que Slughorn devait enseigner la défense contre les forces du Mal ! s'exclama Hermione.

– C'est ce que je pensais ! assura Harry, en fouillant dans

sa mémoire pour essayer de se rappeler à quel moment Dumbledore le lui avait dit mais maintenant qu'il y pensait, il était bien incapable de se souvenir d'un seul mot de Dumbledore à ce sujet.

Rogue, qui était assis à la droite de Dumbledore, ne se leva pas lorsque son nom fut prononcé. Il se contenta d'un geste nonchalant de la main pour remercier les élèves de Serpentard qui l'applaudissaient, mais Harry avait perçu une expression triomphale sur le visage qu'il détestait tant.

– Au moins, une chose est sûre, déclara-t-il d'un ton féroce, c'est que Rogue sera parti à la fin de l'année.

– Qu'est-ce que tu veux dire ? demanda Ron.

– Ce poste est maudit. Personne n'y est resté plus d'un an... Quirrell en est même mort. Personnellement, je vais croiser les doigts pour qu'il y ait un nouveau cadavre...

– Harry ! s'indigna Hermione, choquée.

– Peut-être qu'il reprendra les cours de potions à la fin de l'année, dit Ron, plus raisonnablement. Ce Slughorn n'aura peut-être pas envie de faire ça longtemps. Maugrey, lui, n'est pas resté.

Dumbledore s'éclaircit la gorge. Harry, Ron et Hermione n'étaient pas les seuls à avoir réagi. Un brouhaha s'était élevé dans toute la salle à l'annonce que Rogue avait fini par voir réaliser son désir le plus cher. Apparemment indifférent à la sensation qu'il venait de provoquer en annonçant la nouvelle, Dumbledore n'ajouta rien sur les professeurs et attendit quelques secondes qu'un silence total soit revenu avant de poursuivre :

– Autre chose à présent : comme tout le monde le sait dans cette salle, Lord Voldemort et ses partisans sont à nouveau en liberté et se renforcent de plus en plus.

Le silence devint tendu, pesant, à mesure qu'il parlait.

Harry jeta un coup d'œil à Malefoy qui ne regardait pas Dumbledore mais faisait voler sa fourchette devant lui à l'aide de sa baguette magique, comme s'il trouvait les paroles du directeur indignes de son attention.

– Je n'insisterai jamais assez sur les dangers que représente cette situation et sur les précautions que chacun d'entre nous doit prendre pour assurer notre sécurité. Les fortifications magiques du château ont été consolidées au cours de l'été, nous disposons désormais de moyens nouveaux, plus puissants, pour assurer notre protection, mais nous devrons nous garder soigneusement de toute imprudence, que ce soit de la part des élèves ou de celle des enseignants. Je vous demande donc instamment de respecter les restrictions qui pourraient vous être imposées pour des raisons de sécurité, aussi détestables qu'elles vous paraissent – en particulier l'interdiction de vous trouver ailleurs que dans votre lit en dehors des heures autorisées. Je vous supplie, au cas où vous remarqueriez quelque chose de suspect à l'intérieur ou à l'extérieur du château, d'en informer immédiatement un professeur. Je compte sur vous pour accorder, dans votre conduite quotidienne, la plus grande attention à votre sécurité et à celle des autres.

Dumbledore balaya la salle de son regard bleu, puis il sourit à nouveau.

– Mais maintenant, des lits tièdes et confortables vous attendent et je sais que votre première priorité sera d'être parfaitement reposés pour vos cours de demain. Souhaitons-nous donc bonne nuit. Salut !

Dans l'habituel raclement assourdissant des bancs qu'on repoussait, des centaines d'élèves commencèrent à sortir de la Grande Salle pour prendre le chemin de leurs dortoirs.

Harry n'était pas du tout pressé de partir en même temps que la foule aux regards écarquillés, ou de s'approcher de Malefoy qui saisirait l'occasion pour raconter à nouveau comment il lui avait écrasé le nez. Il préféra traîner derrière les autres en faisant semblant de relacer sa chaussure pendant que la plupart des élèves de Gryffondor partaient devant lui. Hermione s'était aussitôt précipitée pour remplir ses devoirs de préfet, qui consistaient à montrer le chemin aux première année, mais Ron était demeuré auprès de Harry.

– Qu'est-ce qui est vraiment arrivé à ton nez ? demanda-t-il lorsqu'ils se retrouvèrent derrière la foule des élèves, à l'abri des oreilles indiscrètes.

Harry le lui raconta. Preuve de la solidité de leur amitié, Ron s'abstint de rire.

– J'ai vu Malefoy mimer quelque chose avec son nez, murmura-t-il d'un air sombre.

– Oh, ça n'a pas d'importance, assura Harry avec amertume. Écoute plutôt ce qu'il a dit avant de s'apercevoir que j'étais là…

Harry s'était attendu à voir Ron abasourdi par les vantardises de Malefoy. Mais il ne parut pas du tout impressionné, ce que Harry considéra comme de la pure obstination.

– Allons, Harry, il essayait simplement de faire le malin devant Parkinson… Quelle mission pourrait bien lui confier Tu-Sais-Qui ?

– Comment peux-tu être sûr que Voldemort n'a pas besoin de quelqu'un à Poudlard ? Ce ne serait pas la première fois…

– Tu veux bien arrêter de prononcer ce nom, Harry, lança une voix derrière lui, sur un ton réprobateur.

Harry se retourna et vit Hagrid qui hochait la tête.

– Dumbledore le prononce, lui, répliqua Harry, entêté.

– Oui, mais lui, c'est Dumbledore, pas vrai ? dit Hagrid d'un air mystérieux. Comment ça se fait que tu sois arrivé en retard, Harry ? Je me suis inquiété.

– J'ai été retenu dans le train, expliqua Harry. Et *vous*, pourquoi étiez-vous en retard ?

– J'étais avec Graup, répondit Hagrid d'un ton réjoui. Je n'ai pas vu passer le temps. Il habite un nouvel endroit là-haut dans les montagnes, c'est Dumbledore qui a arrangé ça – une belle grande caverne. Il y est beaucoup plus heureux que dans la forêt. On a bien bavardé.

– Vraiment ? dit Harry en prenant garde de ne pas croiser le regard de Ron.

La dernière fois qu'il avait vu le demi-frère de Hagrid, un redoutable géant doué d'un talent particulier pour déraciner les arbres, son vocabulaire comprenait cinq mots, dont deux qu'il était incapable de prononcer correctement.

– Oh oui, il a beaucoup progressé, assura Hagrid avec fierté. Tu serais étonné. Je crois que je vais le former pour être mon assistant.

Ron étouffa une exclamation qu'il parvint à faire passer pour un éternuement. Ils se trouvaient maintenant à proximité des portes de chêne.

– De toute façon, je vous vois demain, ce sera votre premier cours après le déjeuner. Venez un peu plus tôt, vous pourrez dire bonjour à Buck – ou plutôt à Ventdebout !

Les saluant d'un signe de main amical, il sortit dans l'obscurité du parc.

Harry et Ron échangèrent un regard. Il savait que Ron éprouvait le même embarras que lui.

– Tu laisses tomber les cours de soins aux créatures magiques ?

Ron acquiesça d'un signe de tête.

– Toi aussi ?

Harry hocha la tête à son tour.

– Et Hermione, elle arrête également ? demanda Ron.

Harry répondit par un nouveau signe de tête affirmatif. Il préférait ne pas penser à ce que dirait Hagrid quand il s'apercevrait que ses trois élèves préférés avaient abandonné la matière qu'il enseignait.

9
LE PRINCE DE SANG-MÊLÉ

Le lendemain matin, Harry et Ron retrouvèrent Hermione dans la salle commune avant le petit déjeuner. Espérant qu'elle approuverait sa théorie, Harry se hâta de lui raconter ce que Malefoy avait dit dans le train.

– Il essayait de faire le malin pour impressionner Parkinson, tu ne crois pas ? intervint aussitôt Ron, avant qu'Hermione ait eu le temps de dire quoi que ce soit.

– Bah, répondit-elle, l'air incertain, je ne sais pas... Ça ressemble bien à Malefoy de se prétendre plus important qu'il ne l'est... mais ce serait quand même un gros mensonge...

– Exactement, approuva Harry, mais il ne put développer ses arguments car trop de monde s'efforçait de les écouter, sans compter ceux qui le dévisageaient en chuchotant.

– C'est très mal élevé, lança sèchement Ron à l'adresse d'un élève de première année particulièrement minuscule, alors qu'ils prenaient la file pour sortir par le trou du portrait.

Le garçon, qui avait murmuré à l'un de ses amis quelque chose au sujet de Harry en se cachant derrière sa main, devint écarlate et tomba du trou sous le coup de l'émotion. Ron ricana.

– Ça me plaît beaucoup d'être en sixième année. En plus, on va avoir du temps libre. Des heures entières pendant lesquelles on pourra rester là à se détendre.

– On aura besoin de ce temps-là pour étudier, Ron ! dit Hermione tandis qu'ils avançaient dans le couloir.

– Oui, mais pas aujourd'hui, répliqua-t-il. Aujourd'hui, on va vraiment se la couler douce.

– Attends un peu, toi ! s'écria Hermione en tendant le bras pour arrêter un élève de quatrième année qui l'avait poussée, un disque vert vif à la main. Les Frisbee à dents de serpent sont interdits, donne-moi ça, ordonna-t-elle d'un ton sévère.

L'air mécontent, le garçon lui tendit le Frisbee qu'on entendait gronder, se pencha pour passer sous le bras d'Hermione et courut rattraper ses amis. Ron attendit qu'il soit hors de vue pour arracher le Frisbee des mains d'Hermione.

– Parfait, j'ai toujours eu envie d'en avoir un.

Les protestations d'Hermione furent couvertes par un gloussement sonore. Lavande Brown avait apparemment trouvé désopilante la remarque de Ron. Elle les dépassa en riant et jeta par-dessus son épaule un coup d'œil à Ron qui eut l'air très content de lui.

Le plafond de la Grande Salle était d'un bleu serein, parsemé de légers nuages effilés, à l'image des carrés de ciel que l'on apercevait à travers les fenêtres à meneaux. Pendant qu'ils avalaient leur porridge et leurs œufs au lard, Harry et Ron racontèrent à Hermione leur conversation quelque peu embarrassante avec Hagrid la veille au soir.

– Il ne peut quand même pas penser que nous allons

continuer les cours de soins aux créatures magiques ! s'exclama-t-elle, l'air affolé. On n'a jamais manifesté... comment dire... d'enthousiasme...

– Et puis, ça suffit comme ça, non ? ajouta Ron en avalant un œuf entier. Nous étions les seuls dans la classe à faire vraiment des efforts par simple amitié pour Hagrid. Et lui, il a pensé que nous aimions cette stupide *matière*. Tu crois que quelqu'un va la prendre en option pour ses ASPIC ?

Ni Harry, ni Hermione ne répondirent, c'était inutile. Ils savaient pertinemment qu'aucun élève de leur année ne continuerait les cours de soins aux créatures magiques. Lorsque Hagrid quitta la table des professeurs dix minutes plus tard, ils évitèrent son regard et répondirent sans conviction au signe de main enjoué qu'il leur adressa.

Après avoir terminé leur petit déjeuner, ils restèrent à leur place en attendant que le professeur McGonagall quitte à son tour la table des enseignants. Cette année, la distribution des emplois du temps se révéla plus compliquée que d'habitude car le professeur McGonagall devait d'abord s'assurer que chacun avait obtenu des notes suffisantes aux BUSE pour pouvoir continuer les matières choisies au niveau des ASPIC.

Hermione fut tout de suite autorisée à poursuivre l'étude des sortilèges, de la défense contre les forces du Mal, de la métamorphose, de la botanique, de l'arithmancie, des runes anciennes et des potions et fila aussitôt à un cours de runes de la première période. Il fallut un peu plus de temps pour Neville. Son visage rond parut anxieux lorsque le professeur McGonagall examina la liste de ses options puis consulta les résultats de ses BUSE.

– Botanique, très bien, dit-elle. Le professeur Chourave sera ravie de vous voir revenir avec un « Optimal » à votre

BUSE. Et vous vous qualifiez pour la défense contre les forces du Mal, grâce à votre « Effort exceptionnel ». Mais le problème, c'est la métamorphose. Je suis désolée, Londubat, un simple « Acceptable » n'est pas suffisant pour continuer au niveau des ASPIC. Je pense que vous ne pourriez pas suivre.

Neville baissa la tête et le professeur McGonagall l'observa à travers ses lunettes carrées.

– D'ailleurs, pourquoi choisir la métamorphose ? Je n'ai jamais eu l'impression que cette matière vous plaisait beaucoup.

Neville eut l'air malheureux et murmura quelque chose qui signifiait : « C'est ma grand-mère qui le veut. »

– Humf, marmonna le professeur McGonagall. Il serait largement temps que votre grand-mère soit fière du petit-fils qu'elle a plutôt que de celui qu'elle voudrait avoir – en particulier après ce qui s'est passé au ministère.

Le teint de Neville devint rouge et il cligna des yeux d'un air gêné. Le professeur McGonagall ne lui avait encore jamais fait de compliments.

– Je suis désolée, Londubat, mais je ne peux pas vous admettre dans ma classe d'ASPIC. Je constate cependant que vous avez obtenu un « Effort exceptionnel » en sortilèges – pourquoi ne pas poursuivre cette matière en ASPIC ?

– Ma grand-mère pense que les sortilèges sont une option trop facile, grommela Neville.

– Prenez donc les sortilèges, répondit le professeur McGonagall, et j'écrirai un mot à Augusta pour lui rappeler que *son* propre échec à l'épreuve de sortilèges ne signifie pas nécessairement que ce sujet n'ait aucune valeur.

Esquissant un sourire devant l'expression à la fois incrédule et réjouie de Neville, le professeur McGonagall tapota un emploi du temps vierge avec sa baguette magique et le lui tendit, rempli à présent des horaires détaillés de ses nouveaux cours.

Elle se tourna ensuite vers Parvati Patil qui commença par demander si Firenze, le séduisant centaure, enseignait toujours la divination.

– Le professeur Trelawney et lui se partagent les cours cette année, répondit le professeur McGonagall avec une pointe de désapprobation dans la voix : tout le monde savait qu'elle méprisait la divination. Le professeur Trelawney se chargera des sixième année.

Cinq minutes plus tard, Parvati se rendit en classe de divination, la mine quelque peu déconfite.

– Bien, Potter, à nous, maintenant... Potter, voyons..., dit le professeur McGonagall en consultant ses notes tandis qu'elle se tournait vers Harry. Sortilèges, défense contre les forces du Mal, botanique, métamorphose... tout ça a très bien marché. Je dois dire que j'ai été très contente de votre note en métamorphose, Potter, très contente. Mais pourquoi n'avez-vous pas demandé à poursuivre les cours de potions ? Je croyais que vous aviez l'ambition de devenir Auror ?

– En effet, mais vous m'aviez prévenu que ce serait impossible si je n'avais pas un « Optimal » à ma BUSE, professeur.

– C'était vrai lorsque le professeur Rogue enseignait cette matière. Mais le professeur Slughorn sera très heureux d'accepter en ASPIC les élèves qui auront obtenu un « Effort exceptionnel » à leur BUSE. Alors, voulez-vous continuer les potions ?

– Oui, répondit Harry, mais je n'ai pas acheté les livres ni aucun ingrédient, ni rien du tout...

– Je suis certaine que le professeur Slughorn pourra

vous prêter ce qu'il faut, assura le professeur McGonagall. Très bien, Potter, voici votre emploi du temps. Ah, au fait, il y a vingt candidats qui espèrent faire partie de l'équipe de Quidditch de Gryffondor. Je vous donnerai la liste des noms en temps utile et vous fixerez à votre convenance une date pour les épreuves de sélection.

Quelques minutes plus tard, Ron fut autorisé à choisir les mêmes matières que Harry et tous deux quittèrent ensemble la table de Gryffondor.

– Tu as vu ? dit Ron avec délices en regardant ses heures de cours, on a du temps libre dès maintenant... et encore après la récréation... et après déjeuner... *parfait !*

Ils retournèrent dans la salle commune, qui était vide en dehors d'une demi-douzaine de septième année, parmi lesquels Katie Bell, la seule joueuse qui restait de l'ancienne équipe de Quidditch de Gryffondor dans laquelle Harry était entré dès sa première année.

– Je savais que tu l'aurais, bravo ! lança-t-elle en montrant l'insigne de capitaine accroché à la poitrine de Harry. Dis-moi quand auront lieu les épreuves de sélection !

– Ne sois pas stupide, répliqua Harry. Tu n'as pas besoin de les passer, il y a cinq ans que je te vois jouer...

– Il ne faut pas commencer comme ça, protesta-t-elle. Comment peux-tu savoir s'il n'y a pas quelqu'un de bien meilleur que moi cette année ? De bonnes équipes ont parfois été gâchées parce que leurs capitaines gardaient d'anciens joueurs ou recrutaient leurs amis...

Ron parut un peu mal à l'aise et se mit à jouer avec le Frisbee à dents de serpent qu'Hermione avait confisqué à l'élève de quatrième année. Le Frisbee fila tout autour de la pièce, en grognant et en essayant de mordre la tapisserie.

Pattenrond le suivait de ses yeux jaunes et crachait quand il passait trop près de lui.

Une heure plus tard, ils quittèrent à contrecœur la salle commune baignée de soleil pour se rendre au cours de défense contre les forces du Mal, quatre étages plus bas. Hermione faisait déjà la queue à la porte, les bras chargés de livres, l'air débordé.

– On a plein de devoirs en runes, dit-elle d'un ton anxieux lorsque Harry et Ron l'eurent rejointe. Une dissertation de quarante centimètres de long, deux versions et il faut encore que je lise tout ça d'ici mercredi !

– Pas drôle, marmonna Ron en bâillant.

– Attends un peu, lança-t-elle avec aigreur, je te parie que Rogue va nous surcharger de travail.

La porte s'ouvrit à ce moment-là et Rogue sortit dans le couloir, son visage cireux toujours encadré par deux rideaux de cheveux noirs et graisseux. Le silence tomba aussitôt sur la file d'élèves qui attendaient.

– Allez-y, dit-il.

En entrant dans la salle, Harry regarda autour de lui. Rogue avait déjà imposé sa personnalité à la pièce. Elle était plus sombre qu'à l'ordinaire, à cause des rideaux qui masquaient les fenêtres, et éclairée par des chandelles. De nouvelles images étaient accrochées aux murs : la plupart montraient des gens qui souffraient, exhibant d'horribles blessures ou des parties du corps étrangement déformées. Personne ne dit mot tandis qu'ils s'installaient en regardant ces monstrueuses représentations.

– Je ne vous ai pas demandé de sortir vos livres, fit remarquer Rogue qui referma la porte et vint se placer derrière son bureau, face à la classe.

Hermione laissa aussitôt retomber son exemplaire de

Affronter l'ennemi sans visage dans son sac qu'elle rangea sous sa chaise.

– J'ai certaines choses à vous dire qui exigent une pleine et entière attention.

Ses yeux noirs se promenèrent sur les élèves tournés vers lui, s'arrêtant une fraction de seconde de plus sur Harry.

– Je crois que, jusqu'à présent, vous avez eu cinq professeurs différents pour assurer ce cours.

« Tu crois... Comme si tu ne les avais pas vus arriver et repartir en espérant que tu serais le suivant, Rogue », pensa Harry avec férocité.

– Bien entendu, ces professeurs ont tous eu leurs propres méthodes et leurs sujets de prédilection. Étant donné la confusion qui en a résulté, je suis surpris que beaucoup d'entre vous aient réussi à décrocher une BUSE dans cette matière. Je serais encore plus surpris si vous parveniez tous à travailler suffisamment pour suivre le programme de l'ASPIC, qui sera beaucoup plus avancé.

Rogue quitta son bureau et entreprit de faire le tour de la salle, parlant maintenant d'une voix plus basse. Les élèves durent tendre le cou pour ne pas le perdre de vue.

– Les forces du Mal, poursuivit Rogue, sont nombreuses, diverses, toujours changeantes et éternelles. Les combattre, c'est comme combattre un monstre aux multiples têtes. Chaque fois qu'on en tranche une, une autre repousse, plus cruelle encore et plus rusée qu'avant. Vous devez affronter ce qui est instable, mouvant, indestructible.

Harry regardait fixement Rogue. C'était une chose de reconnaître les forces du Mal comme un ennemi dangereux, une autre d'en parler comme le faisait Rogue, de ce ton caressant, amoureux.

– Vos défenses, continua Rogue, d'une voix un peu plus

sonore, doivent par conséquent être aussi flexibles et inventives que les forces qu'il vous faut vaincre. Ces images (il en montra quelques-unes en passant devant) donnent une assez bonne idée de ce qui arrive lorsqu'on subit un sortilège Doloris, par exemple (il désigna d'un geste une sorcière qui hurlait de douleur), ou le baiser d'un Détraqueur (un sorcier recroquevillé, le regard vide, effondré contre un mur) ou l'agression d'un Inferius (une masse sanglante gisant sur le sol).

– Est-ce qu'on a vu un Inferius, récemment ? demanda Parvati Patil d'une petite voix aiguë. On est sûr qu'il s'en sert ?

– Le Seigneur des Ténèbres a eu recours à des Inferi dans le passé, répondit Rogue, vous seriez donc bien inspirés de supposer qu'il peut à nouveau en faire usage. A présent...

Il passa de l'autre côté de la salle pour revenir à son bureau et les élèves le suivirent des yeux, sa robe sombre virevoltant derrière lui.

– ... j'imagine que vous êtes de complets novices en matière de sortilèges informulés. Quel est l'avantage d'un sortilège informulé ?

La main d'Hermione jaillit aussitôt. Rogue prit son temps, regardant tous les autres pour être sûr qu'il n'avait pas le choix. D'un ton sec, il dit alors :

– Très bien... Miss Granger ?

– Votre adversaire ne sait pas quel genre de magie vous allez utiliser, répondit Hermione, ce qui vous donne une fraction de seconde d'avance sur lui.

– Une réponse copiée presque mot pour mot dans *Le Livre des sorts et enchantements, niveau 6*, remarqua Rogue d'un air dédaigneux (dans un coin de la classe, Malefoy ricana), mais correcte sur le fond. Oui, ceux qui parviennent à user de magie sans formuler d'incantations bénéficient d'un effet de surprise lorsqu'ils jettent un sort. Tous les sorciers n'en sont pas capables, bien sûr. C'est une question de concentration et de force mentale dont certains (son regard malveillant s'attarda à nouveau sur Harry) manquent singulièrement.

Harry savait que Rogue pensait à leurs désastreuses leçons d'occlumancie de l'année précédente. Il refusa de baisser les yeux et le fixa d'un regard noir jusqu'à ce que Rogue détourne le sien.

– Vous allez maintenant vous répartir en équipes de deux. L'un des deux partenaires essayera d'ensorceler l'autre sans parler et l'autre tentera de repousser le maléfice en restant tout aussi muet. Allez-y.

Rogue ne le savait pas, mais un an plus tôt, Harry avait appris au moins à la moitié des élèves de la classe (tous ceux qui avaient été membres de l'A.D.) comment exécuter le charme du Bouclier. Aucun d'entre eux, cependant, n'avait jamais jeté ce sort sans prononcer la formule. Un nombre raisonnable de tricheries s'ensuivirent. Beaucoup d'élèves murmuraient simplement l'incantation au lieu de la lancer à voix haute. Comme on pouvait s'y attendre, Hermione, au bout de dix minutes, parvint sans prononcer un mot à repousser le maléfice de Jambencoton qu'avait marmonné Neville ; un exploit que n'importe quel professeur sensé aurait récompensé de vingt points pour Gryffondor, songea Harry avec amertume, mais auquel Rogue resta indifférent. Il passait parmi eux pendant qu'ils s'exerçaient, ressemblant plus que jamais à une chauve-souris géante, et s'arrêta devant Harry et Ron pour observer leurs efforts.

Ron, qui devait ensorceler Harry, avait le teint violet et serrait étroitement les lèvres pour résister à la tentation de chuchoter l'incantation. Harry avait levé sa baguette et attendait, tous ses sens en éveil, de repousser un maléfice qui paraissait ne jamais devoir venir.

– Lamentable, Weasley, commenta Rogue au bout d'un moment. Tenez, je vais vous montrer...

Il pointa si vite sa baguette sur Harry que celui-ci réagit instinctivement. Oubliant toute idée de sortilège informulé, il s'écria :

– *Protego !*

Son charme du Bouclier fut si puissant que Rogue perdit l'équilibre et tomba sur une table. Toute la classe se tourna vers lui et le regarda se redresser, l'air mécontent.

– Vous souvenez-vous que j'avais parlé de sortilèges informulés, Potter ?

– Oui, répondit Harry avec raideur.

– Oui, monsieur.

– Il n'est pas nécessaire de m'appeler « monsieur », professeur.

Les mots lui avaient échappé avant même qu'il prenne conscience de les avoir prononcés. Plusieurs élèves, dont Hermione, sursautèrent. Mais derrière Rogue, Ron, Dean et Seamus eurent un sourire approbateur.

– Retenue, samedi soir, dans mon bureau, dit Rogue. Je ne tolère d'impertinences de personne, Potter... pas même lorsqu'elles viennent de l'*Élu*.

– C'était magnifique, Harry ! s'exclama Ron en pouffant de rire lorsqu'ils eurent quitté la classe un peu plus tard pour aller en récréation.

– Tu n'aurais vraiment pas dû dire ça, déclara Hermione en regardant Ron les sourcils froncés. Qu'est-ce qui t'a pris ?

– Il a essayé de me jeter un maléfice au cas où tu ne l'aurais pas remarqué ! fulmina Harry. J'ai suffisamment subi ce genre de choses pendant les leçons d'occlumancie ! Pourquoi ne prendrait-il pas un autre cobaye pour changer ? On se demande à quoi joue Dumbledore en lui confiant les cours de défense ! Vous l'avez entendu parler des forces du Mal ? Il les adore ! Tous ces trucs qu'il a racontés sur ce qui est *instable, indestructible*...

– Eh bien moi, dit Hermione, j'ai pensé qu'il parlait un peu comme toi.

– Comme *moi* ?

– Oui, quand tu nous expliquais ce qu'on ressent face à Voldemort. Tu nous disais qu'il ne suffit pas de se souvenir de quelques sortilèges, qu'il n'y a plus que le cerveau et les tripes qui comptent – n'était-ce pas ce que Rogue disait aussi ? Que tout est dans le courage et la rapidité d'esprit ?

Harry se sentit si désarmé qu'elle ait jugé ses paroles dignes d'être retenues à l'égal du *Livre des sorts et enchantements* qu'il ne chercha pas à discuter.

– Harry ! Hé, Harry !

Harry se retourna : Jack Sloper, l'un des batteurs de l'équipe de Quidditch de l'année précédente, courait vers lui, un parchemin à la main.

– Pour toi, dit Sloper, hors d'haleine. Écoute, j'ai appris que tu étais le nouveau capitaine. Quand est-ce que tu fais passer les essais ?

– Je ne sais pas encore, répondit Harry en pensant que Sloper pourrait s'estimer très heureux s'il était à nouveau sélectionné. Je te préviendrai.

– D'accord, j'espérais que ce serait pendant le week-end...

Mais Harry ne l'écoutait pas. Il venait de reconnaître sur

le parchemin une écriture fine et penchée. Laissant Sloper au milieu d'une phrase, il s'éloigna en hâte, accompagné de Ron et d'Hermione, et déroula le message.

Cher Harry,

Je voudrais que nous commencions nos leçons particulières samedi prochain. Aie la gentillesse de venir à mon bureau à huit heures du soir. J'espère que tu es content de ton premier jour d'école.

Bien à toi,

Albus Dumbledore

P.S. J'aime beaucoup les Suçacides.

– Il aime les Suçacides ? s'étonna Ron qui avait lu le message par-dessus l'épaule de Harry et paraissait soudain perplexe.

– C'est le mot de passe pour la gargouille, à l'entrée de son bureau, répondit Harry à voix basse. Rogue ne va pas être content… Je ne pourrai pas faire sa retenue !

Ron, Hermione et lui passèrent toute la récréation en spéculations sur ce que Dumbledore pourrait bien lui enseigner. Ron penchait pour des maléfices et des mauvais sorts spectaculaires d'un genre que les Mangemorts eux-mêmes ignoreraient. Hermione objecta que de telles pratiques étaient illégales et croyait plutôt que Dumbledore voulait apprendre à Harry des sortilèges défensifs de haut niveau. Après la récréation, elle partit en cours d'arithmancie tandis que Harry et Ron retournaient dans la salle commune où ils commencèrent à contrecœur leurs devoirs pour Rogue. Ils se révélèrent si complexes qu'ils n'avaient toujours pas terminé lorsqu'Hermione les rejoignit après le déjeuner où ils avaient à nouveau une période de temps libre (pendant laquelle elle accéléra considérablement leur rythme de travail). Ils venaient de finir quand la cloche sonna pour leur double cours de potions et ils reprirent aussitôt le chemin familier qui menait aux cachots, dans la salle qui avait été si longtemps celle de Rogue.

A leur arrivée dans le couloir, ils virent qu'une douzaine d'élèves seulement avaient été admis en classe d'ASPIC. Crabbe et Goyle avaient bien évidemment raté leurs BUSE mais quatre Serpentard avaient réussi à obtenir la note requise, y compris Malefoy. Il y avait aussi quatre Serdaigle et un Poufsouffle, Ernie Macmillan, que Harry aimait bien en dépit de ses manières plutôt ampoulées.

– Harry, dit Ernie d'un ton solennel en lui tendant la main, je n'ai pas eu l'occasion de te saluer ce matin, en classe de défense contre les forces du Mal. J'ai trouvé le cours intéressant mais le charme du Bouclier, bien sûr, c'est un peu du réchauffé pour nous, les vieux briscards de l'A.D... Comment ça va, Ron ? Et toi Hermione ?

A peine avaient-ils eu le temps de répondre « très bien » que la porte du cachot s'ouvrit et l'énorme ventre de Slughorn le précéda dans le couloir. Tandis qu'ils entraient dans la salle en file indienne, sa grosse moustache de morse se retroussa sur un sourire rayonnant et il accueillit Harry et Zabini avec un enthousiasme tout particulier.

Contrairement à l'habitude, le cachot était déjà rempli de vapeurs et d'odeurs bizarres. Harry, Ron et Hermione reniflèrent d'un air intéressé en passant devant de grands chaudrons bouillonnants. Les quatre Serpentard s'assirent à une même table, imités par les quatre Serdaigle.

Harry, Ron et Hermione n'avaient plus qu'à partager une troisième table avec Ernie. Ils choisirent celle qui se trouvait tout près d'un chaudron dans lequel une substance d'une couleur dorée dégageait un des parfums les plus exquis que Harry ait jamais connus. Il lui rappelait tout à la fois la tarte à la mélasse, l'odeur de bois des manches à balai et un arôme de fleur qu'il pensait avoir déjà senti au Terrier. Il respira très lentement et très profondément, en ayant l'impression que les émanations de la mixture l'emplissaient comme un nectar. Un sentiment d'immense contentement se répandit en lui. Il sourit à Ron qui lui sourit à son tour d'un air nonchalant.

– Voyons, voyons, voyons, commença Slughorn dont la silhouette massive semblait trembloter derrière les vapeurs chatoyantes qui s'échappaient des chaudrons. Sortez vos balances et vos nécessaires à potions, sans oublier votre exemplaire du *Manuel avancé de préparation des potions*...

– Monsieur ? dit Harry en levant la main.

– Harry, mon garçon ?

– Je n'ai ni livre, ni balance, ni rien – et Ron non plus... Nous n'avions pas prévu de pouvoir suivre vos cours en ASPIC...

– Ah oui, le professeur McGonagall m'en a parlé... ne vous faites pas de souci, mon garçon, pas de souci du tout. Aujourd'hui, vous utiliserez les ingrédients qui se trouvent dans l'armoire et nous pourrons sûrement vous prêter une balance. Nous avons également quelques vieux livres dont vous vous servirez en attendant de les commander chez Fleury et Bott...

Slughorn se dirigea vers un coin de la salle et fouilla un certain temps dans un placard d'où il finit par ressortir deux exemplaires très abîmés du *Manuel avancé de préparation des potions*, de Libatius Borage, qu'il donna à Harry et à Ron en même temps que deux balances en métal terni.

– Alors, maintenant, voyons, reprit Slughorn qui revint devant les élèves et gonfla son torse déjà proéminent, les boutons de son gilet menaçant de sauter. J'ai préparé quelques potions pour que vous y jetiez un coup d'œil, par simple curiosité. C'est le genre de choses que vous devriez être capables de réussir après avoir obtenu vos ASPIC. Vous en avez sûrement entendu parler, même si vous ne les avez jamais faites vous-mêmes. Quelqu'un peut-il me dire le nom de celle-ci ?

Il indiqua le chaudron situé près de la table des Serpentard. Harry se haussa légèrement sur sa chaise et vit un liquide qui ressemblait à de l'eau bouillante.

La main bien entraînée d'Hermione se dressa avant que quiconque d'autre ait eu le temps de réagir. Slughorn lui fit signe de parler.

– C'est du Veritaserum, une potion incolore et sans odeur qui oblige celui qui la boit à dire la vérité, répondit-elle.

– Très bien, très bien ! s'exclama Slughorn d'un ton réjoui. A présent, poursuivit-il, en montrant le chaudron proche de la table des Serdaigle, celle-ci est très connue... Elle est également citée dans certaines brochures récemment distribuées par le ministère... Qui peut...

La main d'Hermione fut à nouveau la plus rapide.

– C'est du Polynectar, monsieur, dit-elle.

Harry avait lui aussi reconnu la substance semblable à de la boue qui frémissait lentement dans le deuxième chaudron mais il n'en voulait pas à Hermione d'avoir répondu la première. N'était-ce pas elle qui avait réussi à en préparer par ses propres moyens au cours de leur deuxième année ?

– Excellent, excellent ! Maintenant, celle-ci... Oui ? dit Slughorn qui parut un peu étonné de voir la main d'Hermione se lever une nouvelle fois.

– C'est de l'Amortentia !

– En effet. Ça paraît presque idiot de poser la question, commenta Slughorn, apparemment très impressionné. Et j'imagine que vous connaissez ses effets ?

– C'est le plus puissant philtre d'amour au monde ! expliqua Hermione.

– Tout à fait exact ! Vous l'avez identifiée, je suppose, grâce à sa couleur nacrée caractéristique ?

– Et à sa vapeur qui s'élève en spirales très reconnaissables, ajouta Hermione avec enthousiasme. On dit qu'elle a une odeur différente pour chacun de nous, selon ce qui nous attire le plus. Moi, je sens un parfum d'herbe fraîchement coupée, de parchemin neuf et...

Ses joues rosirent un peu et elle préféra ne pas terminer sa phrase.

– Puis-je savoir votre nom, chère amie ? demanda Slughorn sans prêter attention à la gêne d'Hermione.

– Hermione Granger, monsieur.

– Granger ? Granger ? Seriez-vous parente d'Hector Dagworth-Granger, fondateur de la Très Extraordinaire Société des potionnistes ?

– Non, je ne crois pas, monsieur. Je suis d'origine moldue.

Harry vit Malefoy se pencher vers Nott et lui chuchoter quelque chose à l'oreille. Tous deux ricanèrent mais Slughorn ne se montra nullement décontenancé. Au contraire, son visage s'illumina et son regard alla d'Hermione à Harry qui était assis à côté d'elle.

– Oho ! « L'une de mes plus proches amies a des parents moldus et c'est la meilleure élève de notre année ! » Je crois deviner que c'est de cette amie-là que vous parliez, Harry ?

– Oui, monsieur, répondit-il.

– Bien, bien, bien, Gryffondor a largement mérité vingt points pour vos réponses, Miss Granger, annonça Slughorn d'un ton cordial.

Malefoy faisait à peu près la même tête que le jour où Hermione lui avait donné une gifle. Hermione tourna vers Harry un visage radieux et murmura :

– Tu lui as vraiment dit que j'étais la meilleure élève ? Oh, Harry !

– Qu'est-ce qu'il y a de si extraordinaire à ça ? murmura Ron qui, pour on ne savait quelle raison, paraissait agacé. C'est évident que tu *es* la meilleure – moi aussi, je l'aurais dit si on me l'avait demandé !

Hermione sourit mais elle leur fit signe de se taire pour qu'ils puissent entendre ce que disait Slughorn. Ron avait l'air un peu renfrogné.

– Bien sûr, l'Amortentia ne crée pas vraiment un sentiment d'amour. Il est impossible de fabriquer ou d'imiter l'amour. Non, elle produit simplement une forte attirance ou une obsession. C'est sans doute la plus dangereuse et la plus puissante des potions qui se trouvent dans cette salle – eh, oui, ajouta Slughorn en hochant la tête d'un air grave vers Malefoy et Nott qui affichaient tous deux un sourire sceptique. Quand vous aurez autant que moi l'expérience de la vie, vous ne sous-estimerez pas le pouvoir de l'amour obsessionnel... Et maintenant, il est temps de nous mettre au travail.

– Monsieur, vous ne nous avez pas dit ce qu'il y a dans celui-ci, dit Ernie Macmillan qui montrait un petit chaudron noir posé sur le bureau de Slughorn.

La potion qu'il contenait bouillonnait joyeusement. Elle avait une couleur d'or fondu et de grosses gouttes sautaient à sa surface comme des poissons rouges, sans que la moindre particule ne déborde.

– Oho, répéta Slughorn.

Harry était sûr qu'il n'avait pas oublié la potion mais avait attendu qu'on lui pose la question pour ménager un effet plus théâtral.

– Ah, oui. Celle-ci. Eh bien, mesdemoiselles et messieurs, il s'agit là d'une très étrange petite potion qu'on appelle Felix Felicis. Je suis sûr, ajouta-t-il en adressant un sourire à Hermione qui avait laissé échapper une exclamation, que vous connaissez les effets de Felix Felicis, Miss Granger ?

– C'est de la chance liquide, répondit Hermione, surexcitée. Il suffit d'en boire pour avoir une chance extraordinaire !

Toute la classe sembla se redresser. Harry ne voyait plus à présent de Malefoy que ses cheveux blonds et lisses sur sa nuque car il venait enfin d'accorder à Slughorn une attention pleine et entière.

– Parfaitement exact, dix points de plus pour Gryffondor. Oui, c'est une drôle de petite potion, Felix Felicis, poursuivit Slughorn. Horriblement difficile à préparer et désastreuse quand elle est mal faite. Mais si on la mélange correctement, ce qui est le cas de celle-ci, on s'aperçoit que tout ce qu'on entreprend est couronné de succès… en tout cas jusqu'à ce que ses effets se dissipent.

– Pourquoi les gens n'en boivent-ils pas tout le temps, monsieur ? demanda Terry Boot, avide d'en savoir plus.

– Parce que si on en prend trop, elle provoque des étourdissements, une tendance à l'imprudence et un excès de confiance en soi qui peut se révéler dangereux, répondit Slughorn. Il ne faut pas abuser des bonnes choses, comme vous le savez... et elle est hautement toxique en grande quantité. Mais consommée avec modération et très occasionnellement...

– Vous en avez déjà bu, monsieur ? demanda Michael Corner avec un grand intérêt.

– Deux fois, dit Slughorn. Une fois quand j'avais vingt-quatre ans, une autre fois quand j'en avais cinquante-sept. Deux cuillerées à soupe au petit déjeuner. Deux jours parfaits dans ma vie.

Son regard se perdit au loin. Qu'il joue la comédie ou pas, l'effet était réussi, songea Harry.

– Et c'est cela, reprit Slughorn, en revenant sur terre, que je vais offrir comme récompense à la fin de ce cours.

Il y eut un silence pendant lequel on percevait chaque bouillonnement, chaque gargouillis, avec une intensité décuplée.

– Un tout petit flacon de Felix Felicis, continua Slughorn en sortant de sa poche une minuscule bouteille de verre munie d'un bouchon, qu'il montra à tout le monde. Une dose suffisante pour douze heures de chance. De l'aube au crépuscule, une réussite totale dans tout ce que vous entreprendrez. Je dois toutefois vous avertir que Felix Felicis est une substance interdite dans les compétitions organisées... les événements sportifs, par exemple, les examens ou les élections. Par conséquent, le gagnant ne devra en faire usage qu'un jour ordinaire... Et vous verrez que ce jour ordinaire se transformera en journée extraordinaire ! Comment s'y prendre pour gagner cette fabuleuse récompense ? poursuivit Slughorn, d'un ton soudain plus animé, eh bien, en allant à la page 10 du *Manuel avancé de préparation des potions*. Nous avons un peu plus d'une heure devant nous, ce qui devrait vous suffire pour tenter de réaliser à peu près convenablement un philtre de Mort Vivante. Je sais, c'est plus compliqué que tout ce que vous avez essayé jusqu'à présent et je ne m'attends pas à ce que tout le monde obtienne un résultat parfait. Celui ou celle qui aura le mieux réussi, cependant, gagnera le flacon de Felix. Allez-y !

On entendit le raclement des chaudrons que les élèves tiraient vers eux et de grands bruits métalliques lorsqu'ils commencèrent à entasser des poids dans les plateaux de leurs balances, mais personne ne prononça le moindre mot. La concentration dans la classe était telle qu'elle en devenait presque palpable. Harry vit Malefoy feuilleter fébrilement son *Manuel avancé de préparation des potions*. Il n'aurait pu manifester plus clairement son désir de remporter à tout prix cette journée de chance. Harry se pencha à son tour sur le vieux livre miteux que Slughorn lui avait prêté.

A son grand agacement, il vit que son précédent propriétaire avait griffonné sur toutes les pages, si bien que les marges étaient aussi noires d'encre que la partie imprimée. Le nez sur le livre pour déchiffrer la liste des ingrédients (même là, le précédent utilisateur avait ajouté des notes et rayé certaines choses), Harry se hâta d'aller prendre dans l'armoire ce dont il avait besoin. Lorsqu'il se précipita à nouveau devant son chaudron, il vit Malefoy couper le plus vite possible des racines de valériane.

Tout le monde jetait des coups d'œil aux autres pour voir ce qu'ils faisaient. C'était à la fois un avantage et un inconvénient des cours de potions de ne pas pouvoir garder son travail pour soi. Dix minutes plus tard, la salle était entièrement remplie de vapeurs bleuâtres. Hermione, bien entendu, semblait la plus avancée. Sa potion ressemblait déjà au « liquide satiné, couleur cassis », décrit comme idéal lorsqu'on était à mi-chemin de la préparation.

Après avoir haché ses racines, Harry se pencha à nouveau sur le livre. Il était très irritant de devoir déchiffrer les instructions sous les stupides griffonnages du précédent propriétaire qui, pour une raison inconnue, contestait l'ordre de couper la fève sopophorique et avait écrit à la place la recommandation suivante : « Écraser avec le plat d'une lame d'argent permet de mieux extraire le jus qu'en coupant. »

– Monsieur, je crois que vous avez connu mon grand-père, Abraxas Malefoy ?

Harry leva la tête ; Slughorn passait devant la table des Serpentard.

– Oui, répondit Slughorn sans regarder Malefoy. J'ai été désolé d'apprendre sa mort, mais il fallait s'y attendre, la Dragoncelle à son âge...

Et il s'éloigna. Harry retourna à son chaudron avec un sourire satisfait. Il voyait bien que Malefoy aurait voulu bénéficier de la même attention que Harry ou Zabini. Peut-être même espérait-il un traitement de faveur du même genre que celui auquel Rogue l'avait habitué. Mais apparemment, Malefoy ne devrait se fier qu'à son seul talent pour gagner le flacon de Felix Felicis.

La fève sopophorique se révéla très difficile à couper. Harry se tourna vers Hermione.

– Je peux t'emprunter ton couteau d'argent ?

Elle acquiesça d'un air impatient, sans quitter des yeux sa potion qui avait toujours une couleur violet foncé alors que, d'après le livre, elle aurait dû prendre une légère teinte lilas à ce stade de la préparation.

Harry écrasa sa fève avec le plat du couteau. A son grand étonnement, elle exsuda aussitôt une telle quantité de jus qu'il fut émerveillé de voir une petite graine ratatinée en contenir autant. Versant précipitamment le liquide obtenu dans son chaudron, il eut la surprise de constater que la potion prenait immédiatement l'exacte teinte lilas décrite par le manuel.

L'agacement qu'il avait ressenti pour l'ancien propriétaire du livre se dissipa sur-le-champ et il lut attentivement les instructions qui suivaient. Selon le manuel, il devait remuer la mixture dans le sens contraire des aiguilles d'une montre jusqu'à ce que la potion devienne claire comme de l'eau. Mais si l'on en croyait les notes du précédent utilisateur, il fallait remuer un tour dans le sens des aiguilles d'une montre chaque fois qu'on avait fait sept tours dans le sens inverse. Pouvait-il avoir raison à deux reprises ?

Harry remua dans le sens contraire des aiguilles d'une montre, retint son souffle, puis tourna une fois dans l'autre sens. L'effet fut immédiat. La potion devint rose pâle.

– Comment es-tu arrivé à ça ? interrogea Hermione d'un ton impérieux.

Elle avait le teint rouge et ses cheveux étaient de plus en plus ébouriffés dans les vapeurs de son chaudron. Mais sa potion conservait résolument la même couleur violette.

– Fais un tour dans le sens des aiguilles d'une montre…

– Non, non, le livre dit qu'il faut remuer dans l'autre sens, répliqua-t-elle sèchement.

Harry haussa les épaules et poursuivit sa tâche. Sept tours dans le sens contraire des aiguilles d'une montre, un tour dans l'autre sens, une pause… sept tours, un tour…

De l'autre côté de la table, Ron marmonnait des jurons à flot continu. Sa potion ressemblait à du réglisse liquide. Harry jeta un coup d'œil aux autres tables. D'après ce qu'il pouvait voir, aucune autre potion n'avait une couleur aussi pâle que la sienne. Il en fut enchanté, un sentiment qu'il n'avait certainement jamais éprouvé auparavant dans ce cachot.

– Et voilà, le temps est... écoulé ! déclara Slughorn. Arrêtez, s'il vous plaît !

Il passa lentement entre les tables, examinant les chaudrons. Il s'abstenait de tout commentaire mais reniflait parfois une potion ou la remuait un peu. Enfin, il arriva à la table où Harry, Ron, Hermione et Ernie étaient assis. Il eut un sourire navré devant la substance semblable à du goudron que contenait le chaudron de Ron. Il n'accorda aucune attention à la mixture bleu marine d'Ernie, mais salua d'un signe de tête approbateur la potion d'Hermione. Enfin, quand il vit celle de Harry, une expression de ravissement incrédule illumina son visage.

– Le vainqueur incontestable ! s'écria-t-il à la cantonade. Excellent, excellent, Harry ! Dieu du ciel, il est évident que vous avez hérité du talent de votre mère, elle avait le don pour les potions, Lily, sans aucun doute ! Alors, le voilà, il est à vous – un flacon de Felix Felicis, comme promis, et faites-en bon usage !

Harry glissa dans sa poche intérieure la minuscule fiole remplie d'un liquide doré. Il ressentit un curieux mélange de joie en voyant l'air furieux des Serpentard et de culpabilité devant le visage déçu d'Hermione. Ron, lui, paraissait abasourdi.

– Comment as-tu fait ça ? murmura-t-il à Harry lorsqu'ils quittèrent le cachot.

– Un coup de chance, sans doute, répondit-il, car Malefoy n'était pas loin.

Mais à l'heure du dîner, quand ils furent installés en toute tranquillité à la table de Gryffondor, il se sentit suffisamment à l'abri des oreilles indiscrètes pour leur raconter ce qui s'était passé. Il vit alors le visage d'Hermione se durcir un peu plus à chaque mot qu'il prononçait.

– Tu crois sans doute que j'ai triché ? conclut-il, agacé par son expression.

– Ce n'était pas vraiment le résultat de ton propre travail, il me semble, répondit-elle avec raideur.

– Il a simplement suivi d'autres instructions que les nôtres, remarqua Ron. Ça pouvait tout aussi bien finir en catastrophe, non ? Mais il a pris le risque et ça a payé.

Il poussa un soupir.

– Slughorn aurait pu me donner ce livre-là à moi, mais non, il n'y avait rien d'écrit dans le mien. Apparemment, quelqu'un a *vomi* sur la page 52, c'est tout...

– Attends un peu, dit une voix toute proche, à la gauche de Harry.

Il respira soudain une bouffée du même parfum de fleur qu'il avait senti dans le cachot de Slughorn. Lorsqu'il tourna la tête, il vit Ginny qui était venue les rejoindre.

– Est-ce que j'ai bien entendu ? Tu as suivi les instructions de quelqu'un qui a écrit dans un livre, Harry ?

Elle paraissait inquiète et furieuse. Harry sut tout de suite à quoi elle pensait.

– Ce n'est rien, répondit-il d'un ton rassurant en baissant la voix. Ça n'a rien à voir avec... heu... le journal intime de Jedusor. C'est simplement un vieux manuel dans lequel un élève a griffonné des notes.

– Mais tu as fait ce qu'il disait ?

– J'ai simplement essayé d'appliquer les conseils écrits dans les marges. Franchement, Ginny, je ne vois pas ce qu'il peut y avoir de louche...

– Ginny a raison, coupa Hermione, avec une vigueur nouvelle. Il faut vérifier qu'il n'y ait rien de bizarre là-dedans. Qui sait ce qui peut se cacher derrière ces drôles d'instructions ?

– Hé ! protesta Harry, indigné, en la voyant prendre dans son sac son exemplaire du *Manuel avancé de préparation des potions*.

Elle leva sa baguette.

– *Specialis revelio !* dit-elle en donnant de petits coups secs sur la couverture.

Il ne se passa rien du tout. Le livre resta là où elle l'avait posé, toujours aussi usé, sale, ses pages cornées.

– Tu as fini ? demanda Harry, irrité. Ou tu veux attendre de voir s'il va faire des sauts périlleux ?

– Il paraît normal, déclara Hermione qui continuait de fixer le livre d'un air soupçonneux. On dirait vraiment un... un simple manuel.

– Très bien. Dans ce cas, je le reprends, dit Harry.

Il le saisit d'un geste brusque mais il lui échappa des mains et tomba ouvert sur le sol.

Personne d'autre ne regardait. Harry se pencha pour ramasser le livre et vit soudain quelques mots griffonnés au bas de la dernière page de couverture, de la même petite écriture en pattes de mouche que les instructions grâce auxquelles il avait gagné son flacon de Felix Felicis – soigneusement caché à présent dans une paire de chaussettes, à l'intérieur de sa grosse valise. Il lut alors :

« Ce livre appartient au Prince de Sang-Mêlé »

10
La maison des Gaunt

Pendant les autres cours de potions, cette semaine-là, Harry continua de suivre les instructions du Prince de Sang-Mêlé chaque fois qu'elles différaient de celles de Libatius Borage. Le résultat fut qu'au bout de la quatrième leçon, Slughorn ne tarissait plus d'éloges sur les aptitudes de Harry, affirmant qu'il avait rarement eu un élève aussi doué. En revanche, ni Ron ni Hermione n'étaient ravis. Harry leur avait proposé de partager son livre mais Ron avait beaucoup plus de difficultés que lui à déchiffrer les notes manuscrites et ne pouvait sans cesse lui demander de les lire à haute voix, sous peine d'éveiller les soupçons. Hermione, pour sa part, continuait résolument de s'en tenir à ce qu'elle appelait les « instructions officielles », ce qui ne faisait qu'aggraver sa mauvaise humeur car elles donnaient de moins bons résultats que celles du Prince.

Harry se demandait vaguement qui avait été le Prince de Sang-Mêlé. Ils avaient une telle masse de devoirs qu'il ne trouvait pas le temps de lire en entier son exemplaire du *Manuel avancé de préparation des potions*, mais il l'avait suffisamment feuilleté pour constater qu'il n'existait quasiment pas de pages sur lesquelles le Prince n'ait pas ajouté de notes, dont certaines ne concernaient pas seulement le mélange des potions. Ici et là figuraient en effet des formules qui ressemblaient à des sortilèges inventés par le Prince lui-même.

– Lui-même ou elle-même, dit Hermione d'un ton irrité en entendant Harry en montrer quelques exemples à Ron.

C'était le samedi soir, dans la salle commune.

– Il se peut très bien qu'il s'agisse d'une fille. Son écriture est plus féminine que masculine.

– Il s'appelait le *Prince* de Sang-Mêlé, objecta Harry. Tu connais beaucoup de filles qui sont princes ?

Hermione ne sut que répondre. Elle se renfrogna et reprit d'un geste brusque sa dissertation sur « Les principes de rematérialisation » que Ron essayait de lire à l'envers.

Harry consulta sa montre et rangea précipitamment dans son sac le vieil exemplaire du *Manuel avancé de préparation des potions*.

– Il est huit heures moins cinq. Il faut que j'y aille si je ne veux pas être en retard chez Dumbledore.

– Ooooh ! s'exclama Hermione en relevant la tête. Bonne chance ! On va t'attendre, on veut savoir ce qu'il te donne comme cours !

– J'espère que ça se passera bien, dit Ron, et tous deux regardèrent Harry sortir par l'ouverture du portrait.

Harry parcourut des couloirs déserts à cette heure, mais il dut quand même se cacher très vite derrière une statue lorsqu'il vit apparaître le professeur Trelawney à l'angle d'un mur. Elle marmonnait toute seule et battait un jeu de cartes crasseuses qu'elle examinait en marchant.

– Deux de pique : conflit, murmura-t-elle, en arrivant devant l'endroit où Harry, accroupi, s'était réfugié. Sept de pique : mauvais augure. Dix de pique : violence. Valet de pique : un jeune homme brun, peut-être un peu troublé, qui n'aime pas la consultante...

Elle s'arrêta net, juste de l'autre côté de la statue qui dissimulait Harry.

– Non, ça ne se peut pas, dit-elle, agacée, et Harry l'entendit battre à nouveau les cartes d'un geste vigoureux tandis qu'elle repartait en laissant derrière elle une odeur de xérès bon marché.

Il attendit jusqu'à ce qu'il soit sûr qu'elle ait disparu puis se rendit en hâte dans le couloir du septième étage où une gargouille solitaire se tenait devant le mur.

– Suçacides, dit Harry.

La gargouille fit un pas de côté et le mur derrière elle s'ouvrit, laissant voir un escalier mobile en colimaçon. Harry monta sur la première marche et l'escalier tourna sur lui-même, l'amenant en douceur jusqu'à la porte au heurtoir de cuivre qui donnait accès au bureau de Dumbledore.

Harry frappa.

– Entrez, répondit la voix de Dumbledore.

– Bonsoir, monsieur, dit Harry en s'avançant dans le bureau du directeur.

– Ah, bonsoir, Harry. Assieds-toi, proposa Dumbledore avec un sourire. J'espère que ta première semaine de rentrée s'est bien passée ?

– Oui, merci, monsieur, dit Harry.

– Tu n'as pas traîné, déjà une retenue à ton actif !

– Heu..., commença Harry, mal à l'aise, mais Dumbledore ne paraissait pas trop sévère.

– Je me suis arrangé avec le professeur Rogue pour qu'elle soit reportée à samedi prochain.

– Très bien, dit Harry, qui avait des choses beaucoup plus préoccupantes en tête que la retenue de Rogue.

Il regardait subrepticement de tous côtés, à la recherche d'un indice qui puisse indiquer ce que Dumbledore comptait faire avec lui ce soir. La pièce circulaire avait le même aspect que d'habitude : les fragiles instruments en argent étaient à leur place sur les tables aux pieds effilés, ronronnant et soufflant des volutes de fumée ; les portraits des anciens directeurs et directrices somnolaient dans leurs cadres ; et Fumseck, le magnifique phénix de Dumbledore, était posé sur son perchoir derrière la porte, ses yeux étincelants observant Harry avec intérêt. Apparemment, Dumbledore n'avait libéré aucun espace pour s'entraîner à des sortilèges de combat.

– Alors, Harry, dit Dumbledore d'un ton sérieux, je suis sûr que tu t'es demandé ce que j'avais préparé pour toi au cours de ces… disons, leçons, faute d'un meilleur terme ?

– Oui, monsieur.

– Eh bien, j'ai estimé qu'il était temps, maintenant que tu sais ce qui a poussé Lord Voldemort à essayer de te tuer il y a quinze ans, de te donner certaines informations.

Il y eut un silence.

– Vous m'aviez dit, à la fin de l'année dernière, que vous alliez tout m'expliquer, déclara Harry – il avait du mal à dissimuler un ton accusateur dans sa voix –, monsieur, ajouta-t-il.

– C'est ce qui s'est passé, répondit calmement Dumbledore, je t'ai expliqué tout ce que je savais. Mais à partir de maintenant, nous allons quitter la solidité des faits pour cheminer ensemble à travers les marécages obscurs de la mémoire et nous aventurer dans le maquis des hypothèses les plus échevelées. Dorénavant, Harry, il se peut que je me trompe autant que Humphrey Belcher qui croyait que le moment était venu de fabriquer des chaudrons en fromage.

– Vous pensez pourtant avoir raison ? demanda Harry.

– Bien entendu, mais je t'ai déjà administré la preuve qu'il m'arrive de me tromper comme n'importe qui d'autre. En fait, comme je suis – pardonne-moi – relativement plus intelligent que la plupart des hommes, mes erreurs sont en proportion beaucoup plus considérables.

– Monsieur, risqua Harry, ce que vous allez me révéler est-il en rapport avec la prophétie ? Est-ce que ça va m'aider à... survivre ?

– C'est en effet étroitement lié à la prophétie, répondit Dumbledore d'un ton aussi dégagé que si Harry lui avait demandé quel temps il ferait demain, et je souhaite sans nul doute que cela t'aide à survivre.

Dumbledore se leva et contourna le bureau. Il passa devant Harry qui le suivit avidement des yeux et le regarda se pencher sur une armoire, à côté de la porte. Lorsque Dumbledore se redressa, il tenait entre les mains une bassine de pierre familière, peu profonde et gravée d'étranges signes sur les bords. Il posa la Pensine sur le bureau, sous les yeux de Harry.

– Tu as l'air inquiet.

Harry éprouva en effet une certaine appréhension en observant la Pensine. Ses expériences précédentes avec cet étrange objet, qui conservait et révélait les souvenirs et les pensées, n'avaient pas toujours été très heureuses. La dernière fois qu'il s'était mêlé de découvrir son contenu, il avait vu beaucoup plus de choses qu'il ne l'aurait souhaité. Mais Dumbledore souriait.

– Ce soir, tu vas entrer dans la Pensine avec moi... et contrairement à l'habitude, avec ma permission.

– Où allons-nous, monsieur ?

– Faire un petit voyage dans la mémoire de Bob Ogden, répondit Dumbledore en prenant dans sa poche un flacon de cristal rempli d'une substance argentée qui tournoyait sur elle-même.

– Qui était Bob Ogden ?

– Un employé du Département de la justice magique, expliqua Dumbledore. Il est mort il y a quelque temps mais pas avant que j'aie réussi à le retrouver et à le convaincre de me confier ces souvenirs. Nous allons l'accompagner lors d'une visite qu'il a faite dans l'exercice de ses fonctions. Si tu veux bien te lever, Harry...

Mais Dumbledore eut du mal à ôter le bouchon du flacon de cristal : sa main blessée paraissait raide et douloureuse.

– Je... je peux vous aider, monsieur ?

– Inutile, Harry.

Dumbledore pointa sa baguette magique sur le flacon et le bouchon sauta tout seul.

– Monsieur... comment vous êtes-vous blessé à la main ? demanda à nouveau Harry en regardant les doigts noircis avec un mélange de répulsion et de pitié.

– Ce n'est pas le moment de te raconter cette histoire, Harry. Pas encore. Nous avons rendez-vous avec Bob Ogden.

Dumbledore versa le contenu argenté du flacon dans la Pensine. La substance scintillante, ni liquide ni gazeuse, tournoya au fond du récipient.

– Après toi, dit Dumbledore en montrant d'un geste la bassine de pierre.

Harry se pencha en avant, prit une profonde inspiration, et plongea la tête dans les volutes argentées. Il sentit alors ses pieds quitter le sol, il tomba, tomba, dans une obscurité tourbillonnante, puis se retrouva soudain sous un soleil éclatant qui le fit cligner des yeux. Avant qu'il ait eu le temps de s'habituer à la lumière, Dumbledore atterrit à côté de lui.

Ils étaient arrivés sur une route de campagne bordée de hautes haies touffues, sous un ciel d'été d'un bleu de myosotis étincelant. A trois mètres devant eux se tenait un petit homme replet portant des lunettes extraordinairement épaisses qui réduisaient ses yeux à deux petits points semblables à des grains de beauté. Il était en train de lire un panneau indicateur en bois, planté dans les ronces, sur le côté gauche de la route. Harry sut tout de suite que c'était Ogden. Il n'y avait personne d'autre aux alentours et l'homme arborait un étrange assortiment vestimentaire fréquent chez les sorciers inexpérimentés qui veulent ressembler à des Moldus : dans le cas présent, il s'agissait d'une redingote et de guêtres passées par-dessus un maillot de bain une pièce à rayures. Harry avait à peine eu le temps de remarquer son étrange apparence qu'Ogden était déjà parti d'un bon pas le long de la route.

Dumbledore et Harry le suivirent. Au passage, Harry regarda le panneau de bois. Il était composé de deux flèches. L'une, pointée dans la direction d'où ils venaient, indiquait : « Great Hangleton, huit kilomètres », l'autre, dans le sens où allait Ogden, signalait : « Little Hangleton, un kilomètre et demi ».

Ils parcoururent une courte distance sans rien voir d'autre que les haies, l'immense ciel bleu au-dessus de leurs têtes et la silhouette qui filait devant eux, vêtue de sa redingote. Puis la route décrivit une courbe vers la gauche et descendit soudain en pente raide au flanc d'une colline, leur offrant une vue inattendue sur toute une vallée qui s'étendait sous leurs yeux. Harry aperçut un village, Little Hangleton, sans aucun doute, niché entre deux collines escarpées, son église et son cimetière clairement visibles. De l'autre côté de la vallée, sur la colline opposée, on voyait un élégant manoir entouré d'une vaste pelouse verte et soyeuse.

La pente raide avait obligé Ogden, malgré lui, à accélérer l'allure. Dumbledore allongea le pas et Harry dut marcher plus vite pour rester à sa hauteur. Il pensa que Little Hangleton constituait leur destination finale et se demanda, comme il l'avait fait la nuit où ils étaient allés trouver Slughorn, pourquoi ils devaient partir de si loin pour s'y rendre. Mais il comprit bientôt qu'il s'était trompé en croyant prendre la direction du village. Car la route tourna brusquement vers la droite et lorsqu'ils eurent passé la courbe, ils virent le bas de la redingote d'Ogden disparaître dans une ouverture de la haie.

Dumbledore et Harry le suivirent sur un étroit chemin de terre bordé de haies plus hautes et plus sauvages que celles qu'ils venaient de quitter. Le sentier, sinueux, caillouteux, parsemé de nids-de-poule, descendait lui aussi à flanc de colline et semblait mener à un bosquet d'arbres sombres, un peu plus bas. Le chemin, en effet, s'ouvrit bientôt sur le petit bois. Dumbledore et Harry attendirent derrière Ogden qui s'était arrêté et avait sorti sa baguette magique.

En dépit du ciel sans nuages, les vieux arbres projetaient des ombres noires, froides et profondes, et il se passa quelques secondes avant que Harry ne distingue une maison à moitié cachée dans l'enchevêtrement de la végétation. L'endroit lui parut très étrange pour y construire une habitation ou tout au moins il trouva bizarre qu'on ait laissé pousser à proximité des arbres qui empêchaient la lumière de passer et bloquaient la vue sur la vallée. Il se demanda si quelqu'un habitait ici. Les murs étaient couverts de mousse et des tuiles étaient tombées du toit en si grand nombre qu'on voyait la charpente par endroits. Des orties avaient poussé tout autour, leurs extrémités atteignant les fenêtres, minuscules et couvertes de crasse. Au moment où il en avait conclu que personne ne pouvait vivre dans un tel lieu, une fenêtre s'ouvrit avec fracas et un filet de vapeur ou de fumée s'en échappa, comme si quelqu'un, à l'intérieur, faisait la cuisine.

Ogden s'avança sans bruit et prudemment, d'après ce que Harry pouvait voir. Lorsque les ombres des arbres le recouvrirent, il s'arrêta à nouveau, observant la porte d'entrée sur laquelle était cloué un serpent mort.

Il y eut un bruissement, un craquement, et un homme vêtu de haillons tomba d'un arbre proche en atterrissant juste devant Ogden. Celui-ci fit un bond en arrière si brusque qu'il marcha sur les basques de sa redingote et trébucha.

– *Vous n'êtes pas le bienvenu.*

L'homme qui se tenait devant eux avait des cheveux épais et broussailleux, si maculés de saleté qu'on n'arrivait plus à en distinguer la couleur. Il lui manquait plusieurs dents et ses petits yeux sombres regardaient dans des directions opposées. Il aurait pu paraître comique mais ce n'était pas le cas. L'effet général était plutôt effrayant et Harry comprenait très bien qu'Ogden recule encore de plusieurs pas avant de s'adresser à lui :

– Heu… bonjour. Je viens de la part du ministère de la Magie…

– *Vous n'êtes pas le bienvenu.*

– Heu… je suis désolé… je ne comprends pas ce que vous dites, déclara Ogden, mal à l'aise.

Harry trouva qu'Ogden avait l'esprit singulièrement lent. Il pensait au contraire que l'homme avait été très clair, d'autant plus qu'il brandissait d'une main une baguette magique et de l'autre un petit couteau à la lame ensanglantée.

– Toi, tu le comprends, j'en suis sûr, Harry ? dit Dumbledore à voix basse.

– Oui, bien sûr, répondit Harry, légèrement perplexe. Pourquoi est-ce qu'Ogden…

Mais lorsque son regard se posa à nouveau sur le serpent mort cloué à la porte, tout devint clair.

– Il parle Fourchelang ?

– En effet, dit Dumbledore qui hocha la tête en souriant.

L'homme vêtu de haillons s'avançait à présent sur Ogden, sa baguette magique et son couteau toujours menaçants.

– Écoutez…, commença Ogden, mais il était trop tard.

Il y eut un grand *bang* ! et Ogden se retrouva par terre, se tenant le nez à deux mains tandis qu'une horrible substance visqueuse et jaunâtre s'écoulait entre ses doigts.

– Morfin ! lança une voix sonore.

Un homme d'un certain âge s'était précipité hors de la maison, claquant la porte derrière lui. Sous le choc, le serpent mort se balança pitoyablement. Le nouveau venu était plus petit et bizarrement proportionné. Il avait des épaules très larges et des bras trop longs, de petits yeux bruns et brillants, des cheveux courts et drus et un visage ridé qui lui donnaient l'air d'un vieux singe autoritaire. Il s'arrêta à côté de l'homme au couteau qui gloussait d'un petit rire aigu en voyant Ogden par terre.

– Le ministère, c'est ça ? dit l'homme âgé, le regard fixé sur Ogden.

– Exact ! répondit Ogden avec colère en s'épongeant le visage. Et vous, vous êtes Mr Gaunt, sans doute ?

– Tout juste, confirma Gaunt. Il vous a eu en plein dans la figure, pas vrai ?

– En effet ! répliqua sèchement Ogden.

– Z'auriez pu nous prévenir, non ? grogna Gaunt d'un ton hargneux. C'est une propriété privée, ici. Faut pas croire qu'on peut entrer comme on veut. Mon fils sait se défendre.

– Se défendre contre quoi ? demanda Ogden en se relevant péniblement.

– Les fouineurs, les casse-pieds, les Moldus, la racaille.

Ogden pointa sa propre baguette sur son nez d'où une sorte de pus jaune s'écoulait toujours en abondance et le flot s'arrêta aussitôt. Mr Gaunt parla à Morfin du coin des lèvres :

– *Retourne dans la maison. Ne discute pas.*

Maintenant qu'il était prévenu, Harry reconnut le Fourchelang. Tout en comprenant ce qui se disait, il distinguait ce sifflement bizarre qu'Ogden entendait sans en saisir le sens. Morfin parut sur le point de désobéir, mais lorsque son père lui lança un regard menaçant, il changea d'avis et s'éloigna lentement vers le cottage, d'une étrange démarche chaloupée. Il claqua la porte derrière lui et à nouveau, le serpent se balança tristement.

– C'est votre fils que je suis venu voir, monsieur Gaunt, dit Ogden qui essuyait de sa redingote les dernières traces de pus. Il s'appelle Morfin, n'est-ce pas ?

– Oui, Morfin, c'est bien lui, répondit le vieil homme avec indifférence. Vous êtes de sang pur ? demanda-t-il, soudain agressif.

– La question n'est pas là, répliqua froidement Ogden, et Harry en éprouva pour lui un plus grand respect.

De toute évidence, Gaunt ne partageait pas ce sentiment. Il fixa Ogden en plissant les yeux et marmonna, d'un ton qui se voulait nettement offensant :

– Maintenant que j'y pense, j'en ai vu qui avaient la même tête que vous, au village.

– Ça ne m'étonne pas, ils ont dû croiser votre fils, répondit Ogden. Mais peut-être pourrions-nous poursuivre cette conversation à l'intérieur ?

– A l'intérieur ?

– Oui, monsieur Gaunt. Je vous ai déjà dit que j'étais venu pour Morfin. Nous avons envoyé un hibou...

– Je n'ai pas besoin de hiboux, trancha Gaunt. Je n'ouvre pas les lettres.

– Dans ce cas, vous ne pouvez vous plaindre qu'on ne vous ait pas averti de ma visite, lança Ogden d'un ton acerbe. Je suis venu à la suite d'une grave violation des lois de la sorcellerie qui a eu lieu ici, aux premières heures de la matinée...

– D'accord, d'accord, d'accord ! rugit Gaunt. Entrez donc dans cette fichue baraque et grand bien vous fasse !

Apparemment, la maison comportait trois pièces minuscules. Deux portes étaient aménagées dans la pièce principale qui servait à la fois de cuisine et de living-room. Morfin, assis dans un fauteuil miteux, à côté d'un feu qui fumait dans la cheminée, tordait entre ses doigts épais une vipère vivante à laquelle il susurrait une chanson en Fourchelang :

Siffle, siffle, petit serpent,
Glisse, glisse silencieus'ment
Et avec Morfin sois très doux
Sinon, à la porte il te cloue.

Harry entendit un bruissement, du côté de la fenêtre ouverte, et vit qu'il y avait quelqu'un d'autre dans la pièce, une jeune fille dont la robe grise en lambeaux avait exactement la même couleur que la pierre sale du mur, derrière elle. Elle se tenait debout devant une marmite fumante posée sur un fourneau noir et crasseux et cherchait quelque chose sur une étagère encombrée de casseroles répugnantes. Elle avait des cheveux raides, ternes, et un visage banal au teint pâle et aux traits lourds. Ses yeux, comme ceux de son frère, étaient affectés d'un strabisme divergent. Elle paraissait un peu plus propre que les deux hommes mais jamais Harry n'avait vu quelqu'un qui eût un tel air de soumission.

– Merope, ma fille, dit Gaunt de mauvaise grâce, en voyant Ogden lui jeter un regard interrogateur.

– Bonjour, dit Ogden.

Sans répondre, elle lança un coup d'œil apeuré à son père, puis tourna le dos à la pièce en continuant de remuer des marmites et des casseroles sur l'étagère du fond.

– Monsieur Gaunt, reprit Ogden, venons-en directement à la question qui nous occupe : nous avons des raisons de croire que votre fils Morfin a fait usage de magie devant un Moldu, la nuit dernière.

Il y eut un grand bruit métallique. Merope avait laissé tomber une des marmites.

– *Ramasse-la !* lui cria Gaunt. C'est ça, traîne-toi par

terre comme un sale Moldu ! Et ta baguette, elle te sert à quoi, espèce de bonne à rien, sac à fumier ?

– Monsieur Gaunt, s'il vous plaît ! protesta Ogden, choqué.

Merope, qui avait déjà ramassé la marmite, devint écarlate, les joues marbrées de plaques rouges, et la marmite lui échappa à nouveau des mains. D'un geste tremblant, elle sortit sa baguette magique de sa poche, la pointa et marmonna précipitamment une formule inaudible qui envoya la marmite à l'autre bout de la pièce où elle s'écrasa contre le mur opposé et se cassa en deux.

Morfin gloussa d'un rire de dément.

– Répare-la, espèce de grosse empotée ! hurla Gaunt. Allez, vite !

Merope traversa la pièce d'un pas trébuchant mais, avant qu'elle ait eu le temps de lever sa baguette, Ogden saisit la sienne et dit d'un ton ferme :

– *Reparo*.

Pendant un moment, Gaunt parut sur le point de se déchaîner contre Ogden mais il se ravisa et s'adressa plutôt à sa fille en lui lançant d'un ton moqueur :

– Une chance que le gentil monsieur du ministère soit là, pas vrai ? Peut-être qu'il va me débarrasser de toi, peut-être que ça ne le dérange pas, lui, les sales Cracmols...

Sans regarder personne ni remercier Ogden, Merope ramassa la marmite et alla la remettre sur l'étagère, les mains tremblantes. Puis elle resta là, immobile, le dos au mur, entre la fenêtre aux vitres maculées et le fourneau, comme si elle n'avait eu d'autre désir que de se fondre dans la pierre et de disparaître.

– Monsieur Gaunt, reprit Ogden, comme je l'ai dit, la raison de ma visite...

– Pas besoin de me le répéter, j'ai entendu ! coupa Gaunt. Et alors ? Ce Moldu a eu ce qu'il méritait – qu'est-ce que ça peut faire ?

– Morfin a violé la loi des sorciers, répliqua Ogden d'un air sévère.

– *Morfin a violé la loi des sorciers*, répéta Gaunt en imitant la voix d'Ogden, d'un ton pompeux et monocorde.

A nouveau, Morfin éclata d'un petit rire aigu.

– Il a donné une leçon à un affreux Moldu, et c'est ça qui est illégal ?

– J'ai bien peur que oui, répondit Ogden.

Il tira d'une poche intérieure un petit rouleau de parchemin qu'il déroula.

– C'est quoi, ça, une condamnation ? lança Gaunt, élevant la voix avec colère.

– Il s'agit d'une convocation au ministère pour une audience…

– Convocation ? *Convocation ?* Vous vous prenez pour qui ? Vous croyez que vous allez pouvoir convoquer mon fils où bon vous semble ?

– Je suis le chef de la Brigade de police magique, déclara Ogden.

– Et vous pensez qu'on est des rien du tout, pas vrai ? s'écria Gaunt qui s'avançait à présent vers Ogden en pointant sur sa poitrine un index à l'ongle jaunâtre. Des rien du tout qui vont arriver en courant quand le ministère leur en donne l'ordre ? Vous savez à qui vous parlez, espèce de sale petit Sang-de-Bourbe ? Hein ? Vous le savez ?

– J'avais l'impression de parler à Mr Gaunt, répondit Ogden, méfiant mais ferme.

– Exactement ! rugit Gaunt.

Pendant un instant, Harry crut que Gaunt faisait un

geste obscène de la main mais en réalité, il montrait à Ogden une bague très laide, ornée d'une pierre noire, qu'il portait au médius et qu'il agita sous ses yeux.

– Vous voyez ça ? Vous le voyez ? Et vous savez ce que c'est ? Vous savez d'où ça vient ? Des siècles qu'elle est dans la famille, parce que nous existons depuis des siècles, figurez-vous, et il n'y a jamais eu que du sang pur parmi nous ! Vous savez combien on m'en a offert, avec les armoiries des Peverell gravées sur la pierre ?

– Je n'en ai aucune idée, répondit Ogden qui cligna des yeux en voyant la bague s'approcher à deux centimètres de son nez, et ce n'est pas du tout le sujet, monsieur Gaunt. Votre fils s'est rendu coupable de...

Avec un hurlement de rage, Gaunt se précipita sur sa fille. Pendant une fraction de seconde, Harry pensa qu'il allait l'étrangler quand il le vit porter ses mains à la gorge de la jeune femme. Un instant plus tard, il la traînait devant Ogden en la tenant par une chaîne d'or qu'elle portait autour du cou.

– Vous voyez ça ? beugla-t-il.

Il secoua un lourd médaillon d'or sous les yeux d'Ogden tandis que Merope hoquetait, à moitié étouffée.

– Je le vois très bien, très bien ! répondit précipitamment Ogden.

– C'était celui de *Serpentard* ! s'écria Gaunt. Salazar Serpentard ! Nous sommes ses derniers descendants encore en vie. Qu'est-ce que vous en dites, hein ?

– Monsieur Gaunt, votre fille ! s'exclama Ogden, inquiet, mais Gaunt avait déjà lâché Merope qui retourna dans son coin d'un pas vacillant en se massant le cou, la respiration haletante.

– Alors ! dit Gaunt d'un ton triomphal comme s'il venait

de parvenir à la conclusion irréfutable d'une argumentation complexe. Ne venez pas nous parler comme si nous étions une tache de boue sur vos chaussures ! Des générations de sorciers au sang pur, tous sans exception – je suis sûr que *vous*, vous ne pouvez pas en dire autant !

Et il cracha par terre, aux pieds d'Ogden. Morfin gloussa à nouveau de rire. Merope, recroquevillée près de la fenêtre, la tête basse, le visage caché par ses cheveux raides, ne prononça pas un mot.

– Monsieur Gaunt, s'obstina Ogden, j'ai bien peur que ni vos ancêtres, ni les miens aient quoi que ce soit à voir avec l'affaire dont nous parlons. Je suis venu ici à cause de Morfin, Morfin et le Moldu qu'il a accosté tard dans la nuit. Selon nos informations – il jeta un coup d'œil à son rouleau de parchemin –, il apparaît que Morfin a lancé au Moldu en question un sort ou un maléfice qui a provoqué une violente et douloureuse crise d'urticaire.

Morfin pouffa de rire.

– *Tais-toi, mon garçon !* gronda Gaunt en Fourchelang, et Morfin redevint silencieux.

– Et alors, même si c'est vrai ? lança Gaunt sur un ton de défi. J'imagine que vous lui avez guéri sa sale tête de Moldu et qu'en plus, vous lui avez arrangé la mémoire…

– Ce n'est pas vraiment le sujet, monsieur Gaunt, répliqua Ogden. Il s'agissait là d'une attaque injustifiée sur un Moldu sans défense…

– Ah, ah, dès que vous êtes arrivé, j'ai tout de suite su que vous étiez un amateur de Moldus, ironisa Gaunt qui cracha à nouveau par terre.

– Cette discussion ne nous mène nulle part, trancha Ogden d'un ton ferme. Il est clair, d'après l'attitude de votre fils, qu'il n'éprouve aucun remords pour ses actions.

Il jeta à nouveau un coup d'œil à son rouleau de parchemin.

– Morfin devra donc comparaître en audience le 14 septembre prochain pour usage de magie devant un Moldu et mauvais traitement infligé à ce même Mol...

Ogden s'interrompit. Par la fenêtre ouverte, on entendait des chevaux approcher dans un martèlement de sabots, accompagné d'éclats de voix et de rires. Apparemment, le chemin sinueux qui menait au village passait tout près du bosquet d'arbres où se trouvait la maison. Gaunt se figea, l'oreille aux aguets, les yeux écarquillés. Morfin émit un sifflement et se tourna vers l'endroit d'où provenaient les bruits, le regard carnassier. Merope releva la tête. Harry vit qu'elle avait le teint blême.

– Mon Dieu, quelle horreur ! s'exclama une jeune fille, dont la voix, à travers la fenêtre, paraissait aussi claire que si elle s'était trouvée avec eux dans la pièce. Ton père n'aurait pas pu faire raser ce taudis, Tom ?

– Il n'est pas à nous, répondit la voix d'un jeune homme. Tout ce qui est situé de l'autre côté de la vallée nous appartient mais ce cottage est la propriété d'un vieux miséreux du nom de Gaunt qui habite là avec ses enfants. Le fils est complètement fou, tu devrais entendre les histoires qu'on raconte sur lui au village...

La jeune fille éclata de rire. Le cliquetis métallique des sabots augmenta d'intensité. Morfin esquissa un geste pour se lever de son fauteuil.

– *Reste assis*, lui ordonna son père en Fourchelang, le ton menaçant.

– Tom, reprit la voix de la jeune fille, à présent si proche qu'ils devaient se trouver juste à côté de la maison. Je me trompe peut-être, mais j'ai l'impression que quelqu'un a cloué un serpent sur la porte.

– Grand Dieu, tu as raison ! répondit la voix d'homme. C'est sûrement le fils, je te l'avais dit qu'il était dérangé. Ne regarde pas, Cecilia chérie.

Le martèlement des sabots s'éloigna.

– *Chérie*, murmura Morfin en Fourchelang, les yeux tournés vers sa sœur. *Il l'a appelée « chérie ». Donc, il ne voudrait pas de toi, de toute façon.*

Merope était si pâle que Harry se demanda si elle n'allait pas s'évanouir.

– *Qu'est-ce que c'est que ça ?* demanda sèchement Gaunt, également en Fourchelang, regardant alternativement son fils et sa fille. *Qu'est-ce que tu as dit, Morfin ?*

– *Elle aime bien regarder ce Moldu*, répondit Morfin, en fixant d'un air méchant sa sœur à présent terrifiée. *Toujours dans le jardin quand il passe, à l'épier à travers la haie. Et la nuit dernière...*

Merope hocha la tête, le visage implorant, mais Morfin poursuivit, impitoyable :

– *Elle est restée près de la fenêtre pour attendre de le voir passer quand il rentrerait chez lui, pas vrai ?*

– *Rester près de la fenêtre pour voir passer un Moldu ?* dit Gaunt à voix basse.

Les trois Gaunt semblaient avoir oublié Ogden qui eut l'air à la fois déconcerté et irrité par ce nouvel échange de sifflements et de crissements incompréhensibles.

– *C'est vrai ?* demanda Gaunt d'une voix assassine en avançant d'un pas vers sa fille terrorisée. *Ma propre fille, une descendante au sang pur de Salazar Serpentard – courant après un répugnant Moldu aux veines souillées ?*

Merope hocha frénétiquement la tête, se plaquant contre le mur, visiblement incapable de parler.

– *Mais j'ai réussi à l'avoir, père !* gloussa Morfin. *Je l'ai surpris au moment où il passait et il est devenu beaucoup moins séduisant avec des boutons partout, pas vrai, Merope ?*

– *Immonde petite Cracmolle, ignoble traîtresse à ton sang !* rugit Gaunt, perdant tout contrôle, les mains serrées autour du cou de sa fille.

– Non ! s'exclamèrent Harry et Ogden d'une même voix.

Ogden leva sa baguette et s'écria :

– *Lashlabask !*

Gaunt fut projeté en arrière, loin de sa fille. Il trébucha contre une chaise et tomba de tout son long sur le dos. Avec un hurlement de rage, Morfin bondit de son fauteuil et se rua sur Ogden, brandissant son couteau ensanglanté et lançant des maléfices à tort et à travers avec sa baguette.

Ogden prit la fuite. Dumbledore fit signe qu'il valait mieux le suivre et Harry obéit, les hurlements de Merope résonnant à ses oreilles.

Ogden fila le long du sentier, se protégeant la tête de ses bras, et surgit sur la route où il se cogna contre un cheval alezan monté par un beau jeune homme brun, accompagné d'une jolie jeune fille sur un cheval gris. Tous deux éclatèrent de rire en le voyant rebondir sur le flanc du cheval et repartir à toutes jambes, les pans de sa redingote voltigeant derrière lui, couvert de poussière de la tête aux pieds, courant comme un dératé.

– Je crois que ça suffira, Harry, dit Dumbledore.

Il le prit par le bras et le tira vers lui. Un instant plus tard, ils s'élevèrent dans l'obscurité, en état d'apesanteur, puis atterrirent bien plantés sur leurs pieds dans le bureau de Dumbledore plongé à présent dans la pénombre du crépuscule.

– Qu'est-il arrivé à la fille du cottage ? demanda aussitôt Harry pendant que Dumbledore allumait quelques lampes d'un coup de baguette magique. Comment s'appelait-elle ? Merope ?

– Oh, elle a survécu, répondit Dumbledore qui s'était rassis derrière son bureau en invitant Harry à l'imiter. Ogden est retourné au ministère en transplanant et il est revenu un quart d'heure plus tard avec des renforts. Morfin et son père ont essayé de résister mais tous deux ont fini par s'incliner. Ils ont été emmenés et jugés coupables par le Magenmagot. Morfin, qui avait déjà d'autres attaques de Moldus à son actif, a été condamné à passer trois ans à Azkaban. Quant à Elvis Marvolo Gaunt, qui avait blessé plusieurs employés du ministère en plus d'Ogden, il a écopé de six mois de prison.

– Elvis ? répéta Harry, l'air songeur.

– En effet, dit Dumbledore avec un sourire approbateur. Je suis content de voir que rien ne t'échappe.

– Ce vieil homme était donc...

– Le grand-père de Voldemort, oui, acheva Dumbledore. Elvis – qu'on appelait généralement par son deuxième prénom, Marvolo –, son fils Morfin et sa fille Merope étaient les derniers des Gaunt, une très ancienne famille de sorciers connue pour une certaine disposition à l'instabilité et à la violence qui s'était développée au cours des générations en raison d'une fâcheuse habitude de se marier entre cousins. Un manque de discernement associé à un goût excessif de la grandeur ont fait que l'or de la famille a été dilapidé bien avant la naissance de Marvolo. Lui-même, comme tu as pu le constater, vivait dans une misère sordide. Il avait un épouvantable caractère, une dose phénoménale d'arrogance et d'orgueil et deux souvenirs de famille qu'il chérissait autant que son fils et plutôt davantage que sa fille.

– Alors, Merope, dit Harry, penché en avant dans son fauteuil, le regard fixé sur Dumbledore, Merope était... Professeur, est-ce que ça signifie qu'elle était... *la mère de Voldemort* ?

– Exactement, répondit Dumbledore. Et il se trouve que nous avons également aperçu le père de Voldemort. Je me demande si tu l'as remarqué ?

– Le Moldu que Morfin avait attaqué ? L'homme à cheval ?

– Bravo, dit Dumbledore, la mine rayonnante. Oui, il s'agissait bien de Tom Jedusor Senior, le beau Moldu qui passait à cheval devant le cottage des Gaunt et pour qui Merope nourrissait une passion ardente et secrète.

– Et ils ont fini par se marier ? s'étonna Harry, incrédule, incapable d'imaginer deux personnes aussi peu susceptibles de tomber amoureuses l'une de l'autre.

– Je crois que tu oublies une chose, reprit Dumbledore, c'est que Merope était une sorcière. Je ne pense pas que ses pouvoirs magiques soient apparus sous leur meilleur jour lorsqu'elle était terrorisée par son père. Mais quand Marvolo et Morfin ont été solidement enfermés à Azkaban, quand elle s'est retrouvée seule et libre pour la première fois de sa vie, alors, j'en suis sûr, elle a pu donner libre cours à ses propres dons et préparer un plan pour échapper à la vie désespérante qu'elle avait connue pendant dix-huit ans. As-tu une idée du moyen par lequel

Merope aurait pu amener Tom Jedusor à oublier son amie moldue et à tomber amoureux d'elle ?

– Le sortilège de l'Imperium ? suggéra Harry. Ou un philtre d'amour ?

– Très bien. Personnellement, je pencherais plutôt pour le philtre. Je suis sûr qu'elle trouvait ça plus romantique et je ne pense pas qu'il ait été très difficile, un jour de grande chaleur, lorsque Jedusor passait seul à cheval, de le convaincre d'accepter un verre d'eau. En tout cas, quelques mois après la scène dont nous venons d'être les témoins, le village de Little Hangleton connaissait un énorme scandale. Je te laisse imaginer les ragots qui ont pu se répandre lorsque le fils du châtelain local s'est enfui avec Merope, la fille du miséreux. Mais le choc éprouvé par les villageois n'était rien comparé à celui que devait subir Marvolo. Il est sorti d'Azkaban en pensant que sa fille attendrait sagement son retour en lui ayant préparé un bon repas bien chaud. Au lieu de cela, il a trouvé une couche de trois centimètres de poussière et un mot d'adieu lui expliquant ce qu'elle avait fait. D'après ce que j'ai pu savoir, à partir de ce jour, il n'a plus jamais mentionné ni son nom ni son existence. Le coup que cet abandon lui avait porté a sans doute contribué à sa mort précoce – ou peut-être n'a-t-il jamais été capable de se nourrir lui-même. Azkaban l'avait considérablement affaibli et il n'a pas vécu assez longtemps pour voir Morfin revenir au cottage.

– Et Merope ? Elle... elle est morte aussi, non ? Voldemort a été élevé dans un orphelinat ?

– En effet, dit Dumbledore. Et là, nous en sommes réduits aux suppositions, bien qu'il ne me semble pas très difficile de deviner ce qui s'est passé. Quelques mois après s'être enfui pour se marier, Tom Jedusor est revenu au manoir familial de Little Hangleton sans sa femme. D'après les rumeurs du voisinage, il affirmait avoir été « dupé » et « escroqué ». Ce qu'il voulait dire, j'en suis certain, c'est qu'il avait été soumis à un enchantement qui était à présent levé, mais j'imagine qu'il n'a pas dû utiliser ces mots-là par peur de passer pour un fou. Quand ils ont entendu son récit, cependant, les villageois ont pensé que Merope avait menti à Tom Jedusor en prétendant attendre un enfant et qu'il l'avait épousée pour cette raison.

– Mais elle a *vraiment* eu un enfant.

– Oui, mais un an après son mariage. Tom Jedusor l'a quittée alors qu'elle était encore enceinte.

– Qu'est-ce qui s'est passé ? demanda Harry. Pourquoi le philtre d'amour a-t-il cessé de faire de l'effet ?

– Cette fois encore, on ne peut qu'essayer de deviner, répondit Dumbledore, mais je pense que Merope, qui était profondément amoureuse de son mari, ne pouvait supporter l'idée de continuer à le retenir par des moyens magiques. Je crois qu'elle a décidé de cesser de lui administrer le philtre. Peut-être qu'aveuglée par sa passion, elle a fini par se convaincre qu'il était à son tour tombé amoureux d'elle. Peut-être a-t-elle cru aussi qu'il resterait pour le bien du bébé. Si c'est le cas, elle se trompait sur les deux tableaux. Il l'a quittée et ne l'a jamais revue, sans se soucier de savoir ce qu'était devenu son fils.

Au-dehors, le ciel était d'un noir d'encre et les lampes allumées dans le bureau de Dumbledore projetaient une clarté plus vive qu'auparavant.

– Je crois que ça suffira pour ce soir, Harry, dit Dumbledore au bout d'un moment.

– Oui, monsieur, répondit Harry.

Il se leva mais resta sur place.

– Monsieur… est-il vraiment important de savoir tout cela sur le passé de Voldemort ?

– Très important, je crois, assura Dumbledore.

– Est-ce que… c'est lié à la prophétie ?

– C'est entièrement lié à la prophétie.

– Très bien, dit Harry, un peu déconcerté mais rassuré en même temps.

Au moment où il s'apprêtait à partir, une autre question lui vint à l'esprit et il se tourna à nouveau vers Dumbledore.

– Monsieur, est-ce que vous m'autorisez à répéter à Ron et à Hermione tout ce que vous m'avez raconté ?

Dumbledore l'observa un instant puis répondit :

– Oui, je crois que Mr Weasley et Miss Granger ont prouvé qu'ils étaient dignes de confiance. Mais, Harry, tu devras leur demander de ne rien en dire à quiconque d'autre. Il ne serait pas bon de laisser entendre que je sais, ou que je soupçonne, tant de choses sur les secrets de Voldemort.

– Non, monsieur, je n'en parlerai qu'à Ron et à Hermione. Bonne nuit.

Il tourna les talons et avait presque atteint la porte lorsqu'il la vit. Posée sur l'une des petites tables aux pieds effilés qui servaient de support aux fragiles instruments d'argent de Dumbledore, se trouvait une bague constituée d'un affreux anneau d'or serti d'une grosse pierre noire fendue par le milieu.

– Monsieur, dit Harry en la regardant. Cette bague…

– Oui ?

– Vous la portiez la nuit où nous sommes allés voir le professeur Slughorn.

– En effet, approuva Dumbledore.

– Mais est-ce que… est-ce que ce n'est pas celle que Gaunt a montrée à Ogden ?

Dumbledore inclina la tête.

– Si, c'est bien celle-là.

– Comment se fait-il que… Vous l'avez toujours eue ?

– Non, je l'ai acquise très récemment, répondit Dumbledore. En fait, quelques jours seulement avant que je ne vienne te chercher chez ton oncle et ta tante.

– C'est-à-dire à peu près au moment où vous vous êtes blessé à la main ?

– A peu près, oui.

Harry hésita. Dumbledore souriait.

– Monsieur, comment exactement avez-vous…

– Trop tard, Harry, tu entendras cette histoire un autre jour. Bonne nuit.

– Bonne nuit, monsieur.

11
LA MAIN SECOURABLE D'HERMIONE

Comme Hermione l'avait prévu, les périodes de temps libre des sixième année n'avaient rien à voir avec les moments de bienheureuse détente que Ron avait imaginés mais devaient plutôt leur servir à venir à bout de l'imposante masse de devoirs qu'on leur donnait. Non seulement il leur fallait étudier comme s'ils avaient eu des examens chaque jour mais les cours eux-mêmes exigeaient plus d'attention que jamais. Harry comprenait à peine la moitié de ce que le professeur McGonagall leur disait ces temps-ci. Hermione elle-même avait dû lui demander une ou deux fois de répéter certaines instructions. Si incroyable que cela puisse paraître – et au grand dépit d'Hermione –, les potions étaient devenues la matière dans laquelle Harry se montrait le plus brillant, grâce au Prince de Sang-Mêlé.

Les sortilèges informulés étaient à présent exigés non seulement en cours de défense contre les forces du Mal, mais également en classe de sortilèges et de métamorphose. Souvent, dans la salle commune ou aux heures des repas, Harry voyait autour de lui des condisciples au visage tendu et au teint violacé, comme s'ils avaient pris une dose excessive de Pousse-Rikiki, mais il savait qu'en fait, ils essayaient de toutes leurs forces d'exécuter un sortilège sans prononcer d'incantation. Sortir du château pour se rendre dans les serres était un grand soulagement. En cours de botanique, ils avaient affaire à des plantes plus dangereuses que jamais mais au moins, ils avaient le droit de jurer haut et fort si une Tentacula vénéneuse les attrapait inopinément par-derrière.

Conséquence de cette énorme charge de travail et des heures frénétiques passées à pratiquer les sortilèges informulés, Harry, Ron et Hermione n'avaient pas encore trouvé le temps d'aller voir Hagrid. Il ne venait plus prendre ses repas à la table des professeurs, ce qui ne présageait rien de bon, et les rares fois où ils l'avaient croisé dans un couloir ou dans le parc, il avait mystérieusement ignoré leur présence ou leurs saluts.

– Il faut qu'on aille s'expliquer, dit Hermione le samedi suivant en regardant l'immense chaise vide de Hagrid à la table des professeurs.

– On a les essais de Quidditch, ce matin ! fit remarquer Ron. Et on est censés s'entraîner au sortilège de l'Aguamenti pour Flitwick ! De toute façon, qu'est-ce qu'il y a à expliquer ? Comment lui dire qu'on détestait sa stupide matière ?

– On ne la détestait pas ! protesta Hermione.

– Parle pour toi, répliqua Ron, la mine sombre. Je n'ai pas oublié les Scroutts. Et maintenant, je peux te le dire, on l'a échappé belle. Tu ne l'as pas entendu dans ses grands discours sur son crétin de frère – si on était restés à ses cours, on aurait fini par apprendre à Graup comment faire un nœud à ses lacets.

– Ça ne me plaît pas du tout d'être en froid avec Hagrid, dit Hermione qui paraissait bouleversée.

– On ira le voir après le Quidditch, lui assura Harry.

Hagrid lui manquait à lui aussi même si, tout comme Ron, il estimait préférable que Graup soit absent de leur vie.

– Mais les essais vont peut-être durer toute la matinée, étant donné le nombre de candidats.

Il se sentait un peu inquiet à l'idée d'affronter sa première épreuve au poste de capitaine.

– Je ne sais pas pourquoi l'équipe a tant de succès tout d'un coup.

– Allons, Harry, dit Hermione, soudain agacée. Ce n'est pas le Quidditch qui a du succès, c'est toi ! Tu n'as jamais été aussi intéressant et, franchement, jamais aussi attirant.

Ron s'étrangla en avalant un gros morceau de hareng fumé. Hermione le gratifia d'un regard dédaigneux avant de se tourner à nouveau vers Harry.

– Ils savent tous désormais que tu disais la vérité, non ? Le monde de la sorcellerie tout entier a dû reconnaître que tu avais raison quand tu déclarais que Voldemort était de retour, que tu l'avais combattu à deux reprises au cours des deux dernières années et que tu avais réussi à lui échapper les deux fois. Désormais, ils t'appellent l'Élu – alors, tu comprends pourquoi tu fascines les gens ?

Tout à coup, Harry eut l'impression qu'il faisait très chaud dans la Grande Salle, même si le plafond paraissait toujours froid et pluvieux.

– *Et puis*, il y a eu toute cette persécution du ministère qui essayait de te présenter comme un menteur et un instable. On voit toujours les marques, là où cette horrible bonne femme t'obligeait à écrire avec ton propre sang, mais tu n'as jamais dévié de ton récit pour autant...

– Sur moi aussi, on voit les marques, là où les cerveaux

ont enroulé leurs tentacules, au ministère, dit Ron en secouant les bras pour remonter ses manches.

– Enfin, le fait que tu aies pris trente centimètres pendant l'été ne gâche rien, conclut Hermione sans prêter attention à Ron.

– Moi aussi, je suis grand, fit observer Ron, en passant.

Les hiboux postaux arrivèrent, s'engouffrant par les fenêtres aux carreaux tachetés de pluie, éclaboussant tout le monde de gouttes d'eau. La plupart des élèves recevaient davantage de courrier qu'à l'ordinaire. Les parents anxieux avaient hâte d'avoir des nouvelles de leurs enfants et voulaient à leur tour les rassurer en leur écrivant que tout allait bien à la maison. Harry n'avait eu aucun courrier depuis le début du trimestre. Son seul correspondant régulier était mort, à présent. Il avait espéré que Lupin lui écrirait de temps à autre mais jusqu'à maintenant, il avait été déçu. Il fut donc très surpris de voir Hedwige, blanche comme neige, décrire un grand cercle parmi les hulottes et les chouettes lapones pour atterrir devant lui, un gros paquet rectangulaire accroché à la patte. Un instant plus tard, un paquet identique arriva devant Ron, porté par Coquecigrue, son hibou minuscule et épuisé, qui croulait sous le poids de sa charge.

– Ah ! dit Harry.

Il ouvrit son colis qui contenait un exemplaire tout neuf du *Manuel avancé de préparation des potions*, envoyé par Fleury et Bott.

– Très bien, se réjouit Hermione. Maintenant, tu vas pouvoir rendre celui qui est couvert de graffiti.

– Tu es folle ? protesta Harry. Je le garde ! Regarde, j'y avais pensé...

Il sortit de son sac son vieil exemplaire du manuel et

tapota la couverture avec sa baguette en murmurant : « *Diffindo !* » La couverture se détacha aussitôt. Il répéta l'opération avec le livre neuf (ce qui scandalisa Hermione), puis intervertit les couvertures sur lesquelles il donna un nouveau coup de baguette en prononçant la formule : « *Reparo !* »

L'exemplaire du Prince avait à présent l'apparence d'un livre neuf tandis que celui envoyé par Fleury et Bott semblait complètement défraîchi.

– Je rendrai le nouveau à Slughorn. Il ne pourra pas se plaindre, il m'a coûté neuf Gallions.

Hermione serra les lèvres, l'air courroucé et réprobateur, mais elle fut distraite par un troisième hibou qui se posa devant elle avec le dernier numéro de *La Gazette du sorcier* qu'elle se hâta de déplier pour en parcourir la première page.

– Est-ce que quelqu'un qu'on connaît est mort ? demanda Ron d'un ton qu'il voulait désinvolte.

Il posait la même question chaque fois qu'Hermione ouvrait son journal.

– Non, mais il y a eu de nouvelles attaques de Détraqueurs, répondit-elle. Et une arrestation.

– Parfait, qui ça ? dit Harry en pensant à Bellatrix Lestrange.

– Stan Rocade, dit Hermione.

– Quoi ? s'exclama Harry avec un haut-le-corps.

– *Stanley Rocade, contrôleur du Magicobus, ce moyen de transport très apprécié des sorciers, a été arrêté hier en fin de soirée. On le soupçonne d'avoir mené des activités de Mangemort. A la suite d'une descente de police à son domicile de Clapham, Mr Rocade, 21 ans, a été placé en garde à vue...*

– Stan Rocade, un Mangemort ? s'indigna Harry en se souvenant du jeune homme boutonneux qu'il avait rencontré pour la première fois trois ans auparavant. Certainement pas !

– Peut-être qu'il était soumis au sortilège de l'Imperium ? suggéra Ron, avec bon sens. On ne peut jamais savoir.

– Apparemment pas, dit Hermione qui continuait de lire. L'article raconte qu'il a été arrêté parce qu'on l'avait entendu parler dans un pub des plans secrets des Mangemorts.

Elle releva la tête d'un air songeur.

– S'il avait subi le sortilège de l'Imperium, il ne serait pas allé bavarder de leurs projets dans un pub, j'imagine ?

– On dirait plutôt qu'il faisait semblant d'en savoir plus que les autres, remarqua Ron. Ce n'est pas ce type qui essayait de séduire une Vélane en prétendant qu'il allait devenir ministre de la Magie ?

– Oui, c'est lui, dit Harry. Je me demande à quoi ils jouent en prenant Stan au sérieux.

– Ils veulent sans doute donner l'impression qu'ils font quelque chose, répondit Hermione, les sourcils froncés. Les gens sont terrifiés – vous êtes au courant que les parents des sœurs Patil veulent qu'elles reviennent à la maison ? Et Éloïse Midgen est déjà rentrée chez elle. Son père est venu la chercher hier soir.

– Quoi ! s'écria Ron qui regarda Hermione avec des yeux ronds. Mais Poudlard est beaucoup plus sûr que leurs maisons, forcément ! Nous avons des Aurors et tout un tas de sortilèges de protection, et puis on a Dumbledore !

– Je ne pense pas qu'on l'ait en permanence, dit

Hermione à voix très basse en jetant un coup d'œil à la table des professeurs, par-dessus *La Gazette*. Vous n'avez pas remarqué ? Sa chaise est restée vide aussi souvent que celle de Hagrid la semaine dernière.

Harry et Ron regardèrent à leur tour. La chaise du directeur était vide, en effet. Maintenant qu'il y pensait, Harry n'avait pas revu Dumbledore depuis leur leçon particulière, une semaine plus tôt.

– Je pense qu'il a quitté l'école pour travailler avec l'Ordre, reprit Hermione, toujours à voix basse. Il faut dire… ça paraît grave tout ça, non ?

Harry et Ron ne répondirent pas, mais Harry savait qu'ils pensaient tous à la même chose. Ils avaient été les témoins d'une terrible scène la veille, quand on était venu chercher Hannah Abbot au cours de botanique pour lui annoncer que sa mère avait été trouvée morte. Ils n'avaient plus revu Hannah depuis.

Lorsqu'ils quittèrent la table de Gryffondor, cinq minutes plus tard, pour se rendre sur le terrain de Quidditch, ils passèrent devant Lavande Brown et Parvati Patil. Se rappelant ce qu'Hermione avait dit des sœurs Patil dont les parents voulaient les enlever de Poudlard, Harry ne fut pas surpris de voir les deux amies chuchoter d'un air affligé. Il fut plus étonné en revanche quand Parvati, au moment où ils arrivaient à leur hauteur, donna soudain un coup de coude à Lavande qui se retourna et adressa un large sourire à Ron. Celui-ci la regarda, cligna des yeux puis sourit à son tour, l'air incertain, sa démarche se transformant instantanément en un pas de parade. Harry résista à la tentation d'éclater de rire, se souvenant que Ron s'était également abstenu de rire après que Malefoy lui eut cassé le nez. Hermione, pour sa part, parut froide et distante sur le chemin du stade. Elle marcha en silence sous une petite pluie fraîche et brumeuse et partit chercher une place dans les tribunes sans souhaiter bonne chance à Ron.

Comme Harry s'y était attendu, les épreuves de sélection occupèrent la plus grande partie de la matinée. On aurait dit que la moitié des élèves de Gryffondor étaient venus s'y présenter, depuis les première année qui se cramponnaient nerveusement aux horribles vieux balais de l'école, jusqu'aux septième année qui dominaient les autres en se donnant des airs intimidants et décontractés. Parmi ceux-ci, il y avait un garçon massif aux cheveux drus que Harry reconnut aussitôt pour l'avoir déjà rencontré dans le Poudlard Express.

– On s'est vus dans le train, avec ce bon vieux Sluggy, dit-il d'un ton assuré, en se détachant des autres pour serrer la main de Harry. Cormac McLaggen, gardien.

– Tu n'as pas passé d'essais, l'année dernière ? demanda Harry, qui mesura du regard la carrure de McLaggen en pensant qu'il pourrait bloquer les trois buts sans même avoir besoin de bouger.

– J'étais à l'infirmerie le jour de la sélection, répondit McLaggen d'un ton un peu vantard. J'avais parié que j'arriverais à manger une livre d'œufs de Doxys.

– Ah…, dit Harry. Bon… si tu veux bien attendre ici…

Il montra le bord du terrain, près de l'endroit où Hermione était assise. Il crut voir passer une lueur agacée dans le regard de McLaggen et se demanda s'il s'attendait à un traitement de faveur sous prétexte qu'il comptait parmi les chouchous du « bon vieux Sluggy ».

Harry commença par les tests de base. Il demanda aux candidats de se répartir en groupes de dix et de faire une fois le tour du terrain sur leurs balais. Ce fut une bonne initiative : le premier groupe était composé de première année qui, de toute évidence, n'avaient quasiment jamais volé. Seul un des élèves parvint à rester en l'air plus de quelques secondes et Harry ne fut pas surpris de le voir s'écraser contre l'un des poteaux de but.

Le deuxième groupe comprenait dix des filles les plus stupides que Harry ait jamais rencontrées. A son coup de sifflet, elles tombèrent en gloussant de rire et en se raccrochant les unes aux autres. Romilda Vane se trouvait parmi elles. Lorsque Harry leur demanda de quitter le terrain, elles s'exécutèrent joyeusement et allèrent s'asseoir dans les tribunes pour lancer des quolibets aux autres.

La tentative du troisième groupe se termina par un carambolage à mi-parcours et la plupart des candidats du quatrième groupe étaient venus sans balais. Le cinquième était composé d'élèves de Poufsouffle.

– S'il y en a d'autres qui ne sont pas de Gryffondor, rugit Harry qui commençait à s'énerver sérieusement, qu'ils partent tout de suite, s'il vous plaît !

Il y eut un moment de silence puis deux petits Serdaigle s'enfuirent du terrain en pouffant de rire.

Après deux heures d'essais, de nombreuses protestations, diverses crises de rage, dont l'une à propos d'un Comète 260 fracassé, et plusieurs dents cassées, Harry avait trouvé trois poursuiveurs : Katie Bell, qui réintégrait son équipe après d'excellents essais, une nouvelle du nom de Demelza Robins, particulièrement douée pour éviter les Cognards, et Ginny Weasley, qui était de très loin la meilleure en vol et avait en plus marqué dix-sept buts. Harry était très content de son choix, mais il s'était cassé la voix en hurlant contre les nombreux contestataires et devait à présent livrer une bataille similaire face aux batteurs refusés.

– Ma décision est irrévocable et si vous ne libérez pas le terrain pour laisser jouer les gardiens, je vous jette un sort, hurla-t-il.

Aucun des batteurs qu'il avait choisis n'avait l'ancien panache de Fred et de George mais il était quand même assez content d'eux : Jimmy Peakes, un élève de troisième année, petit mais bien bâti, avait réussi à faire une bosse de la taille d'un œuf sur l'occiput de Harry avec un Cognard férocement expédié ; l'autre, Ritchie Coote, paraissait un peu maigrichon mais visait très bien. Ils rejoignirent les spectateurs dans les tribunes pour assister à la sélection de leur dernier coéquipier.

Harry avait délibérément gardé pour la fin les essais des gardiens, espérant que le stade serait vide et la pression moindre sur ceux qui restaient. Malheureusement, tous les candidats refusés et de nombreux élèves venus assister à la séance après un long petit déjeuner s'étaient joints à la foule déjà présente et les tribunes étaient plus remplies que jamais. Chaque fois qu'un gardien prenait sa place devant les buts, les spectateurs l'acclamaient ou le conspuaient en proportions égales. Harry jeta un coup d'œil à Ron qui avait toujours eu le trac. Il espérait que le fait d'avoir gagné la finale le trimestre précédent l'aurait guéri mais apparemment, ce n'était pas le cas : son visage avait pris une délicate teinte verdâtre.

Aucun des cinq premiers candidats ne parvint à bloquer plus de deux tirs chacun. A la grande déception de Harry, Cormac McLaggen arrêta quatre penalties sur cinq. Au dernier, toutefois, il se précipita dans la mauvaise direction. La foule des spectateurs éclata de rire, le siffla, et McLaggen revint au sol les dents serrées.

Ron semblait près de s'évanouir lorsqu'il enfourcha son Brossdur 11.

– Bonne chance ! s'écria une voix dans les tribunes.

Harry se retourna, s'attendant à voir Hermione mais c'était Lavande Brown. Il aurait voulu se cacher la tête dans les mains, comme elle-même le fit un instant plus tard, mais en tant que capitaine de l'équipe, il estima qu'il devait faire preuve d'un peu plus de cran et regarda donc les essais de Ron.

Il n'y avait aucune raison de s'inquiéter, cependant : Ron arrêta un, deux, trois, quatre, cinq penalties d'affilée. Enchanté, et résistant difficilement à l'envie de se joindre aux acclamations de la foule, Harry se tourna vers McLaggen pour lui annoncer que, malheureusement, Ron l'avait battu. Il se trouva alors nez à nez avec le visage écarlate de McLaggen et recula aussitôt d'un pas.

– Sa sœur n'a pas vraiment essayé de lui mettre un but, dit McLaggen d'une voix menaçante.

Une veine palpitait à sa tempe, comme celle que Harry avait si souvent admirée sur le visage de l'oncle Vernon.

– Elle lui a offert un coup facile.

– Tu plaisantes, répliqua froidement Harry. C'est celui qu'il a failli rater.

McLaggen s'avança vers Harry qui, cette fois, ne bougea pas.

– Donne-moi une autre chance.

– Non, répondit Harry. Tu as eu ton tour. Tu as bloqué quatre tirs et Ron cinq. Ron sera gardien, il a gagné à la loyale. Et maintenant, dégage.

Pendant un instant, il se demanda si McLaggen n'allait pas le frapper mais il se contenta de faire une horrible grimace et s'en alla à grands pas, marmonnant ce qui semblait des menaces.

Harry se retourna face à sa nouvelle équipe qui le regardait, le visage rayonnant.

– Bravo, dit-il d'une voix rauque. Vous avez très bien joué...

– Tu as été brillant, Ron !

Cette fois, c'était vraiment Hermione qui descendait des tribunes en courant vers eux. Harry vit Lavande quitter le terrain bras dessus bras dessous avec Parvati, l'air plutôt grognon. Ron paraissait extrêmement content de lui et encore plus grand que d'habitude lorsqu'il adressa un sourire à toute l'équipe et à Hermione.

Après avoir fixé la date de leur première séance d'entraînement au jeudi suivant, Harry, Ron et Hermione prirent congé des autres joueurs et se dirigèrent vers la cabane de Hagrid. Un soleil humide essayait à présent de percer les nuages. La bruine avait enfin cessé. Harry avait une faim de loup et il espéra qu'il y aurait quelque chose à manger chez Hagrid.

– J'ai cru que je n'arriverais pas à arrêter le quatrième penalty, disait Ron d'un ton joyeux. Le tir de Demelza était dur à bloquer, vous avez vu, elle a donné de l'effet...

– Oui, oui, tu as été magnifique, assura Hermione, amusée.

– De toute façon, j'étais meilleur que McLaggen, poursuivit Ron d'un ton avantageux. Vous l'avez vu foncer dans la mauvaise direction au cinquième tir ? On aurait dit qu'il avait subi un sortilège de Confusion...

A la grande surprise de Harry, le teint d'Hermione prit une couleur rose vif. Ron, lui, ne remarqua rien, trop occupé à décrire amoureusement la façon dont il avait arrêté chacun des autres penalties.

Buck, le grand hippogriffe aux ailes grises, était attaché à l'entrée de la cabane de Hagrid. En les voyant arriver, il fit claquer son bec tranchant comme un rasoir et tourna vers eux son énorme tête.

– Mon Dieu, dit Hermione, mal à l'aise. Il fait toujours un peu peur, vous ne trouvez pas ?

– Arrête, tu es montée sur lui, non ? lui rappela Ron.

Harry s'avança et s'inclina profondément devant l'hippogriffe sans le quitter des yeux et sans ciller. Quelques instants plus tard, Buck s'inclina à son tour.

– Comment vas-tu ? lui demanda Harry à voix basse en s'approchant de lui pour caresser les plumes de sa tête. Il te manque ? Mais tu es bien, ici, avec Hagrid, n'est-ce pas ?

– Hé ! dit une voix sonore.

Hagrid venait d'apparaître à l'angle de sa cabane, portant un grand tablier à fleurs et un sac de pommes de terre. Crockdur, son énorme molosse, marchait à côté de lui. Crockdur lança un aboiement tonitruant et bondit en avant.

– Écartez-vous ! Il va vous mordre les doigts – ah, c'est vous.

Crockdur sauta autour de Ron et d'Hermione en essayant de leur lécher les oreilles. Hagrid s'arrêta et les regarda pendant une fraction de seconde, puis tourna les talons et rentra dans sa cabane en claquant la porte derrière lui.

– Oh, non ! s'exclama Hermione, catastrophée.

– Ne t'inquiète pas, dit Harry, la mine résolue.

Il s'approcha et cogna vigoureusement à la porte.

– Hagrid ! Ouvrez, nous voulons vous parler !

Il n'y eut pas de réponse.

– Si vous n'ouvrez pas, nous faisons sauter la porte ! s'écria Harry en sortant sa baguette.

– Harry ! protesta Hermione, choquée. Tu ne peux quand même pas…

– Si, je peux ! Reculez-vous…

Mais avant qu'il ait pu ajouter un mot, la porte s'ouvrit à la volée, comme Harry l'avait prévu, et Hagrid apparut en lui lançant de toute sa hauteur un regard noir. Malgré son tablier à fleurs, il paraissait singulièrement impressionnant.

– Je suis professeur ! rugit-il. Professeur, Potter ! Comment osez-vous menacer de faire sauter ma porte ?

– Je suis désolé, *monsieur*, répondit Harry, en insistant sur le dernier mot tandis qu'il rangeait sa baguette dans une poche intérieure de sa robe.

Hagrid parut stupéfait.

– Depuis quand m'appelles-tu « monsieur » ?

– Depuis quand m'appelez-vous « Potter » et depuis quand me vouvoyez-vous ?

– Oh, très spirituel, grogna Hagrid, très amusant. C'est toi qui as le dernier mot, pas vrai ? Très bien, entrez donc, bande de petits ingrats…

Bougonnant d'un air sombre, il recula pour les laisser passer. Hermione, effrayée, se précipita derrière Harry.

– Alors ? dit Hagrid d'un ton grincheux lorsque Harry, Ron et Hermione se furent assis autour de l'immense table de bois.

Crockdur posa aussitôt sa tête sur le genou de Harry et se mit à baver sur sa robe.

– Qu'est-ce qu'il y a ? Vous vous faites du souci pour moi ? Vous croyez que je me sens seul, peut-être ?

– Pas du tout, répliqua Harry. On voulait vous voir, tout simplement.

– Vous nous avez manqué, ajouta Hermione, tremblante.

– Je vous ai manqué, ah oui ? dit Hagrid dans un grognement. Tiens donc.

Il s'affaira, le pas lourd, préparant du thé dans son énorme bouilloire de cuivre sans cesser de marmonner. Enfin il posa violemment devant eux trois chopes de la taille d'un seau, remplies d'un thé couleur acajou, et une assiette de gâteaux en forme de rochers qu'il avait confectionnés lui-même. Harry était si affamé qu'il était même prêt à goûter aux pâtisseries de Hagrid et il en prit un tout de suite.

– Hagrid, reprit timidement Hermione lorsqu'il vint s'asseoir avec eux.

Il se mit à éplucher des pommes de terre avec des gestes brutaux, comme si chacun des tubercules l'avait gravement offensé.

– Vous savez, on aurait bien voulu continuer les cours de soins aux créatures magiques.

A nouveau, Hagrid poussa un grognement en soufflant par le nez d'un air dédaigneux. Harry crut voir quelque chose tomber de ses narines sur les pommes de terre et il se félicita intérieurement de ne pas rester dîner.

– C'est vrai ! affirma Hermione. Mais on n'arrivait pas à les faire tenir dans notre emploi du temps.

– Tiens donc, répéta Hagrid.

Il y eut alors un étrange bruit de succion et tous trois se retournèrent : Hermione laissa échapper un petit cri et Ron, bondissant de sa chaise, courut autour de la table pour s'éloigner le plus possible du grand tonneau qui se trouvait dans un coin de la pièce et qu'ils venaient tout juste de remarquer. Le tonneau était rempli de ce qui ressemblait à des vers de trente centimètres de long, visqueux, blanchâtres, grouillants.

– Qu'est-ce que c'est, Hagrid ? demanda Harry.

Il s'efforça d'avoir l'air intéressé plutôt que dégoûté mais posa quand même son gâteau sur la table.

– Oh, simplement des asticots géants, répondit Hagrid.

– Et quand ils grandissent, ils se transforment en…, dit Ron avec appréhension.

– Ils se transforment en rien du tout. Ils me servent à nourrir Aragog.

Et tout à coup, il fondit en larmes.

– Hagrid ! s'écria Hermione.

Elle se leva d'un bond, se hâta de contourner la table en choisissant le côté le plus long pour éviter le tonneau d'asticots et passa un bras autour des épaules de Hagrid secoué de sanglots.

– Que se passe-t-il ?

– C'est… lui…, balbutia Hagrid, ses yeux d'un noir de scarabée ruisselant de larmes tandis qu'il s'essuyait le visage avec son tablier. C'est… Aragog… Je crois qu'il est en train de mourir… Il est tombé malade cet été et ça ne va pas mieux… Je ne sais pas ce que je ferai si... S'il... Je le connais depuis tellement longtemps…

Hermione tapota l'épaule de Hagrid en paraissant incapable de dire quoi que ce soit. Harry savait ce qu'elle ressentait. Il avait vu Hagrid offrir un ours en peluche à un redoutable bébé dragon, susurrer des chansons à d'énormes scorpions dotés de dards et de ventouses, essayer de raisonner le géant féroce qu'était son demi-frère, mais parmi toutes ses passions pour les monstres, la plus incompréhensible était sans doute celle-ci : Aragog, la gigantesque araignée parlante, qui vivait au cœur de la Forêt interdite et à laquelle Ron et lui avaient échappé de justesse quatre ans auparavant.

– Est-ce que... est-ce qu'on peut faire quelque chose ? demanda Hermione sans prêter attention aux grimaces et aux hochements de tête frénétiques de Ron.

– Je ne crois pas, Hermione, sanglota Hagrid en essayant de contenir le flot de ses larmes. Tu sais, le reste de la tribu... la famille d'Aragog... ils deviennent un peu bizarres maintenant qu'il est malade... un peu agités...

– Oui, je crois qu'on avait déjà remarqué cet aspect de leur personnalité, dit Ron à mi-voix.

– Je pense qu'il ne serait pas prudent pour quelqu'un d'autre que moi de s'approcher d'eux en ce moment, conclut Hagrid.

Il se moucha bruyamment dans son tablier et releva la tête.

– Mais merci quand même de me l'avoir proposé, Hermione... Ça me touche beaucoup...

L'atmosphère se détendit considérablement car même si Harry et Ron n'avaient manifesté aucune envie d'apporter des asticots géants à une monstrueuse araignée sanguinaire, Hagrid semblait considérer comme allant de soi qu'ils auraient été ravis de le faire. Il redevint alors tel qu'il était d'habitude.

– Oh, j'ai toujours su que vous n'arriveriez pas à me glisser dans votre emploi du temps, lança-t-il d'un ton bourru en leur versant une nouvelle tasse de thé. Même si vous aviez demandé des Retourneurs de Temps.

– Ce n'aurait pas été possible, dit Hermione. Nous avons réduit en miettes tout le stock du ministère lorsque nous étions là-bas cet été. C'était même dans *La Gazette du sorcier*.

– Dans ce cas, vous n'auriez jamais pu y arriver, déclara Hagrid. Je suis désolé d'avoir été... vous comprenez... Je m'inquiète pour Aragog... et je me suis demandé... si jamais c'était le professeur Gobe-Planche qui vous avait donné les cours...

Tous trois affirmèrent aussitôt, d'un ton catégorique et en toute mauvaise foi, que le professeur Gobe-Planche, qui avait remplacé Hagrid de temps à autre, était une épouvantable enseignante. Le résultat fut que Hagrid paraissait d'excellente humeur lorsqu'ils prirent congé de lui à la tombée du jour.

– Je suis affamé, dit Harry tandis qu'ils traversaient à la hâte le parc sombre et désert après que la porte de la cabane se fut refermée derrière eux.

Il avait renoncé au gâteau en forme de rocher quand il avait entendu une de ses molaires émettre un craquement inquiétant.

– En plus, j'ai ma retenue avec Rogue, ce soir. Je n'aurai pas beaucoup le temps de dîner...

A leur retour dans le château, ils aperçurent Cormac McLaggen qui entrait dans la Grande Salle. Il dut s'y reprendre à deux fois pour passer les portes. A la première tentative, il s'était cogné et avait rebondi contre le chambranle. Ron éclata d'un grand rire réjoui et lui emboîta le pas mais Harry retint Hermione par le bras.

– Quoi ? demanda Hermione, sur la défensive.

– Si tu veux mon avis, dit Harry à voix basse, McLaggen a l'air d'avoir subi un sortilège de Confusion. Et il se trouvait juste en face de l'endroit où tu étais assise dans les tribunes.

Hermione rougit.

– Bon, d'accord, c'est vrai, je lui ai jeté un sort, murmura-t-elle. Mais tu aurais dû entendre la façon dont il parlait de Ron et de Ginny ! Il a un caractère épouvantable, tu as bien vu comment il a réagi quand il a raté son coup. Tu n'aurais pas voulu de quelqu'un comme ça dans ton équipe.

– Non, reconnut Harry. C'est sans doute vrai. Mais n'était-ce pas un peu malhonnête, Hermione ? Tu es préfète, non ?

– Oh, tais-toi, répliqua-t-elle sèchement en voyant son sourire railleur.

– Qu'est-ce que vous fabriquez, tous les deux ? demanda Ron qui était réapparu à l'entrée de la Grande Salle et les observait d'un air soupçonneux.

– Rien, répondirent-ils d'une même voix.

Et ils se hâtèrent de le suivre à l'intérieur. Une odeur de rosbif réveilla douloureusement la faim de Harry mais à peine avaient-ils fait trois pas en direction de la table de Gryffondor que le professeur Slughorn surgit devant eux et leur barra le chemin.

– Harry, Harry, l'homme que je cherchais ! s'exclama-t-il avec cordialité.

Il tortilla les coins de sa moustache et gonfla son énorme ventre.

– J'espérais vous voir avant le dîner ! Que diriez-vous de venir plutôt souper dans mes appartements ? Je donne une petite soirée qui réunira quelques gloires montantes. McLaggen sera là, ainsi que Zabini, nous aurons aussi la charmante Melinda Bobbin – je ne sais pas si vous la connaissez ? Sa famille possède une vaste chaîne d'apothicaires – et, bien entendu, j'espère de tout cœur que Miss Granger m'honorera également de sa présence.

Slughorn s'inclina légèrement devant Hermione. C'était comme si Ron n'avait pas été là. Slughorn ne lui accorda pas même un regard.

– Je ne peux pas venir, professeur, répondit aussitôt Harry. J'ai une retenue avec le professeur Rogue.

– Oh, quel dommage ! se désola Slughorn, les traits de son visage s'affaissant d'une manière comique. Mon Dieu, mon Dieu, je comptais sur vous, Harry ! Il va falloir que j'en dise un mot à Severus pour lui expliquer la situation. Je suis sûr que j'arriverai à le convaincre de reporter votre retenue à un autre jour. Je vous verrai donc tous les deux un peu plus tard !

Et il repartit d'un air affairé.

– Il n'a aucune chance de faire changer Rogue d'avis, dit Harry dès que Slughorn se fut suffisamment éloigné pour ne pas l'entendre. Cette retenue a déjà été reportée une fois. Rogue l'a accepté pour Dumbledore mais il n'y consentira pour personne d'autre.

– J'aimerais bien que tu puisses venir, je ne veux pas y aller toute seule ! dit Hermione, anxieuse.

Harry savait qu'elle pensait à McLaggen.

– Je ne crois pas que tu seras seule. Ginny aura sans doute été invitée, lança sèchement Ron qui ne semblait pas s'accommoder facilement d'avoir été ignoré par Slughorn.

Après le dîner, ils retournèrent dans la tour de Gryffondor. La salle commune était bondée, la plupart des élèves ayant fini de dîner, mais ils parvinrent quand même à trouver une table libre où ils purent s'asseoir. Ron, qui était de mauvaise humeur depuis qu'ils avaient rencontré Slughorn, croisa les bras et regarda le plafond d'un air renfrogné. Hermione prit un numéro de *La Gazette du sorcier* que quelqu'un avait abandonné sur un fauteuil.

– Il y a du nouveau ? demanda Harry.

– Pas vraiment...

Hermione avait ouvert le journal et parcourait les pages intérieures.

– Oh, regarde, on parle de ton père, Ron – il va très bien ! ajouta-t-elle précipitamment en voyant Ron se tourner vers elle d'un air inquiet. Ils disent simplement qu'il est allé faire un tour dans la maison des Malefoy. *Cette deuxième perquisition au domicile du Mangemort ne semble pas avoir donné de résultat. Arthur Weasley, du Bureau de détection et de confiscation des faux sortilèges de défense et objets de protection, a déclaré que son équipe avait agi sur la foi d'un renseignement fourni par une source confidentielle.*

– C'était moi, la source ! précisa Harry. A la gare de King's Cross, je lui ai parlé de Malefoy et de la chose qu'il a demandé à Barjow de réparer ! Si elle ne se trouve pas chez eux, il a dû l'apporter avec lui à Poudlard...

– Mais comment aurait-il pu y parvenir, Harry ? s'étonna Hermione en reposant le journal. Nous avons tous été fouillés à notre arrivée, non ?

– Ah bon ? dit Harry, interloqué. Pas moi !

– Non, pas toi, bien sûr, j'avais oublié que tu étais arrivé en retard... En tout cas, Rusard nous a tous fait passer au Capteur de Dissimulation quand nous étions dans le hall d'entrée. Tout objet ayant un rapport quelconque avec la magie noire aurait été découvert. J'ai vu Crabbe se faire confisquer une tête réduite.

Alors, tu vois, Malefoy ne pouvait rien apporter de dangereux !

Un peu embarrassé, Harry regarda pendant un moment Ginny Weasley jouer avec Arnold, le Boursouflet, puis il trouva une réponse à l'objection d'Hermione.

– Quelqu'un a dû le lui envoyer par hibou, dit-il. Sa mère ou je ne sais qui.

– Tous les hiboux sont également contrôlés, assura Hermione. Rusard nous l'a dit pendant qu'il nous enfonçait ses Capteurs de Dissimulation un peu partout.

A court d'argument, cette fois, Harry fut incapable de répondre. Apparemment, il était impossible que Malefoy ait pu introduire à l'intérieur de l'école un objet dangereux. Dans une dernière tentative, il regarda Ron qui était toujours assis les bras croisés et fixait Lavande Brown.

– Tu ne vois pas comment Malefoy aurait pu…

– Oh, laisse tomber, Harry, dit-il.

– Écoute, ce n'est pas ma faute si Slughorn nous a invités, Hermione et moi, à sa stupide soirée ! On n'a pas envie d'y aller, ni l'un ni l'autre ! répliqua Harry, irrité.

– Eh bien, moi, puisque je ne suis convié à aucune soirée, je crois que je vais aller me coucher, annonça Ron en se levant.

Il se dirigea d'un pas pesant vers la porte du dortoir des garçons, Harry et Hermione le suivant du regard.

– Harry ? dit alors Demelza Robins, la nouvelle poursuiveuse, qui venait d'apparaître derrière lui. J'ai un message pour toi.

– Du professeur Slughorn ? demanda Harry en se redressant, plein d'espoir.

– Non… du professeur Rogue, répondit Demelza.

Harry sentit son cœur se serrer.

– Il dit que tu dois venir dans son bureau ce soir à huit heures et demie pour ta retenue… heu… quel que soit le nombre de soirées auxquelles tu seras invité. Et il te fait savoir que ton travail consistera à trier des Veracrasses. Tu devras enlever ceux qui sont pourris et garder les bons pour les cours de potions. Il a dit aussi qu'il était inutile d'apporter des gants de protection.

– Très bien, déclara Harry d'un air lugubre. Merci beaucoup, Demelza.

12
Argent et opale

Où se trouvait Dumbledore et que faisait-il ? Au cours des semaines qui suivirent, Harry n'aperçut le directeur que deux fois. Il se montrait rarement aux repas et Harry était convaincu qu'Hermione avait raison de penser qu'il restait absent de l'école plusieurs jours de suite. Dumbledore avait-il oublié les leçons qu'il était censé donner à Harry ? Il lui avait dit que ces leçons l'amèneraient à découvrir quelque chose qui était lié à la prophétie. Harry s'était alors senti soutenu, réconforté, mais maintenant, il avait l'impression d'être un peu abandonné.

La date de leur première excursion à Pré-au-Lard avait été fixée à la mi-octobre. Harry s'était demandé si ces sorties seraient toujours autorisées, étant donné les mesures de sécurité renforcées autour de l'école et il fut content d'apprendre qu'elles étaient maintenues. Il était toujours bon de pouvoir sortir de l'enceinte du château pendant quelques heures.

Harry se leva de bonne heure le jour de l'excursion, qui s'annonçait orageux, et attendit l'heure du petit déjeuner en lisant son exemplaire du *Manuel avancé de préparation des potions*. Rester au lit pour lire des livres d'école n'était pas dans ses habitudes. Un tel comportement, comme le disait Ron avec raison, était indécent chez quiconque d'autre qu'Hermione qui se montrait simplement un peu bizarre de ce point de vue. Mais Harry estimait que le manuel du Prince de Sang-Mêlé ne pouvait pas vraiment être considéré comme un livre scolaire. Plus Harry avançait dans sa lecture, plus il se rendait compte des richesses qu'il contenait. Il n'y avait pas seulement les suggestions et les raccourcis très pratiques pour préparer les potions, et grâce auxquels il s'était acquis une si brillante réputation auprès de Slughorn, mais aussi de petits sortilèges ou maléfices pleins d'invention, gribouillés dans les marges et dont Harry était certain, à en juger par les ratures et les rectifications, qu'ils avaient été imaginés par le Prince lui-même.

Harry avait déjà exécuté quelques-uns de ces sorts mis au point par le Prince. L'un d'eux faisait pousser les ongles des doigts de pied à une vitesse alarmante (il l'avait essayé sur Crabbe, en le croisant dans un couloir, avec des résultats très divertissants) ; un autre collait la langue au palais (il s'était attiré des applaudissements unanimes après s'en être servi deux fois contre un Argus Rusard sans méfiance) ; mais le plus utile de tous était sans doute Assurdiato, un maléfice déclenchant dans les oreilles de quiconque se trouvait à proximité un bourdonnement dont il était impossible d'identifier l'origine, ce qui permettait de tenir de longues conversations en classe sans être entendu de ses voisins. La seule personne à ne pas trouver ces sortilèges amusants était Hermione qui affichait une expression de franche réprobation chaque fois que Harry y avait recours et refusait de lui parler quand il soumettait quelqu'un à l'Assurdiato.

Assis dans son lit, Harry tourna son livre sur le côté pour examiner de plus près les instructions manuscrites concernant un sort qui avait dû donner au Prince du fil à retordre. Après de nombreuses ratures et modifications, il avait fini par griffonner en tout petit dans un coin de page les mots : « *Levicorpus* (infml) ».

Tandis que le vent et la neige fondue frappaient inlassablement les carreaux – ce qui n'empêchait pas Neville de ronfler bruyamment –, Harry regarda les lettres entre parenthèses. « Infml » signifiait sûrement « informulé ». Harry ne pensait pas pouvoir jeter ce sort-là. Il avait toujours des difficultés avec les sortilèges informulés, ce que Rogue ne se privait pas de souligner à chaque cours de DCFM. Mais, d'un autre côté, le Prince s'était révélé jusqu'à présent un professeur beaucoup plus efficace que Rogue.

Il pointa sa baguette sans rien viser en particulier, et donna un petit coup vertical en répétant dans sa tête : « *Levicorpus !* »

– Aaaaaaaargh !

Il y eut un éclair de lumière et des voix retentirent soudain d'un bout à l'autre du dortoir. Le cri que Ron venait de pousser avait réveillé tout le monde en sursaut. Dans un mouvement de panique, Harry envoya voler son *Manuel avancé de préparation des potions*. Ron était suspendu en l'air comme si un crochet invisible l'avait soulevé par la cheville.

– Désolé ! s'exclama Harry.

Dean et Seamus hurlaient de rire pendant que Neville se relevait après être tombé de son lit.

– Attends... je vais te faire redescendre...

Il chercha son livre à tâtons et le feuilleta fébrilement,

essayant de le rouvrir à la bonne page. Il la retrouva enfin et déchiffra un mot écrit en pattes de mouche sous le sortilège. Priant pour qu'il s'agisse bien du contre-maléfice, Harry pensa de toutes ses forces : « *Liberacorpus !* »

Il y eut un autre éclair et Ron retomba comme une masse sur son matelas.

– Désolé, répéta timidement Harry alors que Dean et Seamus continuaient de rire aux éclats.

– Demain, dit Ron d'une voix étouffée, je préférerais que tu mettes le réveil, tout simplement.

Lorsqu'ils eurent fini de s'habiller, en s'enveloppant d'une bonne épaisseur de pulls tricotés à la main par Mrs Weasley, sans oublier d'emporter capes, gants et écharpes, Ron s'était remis du choc et trouvait hautement amusant le nouveau sortilège de Harry. Il ne perdit d'ailleurs pas de temps pour raconter l'histoire à Hermione dès qu'ils se furent installés devant leur petit déjeuner.

– Alors, il y a eu un autre éclair et je suis retombé sur le lit ! dit-il d'un air ravi en prenant des saucisses.

L'anecdote n'avait pas arraché le moindre sourire à Hermione qui regardait à présent Harry avec une réprobation glaciale.

– Ce sortilège ne viendrait-il pas, par hasard, de ton livre de potions ? interrogea-t-elle.

Harry fronça les sourcils.

– Tu tires toujours des conclusions hâtives…

– Oui ou non ?

– Oui, bon, d'accord, c'est vrai, et alors ?

– Alors, tu as pris le risque d'essayer une incantation inconnue, écrite à la main, pour voir ce qui se passerait ?

– Pourquoi est-ce si important qu'elle soit écrite à la

main ? demanda Harry qui préférait ne pas répondre au reste de la question.

– Parce qu'elle n'est sans doute pas approuvée par le ministère de la Magie, répondit Hermione. Et aussi, ajouta-t-elle en voyant Harry et Ron lever les yeux au ciel, parce que je commence à penser que ce fameux Prince était un peu louche.

Harry et Ron se récrièrent aussitôt :

– On a bien rigolé ! protesta Ron, occupé à vider une bouteille de ketchup sur ses saucisses. Rigolé, Hermione, c'est tout !

– En suspendant les gens par une cheville ? dit Hermione. Qui peut bien consacrer son temps et son énergie à inventer des sortilèges comme ça ?

– Fred et George, répondit Ron en haussant les épaules. C'est tout à fait leur genre. Et, heu...

– Mon père, dit Harry.

Il venait de s'en souvenir.

– Quoi ? s'exclamèrent Ron et Hermione d'une même voix.

– Mon père jetait ce sort, avoua Harry. Je... C'est Lupin qui me l'a dit.

Il mentait sur ce dernier point. En réalité, Harry avait vu son père lancer ce sortilège contre Rogue mais il n'avait jamais parlé à Ron et à Hermione de cette excursion un peu particulière dans la Pensine. Soudain, une fantastique hypothèse lui vint à l'esprit. Se pouvait-il que le Prince de Sang-Mêlé soit...

– Peut-être que ton père l'utilisait, Harry, reprit Hermione, mais il n'est pas le seul. Nous avons vu toute une bande s'en servir, au cas où tu l'aurais oublié. Suspendre les gens dans le vide. Les promener dans les airs, quand ils sont endormis, sans défense.

Harry la regarda fixement. Avec un serrement de cœur, il se rappela à son tour le comportement des Mangemorts à la Coupe du Monde de Quidditch. Ron vint à son secours.

– C'était différent, assura-t-il avec vigueur. Ils en faisaient un mauvais usage. Harry et son père voulaient simplement rire un bon coup. Tu n'aimes pas le Prince, ajouta-t-il en pointant une saucisse sur Hermione d'un air sévère, parce qu'il est meilleur que toi en potions.

– Ça n'a rien à voir ! répliqua Hermione, les joues rougissantes. Je pense simplement qu'il est totalement irresponsable de se mettre à jeter des sorts sans même connaître leurs effets, et arrête de parler du Prince comme si c'était son titre. Il s'agit sûrement d'un stupide surnom et à mon avis, il ne devait pas être très fréquentable !

– Je ne vois pas où tu vas chercher ça, dit Harry avec fougue. S'il avait été un apprenti Mangemort, il ne se serait pas vanté d'être de sang-mêlé, tu ne crois pas ?

Au moment où il prononçait ces mots, Harry se rappela que son père était un sang-pur, mais il chassa cette pensée de son esprit. Il s'en préoccuperait plus tard...

– Les Mangemorts ne peuvent pas tous être des sang-pur, il ne reste pas assez de sorciers qui aient le sang pur, répliqua Hermione avec obstination. Je pense que la plupart d'entre eux sont des sang-mêlé qui se font passer pour purs. Ils ne haïssent que ceux qui viennent de familles moldues, ils seraient ravis que Ron et toi vous alliez les rejoindre.

– Ils ne m'accepteraient jamais comme Mangemort, s'indigna Ron.

Un morceau de saucisse planté au bout de la fourchette

qu'il brandissait vers Hermione s'envola soudain et atterrit sur la tête d'Ernie Macmillan.

– Tous les membres de ma famille sont considérés comme des traîtres à leur sang ! Pour les Mangemorts, c'est aussi grave que d'être né chez les Moldus !

– En revanche, ils seraient ravis de m'avoir parmi eux, dit Harry d'un ton sarcastique. Nous pourrions être les meilleurs amis du monde s'ils n'essayaient pas tout le temps de m'assassiner.

Ron éclata de rire. Hermione elle-même consentit à sourire puis ils furent distraits par l'arrivée de Ginny.

– Hé, Harry, je dois te donner ça.

Il s'agissait d'un rouleau de parchemin portant le nom de Harry, tracé d'une écriture fine et penchée qui lui était familière.

– Merci, Ginny... C'est le prochain cours de Dumbledore ! annonça-t-il à Ron et à Hermione en déroulant le parchemin qu'il parcourut rapidement. Lundi soir !

Il se sentit soudain léger et heureux.

– Tu veux venir avec nous à Pré-au-Lard, Ginny ? demanda-t-il.

– J'y vais avec Dean... On se verra peut-être là-bas, répondit-elle.

Et elle s'éloigna en leur adressant un signe de la main.

Comme d'habitude, Rusard se tenait devant les portes de chêne de l'entrée, vérifiant les noms des élèves qui avaient l'autorisation d'aller à Pré-au-Lard. L'opération prit encore plus de temps qu'à l'ordinaire car Rusard faisait passer tout le monde trois fois de suite au Capteur de Dissimulation.

– Quelle importance si on cache des objets interdits puisqu'on les emporte DEHORS ? demanda Ron qui regardait avec appréhension la forme longue et fine du capteur. C'est ce qu'on rapporte A L'INTÉRIEUR qu'il faut contrôler.

Son impertinence lui valut quelques coups de capteur supplémentaires et il grimaçait encore lorsqu'ils sortirent dans le vent et la neige fondue.

Le chemin jusqu'à Pré-au-Lard ne fut pas très agréable. Harry s'enveloppa le bas du visage dans son écharpe mais il éprouva bientôt une sentation d'irritation et d'engourdissement là où la peau restait nue. Sur la route qui menait au village, les élèves avançaient pliés en deux pour affronter le vent glacé. Plus d'une fois, Harry se demanda s'il n'aurait pas mieux valu demeurer bien au chaud dans la salle commune. Quand ils arrivèrent enfin et qu'ils virent le magasin de farces et attrapes de Zonko condamné par des planches, Harry eut la confirmation que cette sortie ne serait décidément pas très drôle. D'une main protégée par un gant épais, Ron montra Honeydukes qui, par bonheur, était ouvert. Harry et Hermione, vacillant sous le vent, s'engouffrèrent à sa suite dans le magasin bondé.

– Dieu merci, dit Ron qui frissonna tandis qu'une atmosphère chaude aux senteurs de caramel les enveloppait soudain. On n'a qu'à rester là tout l'après-midi.

– Harry, mon garçon ! s'exclama derrière eux une voix de stentor.

– Oh non, marmonna Harry.

Ils se retournèrent et virent le professeur Slughorn. Coiffé d'un énorme bonnet de fourrure, vêtu d'un pardessus au col de fourrure assorti, il serrait contre lui un grand sac d'ananas confits et occupait à lui seul un bon quart de la boutique.

– Harry, cela fait trois fois maintenant que vous manquez mes petits soupers ! dit-il en lui donnant une tape amicale sur la poitrine. Ça ne va pas du tout, mon garçon, je suis bien décidé à vous avoir à ma table ! Miss Granger adore mes soirées, n'est-ce pas ?

– Oui, répondit Hermione, impuissante, elles sont vraiment...

– Alors pourquoi ne venez-vous pas aussi ? insista Slughorn.

– J'ai mon entraînement de Quidditch, professeur, dit Harry qui s'arrangeait, en fait, pour programmer les séances aux dates figurant sur les invitations ornées d'un petit ruban violet que Slughorn lui envoyait régulièrement.

Cette tactique évitait que Ron se sente mis à l'écart et c'était généralement pour eux une bonne occasion de rire avec Ginny en imaginant Hermione coincée entre Zabini et McLaggen.

– Eh bien, j'espère que ce rude travail vous permettra de gagner votre premier match ! répondit Slughorn. Mais une petite récréation n'a jamais fait de mal à personne. Voyons, si on disait lundi soir ? Vous n'allez quand même pas vous entraîner par ce temps...

– Je ne peux pas, professeur. J'ai... heu... un rendez-vous avec le professeur Dumbledore, ce soir-là.

– Décidément, je joue de malchance ! s'écria Slughorn d'un ton théâtral. Ah, mais, vous ne pourrez pas toujours m'échapper, Harry !

Et avec un geste majestueux de la main, il sortit de la boutique de sa démarche chaloupée, sans accorder plus d'importance à Ron que s'il avait été un présentoir de Nids de cafards.

– Je n'arrive pas à croire que tu aies de nouveau réussi à te défiler, dit Hermione en hochant la tête. Tu sais, ce n'est pas si terrible, finalement… Parfois même, on s'amuse…

Elle surprit alors l'expression de Ron.

– Oh, regardez, ils ont des plumes en sucre Deluxe… Elles durent des heures, celles-là !

Content qu'Hermione ait changé de sujet, Harry manifesta pour les nouvelles plumes en sucre modèle géant beaucoup plus d'intérêt qu'en temps normal, mais Ron continua d'afficher une mine maussade et se contenta de hausser les épaules lorsqu'Hermione lui demanda où il voulait aller ensuite.

– On n'a qu'à faire un tour aux Trois Balais, proposa Harry. On y sera au chaud.

Ils s'enroulèrent à nouveau dans leurs écharpes et quittèrent la confiserie. Après la tiédeur sucrée de Honeydukes, le vent glacé leur donnait l'impression de prendre des coups de couteau dans la figure. Il n'y avait pas grand monde dans la rue. Personne ne s'attardait pour bavarder, chacun marchant d'un pas pressé vers sa destination. Seuls deux hommes, un peu plus loin, traînaient devant Les Trois Balais. L'un était très grand et mince. Plissant les yeux derrière ses lunettes ruisselantes de pluie, Harry reconnut le barman de La Tête de Sanglier, l'autre pub de Pré-au-Lard. Quand Harry, Ron et Hermione s'approchèrent, il serra plus étroitement sa cape autour de son cou et s'éloigna, abandonnant son compagnon, un homme de plus petite taille, qui tenait maladroitement quelque chose dans ses bras. Ils n'étaient plus qu'à quelques mètres de lui lorsque Harry le reconnut également.

– Mondingus !

Le petit homme trapu aux jambes arquées et aux longs cheveux roux en bataille sursauta et laissa tomber une valise ancienne qui s'ouvrit sous le choc, révélant un bric-à-brac suffisant pour remplir à lui seul toute la vitrine d'un magasin de brocante.

– Oh, bonjour, Harry, dit Mondingus Fletcher en tentant sans succès de prendre un air dégagé. Mais je ne veux pas te retenir.

Avec les gestes de quelqu'un visiblement pressé de partir, il entreprit de récupérer le contenu de sa valise répandu à terre.

– C'est à vendre, tout ça ? demanda Harry en regardant Mondingus ramasser un assortiment d'objets crasseux.

– Il faut bien essayer de survivre, répondit Mondingus. Donne-moi ça !

Ron s'était penché et avait pris une coupe en argent.

– Attendez, dit-il avec lenteur. J'ai l'impression de l'avoir déjà vue quelque part...

– Merci ! l'interrompit Mondingus qui lui arracha la coupe des mains et la fourra dans la valise. Bon, alors, à un de ces jours... AÏE !

Harry avait saisi Mondingus à la gorge et le plaquait contre le mur du pub. Le tenant fermement d'une main, il attrapa sa baguette de l'autre.

– Harry ! couina Hermione.

– Vous avez pris ça dans la maison de Sirius ! s'exclama Harry qui était presque nez à nez avec Mondingus et sentait une désagréable odeur de vieux tabac et d'alcool. Cette coupe portait les armoiries des Black.

– Je... non... quoi ? balbutia Mondingus dont le teint tournait peu à peu au violet.

– Qu'est-ce que vous avez fait, vous êtes retourné chez lui la nuit où il est mort et vous avez tout pillé ? gronda Harry.

– Je... non...

– Rendez-moi ça !

– Harry, il ne faut pas ! hurla Hermione alors que le teint de Mondingus devenait bleu foncé.

Il y eut un *bang* ! et Harry sentit ses mains lâcher malgré lui la gorge de Mondingus. Hoquetant, crachotant, celui-ci saisit la valise tombée par terre puis – CRAC ! – il transplana.

Harry poussa un juron de toute la force de sa voix, tournant sur place pour voir où Mondingus était parti.

– REVENEZ, ESPÈCE DE VOLEUR !

– Ça ne sert à rien, Harry.

Tonks venait de surgir de nulle part, ses cheveux couleur souris mouillés par la neige fondue.

– Mondingus doit sans doute être à Londres, maintenant. Inutile de crier.

– Il a volé des choses qui appartenaient à Sirius ! Il les a volées !

– Oui, d'accord, dit Tonks que cette information laissait parfaitement indifférente, il n'empêche que tu ne devrais pas rester dehors par ce froid.

Et elle leur fit franchir la porte des Trois Balais. Dès qu'il fut à l'intérieur, Harry laissa exploser sa colère.

– *Il a volé des objets qui étaient à Sirius !*

– Je sais, Harry, mais ne crie pas, s'il te plaît, les gens nous regardent, murmura Hermione. Allez vous asseoir, je vais vous apporter à boire.

Harry fulminait toujours lorsqu'Hermione revint à leur table quelques minutes plus tard avec trois bouteilles de Bièraubeurre.

– L'Ordre ne peut donc pas surveiller Mondingus ? chuchota furieusement Harry aux deux autres. Ils ne peuvent pas au moins l'empêcher de voler tout ce qui lui tombe sous la main quand il est au quartier général ?

– Chut ! dit désespérément Hermione en regardant tout autour d'elle pour s'assurer que personne ne les écoutait.

Deux sorciers assis non loin d'eux regardaient Harry avec beaucoup d'intérêt et Zabini était nonchalamment appuyé contre un pilier proche.

– Je te comprends, Harry, moi aussi, ça m'énerverait, je sais que ce qu'il a volé t'appartient...

Harry avala sa Bièraubeurre de travers. Il avait momentanément oublié qu'il était devenu le propriétaire du 12, square Grimmaurd.

– Oui, ça m'appartient ! dit-il. Pas étonnant qu'il n'ait pas été très content de me voir ! Je vais raconter à Dumbledore ce qui se passe, il est le seul qui fasse peur à Mondingus.

– Bonne idée, murmura Hermione, visiblement contente que Harry se calme enfin. Ron, qu'est-ce que tu regardes ?

– Rien, répondit-il en détournant aussitôt les yeux du bar mais Harry savait qu'il essayait de croiser le regard de la belle Madame Rosmerta, aux courbes généreuses, pour qui il avait toujours eu un faible.

– J'imagine que « rien » est partie derrière chercher d'autres bouteilles de whisky Pur Feu ? dit Hermione d'un ton irrité.

Ron ignora ses sarcasmes et sirota sa Bièraubeurre en s'enfermant dans ce qu'il considérait apparemment comme un silence plein de dignité. Harry pensait à Sirius et à ce qu'il avait dit de ces coupes en argent qu'il détestait de toute façon. Hermione pianotait sur la table, son regard oscillant entre le bar et Ron.

Dès que Harry eut avalé les dernières gouttes de sa bouteille, elle dit :

– Et si on revenait à l'école dès maintenant ?

Les deux autres approuvèrent d'un signe de tête. Leur sortie n'avait pas été très amusante et le temps empirait. Une fois de plus, ils attachèrent étroitement leurs capes autour du cou, remirent leurs écharpes et enfilèrent leurs gants. Puis ils sortirent du pub derrière Katie Bell et une de ses amies et remontèrent la grand-rue. Tandis qu'ils pataugeaient dans la gadoue gelée qui recouvrait la route de Poudlard, Harry se mit à penser à Ginny. Ils ne l'avaient pas revue parce qu'elle était certainement douillettement installée en compagnie de Dean, dans le salon de thé de Madame Pieddodu, le repaire des amoureux. L'air renfrogné, il baissa la tête pour résister aux tourbillons de neige fondue et poursuivit son chemin à pas pesants.

Il fallut quelques instants à Harry pour s'apercevoir que les voix de Katie Bell et de son amie, qui marchaient devant eux, étaient devenues plus aiguës et plus perçantes. Harry regarda attentivement leurs silhouettes indistinctes. Les deux filles étaient en train de se disputer à propos de quelque chose que Katie tenait à la main.

– Tu n'as rien à voir avec ça, Leanne ! s'exclama Katie.

Elles suivirent la courbe que décrivait la route à cet endroit. La neige fondue qui tombait dru et de plus en plus fort obscurcissait les lunettes de Harry. Au moment où il leva sa main gantée pour les essuyer, Leanne fit un geste pour prendre l'objet que tenait Katie. Celle-ci résista en tirant dans l'autre sens et le paquet finit par tomber sur le sol.

Aussitôt, Katie s'éleva dans les airs, non pas à la façon de Ron, suspendu par la cheville dans une position burlesque, mais avec grâce, les bras tendus, comme si elle s'apprêtait à s'envoler. Quelque chose, cependant, paraissait bizarre, inquiétant... Ses cheveux tournoyaient autour de sa tête, fouettés par le vent féroce, mais elle avait les yeux fermés et son visage était vide de toute expression. Harry, Ron, Hermione et Leanne s'étaient arrêtés net et la regardaient.

Puis, à deux mètres au-dessus du sol, Katie poussa un horrible hurlement. Ses yeux s'ouvrirent et ce qu'elle voyait, ou ce qu'elle ressentait, lui causait manifestement une terrible angoisse. Elle hurlait, hurlait sans cesse. Leanne se mit à hurler à son tour et agrippa les chevilles de Katie, essayant de la ramener à terre. Harry, Ron et Hermione se précipitèrent pour l'aider mais au moment où ils saisissaient à leur tour les jambes de Katie, elle retomba sur eux. Harry et Ron parvinrent à l'attraper mais elle se tortillait tellement qu'ils avaient du mal à la maintenir. Ils l'allongèrent par terre où elle se débattit avec force en continuant de hurler, apparemment incapable de les reconnaître.

Harry jeta un coup d'œil de tous côtés. Les alentours semblaient déserts.

– Restez ici ! cria-t-il aux autres, sa voix dominant à grand-peine le mugissement du vent. Je vais chercher du secours !

Il se mit à courir en direction de l'école. Jamais encore il n'avait vu quelqu'un se comporter comme Katie venait de le faire et il n'avait aucune idée de ce qui pouvait en être la cause. Au détour d'un virage, il heurta violemment ce qui ressemblait à un ours gigantesque dressé sur ses pattes de derrière.

– Hagrid ! s'exclama-t-il, le souffle court, en se dégageant de la haie dans laquelle il avait été projeté.

– Harry ! dit Hagrid, vêtu de son épais manteau de fourrure en peau de castor, de la neige fondue dans la barbe et les sourcils. Je viens d'aller voir Graup, il fait tellement de progrès que tu ne…

– Hagrid, quelqu'un s'est blessé là-bas, ou a été ensorcelé, je ne sais pas…

– Comment ? demanda Hagrid en se penchant pour entendre ce que Harry essayait de lui dire dans le vent qui faisait rage.

– Quelqu'un a été ensorcelé ! beugla Harry.

– Ensorcelé ? Qui a été ensorcelé ? Pas Ron ? Hermione ?

– Non, pas eux, c'est Katie Bell… par là…

Ils coururent ensemble le long de la route et retrouvèrent très vite le petit groupe rassemblé autour de Katie qui se tortillait toujours par terre en hurlant. Ron, Hermione et Leanne essayaient tous les trois de la calmer.

– Reculez-vous ! s'exclama Hagrid. Laissez-moi la voir !

– Il lui est arrivé quelque chose ! sanglota Leanne. Je ne sais pas quoi…

Hagrid regarda Katie un instant puis, sans un mot, il se pencha, la prit dans ses bras et courut vers le château. Quelques secondes plus tard, les cris perçants de Katie s'étaient évanouis et on n'entendait plus que le rugissement du vent.

Hermione se précipita sur l'amie de Katie, gémissante, qu'elle prit par les épaules.

– Tu t'appelles Leanne, c'est ça ?

Elle acquiesça d'un signe de tête.

– Ça s'est passé tout d'un coup ou bien…

– C'est arrivé quand ce paquet s'est ouvert, hoqueta Leanne en montrant sur le sol un papier kraft détrempé qui s'était déchiré, laissant apparaître un scintillement vert.

Ron se pencha, la main tendue, mais Harry lui saisit le bras et le tira en arrière.

– *N'y touche pas !*

Il s'accroupit. Un collier d'opale ouvragé dépassait du papier.

– J'ai déjà vu ça, dit Harry, en observant la chose. Exposé chez Barjow et Beurk il y a très longtemps. L'étiquette disait que le collier était ensorcelé. Katie a dû y toucher.

Il leva la tête vers Leanne qui s'était mise à trembler de tout son corps.

– Comment Katie l'a-t-elle eu ?

– C'est pour ça qu'on se disputait. Elle l'avait quand elle est sortie des toilettes, aux Trois Balais, elle a dit que c'était une surprise pour quelqu'un à Poudlard et qu'elle devait le remettre en mains propres. Elle paraissait bizarre quand elle m'a raconté ça... Oh, non, oh, non, je parie qu'on lui a jeté le sortilège de l'Imperium et je ne m'en suis même pas rendu compte !

Leanne fut à nouveau secouée de sanglots et Hermione lui tapota doucement l'épaule.

– Elle ne t'a pas dit qui le lui avait donné, Leanne ?

– Non... elle ne voulait pas... et moi, je lui ai répété qu'elle était idiote, qu'il ne fallait pas l'emporter à l'école mais elle refusait de m'écouter... alors, j'ai essayé de le lui prendre des mains... et... et...

Leanne poussa une plainte désespérée.

– On ferait bien de revenir à l'école, suggéra Hermione, qui tenait toujours Leanne par l'épaule. Nous irons voir comment elle va. Viens...

Harry hésita un instant puis il ôta l'écharpe qui lui protégeait le visage et, sans tenir compte de l'exclamation de Ron, il en enveloppa le collier et le ramassa.

– Il faudra montrer ça à Madame Pomfresh, dit-il.

Tandis qu'ils suivaient Hermione et Leanne le long de la route, Harry réfléchissait frénétiquement. Ils venaient de pénétrer dans le parc lorsqu'il parla enfin, incapable de garder plus longtemps ses pensées pour lui :

– Malefoy connaît l'existence de ce collier. Il était exposé dans une vitrine chez Barjow et Beurk il y a quatre ans. J'ai vu qu'il le regardait pendant que je me cachais de son père et de lui. *Voilà* ce qu'il voulait acheter le jour où on l'a suivi ! Une opale ensorcelée ! Il s'en souvenait et il est retourné la chercher !

– Je... je ne sais pas, Harry, répondit Ron, hésitant. Il y a plein de gens qui vont chez Barjow et Beurk... et cette fille dit que Katie a trouvé le collier dans les toilettes.

– Elle a dit qu'elle en était sortie avec le collier, ça ne signifie pas qu'elle l'ait vraiment trouvé là...

– McGonagall ! prévint Ron.

Harry leva les yeux. Le professeur McGonagall descendait en hâte les marches de pierre, bravant les tourbillons de neige fondue pour venir à leur rencontre.

– Hagrid dit que vous avez vu tous les quatre ce qui est arrivé à Katie Bell... Montez tout de suite dans mon bureau, s'il vous plaît ! Qu'est-ce que vous avez là, Potter ?

– L'objet qu'elle a touché, répondit Harry.

– Grand Dieu ! s'exclama le professeur McGonagall, alarmée, en prenant le collier à Harry. Non, non, Rusard, ils sont avec moi ! ajouta-t-elle précipitamment alors que le concierge traversait le hall d'entrée de son pas traînant, le regard avide, brandissant son Capteur de Dissimulation. Apportez tout de suite ce collier au professeur Rogue mais n'y touchez surtout pas, gardez-le bien enveloppé dans l'écharpe !

Harry et les autres suivirent le professeur McGonagall dans l'escalier puis dans son bureau. Les vitres criblées de neige fondue tremblaient dans leurs châssis et la pièce était froide malgré le feu qui craquait dans la cheminée. Le professeur McGonagall referma la porte et se précipita derrière son bureau, face à Harry, Ron, Hermione et Leanne, qui continuait de sangloter.

– Alors ? Que s'est-il passé ? demanda-t-elle sèchement.

D'une voix hachée et en s'interrompant souvent pour essayer de contrôler ses larmes, Leanne raconta au professeur McGonagall que Katie était allée aux toilettes des Trois Balais et en était ressortie avec un paquet qui ne portait aucune marque ; elle lui avait alors paru un peu bizarre et elles s'étaient disputées sur l'opportunité d'accepter de livrer des objets inconnus, la dispute culminant lorsqu'elle avait essayé de lui arracher des mains le paquet dont l'emballage s'était déchiré. A ce point de son récit, Leanne fut si bouleversée qu'il était impossible de lui tirer un mot de plus.

– Très bien, dit le professeur McGonagall, non sans douceur, montez à l'infirmerie, s'il vous plaît, Leanne, et demandez à Madame Pomfresh de vous donner quelque chose pour remédier à votre état de choc.

Quand elle eut quitté la pièce, le professeur McGonagall se tourna à nouveau vers Harry, Ron et Hermione.

– Que s'est-il passé quand Katie a touché le collier ?

– Elle s'est élevée dans les airs, répondit Harry avant que Ron et Hermione aient pu parler. Puis elle s'est mise à hurler et elle est retombée par terre. Professeur, est-ce que je peux aller voir le professeur Dumbledore, s'il vous plaît ?

– Le directeur est absent jusqu'à lundi, Potter, l'informa le professeur McGonagall, l'air surpris.

– Absent ? répéta Harry avec colère.

– Oui, Potter, absent ! répliqua le professeur McGonagall d'un ton cassant. Mais je suis sûre que tout ce que vous avez à dire sur cette horrible affaire peut m'être confié !

Harry hésita une fraction de seconde. Le professeur McGonagall n'incitait guère aux confidences. Dumbledore, quoique plus intimidant sous bien des aspects, semblait malgré tout moins enclin à traiter par le mépris une hypothèse qu'on lui soumettait, si hardie fût-elle. Mais il s'agissait là d'une question de vie ou de mort et ce n'était pas le moment de craindre les moqueries.

– Je pense que c'est Drago Malefoy qui a donné ce collier à Katie, professeur.

Ron se caressa le nez, apparemment gêné ; de son côté, Hermione changea de position, ses pieds glissant sur le sol, comme si elle tenait à mettre un peu plus de distance entre elle et Harry.

– C'est une accusation très grave, Potter ! s'exclama le professeur McGonagall après un silence choqué. Avez-vous une preuve ?

– Non, admit Harry, mais...

Et il lui raconta la conversation qu'ils avaient surprise entre Malefoy et Barjow.

Lorsqu'il eut terminé, le professeur McGonagall parut un peu perdue.

– Malefoy a apporté un objet chez Barjow et Beurk pour le faire réparer ?

– Non, professeur, il n'avait pas l'objet avec lui, il voulait seulement que Barjow lui explique comment le réparer. Mais la question n'est pas là, l'important, c'est qu'il a acheté quelque chose en même temps et je pense qu'il s'agissait de cette opale...

– Vous avez vu Malefoy quitter la boutique avec un paquet semblable ?

– Non, professeur, il a dit à Barjow de le lui mettre de côté.

– Mais, Harry, l'interrompit Hermione, Barjow lui a demandé s'il voulait l'emporter avec lui et Malefoy a répondu non...

– Parce qu'il ne voulait pas y toucher, de toute évidence ! répliqua Harry avec colère.

– Il a dit exactement : « De quoi aurais-je l'air si je portais ça dans la rue ? » rappela Hermione.

– Il aurait l'air d'un crétin avec un collier, remarqua Ron.

– Ron, soupira Hermione d'un ton découragé, l'opale aurait été enveloppée pour qu'il ne la touche pas et très facile à cacher sous une cape ! Je crois plutôt que ce qu'il a commandé chez Barjow et Beurk était un objet bruyant ou encombrant, quelque chose qui attirerait l'attention s'il se promenait avec dans la rue. En tout cas, poursuivit-elle en élevant la voix avant que Harry ait pu l'interrompre, j'ai demandé si le collier était à vendre, tu te souviens ? Quand je suis entrée dans la boutique pour essayer de savoir ce que Malefoy voulait qu'il lui garde, je l'ai vu exposé. Et Barjow m'a indiqué le prix, il ne m'a pas dit qu'il était déjà vendu...

– Tu n'as pas été très habile, il n'a pas dû mettre plus de cinq secondes pour deviner ce que tu avais derrière la tête et bien sûr, il n'allait pas t'avouer la vérité... De toute façon, Malefoy a très bien pu envoyer quelqu'un le chercher entre-temps...

– Ça suffit ! coupa le professeur McGonagall alors qu'Hermione s'apprêtait à répliquer, la mine courroucée. Potter, je vous remercie de m'avoir raconté tout cela mais nous ne pouvons accuser Malefoy simplement parce qu'il est entré dans la boutique où ce collier a peut-être été acheté. Des centaines d'autres personnes sont sans doute dans le même cas...

– C'est ce que je disais..., marmonna Ron.

– Et d'ailleurs, nous avons pris des mesures de sécurité très rigoureuses cette année, je ne pense pas que ce collier aurait pu être introduit dans l'école sans que nous le sachions...

– Mais...

– Par surcroît, poursuivit le professeur McGonagall d'un ton affreusement catégorique, Mr Malefoy ne se trouvait pas à Pré-au-Lard aujourd'hui.

Harry la regarda bouche bée, se dégonflant comme un ballon.

– Comment le savez-vous, professeur ?

– Parce qu'il était en retenue avec moi. Il a omis deux fois de suite de faire ses devoirs de métamorphose. Merci de m'avoir confié vos soupçons, Potter, dit-elle en passant devant eux, mais je dois maintenant me rendre à l'infirmerie pour voir comment va Katie Bell. Je vous souhaite une bonne fin de journée à tous les trois.

Elle leur ouvrit la porte du bureau et ils n'eurent d'autre choix que de sortir en file indienne sans ajouter un mot.

Harry en voulait à Ron et à Hermione d'avoir pris le parti de McGonagall. Mais il ne put s'empêcher de participer à leur conversation dès qu'ils recommencèrent à en parler.

– A qui Katie devait-elle donner le collier, d'après vous ? interrogea Ron tandis qu'ils montaient l'escalier menant à la salle commune.

– Dieu seul le sait, répondit Hermione. Mais qui que ce soit, il l'a échappé belle. Personne n'aurait pu ouvrir ce paquet sans toucher l'opale.

– Il pouvait être destiné à des tas de gens, dit Harry. A Dumbledore – les Mangemorts seraient ravis de se débarrasser de lui, il doit être une de leurs cibles prioritaires. Ou à Slughorn. Dumbledore pense que Voldemort le voulait vraiment avec lui et il ne doit pas être content qu'il se soit rangé dans l'autre camp. Ou à...

– Ou à toi, dit Hermione, inquiète.

– Impossible, affirma Harry, sinon Katie n'aurait eu qu'à se retourner pour me le donner quand on était sur la route. Je suis resté derrière elle depuis le moment où on a quitté Les Trois Balais. Il aurait été beaucoup plus logique de livrer le paquet en dehors de Poudlard, à cause de Rusard qui contrôle tout le monde. Je me demande pourquoi Malefoy lui a demandé de l'emporter au château.

– Harry, Malefoy n'était pas à Pré-au-Lard ! s'exclama Hermione en tapant du pied, exaspérée.

– Alors, il avait sûrement un complice, répliqua Harry. Crabbe ou Goyle – ou, si on y réfléchit, peut-être un autre Mangemort. Il doit avoir des copains plus intelligents que Crabbe et Goyle maintenant qu'il a rejoint leurs rangs...

Ron et Hermione échangèrent un regard signifiant clairement qu'il était décidément inutile de discuter avec lui.

– Potage royal, dit Hermione d'un ton assuré lorsqu'ils furent arrivés devant la grosse dame.

Le portrait pivota aussitôt pour les laisser entrer dans la salle commune. Il y avait beaucoup de monde et une odeur de vêtements mouillés flottait dans l'air. Nombre d'élèves avaient dû rentrer de Pré-au-Lard plus tôt que prévu à cause du mauvais temps. L'atmosphère n'était cependant ni à la peur, ni aux spéculations. Manifestement, personne ne savait encore ce qui était arrivé à Katie.

– En fait, l'attaque n'a pas été très bien menée, quand on y songe, dit Ron.

Il chassa négligemment un élève de première année installé dans un confortable fauteuil, auprès du feu, pour s'y asseoir à sa place.

– Le sortilège n'a même pas pénétré dans le château. On ne peut pas dire que le plan était infaillible.

– Tu as raison, approuva Hermione, en donnant à Ron un petit coup de pied pour qu'il se lève du fauteuil qu'elle rendit à l'élève de première année. Ce n'était pas du tout bien pensé.

– Depuis quand Malefoy est-il un grand penseur ? demanda Harry.

Ni Ron, ni Hermione ne lui répondirent.

13
Le secret de Jedusor

Katie fut transportée le lendemain à l'hôpital Ste Mangouste pour les maladies et blessures magiques. Tout le monde dans l'école était alors au courant qu'elle avait été ensorcelée, mais les détails n'étaient pas très clairs et personne, en dehors de Harry, Ron, Hermione et Leanne, ne semblait savoir que Katie n'était pas la cible désignée.

– Malefoy sait ce qui s'est passé, maintenant, dit Harry à Ron et à Hermione qui avaient adopté pour principe de feindre la surdité chaque fois qu'il avançait sa théorie sur Malefoy-devenu-Mangemort.

Harry se demandait si Dumbledore serait revenu à temps pour son cours du lundi soir ; n'ayant reçu aucun contrordre, il se présenta devant son bureau à huit heures, frappa et fut invité à entrer. Dumbledore, assis dans son fauteuil, avait l'air fatigué, ce qui n'était pas son habitude. Sa main avait le même aspect noir et brûlé mais il eut un sourire lorsqu'il fit signe à Harry de s'asseoir. La Pensine était à nouveau posée sur la table, projetant au plafond des éclats de lumière argentée.

– Il s'est passé beaucoup de choses pendant mon

absence, dit Dumbledore. Je crois que tu as été témoin de l'accident de Katie.

– Oui, monsieur. Comment va-t-elle ?

– Toujours assez mal mais elle a eu une chance relative. Il semble qu'elle ait simplement effleuré l'opale qui n'a touché qu'une toute petite surface de sa peau : il y avait un trou minuscule dans son gant. Si elle avait mis le collier ou si elle l'avait pris à mains nues, elle serait peut-être morte sur le coup. Fort heureusement, le professeur Rogue a pu faire ce qu'il fallait pour empêcher le maléfice de s'étendre rapidement...

– Pourquoi lui ? demanda aussitôt Harry. Pourquoi pas Madame Pomfresh ?

– Impertinent, dit une faible voix qui provenait de l'un des portraits accrochés au mur.

Phineas Nigellus Black, l'arrière-arrière-grand-père de Sirius, se réveilla, levant la tête de ses bras sur lesquels elle reposait.

– De mon temps, je n'aurais jamais permis qu'un élève mette en question la façon dont Poudlard est administré.

– C'est ça, merci, Phineas, répliqua Dumbledore d'un ton impérieux. Le professeur Rogue en sait beaucoup plus en matière de magie noire que Madame Pomfresh, Harry. En tout cas, le personnel de Ste Mangouste me tient au courant heure par heure et j'ai bon espoir que Katie se rétablisse entièrement au bout d'un certain temps.

– Où étiez-vous le week-end dernier, monsieur ? demanda Harry.

Il eut le sentiment très net d'aller un peu trop loin mais il n'en tint pas compte. Visiblement, ce sentiment était partagé par Phineas Nigellus qui émit un sifflement sourd.

– Je préfère ne pas te le dire pour l'instant, répondit Dumbledore. Mais je t'en parlerai en temps utile.

– Vraiment ? dit Harry, surpris.

– Oui, je pense, assura Dumbledore en prenant dans une poche intérieure de sa robe un flacon de souvenirs argentés dont il fit sauter le bouchon d'un coup de baguette.

– Monsieur, dit Harry, un peu hésitant, j'ai rencontré Mondingus à Pré-au-Lard.

– Ah oui, je sais déjà que Mondingus a traité ton héritage avec une désinvolture de monte-en-l'air, répondit Dumbledore en fronçant légèrement les sourcils. Il se cache depuis que tu l'as abordé devant Les Trois Balais. J'ai l'impression qu'il a peur de se retrouver devant moi. Mais sois certain qu'il ne pourra plus désormais s'approprier les biens qui appartenaient à Sirius.

– Ce vieux galeux de sang-mêlé a volé l'héritage de Sirius ? s'indigna Phineas Nigellus, scandalisé.

Il sortit aussitôt de son cadre pour aller sans nul doute faire un tour dans son portrait du 12, square Grimmaurd.

– Professeur, dit Harry après un court silence, est-ce que le professeur McGonagall vous a répété ce que je lui ai raconté après l'accident de Katie ? Au sujet de Drago Malefoy ?

– Elle m'a parlé de tes soupçons, oui, répondit Dumbledore.

– Et vous…

– Je prendrai les mesures appropriées pour enquêter sur toutes les personnes qui pourraient avoir une part de responsabilité dans cette affaire, assura Dumbledore. Mais pour l'instant, Harry, je voudrais qu'on en revienne à notre leçon.

Harry ressentit une certaine amertume : si leurs leçons étaient si importantes, pourquoi y avait-il eu un si long intervalle entre la première et la deuxième ? En tout cas, il n'ajouta rien sur Drago Malefoy et regarda Dumbledore verser d'autres souvenirs dans la Pensine qu'il fit à nouveau tourner entre ses longs doigts fins.

– Tu te rappelles certainement où nous en étions restés dans l'histoire des débuts de Lord Voldemort : Tom Jedusor, le séduisant Moldu, avait abandonné Merope, sa sorcière de femme, puis était retourné dans la maison familiale de Little Hangleton. Merope était demeurée seule à Londres, attendant le bébé qui deviendrait un jour Lord Voldemort.

– Comment savez-vous qu'elle était à Londres, monsieur ?

– Grâce au témoignage d'un certain Caractacus Beurk, répondit Dumbledore, celui-là même qui, par une étrange coïncidence, a contribué à fonder la fameuse boutique d'où vient le collier dont nous parlions à l'instant.

Il remua le contenu de la Pensine comme Harry l'avait déjà vu faire, à la manière d'un prospecteur passant de la boue au crible pour en extraire des paillettes d'or. La forme argentée d'un petit homme s'éleva alors du tourbillon, tournant lentement dans la Pensine, semblable à un fantôme mais plus compact, avec une frange de cheveux en forme de chaume qui lui recouvrait complètement les yeux.

– Oui, nous l'avons acquis dans de curieuses circonstances. Il nous a été apporté par une jeune sorcière juste avant Noël, il y a très longtemps de cela. Elle disait avoir grand besoin d'or et l'on voyait à l'évidence qu'elle ne mentait pas. Elle était vêtue de haillons et, apparemment, n'allait pas tarder à... mettre au monde un bébé. Elle m'a montré un médaillon en affirmant qu'il avait été jadis la propriété de Serpentard. Nous entendons très souvent ce genre d'histoire, « Ceci a appartenu à Merlin, c'était sa théière préférée », mais quand j'ai regardé l'objet, j'ai vu qu'il portait véritablement sa marque et quelques sortilèges très simples ont suffi à me révéler la vérité. Bien entendu, le médaillon en devenait quasiment inestimable. La jeune femme ne semblait avoir aucune idée de sa valeur réelle et elle a été très heureuse d'en tirer dix Gallions. La meilleure affaire que nous ayons jamais faite !

Dumbledore secoua vigoureusement la Pensine et Caractacus Beurk retourna dans le tourbillon de mémoire d'où il avait surgi.

– Il ne lui en a donné que dix Gallions ? s'indigna Harry.

– Caractacus Beurk n'a jamais été réputé pour sa générosité, répondit Dumbledore. Voilà donc comment nous savons que, vers la fin de sa grossesse, Merope était seule à Londres et avait désespérément besoin d'or, à tel point qu'elle en fut réduite à vendre le seul objet de valeur qu'elle possédait : le médaillon issu de l'héritage familial que Marvolo chérissait tant.

– Mais elle aurait pu recourir à la magie ! s'exclama Harry d'un ton impatient. Elle aurait pu se procurer à manger et tout ce dont elle avait besoin grâce à des sortilèges, non ?

– Oui, peut-être, dit Dumbledore, mais je crois – et même s'il ne s'agit que d'une hypothèse, je suis sûr d'avoir raison – que lorsque son mari l'a abandonnée, Merope a cessé de pratiquer la magie. Je pense qu'elle ne voulait plus être une sorcière. Bien sûr, il est également possible que son amour non partagé et le désespoir qui en a résulté l'aient privée de ses pouvoirs magiques. Ce sont des choses qui arrivent parfois. En tout cas, comme tu vas bientôt le voir, Merope a refusé de se servir de sa baguette même pour sauver sa propre vie.

– Elle ne voulait pas vivre au moins pour son fils ?

Dumbledore haussa les sourcils.

– Éprouverais-tu de la compassion pour Lord Voldemort ?

– Non, s'empressa de répondre Harry, mais elle avait le choix, n'est-ce pas ? Pas comme ma mère…

– Ta mère aussi avait le choix, dit Dumbledore avec douceur. Oui, Merope Jedusor a choisi la mort malgré son fils qui avait besoin d'elle, mais ne la juge pas trop sévèrement, Harry. Elle était grandement affaiblie par de longues souffrances et elle n'a jamais eu le courage de ta mère. Maintenant, si tu veux bien te lever…

– Où allons-nous ? demanda Harry, alors que Dumbledore venait le rejoindre devant le bureau.

– Cette fois, répondit-il, nous allons entrer dans ma propre mémoire. Je pense que tu la trouveras riche en détails et d'une fidélité satisfaisante. Après toi, Harry…

Harry se pencha sur la Pensine, son visage brisa la surface fraîche du souvenir et il tomba une nouvelle fois dans l'obscurité… Quelques instants plus tard, il atterrit sur un sol dur, rouvrit les yeux et se retrouva à côté de Dumbledore dans une rue animée de Londres, en des temps plus anciens.

– Je suis là-bas, dit Dumbledore d'un air radieux en montrant un peu plus loin une haute silhouette qui traversait la rue, devant la carriole d'un laitier, en se dirigeant vers eux.

Les longs cheveux et la barbe de cet Albus Dumbledore plus jeune avaient une couleur auburn. Lorsqu'il fut arrivé de leur côté, il parcourut le trottoir à grands pas, attirant de nombreux regards intrigués par son costume de velours couleur prune à la coupe flamboyante.

– Joli costume, monsieur, ne put s'empêcher de remarquer Harry mais Dumbledore se contenta de pouffer de rire tandis qu'ils suivaient à courte distance cette version plus jeune de lui-même, franchissant bientôt un portail de fer forgé pour arriver dans la cour nue d'un bâtiment carré, plutôt sinistre, entouré de hautes grilles.

Dumbledore monta les quelques marches qui menaient à la porte d'entrée et frappa une fois. Au bout d'un moment, une fille d'apparence négligée, vêtue d'un tablier, vint lui ouvrir.

– Bonjour, j'ai rendez-vous avec une certaine Mrs Cole qui est, je crois, la directrice de cet établissement.

– Oh, dit la fille qui semblait perplexe devant la tenue excentrique de Dumbledore. Heu... un instant... MADAME COLE ! cria-t-elle par-dessus son épaule.

Harry entendit une voix lointaine lui répondre. La fille se tourna à nouveau vers Dumbledore.

– Entrez, elle arrive.

Il pénétra dans un hall au sol recouvert de dalles noires et blanches. L'endroit paraissait miteux mais d'une propreté impeccable. Harry et le Dumbledore plus âgé suivirent. Avant que la porte ne se soit refermée, une femme décharnée, à l'air épuisé, s'approcha d'eux à petits pas précipités. Elle avait un visage anguleux, apparemment plus anxieux que revêche, et parlait derrière elle à une autre fille en tablier.

– ... apportez la teinture d'iode à Martha là-haut, Billy Stubbs a gratté ses croûtes et Eric Whalley suppure de partout, il y en a plein ses draps – la varicelle par-dessus le marché, dit-elle sans s'adresser à personne en particulier.

Son regard tomba alors sur Dumbledore et elle se figea sur place, l'air aussi stupéfaite que si une girafe venait de franchir sa porte.

– Bonjour, dit Dumbledore en tendant la main.

Mrs Cole resta bouche bée.

– Je m'appelle Albus Dumbledore. Je vous ai envoyé une lettre pour solliciter un rendez-vous et vous m'avez très aimablement invité à venir vous voir aujourd'hui.

Mrs Cole cilla. Estimant finalement que Dumbledore n'était pas une hallucination, elle répondit d'une voix faible :

– Ah, oui, bien, bien, dans ce cas... venez avec moi. Oui, c'est ça.

Elle conduisit Dumbledore dans une petite pièce, moitié salon moitié bureau, aussi miteuse que le hall, avec de vieux meubles dépareillés. Elle l'invita à s'asseoir sur une chaise branlante et s'installa elle-même derrière une table encombrée, en le dévisageant avec appréhension.

– Comme je vous l'expliquais dans ma lettre, je suis venu vous parler de Tom Jedusor et des dispositions à prendre pour son avenir, dit Dumbledore.

– Vous êtes de la famille ? interrogea Mrs Cole.

– Non, je suis professeur. Je voudrais proposer à Tom une place dans mon école.

– Et quelle est cette école ?

– Elle s'appelle Poudlard.

– Comment se fait-il que vous vous intéressiez à Tom ?

– Nous pensons qu'il possède certaines qualités que nous recherchons.

– Vous voulez dire qu'il a obtenu une bourse ? Comment serait-ce possible ? Il n'en a jamais demandé.

– Son nom figure dans les registres de notre école depuis sa naissance...

– Qui l'a inscrit ? Ses parents ?

A n'en pas douter, Mrs Cole faisait preuve d'une vivacité d'esprit très malvenue. Visiblement, Dumbledore avait la même impression car Harry le vit sortir sa baguette magique de la poche de son costume en velours et prendre en même temps sur le bureau une feuille de papier parfaitement blanche.

– Tenez, dit-il.

Il donna un petit coup de baguette et tendit le morceau de papier à Mrs Cole.

– Je pense que ceci suffira à tout éclaircir.

Le regard de la directrice se brouilla un peu puis se concentra à nouveau tandis qu'elle fixait avec attention le papier vierge.

– Voilà qui semble parfaitement en ordre, dit-elle d'un ton placide en lui rendant la feuille.

Ses yeux se posèrent alors sur une bouteille de gin et deux verres qui n'étaient pas là quelques secondes plus tôt.

– Heu... puis-je vous offrir un gin ? proposa-t-elle d'une voix des plus raffinées.

– Avec grand plaisir, répondit Dumbledore, ravi.

Il devint très vite évident que Mrs Cole n'était pas une novice en matière de gin. Après avoir versé dans chaque verre une dose généreuse, elle vida le sien d'un seul trait. Se léchant les lèvres sans retenue, elle sourit pour la première fois à Dumbledore qui n'hésita pas à pousser plus loin son avantage.

– Je me demandais si vous pourriez m'en dire plus sur l'histoire de Tom Jedusor ? Je crois qu'il est né ici, dans cet orphelinat ?

– C'est vrai, répondit Mrs Cole en se servant un autre verre de gin. Je m'en souviens comme si c'était hier car je venais moi-même de débuter ici. C'était la veille du Nouvel An, il faisait un froid terrible et il neigeait. Une soirée abominable. Là-dessus, une fille pas beaucoup plus âgée que moi monte les marches d'un pas vacillant. Oh, elle n'était pas la première. On s'est occupé d'elle et une heure plus tard, elle avait son bébé. Encore une heure et elle était morte.

Mrs Cole eut un hochement de tête impressionnant et but à nouveau une longue gorgée de gin.

– A-t-elle dit quelque chose avant de mourir ? demanda Dumbledore. Quelque chose sur le père de l'enfant, par exemple ?

– Oui, en effet, maintenant que j'y pense, répondit Mrs Cole qui semblait plutôt contente à présent, avec son verre de gin et un visiteur avide d'entendre ce qu'elle avait à raconter.

– Je me souviens qu'elle m'a dit : « J'espère qu'il ressemblera à son papa », et pour parler franchement, elle avait raison de l'espérer parce qu'elle-même n'était pas une beauté... ensuite, elle m'a dit qu'elle allait l'appeler Tom, comme son père, et Elvis, comme son père à *elle*... oui, je sais, c'est un drôle de nom, n'est-ce pas ? On s'est demandé si elle ne travaillait pas dans un cirque... Elle a dit aussi que le nom de famille de l'enfant était Jedusor. Et puis elle est morte un peu plus tard sans ajouter un mot. Alors, on a appelé l'enfant comme elle l'avait souhaité, puisque ça semblait si important pour cette pauvre fille, mais aucun Tom, aucun Elvis, aucun Jedusor n'est jamais venu le voir, ni aucun autre membre de la famille. On l'a donc gardé à l'orphelinat et il y est toujours resté.

Mrs Cole, presque machinalement, remplit à nouveau son verre d'une solide mesure de gin. Deux taches roses étaient apparues en haut de ses pommettes. Puis elle reprit :

– C'est un drôle de garçon.

– Oui, dit Dumbledore. Je m'y attendais un peu.

– C'était un drôle de bébé aussi. Il ne pleurait presque jamais. Et quand il a un peu grandi, il est devenu… bizarre.

– Bizarre en quel sens ? interrogea Dumbledore avec douceur.

– Eh bien, il…

Mais Mrs Cole s'interrompit et il n'y avait rien de flou ni de vague dans le regard inquisiteur qu'elle lui lança par-dessus son verre de gin.

– Il est définitivement inscrit dans votre école, dites-vous ?

– Définitivement, assura Dumbledore.

– Et rien de ce que je pourrais vous raconter n'y changera quoi que ce soit ?

– Rien, répondit Dumbledore.

– Vous l'emmènerez avec vous quoi qu'il arrive ?

– Quoi qu'il arrive, répéta Dumbledore d'un ton grave.

Elle l'observa avec attention, semblant se demander si elle pouvait ou non avoir confiance en lui. Apparemment, elle estima qu'elle le pouvait car elle dit soudain d'une voix précipitée :

– Il fait peur aux autres enfants.

– Vous voulez dire qu'il les brutalise ? demanda Dumbledore.

– Je pense que oui, répondit Mrs Cole, les sourcils légèrement froncés. Mais il est très difficile de le prendre sur le fait. Il y a eu des incidents… des choses très désagréables…

Dumbledore ne la pressa pas d'en dire davantage mais Harry voyait bien qu'il était très intéressé. Elle but une nouvelle gorgée de gin et ses joues roses prirent une teinte un peu plus foncée.

– Le lapin de Billy Stubbs... Tom a affirmé que ce n'était pas lui et je ne vois pas comment il aurait pu faire ça, mais quand même, il ne se serait pas pendu tout seul à une poutre du toit ?

– Je ne pense pas, dit Dumbledore à voix basse.

– Comment s'y est-il pris pour monter là-haut, je n'en sais fichtre rien. Tout ce que je peux dire, c'est que Billy et lui s'étaient disputés la veille. Et puis (Mrs Cole but une autre gorgée de gin qu'elle renversa en partie sur son menton), en revenant de notre excursion d'été – une fois par an, on les emmène à la campagne ou au bord de la mer –, Amy Benson et Dennis Bishop n'ont plus jamais été les mêmes. Tout ce qu'on a pu tirer d'eux, c'est qu'ils sont allés dans une grotte avec Tom Jedusor. Il a juré qu'ils y étaient simplement entrés pour voir mais je suis sûre qu'il s'est passé *quelque chose*, là-dedans. Et il y a eu bien d'autres histoires, de drôles d'histoires...

Elle leva à nouveau la tête vers Dumbledore et malgré la rougeur de ses joues, elle avait le regard assuré.

– Je crois qu'il ne se trouvera pas beaucoup de gens pour le regretter.

– Vous comprenez bien, je pense, que nous ne le garderons pas à l'école tout au long de l'année ? dit Dumbledore. Il faudra qu'il revienne ici au moins chaque été.

– Ça vaut mieux que de prendre un coup de tisonnier sur le crâne, répondit Mrs Cole avec un léger hoquet.

Elle se leva et Harry fut étonné de voir qu'elle tenait fermement debout bien que la bouteille de gin soit aux deux tiers vide.

– J'imagine que vous avez envie de le voir ?

– Oui, j'aimerais beaucoup, assura Dumbledore en se levant à son tour.

Ils sortirent du bureau et elle le conduisit dans les étages, distribuant instructions et remontrances à ses aides et aux enfants qu'elle croisait. Harry remarqua que les orphelins portaient tous la même tunique grisâtre. Ils paraissaient raisonnablement bien traités mais ce n'était certainement pas l'endroit le plus joyeux pour passer sa jeunesse.

– Voilà, c'est ici, dit Mrs Cole.

Ils s'arrêtèrent au deuxième étage, devant la première porte d'un long couloir. Elle frappa deux fois et entra.

– Tom ? Tu as de la visite. Voici Mr Dumberton – pardon, Dunderbore. Il est venu te dire... enfin, il vaut mieux qu'il t'explique ça lui-même.

Harry et les deux Dumbledore entrèrent dans la pièce tandis que Mrs Cole refermait la porte derrière eux. C'était une petite chambre nue qui ne comportait qu'une vieille armoire, une chaise en bois et un lit en fer. Un garçon était assis sur les couvertures grises, les jambes étendues devant lui, tenant un livre à la main.

Il n'y avait pas trace des Gaunt sur le visage de Tom Jedusor. Le dernier vœu de Merope avait été exaucé : c'était le portrait en miniature de son bel homme de père. Le teint pâle et les cheveux bruns, il était grand pour un garçon de onze ans. Ses yeux se plissèrent légèrement lorsqu'il vit la tenue excentrique de Dumbledore. Il y eut un moment de silence.

– Comment vas-tu, Tom ? demanda Dumbledore en s'approchant de lui la main tendue.

Le garçon hésita puis lui serra la main. Dumbledore tira l'unique chaise de bois dur qui se trouvait dans la pièce et s'assit à côté de lui. Ils avaient l'air à présent d'un malade et d'un visiteur dans un hôpital.

– Je suis le professeur Dumbledore.

– Professeur ? répéta Jedusor.

Il paraissait méfiant.

– C'est un peu comme docteur, non ? Qu'est-ce que vous êtes venu faire ici ? C'est *elle* qui vous a amené pour m'examiner ?

Il montra du doigt la porte par laquelle Mrs Cole venait de sortir.

– Non, non, répondit Dumbledore avec un sourire.

– Je ne vous crois pas, répliqua Jedusor. Elle veut qu'on m'examine, c'est ça ? Dites la vérité.

Il prononça ces trois derniers mots d'un ton claironnant qui avait presque quelque chose de choquant. C'était un ordre qu'il semblait avoir souvent donné auparavant. Ses yeux s'étaient écarquillés et, de son regard noir, il fixait Dumbledore qui ne réagit pas, continuant simplement de sourire aimablement. Quelques secondes plus tard, Jedusor cessa de l'observer mais parut encore plus méfiant.

– Qui êtes-vous ?

– Je te l'ai dit. Je suis le professeur Dumbledore et je travaille dans une école qui s'appelle Poudlard. Je suis venu te proposer une place dans cette école – ta nouvelle école si tu acceptes de venir.

Jedusor eut une réaction des plus surprenantes. Il sauta de son lit et recula le plus loin possible de Dumbledore, l'air furieux.

– N'essayez pas de me raconter des histoires ! L'asile, c'est de là que vous venez, n'est-ce pas ? Professeur, oui, bien sûr – eh bien, je n'irai pas, compris ? C'est cette vieille pie qui devrait y être, à l'asile. Je n'ai jamais rien fait à la petite Amy Benson ou à Dennis Bishop, vous pouvez le leur demander, ils vous le confirmeront !

– Je ne viens pas de l'asile, dit Dumbledore avec patience. Je suis un enseignant et si tu veux bien t'asseoir calmement, je te parlerai de Poudlard. Mais bien sûr, si tu préfères ne pas y aller, personne ne t'y forcera...

– Ils n'ont qu'à essayer de m'y envoyer, ils verront bien, lança Jedusor d'un ton railleur.

– Poudlard, continua Dumbledore comme s'il n'avait pas entendu, est une école réservée à des élèves qui ont des dispositions particulières...,

– Je ne suis pas fou !

– Je sais bien que tu n'es pas fou. Poudlard n'est pas une école pour les fous. C'est une école de magie.

Il y eut un silence. Jedusor s'était figé, le visage sans expression, mais son regard se fixait alternativement sur chacun des yeux de Dumbledore, comme s'il essayait de déceler le mensonge dans l'un d'eux.

– De magie ? répéta-t-il dans un murmure.

– Exactement, dit Dumbledore.

– C'est... c'est de la magie ce que j'arrive à faire ?

– Qu'est-ce que tu arrives à faire ?

– Toutes sortes de choses, répondit Jedusor dans un souffle.

Sous le coup de l'excitation, une rougeur monta de son cou vers ses joues creuses. Il paraissait fébrile.

– J'arrive à déplacer des objets sans les toucher. Les animaux font ce que je veux sans que j'aie besoin de les dresser. Je peux attirer des ennuis aux gens qui me déplaisent. Leur faire du mal, si j'en ai envie.

Ses jambes tremblaient. Il s'avança d'un pas vacillant et

se rassit sur le lit, regardant ses mains, la tête baissée comme s'il priait.

– Je savais que j'étais différent des autres, murmura-t-il, les yeux fixés sur ses doigts frémissants. Je savais que j'étais exceptionnel. J'ai toujours su qu'il y avait quelque chose de spécial en moi.

– Eh bien, tu avais raison, dit Dumbledore qui ne souriait plus mais observait intensément Jedusor. Tu es un sorcier.

Jedusor releva la tête. Son visage était transfiguré : on y lisait un bonheur effréné qui n'ajoutait rien à sa beauté pour autant. Au contraire, ses traits finement dessinés semblaient à présent plus grossiers, son expression presque bestiale.

– Vous êtes aussi un sorcier ?

– Oui.

– Prouvez-le, exigea Jedusor, du même ton impérieux que lorsqu'il avait lancé : « Dites la vérité. »

Dumbledore haussa les sourcils.

– Si, comme je le crois, tu acceptes de prendre ta place à Poudlard...

– Bien sûr que j'accepte !

– Tu devras m'appeler « professeur », ou « monsieur ».

Le visage de Jedusor se durcit très fugitivement puis d'une voix polie qu'on ne reconnaissait pas, il répondit :

– Je suis désolé, monsieur... S'il vous plaît, professeur, pourriez-vous me montrer...

Harry était sûr que Dumbledore allait refuser, répondre à Jedusor qu'ils auraient tout le temps à Poudlard de se livrer à de telles démonstrations, que pour l'instant, ils étaient dans une maison pleine de Moldus et devaient donc se montrer prudents. Mais à sa grande surprise,

Dumbledore sortit sa baguette magique d'une poche intérieure de sa veste, la pointa vers l'armoire minable qui se trouvait dans un coin et donna une petite secousse d'un geste désinvolte.

Aussitôt, l'armoire prit feu.

Jedusor se releva d'un bond. Harry comprenait qu'il se mette à hurler d'indignation et de rage : tout ce qu'il possédait devait se trouver là. Mais au moment où il se ruait sur Dumbledore, les flammes s'évanouirent, laissant l'armoire intacte.

Jedusor regarda successivement l'armoire puis Dumbledore. Avec une expression avide, il montra alors la baguette magique.

– Où est-ce que je peux en avoir une comme ça ?

– On verra en temps utile, répondit Dumbledore. Pour l'instant, je crois que quelque chose essaye de sortir de ton armoire.

En effet, un faible grattement s'en échappait. Pour la première fois, Jedusor parut effrayé.

– Ouvre la porte, dit Dumbledore.

Jedusor hésita puis il traversa la pièce et ouvrit brusquement la porte de l'armoire. Sur la plus haute étagère, au-dessus d'une tringle à laquelle étaient suspendus des vêtements usés jusqu'à la corde, une petite boîte en carton tremblait et bruissait comme si des souris enfermées à l'intérieur essayaient frénétiquement de s'en échapper.

– Sors-la de l'armoire.

L'air décontenancé, Jedusor prit la boîte qui continua de trembloter entre ses mains.

– Y a-t-il dans cette boîte des choses qui ne devraient pas être en ta possession ? demanda Dumbledore.

Jedusor lui lança un long regard, clair et calculateur.

– Oui, c'est possible, monsieur, dit-il enfin, d'une voix neutre.

– Ouvre-la, ordonna Dumbledore.

Jedusor ôta le couvercle et vida sur son lit le contenu de la boîte sans même y jeter un coup d'œil. Harry, qui s'attendait à quelque chose de plus excitant, vit un bric-à-brac de petits objets parmi lesquels un yo-yo, un dé à coudre en argent et un harmonica terni. Dès qu'ils furent libérés de la boîte, les objets cessèrent de trembler et restèrent parfaitement immobiles sur les couvertures.

– Tu les rendras à leurs propriétaires avec tes excuses, dit Dumbledore d'une voix calme en rangeant sa baguette dans la poche de sa veste. Je saurai si tu l'as fait ou pas. Et tu dois être prévenu : le vol n'est pas toléré à Poudlard.

Jedusor ne parut pas gêné le moins du monde. Il continuait d'évaluer Dumbledore d'un regard froid. Enfin, il dit d'une voix sans timbre :

– Bien, monsieur.

– A Poudlard, poursuivit Dumbledore, on apprend non seulement à se servir de la magie mais à la contrôler. Tu as – par inadvertance, j'en suis sûr – fait usage de tes pouvoirs d'une manière qui n'est ni enseignée, ni acceptée dans notre école. Tu n'es pas le premier, et tu ne seras pas le dernier, à te laisser emporter par tes dons de sorcier. Mais tu dois savoir que Poudlard peut très bien exclure des élèves et que le ministère de la Magie – oui, il existe un ministère – punit encore plus sévèrement ceux qui violent la loi. Tous les nouveaux sorciers doivent accepter, lorsqu'ils entrent dans notre monde, de se soumettre à ces lois.

– Oui, monsieur, répéta Jedusor.

Il était impossible de deviner ce qu'il pensait. Son visage resta dénué d'expression pendant qu'il remettait dans la boîte en carton son petit butin d'objets volés. Quand il eut terminé, il se tourna vers Dumbledore et dit sans détour :

– Je n'ai pas du tout d'argent.

– On peut aisément y remédier, assura Dumbledore en sortant de sa poche une bourse de cuir. Il y a un fonds à Poudlard spécialement destiné à ceux qui ont besoin d'assistance pour se procurer des livres et des robes de sorcier. Tu devras sans doute acheter certains de tes grimoires d'occasion mais...

– Où achète-t-on des grimoires ? interrompit Jedusor qui avait pris la bourse bien garnie sans remercier Dumbledore et examinait à présent un gros Gallion d'or.

– Sur le Chemin de Traverse, répondit Dumbledore. J'ai sur moi la liste de tes livres et de tes fournitures scolaires. Je peux t'aider à trouver tout ce qu'il te faut...

– Vous allez venir avec moi ? demanda Jedusor en levant les yeux.

– Certainement, si tu...

– Je n'ai pas besoin de vous, coupa Jedusor. J'ai l'habitude de faire les choses moi-même. Je me promène tout le temps dans Londres. Comment s'y prend-on pour aller sur ce Chemin de Traverse... monsieur ? ajouta-t-il en croisant le regard de Dumbledore.

Harry pensait que Dumbledore insisterait pour l'accompagner mais cette fois encore, il fut surpris. Dumbledore lui tendit l'enveloppe qui contenait la liste et après lui avoir expliqué exactement comment se rendre au Chaudron Baveur depuis l'orphelinat, il précisa :

– Tu le verras alors que les Moldus autour de toi – les gens qui n'ont pas de pouvoirs magiques – ne remarqueront rien du tout. Tu demanderas Tom le barman – c'est facile à retenir, il a le même prénom que toi.

Jedusor eut un mouvement d'impatience comme s'il essayait de chasser une mouche qui l'énervait.

– Tu n'aimes pas ce prénom de Tom ?

– Il y a beaucoup de Tom, marmonna Jedusor.

Puis, incapable de réprimer l'envie de poser la question, comme si elle surgissait malgré lui, il demanda :

– Est-ce que mon père était un sorcier ? On m'a dit que lui aussi s'appelait Tom Jedusor.

– J'ai bien peur de ne pas le savoir, répondit Dumbledore d'une voix douce.

– Ma mère n'avait sûrement pas de pouvoirs magiques, sinon elle ne serait pas morte, dit Jedusor, plus à lui-même qu'à Dumbledore. C'était sans doute lui, le sorcier. Et une fois que j'aurai acheté mes affaires, quand est-ce que j'irai à Poudlard ?

– Tous les détails sont indiqués sur le deuxième parchemin de ton enveloppe, dit Dumbledore. Tu partiras de la gare de King's Cross le 1er septembre. Il y a aussi un billet de train.

Jedusor acquiesça d'un signe de tête. Dumbledore se leva et tendit à nouveau la main. En la serrant, Jedusor dit :

– Je sais parler aux serpents. Je m'en suis aperçu quand nous sommes allés en excursion à la campagne. Ils viennent me voir et ils me murmurent des choses. C'est normal pour un sorcier ?

Harry voyait qu'il avait attendu ce moment pour mentionner ce très étrange pouvoir, décidé à impressionner son interlocuteur.

– C'est inhabituel, répondit Dumbledore après un moment d'hésitation, mais ça s'est déjà vu.

Il avait parlé d'un ton dégagé mais ses yeux détaillaient le visage de Jedusor d'une étrange manière. L'homme et le jeune garçon restèrent un moment face à face, se regardant fixement. Puis leurs mains se séparèrent. Dumbledore s'avança vers la porte.

– Au revoir, Tom. Je te reverrai à Poudlard.

– Je pense que ça suffira, dit alors le Dumbledore aux cheveux blancs qui se tenait à côté de Harry.

Quelques secondes plus tard, ils s'élevaient à nouveau dans l'obscurité, en état d'apesanteur, avant de revenir dans le temps présent, atterrissant en plein milieu du bureau.

– Assieds-toi, dit Dumbledore.

Harry obéit, la tête encore pleine de ce qu'il venait de voir.

– Il l'a cru beaucoup plus vite que moi – quand vous lui avez annoncé qu'il était un sorcier, dit Harry. Moi, au début, je ne croyais pas Hagrid quand il me l'a révélé.

– Oui, Jedusor se montrait tout disposé à accepter l'idée qu'il était – pour employer ses propres termes – « quelqu'un d'exceptionnel », dit Dumbledore.

– Et… saviez-vous, à l'époque ? demanda Harry.

– Savais-je que je venais de rencontrer le plus dangereux mage noir de tous les temps ? Non, je n'avais pas la moindre idée de ce qu'il allait devenir. Mais il est certain qu'il m'intriguait. Je suis rentré à Poudlard avec l'intention de garder un œil sur lui, ce que j'aurais fait de toute façon, étant donné qu'il était seul et sans amis. Mais je sentais déjà que c'était nécessaire autant pour le bien des autres que pour le sien. Ses pouvoirs, tu l'as entendu, étaient étonnamment développés pour un sorcier aussi jeune. Plus intéressant et plus inquiétant encore, il avait déjà découvert qu'il était capable de les contrôler dans une certaine mesure et avait commencé à en faire usage consciemment.

Comme tu l'as vu, il ne s'agissait pas des expériences typiques que les jeunes sorciers tentent un peu au hasard : il se servait déjà de la magie contre les autres, pour les effrayer, les punir, les soumettre à sa volonté. Les petites histoires du lapin étranglé ou du garçon et de la fille attirés dans une grotte étaient très révélatrices... « Je peux leur faire du mal, si j'en ai envie... »

– Et c'était un Fourchelang, ajouta Harry.

– Oui, en effet. Une aptitude très rare qu'on associe généralement aux forces du Mal bien que, comme nous le savons, il existe aussi des Fourchelang chez les grands et nobles sorciers. En fait, ce n'est pas tant sa capacité à parler avec les serpents qui m'a mis mal à l'aise que ses tendances manifestes à la cruauté, au secret et à la domination. Le temps s'est encore joué de nous, poursuivit Dumbledore en montrant le ciel assombri qu'on voyait par les fenêtres. Mais avant que nous nous séparions, je voudrais attirer ton attention sur certains détails de la scène à laquelle nous venons d'assister car ils auront une grande importance dans les sujets que nous aborderons lors de nos futures rencontres. Tout d'abord, j'espère que tu as remarqué la réaction de Jedusor quand j'ai parlé de quelqu'un qui s'appelait également Tom ?

Harry acquiesça.

– Il montrait là son mépris pour tout ce qui pouvait le lier aux autres, tout ce qui pouvait faire de lui quelqu'un d'ordinaire. Même à cette époque, il voulait être différent, indépendant, redouté. Comme tu le sais, il a abandonné son nom quelques années après cette conversation pour se créer le masque de Lord Voldemort derrière lequel il se cache depuis si longtemps. Tu as dû aussi noter que Tom Jedusor était déjà très autonome, secret, et apparemment sans amis. Il n'a pas voulu être aidé ni accompagné pour aller sur le

Chemin de Traverse. Il préférait agir seul. Le Voldemort adulte n'a pas changé. Tu entendras de nombreux Mangemorts prétendre qu'ils ont sa confiance, qu'ils sont les seuls à être proches de lui, les seuls même à le comprendre. Ils se font des illusions. Lord Voldemort n'a jamais eu d'amis et je ne crois pas qu'il ait jamais voulu en avoir. Enfin – j'espère que tu n'es pas trop fatigué pour prêter attention à ceci, Harry : le jeune Tom Jedusor aimait collectionner les trophées. Tu as vu la boîte remplie d'objets volés qu'il avait cachée dans sa chambre. Il les avait pris aux victimes de ses brutalités, comme des souvenirs, pourrait-on dire, de ses pratiques magiques singulièrement déplaisantes. N'oublie jamais cette tendance à jouer les pies voleuses, car ce point-là, en particulier, se révélera essentiel par la suite. Maintenant, je crois qu'il est vraiment temps d'aller se coucher.

Harry se leva. Lorsqu'il traversa la pièce, son regard se posa sur la petite table où se trouvait la bague de Gaunt la dernière fois, mais elle n'était plus là.

– Oui ? dit Dumbledore en voyant Harry s'arrêter.

– La bague a disparu, remarqua Harry qui la cherchait des yeux, mais je pensais que vous auriez peut-être l'harmonica ou autre chose.

Dumbledore lui lança un regard rayonnant par-dessus ses lunettes en demi-lune.

– Très perspicace, Harry, mais l'harmonica n'était rien d'autre qu'un simple harmonica.

Et sur cette réflexion énigmatique, il adressa à Harry un signe d'au revoir qui signifiait que le moment était venu de prendre congé.

14
FELIX FELICIS

Le lendemain matin à la première heure, Harry avait un cours de botanique. Pendant le petit déjeuner, il n'avait pas pu raconter à Ron et à Hermione sa séance de la veille avec Dumbledore par peur d'être entendu mais il les mit au courant au moment où ils traversaient le potager pour se rendre dans les serres. Le vent violent qui avait soufflé tout le week-end avait enfin cessé mais l'étrange brume était revenue et il leur fallut plus de temps qu'à l'ordinaire pour trouver la serre où le cours avait lieu.

– Wouao, il fait peur, le petit Tu-Sais-Qui, dit Ron à voix basse.

Ils prirent place autour de l'une des souches de Snargalouf aux branches noueuses qui constituaient leur sujet d'étude du trimestre et enfilèrent leurs gants de protection.

– Mais je ne comprends toujours pas pourquoi Dumbledore te montre tout ça. D'accord, c'est intéressant mais à quoi ça sert ?

– Je n'en sais rien, répondit Harry en glissant dans sa bouche un protège-dents, mais il dit que c'est important et que ça va m'aider à survivre.

– Moi, je trouve que c'est fascinant, assura Hermione d'un air très sérieux. Il est parfaitement logique d'essayer d'en savoir le plus possible sur Voldemort. Sinon, comment découvrir ses faiblesses ?

– Au fait, comment s'est passée la dernière soirée de Slughorn ? lui demanda Harry, l'articulation pâteuse à cause du protège-dents.

– Oh, on s'est bien amusés, répondit Hermione qui mettait à présent ses lunettes protectrices. Bien sûr, il radote un peu sur ses anciens élèves devenus célèbres et il se *prosterne* littéralement devant McLaggen à cause des gens importants qu'il a dans sa famille mais on mange très bien chez lui et il nous a présentés à Gwenog Jones.

– Gwenog Jones ? s'exclama Ron, en ouvrant des yeux ronds sous ses propres lunettes. *La* Gwenog Jones ? La capitaine des Harpies de Holyhead ?

– C'est ça, dit Hermione. Personnellement, je l'ai trouvée un peu imbue d'elle-même mais…

– Ça suffit les bavardages, là-bas ! lança vivement le professeur Chourave en se précipitant vers eux, la mine sévère. Vous êtes à la traîne, tous les autres ont commencé et Neville a déjà trouvé sa première gousse !

Ils se retournèrent et virent en effet Neville, la lèvre ensanglantée, un côté du visage sillonné de terribles estafilades, serrant entre ses mains une boule verte de la taille d'un pamplemousse qui palpitait désagréablement.

– D'accord, professeur, nous commençons tout de suite ! dit Ron qui ajouta à voix basse, dès qu'elle se fut éloignée : Tu aurais dû te servir de l'Assurdiato, Harry.

– Non, il n'aurait pas dû ! protesta Hermione, très en colère, comme chaque fois qu'on parlait du Prince de

Sang-Mêlé et de ses sortilèges. Bon, allons-y... Il est temps de s'y mettre...

Elle jeta aux deux autres un regard d'appréhension. Tous trois prirent une profonde inspiration puis fondirent sur la souche noueuse posée entre eux.

Celle-ci s'anima soudain. De longues tiges épineuses, semblables à des ronces, surgirent en claquant comme des fouets. L'une d'elles s'emmêla dans les cheveux d'Hermione et Ron la repoussa à l'aide d'un sécateur. Harry parvint à attraper deux autres tiges qu'il attacha ensemble. Une cavité s'ouvrit au milieu des tentacules et Hermione plongea courageusement le bras dans le trou qui se referma comme un piège autour de son coude. Harry et Ron écartèrent les tiges et tirèrent dessus avec vigueur, forçant le trou à se rouvrir. Hermione put ainsi libérer son bras d'un coup sec, les doigts crispés autour d'une gousse identique à celle de Neville. Aussitôt, les tentacules hérissés d'épines se rétractèrent et disparurent à l'intérieur de la souche qui reprit l'aspect d'un innocent morceau de bois.

– Je crois que quand j'aurai ma propre maison, on ne verra pas ce genre de plante dans mon jardin, dit Ron qui avait remonté ses lunettes sur son front et épongeait la sueur de son visage.

– Passe-moi un bol, dit Hermione en tenant à bout de bras la gousse palpitante.

Harry lui en tendit un dans lequel elle la laissa tomber d'un air dégoûté.

– Allons, ne faites pas vos délicats, ouvrez-les, elles sont meilleures quand elles sont bien fraîches ! s'exclama le professeur Chourave.

– De toute façon, dit Hermione, en poursuivant leur conversation comme si elle n'avait pas été interrompue par l'attaque du morceau de bois, Slughorn va organiser une fête à Noël et cette fois, plus question de te défiler, Harry, parce qu'il m'a demandé de vérifier quelles étaient tes soirées libres pour choisir une date où tu pourras venir.

Harry poussa un gémissement. Ron, qui s'était levé et essayait d'ouvrir la gousse en appuyant dessus à deux mains contre le fond du bol, lança d'un ton furieux :

– Ce sera encore une soirée pour les chouchous de Slughorn, bien sûr ?

– Oui, il n'y aura que les membres du club de Slug, répondit Hermione.

La gousse glissa brusquement sous les doigts de Ron, fut projetée contre la paroi de verre de la serre, rebondit et atterrit sur la tête du professeur Chourave dont elle fit tomber le vieux chapeau rapiécé. Harry alla la récupérer. Lorsqu'il la rapporta, il entendit Hermione dire :

– Écoute, ce n'est pas moi qui ai inventé le club de Slug...

– Le club de Slug, répéta Ron avec un ricanement méprisant digne de Malefoy. Slug... C'est pitoyable... On dirait un nom de limace... Enfin, j'espère que tu t'amuseras bien. Essaye de séduire McLaggen, comme ça, Slughorn pourra vous couronner roi et reine des limaces...

– On a le droit d'amener des invités, dit Hermione dont le teint, pour on ne savait quelle raison, avait pris une couleur rouge vif. Et je voulais justement te demander de venir avec moi mais si tu penses que c'est vraiment trop stupide, je ne me donnerai pas cette peine !

Harry regretta soudain que la gousse n'ait pas été projetée un peu plus loin : il n'aurait pas été obligé de revenir tout de suite s'asseoir à côté d'eux. Sans que ni Ron ni Hermione le remarquent, il prit le bol et tenta d'ouvrir la gousse par les moyens les plus bruyants et les plus énergiques qu'il puisse imaginer. Malheureusement, il entendait quand même chaque mot de leur conversation.

– Tu voulais m'inviter ? demanda Ron d'un ton qui avait complètement changé.

– Oui, répondit Hermione, furieuse. Mais si tu préfères que j'essaye de *séduire McLaggen*...

Il y eut un silence pendant lequel Harry continua de frapper vigoureusement la gousse élastique avec un déplantoir.

– Non, j'aimerais mieux pas, murmura Ron à voix très basse.

Harry manqua son coup et abattit le déplantoir sur le bol qui se fracassa.

– *Reparo*, dit-il aussitôt en tapotant les morceaux avec sa baguette magique et le bol se reconstitua.

Le bruit, cependant, avait rappelé sa présence à Ron et à Hermione. Celle-ci, très énervée, se mit à feuilleter fébrilement son exemplaire des *Arbres carnivores du monde* pour trouver de quelle façon il convenait d'extraire le jus de gousse de Snargalouf. Ron, de son côté, semblait penaud mais également assez content de lui.

– Donne-moi ça, Harry, dit soudain Hermione. Il paraît qu'il faut les percer avec quelque chose de pointu...

Harry lui passa la gousse dans son bol puis Ron et lui remirent leurs lunettes devant leurs yeux et plongèrent à nouveau sur la souche.

Ce n'était pas vraiment une surprise, estima Harry, alors qu'il se battait contre une tige hérissée d'épines qui essayait de l'étrangler. Cela pouvait arriver un jour ou l'autre, il y avait déjà songé. Mais il ne savait pas très bien quoi en penser... Cho et lui n'osaient plus échanger un regard, encore moins s'adresser la parole. Que se passerait-il si Ron et

Hermione commençaient à sortir ensemble puis se disputaient ? Leur amitié survivrait-elle à la rupture ? Harry se rappelait les quelques semaines pendant lesquelles ils ne s'étaient plus parlé, en troisième année. Il n'avait guère apprécié de devoir jouer les médiateurs pour essayer de rétablir le lien entre eux. Et s'ils ne se disputaient pas ? S'ils devenaient comme Bill et Fleur et qu'il se trouve désormais terriblement gêné en leur présence, au point de se sentir exclu pour de bon ?

– Je l'ai eue ! s'exclama Ron en arrachant une deuxième gousse de la souche au moment même où Hermione parvenait à ouvrir la première, remplissant le bol de tubercules qui se tortillaient comme des asticots verdâtres.

Jusqu'à la fin du cours, il ne fut plus question de la soirée de Slughorn. Dans les jours qui suivirent, Harry les observa plus attentivement mais le comportement de Ron et d'Hermione n'avait pas changé si ce n'est qu'ils se montraient un peu plus courtois qu'à l'ordinaire l'un envers l'autre. Harry pensa qu'il fallait attendre de voir ce qui se passerait le soir de la fête, sous l'influence de la Bièraubeurre, dans le salon aux lumières tamisées de Slughorn. Mais pour l'instant, il avait des préoccupations plus urgentes.

Katie Bell se trouvait toujours à l'hôpital Ste Mangouste sans qu'on sache quand elle en sortirait, ce qui signifiait que la très prometteuse équipe de Gryffondor, entraînée par Harry avec tant d'application depuis le mois de septembre, se retrouvait avec une poursuiveuse en moins. Il remettait sans cesse à plus tard la question du remplacement de Katie dans l'espoir qu'elle reviendrait mais leur match d'ouverture contre Serpentard approchait et il dut finalement admettre l'idée qu'elle ne serait pas de retour à temps.

Harry ne pensait pas pouvoir supporter une nouvelle séance d'essais ouverte à tous les élèves de Gryffondor. Avec un serrement de cœur qui ne devait pas grand-chose au Quidditch, il prit donc Dean Thomas à part, à la fin d'un cours de métamorphose. La plupart des élèves étaient déjà partis, mais des oiseaux jaunes continuaient de voler en gazouillant à travers la salle, tous créés par Hermione. Personne d'autre n'avait réussi à faire surgir ne serait-ce qu'une plume.

– Ça t'intéresse toujours de jouer au poste de poursuiveur ?

– Que... quoi ? Ouais, bien sûr ! s'exclama Dean, surexcité.

Par-dessus l'épaule de Dean, Harry vit Seamus Finnigan fourrer ses livres dans son sac d'un air amer. Harry savait très bien que Seamus n'aimerait pas qu'il demande à Dean de remplacer Katie et c'était une des raisons pour lesquelles il aurait préféré s'en abstenir. Mais d'un autre côté, il devait agir dans l'intérêt de l'équipe et Dean avait été meilleur que Seamus aux essais.

– Alors, c'est d'accord, je te prends, dit Harry. On a un entraînement ce soir à sept heures.

– Très bien, répondit Dean. Merci, Harry ! J'ai hâte de raconter ça à Ginny !

Il se rua hors de la pièce, laissant Harry seul avec Seamus, une situation quelque peu inconfortable qui ne s'arrangea guère lorsqu'une fiente d'oiseau tomba sur la tête de Seamus alors que l'un des canaris d'Hermione voletait au-dessus d'eux.

Seamus ne fut pas le seul à être mécontent du choix de Harry. On murmurait beaucoup dans la salle commune sur le fait qu'il avait sélectionné dans l'équipe deux de ses camarades de classe. Comme Harry avait été l'objet de rumeurs bien pires au cours de sa carrière scolaire, il ne s'inquiéta pas outre mesure mais il sentait malgré tout la pression monter : il fallait obtenir une victoire dans le match contre Serpentard. Si Gryffondor gagnait, Harry le savait, tous les élèves de sa maison oublieraient qu'ils l'avaient critiqué et jureraient qu'ils avaient toujours considéré leur équipe comme la meilleure qui soit. Mais s'ils perdaient... Bah, songea Harry avec une pointe d'ironie, il avait connu pire en matière de murmures...

Harry n'eut pas lieu de regretter son choix lorsqu'il vit Dean voler ce soir-là. Il fit un excellent travail avec Ginny et Demelza ; quant à Peakes et Coote, les batteurs, ils s'amélioraient sans cesse. Le seul problème, c'était Ron.

Harry savait depuis toujours que Ron était un joueur imprévisible qui souffrait du trac et d'un manque de confiance en lui. Malheureusement, l'approche du premier match de la saison semblait avoir ramené à la surface toutes ses vieilles appréhensions. Après avoir laissé entrer une demi-douzaine de buts, la plupart tirés par Ginny, son jeu devint de plus en plus incohérent jusqu'à ce qu'il finisse par donner un coup de poing sur la bouche de Demelza qui arrivait devant lui.

– C'était un accident, je suis désolé, Demelza, vraiment désolé ! lui cria Ron après qu'elle fut redescendue sur le sol en zigzag, son sang coulant un peu partout. J'ai simplement...

– Paniqué, dit Ginny avec colère.

Elle atterrit à côté de Demelza et examina sa lèvre enflée.

– Ron, espèce de crétin, regarde dans quel état elle est !

– Je peux arranger ça, affirma Harry en se posant à son tour auprès d'elles.

Il pointa sa baguette sur Demelza et prononça la formule :

– *Episkey.* Et toi, Ginny, ajouta-t-il, n'insulte pas Ron, tu n'es pas capitaine de l'équipe…

– Tu étais trop occupé pour le traiter toi-même de crétin, j'ai donc pensé que quelqu'un devrait le faire à ta place…

Harry s'efforça de ne pas éclater de rire.

– Allons-y, on reprend, tout le monde en vol…

Dans l'ensemble, ce fut l'une des pires séances d'entraînement qu'ils aient connues depuis le début du trimestre mais Harry pensa que la franchise n'était pas la meilleure politique à adopter si peu de temps avant leur premier match.

– Vous avez tous fait du très bon travail, assura-t-il d'un ton énergique, je crois qu'on va écraser les Serpentard.

Poursuiveurs et batteurs semblaient passablement satisfaits en quittant les vestiaires.

– J'ai joué comme de la bouse de dragon, dit Ron d'une voix éteinte lorsque la porte se fut refermée derrière Ginny.

– Mais non, répliqua Harry avec fermeté. Tu as été le meilleur gardien aux essais, Ron. Le seul problème, c'est tes nerfs.

Tout au long du chemin qui les ramenait au château, il déversa un flot continu d'encouragements et lorsqu'ils eurent atteint le deuxième étage, Ron paraissait légèrement plus joyeux. Mais au moment où Harry écartait la tapisserie qui masquait leur habituel raccourci vers la tour de Gryffondor, ils virent Dean et Ginny, étroitement enlacés, qui s'embrassaient furieusement comme s'ils avaient été collés l'un à l'autre.

Harry eut alors l'impression qu'une grosse créature couverte d'écailles prenait vie dans son ventre, lui griffait les entrailles. Il lui semblait qu'un sang brûlant inondait son cerveau, annihilant toute pensée, ne laissant plus qu'un désir sauvage de transformer Dean en un tas de gelée. Aux prises avec cette soudaine folie, il entendit la voix de Ron comme si elle lui parvenait de très loin :

– Hé là !

Dean et Ginny se séparèrent et se tournèrent vers eux.

– Qu'est-ce qu'il y a ? dit Ginny.

– Je ne veux pas voir ma propre sœur bécoter les gens en public !

– Ce couloir était désert avant ton arrivée ! protesta Ginny.

Dean paraissait mal à l'aise. Il adressa à Harry un sourire fuyant que Harry ne lui rendit pas : s'il avait écouté le monstre qui venait de naître en lui, il aurait immédiatement renvoyé Dean de l'équipe de Quidditch.

– Heu... Viens, Ginny, murmura Dean, on n'a qu'à retourner dans la salle commune...

– Vas-y tout seul ! lança Ginny. Moi, j'ai deux mots à dire à mon cher frère !

Dean s'éloigna, n'éprouvant apparemment aucun regret de quitter les lieux.

– Bon, alors, reprit Ginny qui rejeta en arrière ses longs cheveux roux en fixant Ron d'un regard noir, on va mettre les choses au point une bonne fois pour toutes. Je sors avec qui je veux, et je fais ce que je veux, ça ne te regarde pas, Ron...

– Si, ça me regarde ! répliqua Ron, tout aussi furieux. Tu

crois vraiment que j'ai envie d'entendre dire que ma sœur est une…

– Une quoi ? s'écria Ginny en sortant sa baguette. Une *quoi*, exactement ?

– Il ne pense pas ce qu'il dit…, déclara machinalement Harry, bien qu'il entendît en lui les rugissements du monstre qui approuvait les paroles de Ron.

– Oh si, il le pense ! s'exclama Ginny en s'emportant cette fois contre Harry. Il le pense tout simplement parce que *lui* n'a jamais bécoté personne dans sa vie et que le plus beau baiser qu'il ait jamais reçu, c'était celui de notre tante Muriel…

– Ferme-la ! beugla Ron dont le teint prit une couleur bordeaux sans même passer par le rouge.

– Non, je ne la fermerai pas ! hurla Ginny, folle de rage. Je t'ai vu avec Fleurk, tu espérais toujours qu'elle te donnerait un baiser sur la joue chaque fois que tu la voyais, c'était pitoyable ! Si tu sortais de temps en temps et que toi aussi tu aies quelqu'un à embrasser, ça te gênerait moins de voir que tous les autres le font !

Ron avait à son tour sorti sa baguette. Harry se précipita entre eux.

– Tu ne sais pas de quoi tu parles ! gronda Ron.

Il essayait de viser Ginny en contournant Harry qui s'était placé devant elle, bras écartés.

– Moi, je ne fais pas ça en public, voilà tout !

Ginny hurla d'un rire moqueur, s'efforçant d'écarter Harry de son chemin.

– Tu as embrassé Coquecigrue, c'est ça ? Ou peut-être que tu as une photo de la tante Muriel cachée sous ton oreiller ?

– Tu…

Une traînée de lumière orange jaillit en passant sous le bras de Harry et manqua Ginny de quelques centimètres. Harry poussa Ron contre le mur.

– Ne sois pas idiot…

– Harry a embrassé Cho Chang ! s'écria Ginny qui semblait à présent au bord des larmes. Et Hermione a embrassé Viktor Krum. Il n'y a que toi qui aies l'air de trouver ça dégoûtant, Ron, et c'est parce que tu as à peu près autant d'expérience qu'un garçon de douze ans !

Puis elle les planta là en filant comme un ouragan. Harry lâcha Ron qui avait une expression meurtrière. Ils restèrent tous deux côte à côte, la respiration haletante jusqu'à ce que Miss Teigne, le chat de Rusard, apparaisse à l'angle du couloir, relâchant la tension.

– Viens, dit Harry, tandis qu'approchait le pas traînant de Rusard.

Ils montèrent les escaliers quatre à quatre et se hâtèrent le long d'un couloir du septième étage.

– Ote-toi de mon chemin, toi ! aboya Ron à l'adresse d'une petite fille qui sursauta de frayeur et laissa tomber un flacon d'œufs de crapaud.

Harry entendit à peine le bruit de verre brisé. Il se sentait désorienté, étourdi. On devait éprouver une impression semblable quand on était frappé par la foudre. « C'est simplement parce qu'elle est la sœur de Ron, se dit-il. Ça ne t'a pas plu de la voir embrasser Dean parce qu'elle est la sœur de Ron… »

Une image, pourtant, s'imposa dans son esprit : dans ce même couloir désert, c'était lui, tout à coup, qui embrassait Ginny… Le monstre apaisé ronronnait à présent dans sa poitrine… Mais il vit aussi l'image de Ron qui écartait la tapisserie en l'arrachant à moitié et menaçait Harry de sa baguette, hurlant quelque chose comme « trahir ma confiance... », « toi qui te disais mon ami... ».

– Tu crois vraiment qu'Hermione a embrassé Krum ? demanda soudain Ron alors qu'ils s'approchaient de la grosse dame.

Harry sursauta. Avec un sentiment coupable, il chassa de son imagination la vision d'un couloir dans lequel Ron, cette fois, ne se montrait pas et où il pouvait rester entièrement seul avec Ginny...

– Quoi ? dit-il, un peu perdu. Oh... heu...

La réponse franche était oui mais il ne voulut pas la donner. Ron, cependant, sembla tirer les pires conclusions en voyant l'expression de Harry.

– Potage royal, dit-il d'un air sombre à la grosse dame.

Et ils se glissèrent par le trou du portrait pour entrer dans la salle commune.

Ni l'un ni l'autre ne parlèrent plus de Ginny. En fait, ils échangèrent à peine quelques mots ce soir-là et allèrent se coucher en silence, chacun absorbé par ses propres pensées.

Harry resta longtemps étendu, les yeux ouverts, contemplant le dais de son lit à baldaquin et s'efforçant de se convaincre que ses sentiments pour Ginny n'étaient autres que ceux d'un grand frère. D'ailleurs, n'avaient-ils pas vécu comme frère et sœur tout au long de l'été, jouant au Quidditch, taquinant Ron et riant de Bill et de Fleurk ? Il y avait maintenant des années qu'il connaissait Ginny... Il était naturel qu'il ait tendance à la protéger... naturel qu'il se soucie de veiller sur elle... qu'il veuille couper Dean en morceaux pour l'avoir embrassée... non... il faudrait qu'il exerce un plus grand contrôle sur cet aspect de ses sentiments fraternels...

Ron émit un ronflement qui ressemblait à un grognement.

« Elle est la sœur de Ron, songea Harry avec fermeté. La sœur de Ron. Elle est intouchable. » Pour rien au monde il ne mettrait en péril son amitié avec Ron. Il retapa son oreiller à coups de poing et attendit le sommeil, essayant de son mieux d'empêcher ses pensées de s'égarer du côté de Ginny.

Le lendemain matin, Harry se réveilla un peu étourdi et désorienté par une série de rêves dans lesquels Ron l'avait poursuivi avec une batte de Quidditch. A midi, pourtant, il aurait été heureux de retrouver le Ron de ses rêves plutôt que le vrai qui, non seulement faisait la tête à Ginny et à Dean, mais traitait avec une indifférence glacée, méprisante, une Hermione déconcertée et visiblement blessée par son attitude. D'une manière générale, Ron semblait devenu au cours de la nuit aussi ombrageux et prompt à l'attaque que le Scroutt à pétard moyen. Harry passa la journée à essayer de maintenir la paix entre Ron et Hermione, mais sans succès : finalement, Hermione monta se coucher d'un air offusqué et Ron se dirigea avec raideur vers le dortoir des garçons après avoir lancé des jurons furieux à quelques élèves de première année apeurés qui l'avaient regardé d'un peu trop près.

A la grande consternation de Harry, la nouvelle agressivité de Ron ne faiblit pas dans les jours qui suivirent. Pire encore, elle coïncida avec un déclin encore plus notable de son aptitude à garder les buts, si bien qu'au cours du dernier entraînement avant le match du samedi, il ne parvint pas à bloquer le moindre tir des poursuiveurs. En revanche il hurla tellement contre tout le monde que Demelza Robins finit par fondre en larmes.

– Ferme-la et laisse-la tranquille ! s'écria Peakes qui faisait à peu près les deux tiers de la taille de Ron mais avait l'avantage de tenir à la main une lourde batte.

– Ça SUFFIT ! vociféra Harry.

Il avait vu Ginny regarder Ron d'un œil noir et, se souvenant de son habileté à jeter le maléfice de Chauve-Furie, il s'élança sur son balai pour intervenir avant que la situation échappe à tout contrôle.

– Peakes, va ranger les Cognards. Demelza, reprends tes esprits, tu as très bien joué, aujourd'hui. Ron…

Il attendit que le reste de l'équipe soit suffisamment loin pour lui dire :

– Tu es mon meilleur ami mais si tu continues à traiter les autres comme ça, je te vire de l'équipe.

Pendant un instant, il crut que Ron allait le frapper mais ce qui se passa ensuite fut encore pire : il perdit soudain toute combativité et s'affaissa sur son balai.

– Je démissionne, répondit-il. Je suis lamentable.

– Tu n'es pas lamentable et tu ne démissionneras pas ! répliqua Harry d'un ton féroce en attrapant Ron par le devant de sa robe. Tu peux arrêter n'importe quel tir quand tu es en forme, tu as simplement un problème mental !

– Tu me traites de malade mental ?

– Oui, peut-être bien !

Ils se regardèrent d'un œil noir puis Ron hocha la tête avec lassitude.

– Je sais que tu n'as pas le temps de trouver un autre gardien, donc je jouerai demain mais si on perd, et c'est ce qui va arriver, je me retire de l'équipe.

Rien de ce que disait Harry ne put changer quoi que ce soit. Tout au long du dîner, il essaya de lui redonner confiance mais Ron était trop occupé à se montrer grincheux et acariâtre avec Hermione pour lui prêter attention. Le soir, dans la salle commune, Harry insista mais son affirmation selon laquelle toute l'équipe serait consternée si Ron démissionnait fut quelque peu contredite par le fait que les autres joueurs s'étaient rassemblés dans le coin opposé et maugréaient contre Ron en lui jetant des regards mauvais. Finalement, Harry essaya de le mettre à nouveau en colère dans l'espoir de provoquer chez lui une attitude de défi qui l'inciterait peut-être à mieux garder ses buts, mais cette stratégie ne sembla pas donner de meilleurs résultats que les encouragements. Ron alla se coucher aussi abattu et désespéré qu'auparavant.

Harry, les yeux ouverts, resta un long moment étendu dans le noir. Il ne voulait pas perdre le match. Non seulement c'était son premier comme capitaine de l'équipe mais en plus, il était bien décidé à battre Drago Malefoy au Quidditch, en attendant de pouvoir apporter la preuve qu'il avait raison de le soupçonner. Cependant, si Ron jouait comme lors de leurs derniers entraînements, leurs chances de victoire étaient très minces...

Si seulement il avait pu trouver un moyen d'amener Ron à se ressaisir... à jouer au mieux de sa forme... quelque chose qui lui assure une journée vraiment faste...

La réponse lui vint dans une soudaine et brillante inspiration.

Le lendemain matin, le petit déjeuner se déroula dans l'habituelle excitation des jours de match. Les Serpentard sifflèrent et conspuèrent à grand bruit l'équipe de Gryffondor à son entrée dans la Grande Salle. Harry jeta un regard au plafond et vit un ciel clair d'un bleu pâle : un bon présage.

Lorsqu'ils approchèrent de la table de Gryffondor, une

masse compacte de rouge et d'or, tout le monde acclama Harry et Ron. Harry sourit et répondit d'un geste de la main. Ron eut une vague grimace et hocha la tête.

– Courage, Ron ! cria Lavande. Je suis sûre que tu seras fabuleux !

Ron ne lui accorda pas un regard.

– Du thé ? lui proposa Harry. Du café ? Du jus de citrouille ?

– Peu importe, répondit Ron, la mine lugubre, en mordant dans un toast avec mauvaise humeur.

Quelques minutes plus tard, Hermione, tellement lassée de la conduite désagréable de Ron qu'elle n'était même pas descendue en même temps qu'eux dans la Grande Salle, s'arrêta à leur hauteur.

– Comment vous vous sentez, tous les deux ? demanda-t-elle timidement, en fixant la nuque de Ron.

– Très bien, assura Harry, occupé à tendre à Ron un verre de jus de citrouille. Tiens, Ron, bois.

Celui-ci venait de porter le verre à ses lèvres lorsque Hermione lança brusquement :

– Ne bois pas ça !

Harry et Ron levèrent les yeux vers elle.

– Et pourquoi pas ? s'étonna Ron.

Hermione regardait à présent Harry comme si elle n'en croyait pas ses yeux.

– Tu viens de mettre quelque chose dans ce verre.

– Pardon ? dit Harry.

– Tu as très bien entendu. Je t'ai vu. Tu as versé un liquide dans le verre de Ron. Tu as encore la bouteille dans ta main droite !

– Je ne sais pas de quoi tu parles, répliqua Harry, glissant en hâte le flacon dans sa poche.

– Ron, je te préviens, ne bois pas ça ! répéta Hermione, alarmée, mais Ron prit son verre et le vida d'un trait.

– Arrête de me donner des ordres, Hermione, dit-il.

Elle parut scandalisée. Se penchant vers Harry pour que personne d'autre ne l'entende, elle chuchota à son oreille :

– Tu pourrais être renvoyé pour ça. Je ne t'aurais jamais cru capable d'une chose pareille, Harry !

– Écoutez-moi l'experte ! répondit-il dans un murmure. Tu n'as pas jeté d'autres sortilèges de Confusion ces temps derniers ?

D'un pas furieux, elle s'éloigna le long de la table. Harry la regarda partir sans regret. Hermione n'avait jamais compris à quel point le Quidditch était une affaire sérieuse. Puis il se tourna vers Ron qui se léchait les lèvres.

– C'est presque l'heure, annonça Harry d'un ton léger.

L'herbe couverte de givre craquait sous leurs pas tandis qu'ils se rendaient au stade.

– Une chance qu'il fasse beau, hein ? dit Harry.

– Ouais, répondit Ron, le teint pâle et maladif.

Ginny et Demelza, déjà vêtues de leurs robes de Quidditch, attendaient dans les vestiaires.

– Les conditions météo paraissent idéales, remarqua Ginny sans prêter attention à Ron. Et tu sais quoi ? Vaisey, le poursuiveur de Serpentard, il a pris un Cognard en pleine tête pendant l'entraînement d'hier et il a encore trop mal pour pouvoir jouer ! Mieux encore : Malefoy est malade lui aussi, il a déclaré forfait !

– Quoi ? s'exclama Harry en faisant volte-face pour la regarder dans les yeux. Malade ? Qu'est-ce qu'il a ?

– Aucune idée mais c'est excellent pour nous, dit Ginny d'un ton réjoui. Ils ont mis Harper à sa place. Il est en même année que moi et c'est un imbécile.

Harry eut un vague sourire mais en revêtant sa robe écarlate, il pensait à bien autre chose qu'au Quidditch. Malefoy avait déjà prétendu un jour qu'il ne pouvait pas jouer à cause d'une blessure mais il s'était alors arrangé pour que le match soit reporté à une date qui convenait mieux aux Serpentard. Pourquoi aujourd'hui se contentait-il de laisser jouer un remplaçant ? Était-il vraiment malade ou faisait-il semblant ?

– Plutôt louche, non ? murmura-t-il en s'adressant à Ron. Que Malefoy ne joue pas ?

– J'appellerais plutôt ça de la chance, répondit Ron, qui paraissait un peu plus animé. Et Vaisey aussi est forfait, c'est leur meilleur marqueur, je n'avais pas très envie de... Hé ! s'écria-t-il soudain.

Il était en train d'enfiler ses gants de gardien et interrompit son geste en regardant Harry.

– Quoi ?

– Je... Tu...

Ron avait baissé la voix. Il semblait à la fois effrayé et surexcité.

– Mon verre... Mon jus de citrouille... tu n'as pas...

Harry haussa les sourcils et répondit simplement :

– On commence dans cinq minutes, tu ferais bien de mettre tes bottes.

Ils sortirent sur le terrain dans un tumulte d'acclamations et de huées. A l'une des extrémités du stade, les gradins étaient entièrement rouge et or ; de l'autre côté, c'était une mer vert et argent. Nombre d'élèves de Poufsouffle et de Serdaigle avaient également choisi leur camp. Parmi tous les cris et les applaudissements, Harry entendit distinctement le rugissement du lion qui ornait le célèbre chapeau de Luna Lovegood.

Il s'approcha de Madame Bibine, l'arbitre, qui se tenait prête à libérer les balles de leur boîte.

– Les capitaines, serrez-vous la main, dit-elle, et Harry se fit écraser la sienne par Urquhart, le nouveau capitaine des Serpentard. Enfourchez vos balais. A mon coup de sifflet... trois... deux... un...

Le sifflet retentit. Harry et les autres joueurs décollèrent en flèche du sol gelé et s'élevèrent dans les airs.

Harry vola tout autour du terrain, à la recherche du Vif d'or, un œil sur Harper qui zigzaguait loin au-dessous de lui. Puis une voix radicalement différente de celle du commentateur habituel résonna dans le stade :

– Voilà, c'est parti, et je crois que nous sommes tous très surpris de voir l'équipe que Potter a constituée cette année. Étant donné les performances très inégales de Ronald Weasley à son poste de gardien l'année dernière, beaucoup pensaient qu'il ne ferait peut-être plus partie de l'équipe mais bien sûr, des liens d'amitié très étroits avec le capitaine peuvent arranger bien des choses...

Cette remarque fut accueillie par des huées et des applaudissements du côté des Serpentard. Harry tendit le cou pour voir qui se trouvait sur l'estrade du commentateur. Un garçon blond, grand et efflanqué, avec un nez en trompette, parlait dans le mégaphone magique qui avait été en d'autres temps celui de Lee Jordan. Harry le reconnut : c'était Zacharias Smith, un joueur de Poufsouffle qu'il détestait cordialement.

– Ah, et voici la première attaque de Serpentard, c'est Urquhart qui fonce vers les buts et...

Harry sentit son estomac se retourner.

– Weasley bloque le tir. Il a parfois de la chance, j'imagine...

– Exactement, Smith, marmonna Harry en se souriant à lui-même tandis qu'il plongeait parmi les poursuiveurs, l'œil aux aguets, cherchant une trace de l'insaisissable Vif d'or.

Après une demi-heure de jeu, Gryffondor menait par soixante points à zéro. Ron avait réalisé quelques arrêts spectaculaires, bloquant parfois le tir d'extrême justesse, du bout de ses gants, et Ginny avait marqué quatre des six buts de Gryffondor. Zacharias dut cesser de se demander à haute voix si les deux Weasley n'étaient là qu'en raison de leurs liens d'amitié avec Harry et il s'en prit plutôt à Peakes et à Coote :

– Bien sûr, Coote n'a pas vraiment la carrure qu'on attend d'un batteur, dit Zacharias d'un ton hautain, généralement, ils ont un peu plus de muscles...

– Envoie-lui un Cognard ! cria Harry à Coote, en passant près de lui, mais Coote, avec un grand sourire, décida plutôt de viser Harper qui croisait Harry en sens inverse. Celui-ci fut ravi d'entendre le bruit sourd indiquant que le Cognard avait atteint sa cible.

Les Gryffondor ne rataient jamais leur coup. Ils marquaient, marquaient inlassablement, et à l'autre bout du terrain, tout aussi inlassable, Ron arrêtait les tirs avec une apparente facilité. Il souriait à présent et quand la foule, après un blocage particulièrement remarquable, l'acclama en chantant le bon vieux refrain *Weasley est notre roi*, il fit des gestes de chef d'orchestre, comme s'il dirigeait le chœur de là-haut.

– Il se prend pour quelqu'un, aujourd'hui, hein ? dit une voix sarcastique et Harry fut presque jeté à bas de son balai lorsque Harper le heurta violemment, délibérément. Ton copain traître à son sang...

Madame Bibine leur tournait le dos et, malgré les cris de colère des Gryffondor, elle regarda trop tard, Harper avait déjà filé. L'épaule douloureuse, Harry s'élança à sa poursuite pour l'éperonner à son tour...

– Je crois que Harper, de Serpentard, a repéré le Vif d'or, annonça Zacharias Smith dans son mégaphone. Oui, il a sûrement vu quelque chose qui a échappé à Potter !

Smith était vraiment un imbécile, pensa Harry. N'avait-il pas remarqué la collision ? Mais un instant plus tard, il eut l'impression qu'une pierre lui tombait dans l'estomac. Smith avait raison et Harry s'était trompé : Harper ne lui avait pas foncé dessus par hasard. Il avait bel et bien vu ce qui avait échappé à Harry : le Vif d'or filait loin au-dessus d'eux, étincelant dans le ciel bleu et clair.

Harry accéléra. Le vent lui sifflait aux oreilles, étouffant les commentaires de Smith et les cris de la foule, mais Harper était toujours devant lui et Gryffondor ne menait que de cent points. Si Harper se montrait plus rapide, Gryffondor perdait le match... A présent, Harper n'était plus qu'à un ou deux mètres du Vif d'or, la main tendue...

– Hé, Harper ! lui cria Harry dans une tentative désespérée. Combien t'as payé Malefoy pour jouer à sa place ?

Il ne savait pas ce qui l'avait poussé à dire cela mais Harper eut un moment d'hésitation. Il fit un geste maladroit pour attraper le Vif d'or, le laissa glisser entre ses doigts et le dépassa, emporté par son élan. Avec un large mouvement du bras, Harry parvint alors à saisir la minuscule balle qui volait devant lui.

– OUAIS ! hurla-t-il.

Il exécuta un demi-tour et redescendit en piqué, levant la main qui tenait le Vif d'or. Lorsque la foule comprit ce qui venait de se passer, une immense clameur s'éleva dans le stade, couvrant le bruit du sifflet qui signalait la fin du match.

– Ginny, où vas-tu ? s'écria Harry, coincé par les autres joueurs qui l'étreignaient en plein vol, mais Ginny leur passa devant et poursuivit sa course jusqu'à l'estrade du commentateur qu'elle percuta de plein fouet dans un fracas assourdissant. Tandis que des cris et des rires fusaient des tribunes, le reste de l'équipe de Gryffondor atterrit devant les débris de bois sous lesquels Zacharias remuait faiblement. Harry entendit Ginny déclarer d'un ton dégagé à un professeur McGonagall très en colère :

– Désolée, professeur, j'ai oublié de freiner.

Éclatant de rire, Harry se dégagea des autres joueurs pour aller serrer Ginny dans ses bras mais il la relâcha très vite. Évitant son regard, il donna une tape dans le dos de Ron qui débordait de joie et, toute animosité oubliée, ils quittèrent le terrain bras dessus bras dessous, lançant le poing en l'air et agitant la main pour saluer leurs supporters.

Dans les vestiaires, l'atmosphère était à la jubilation.

– Seamus a dit qu'il y avait une fête dans la salle commune ! annonça Dean avec exubérance. Venez, Ginny, Demelza !

Ron et Harry étaient restés les derniers dans les vestiaires. Ils s'apprêtaient à partir lorsqu'Hermione entra. Elle tortillait son écharpe de Gryffondor entre ses mains et paraissait dans tous ses états, mais déterminée.

– J'ai un mot à te dire, Harry.

Elle prit une profonde inspiration.

– Tu n'aurais pas dû faire ça. Tu as entendu Slughorn, c'est illégal.

– Qu'est-ce que tu as en tête, tu veux nous dénoncer ? demanda Ron.

– De quoi vous parlez, tous les deux ? s'étonna Harry qui se retourna à la fois pour accrocher sa robe et leur cacher son sourire.

– Tu sais très bien de quoi on parle ! répliqua Hermione d'une voix perçante. Ce matin, au petit déjeuner, tu as ajouté au jus de citrouille de Ron une dose de Felix Felicis ! La potion qui porte chance !

– Non, ce n'est pas vrai, protesta Harry en se tournant à nouveau vers eux.

– Si, c'est vrai, Harry, et c'est pour ça que tout s'est bien passé, certains joueurs de Serpentard n'étaient pas là et Ron a arrêté tous les tirs !

– Je ne l'ai pas versée ! affirma Harry avec un grand sourire.

Il sortit de sa poche le minuscule flacon qu'Hermione l'avait vu tenir dans sa main le matin même. Il était rempli de potion dorée et le bouchon était toujours solidement fixé par de la cire.

– Je voulais que Ron ait l'impression que j'en avais mis dans son verre, j'ai donc fait semblant en sachant que tu me voyais.

Il regarda Ron.

– Tu as bien joué parce que tu croyais que tu avais de la chance. Mais en réalité, tu as tout fait toi-même.

Il remit la potion dans sa poche.

– Il n'y avait rien dans mon jus de citrouille ? dit Ron, stupéfait. Mais le beau temps... Et Vaisey qui n'a pas pu jouer... Alors, vraiment, je n'ai pas bu la potion de chance ?

Harry confirma d'un signe de tête. Ron, bouche bée, le contempla un instant puis il se tourna vers Hermione et imita sa voix :

– *Tu as ajouté du Felix Felicis dans le jus de citrouille de Ron, ce matin, c'est pour ça qu'il a arrêté tous les tirs !* Tu vois, Hermione, je peux défendre mes buts sans aucune aide !

– Je n'ai jamais prétendu que tu ne le pouvais pas. Toi aussi, tu croyais avoir bu la potion !

Mais Ron était déjà passé devant elle et sortait des vestiaires son balai sur l'épaule.

– Heu..., dit Harry dans un silence soudain.

Il ne s'était pas attendu à ce que son plan ait cet effet-là.

– On... on va à la fête ? proposa-t-il.

– Vas-y sans moi, répondit Hermione en clignant des yeux pour refouler ses larmes. J'en ai *assez* de Ron pour le moment, je ne sais pas ce que je lui ai fait...

Et à son tour, elle sortit en trombe des vestiaires.

Harry remonta lentement vers le château, parmi la foule des élèves dont beaucoup lui adressaient leurs félicitations à grands cris. Mais en réalité, il éprouvait une grande déception. Il s'était persuadé que si Ron remportait le match, Hermione et lui se réconcilieraient immédiatement. Il ne savait pas très bien comment expliquer à Hermione que son seul tort aux yeux de Ron était d'avoir embrassé Viktor Krum, alors que cela s'était produit si longtemps auparavant.

Harry ne vit pas Hermione à la fête de Gryffondor qui battait son plein lorsqu'il entra dans la salle commune. A nouveau, des acclamations et des applaudissements saluèrent son arrivée et il fut bientôt entouré d'une multitude d'élèves qui le félicitaient. Avant de se mettre à la recherche de Ron, il dut d'abord se débarrasser des frères Crivey qui voulaient l'entendre faire une analyse du match minute par minute, et des filles, agglutinées autour de lui, qui riaient de ses remarques les moins drôles en battant des cils. Enfin, il parvint à s'extirper des griffes de Romilda Vane qui lui laissait comprendre par des sous-entendus appuyés qu'elle aimerait bien aller avec lui à la fête organisée par Slughorn pour Noël. Comme il s'éclipsait en direction de la table où se trouvaient les boissons, il tomba nez à nez avec Ginny. Arnold le Boursouflet se promenait sur son épaule et Pattenrond miaulait à ses pieds, les yeux pleins d'espoir.

– Tu cherches Ron ? demanda-t-elle avec un petit sourire. Il est là-bas, l'abominable hypocrite.

Harry regarda dans le coin qu'elle lui indiquait. Au vu de tout le monde, Ron avait enlacé Lavande Brown si étroitement qu'on n'arrivait plus très bien à distinguer leurs mains les unes des autres.

– On a l'impression qu'il lui dévore la tête, tu ne trouves pas ? dit Ginny d'un ton flegmatique. Mais je pense qu'il aurait intérêt à affiner sa technique. C'était un beau match, Harry.

Elle lui tapota le bras et Harry éprouva une curieuse sensation au creux de l'estomac, mais Ginny s'éloigna pour aller chercher une autre Bièraubeurre. Pattenrond trottina derrière elle, ses yeux jaunes fixés sur Arnold.

Harry se détourna de Ron, qui ne semblait pas pressé de refaire surface, juste à temps pour voir le trou du portrait se refermer. Avec un sentiment d'appréhension, il crut entrevoir une crinière de cheveux bruns ébouriffés qui disparut aussitôt.

Il se précipita, évita à nouveau Romilda Vane et poussa le portrait de la grosse dame. Au-dehors, le couloir paraissait désert.

– Hermione ?

Il la trouva dans la première salle de classe dont la porte n'était pas fermée à clé. Elle était assise sur le bureau du professeur, seule, à part un petit cercle d'oiseaux jaunes qui volaient en gazouillant au-dessus de sa tête et qu'elle venait manifestement de faire surgir de nulle part. Harry ne put s'empêcher d'admirer son habileté à pratiquer la magie dans un moment comme celui-là.

– Oh, c'est toi, Harry, dit-elle d'une petite voix crispée. J'étais justement en train de m'entraîner.

– Ah, oui... Ils sont... heu... très beaux..., répondit Harry.

Il n'avait aucune idée de ce qu'il pourrait bien lui dire. Il se demandait s'il y avait une chance qu'elle n'ait pas vu Ron et qu'elle ait quitté la salle simplement parce que la fête devenait un peu trop agitée, lorsqu'elle lança d'une petite voix aiguë qui ne lui était pas naturelle :

– Ron semble bien s'amuser.

– Heu... Ah bon ?

– N'essaye pas de me faire croire que tu ne l'as pas vu, répliqua Hermione. On ne peut pas prétendre qu'il ait vraiment cherché à se cacher, tu ne...

Derrière eux, la porte s'ouvrit brusquement. Horrifié, Harry vit entrer Ron, hilare, qui tenait Lavande par la main et l'entraînait avec lui.

– Oh, dit-il, s'immobilisant devant Harry et Hermione.

– Oups ! s'exclama Lavande qui sortit de la salle à reculons en pouffant de rire.

La porte se referma sur elle.

Un terrible silence s'installa, enfla, s'épaissit. Hermione fixait Ron qui refusa de la regarder et lança à Harry dans un mélange de bravade et de maladresse :

– Salut, Harry ! Je me demandais où tu étais passé !

Hermione se laissa glisser du bureau. Les oiseaux d'un jaune doré continuaient de gazouiller en volant autour de sa tête, comme de petites boules de plumes qui lui donnaient l'air d'une étrange représentation du système solaire.

– Tu ne devrais pas faire attendre Lavande dans le couloir, dit-elle à voix basse. Elle va se demander où tu es parti.

Elle s'avança très lentement vers la porte, la tête bien droite. Harry jeta un coup d'œil à Ron qui semblait soulagé que rien de pire ne se soit produit.

– *Oppugno !*

L'incantation proférée d'une voix perçante avait retenti derrière eux.

Harry fit volte-face et vit Hermione brandir sa baguette avec une expression féroce : telle une grêle de projectiles dorés, les oiseaux foncèrent alors droit sur Ron qui laissa échapper un petit cri et se protégea le visage de ses mains ; mais les volatiles l'attaquèrent, piquant de leur bec et griffant de leurs pattes chaque centimètre carré de peau qu'ils pouvaient atteindre.

– Enlèvmoiça ! hurla-t-il, mais avec un dernier regard de fureur vengeresse, Hermione ouvrit brutalement la porte et disparut dans le couloir.

Harry crut entendre un sanglot avant que la porte se referme derrière elle en claquant.

15
Le Serment Inviolable

La neige tourbillonnait à nouveau contre les fenêtres couvertes de givre. Noël approchait rapidement. Hagrid avait déjà apporté à lui tout seul les douze sapins de Noël destinés comme d'habitude à la Grande Salle. Des branches de houx en festons et des guirlandes argentées s'entrelaçaient autour des rampes d'escalier. Des chandelles éternelles éclairaient de l'intérieur les heaumes des armures et de grosses touffes de gui avaient été suspendues à intervalles réguliers le long des couloirs. Chaque fois que Harry approchait, des filles convergeaient par groupes entiers pour se placer sous le gui, ce qui provoquait des encombrements dans les couloirs. Fort heureusement, ses fréquentes randonnées nocturnes lui avaient donné une bonne connaissance des passages secrets du château. Harry pouvait ainsi, quand il se rendait d'une salle à l'autre, établir sans trop de difficulté des itinéraires d'où la moindre branche de gui était absente.

Ron, qui aurait pu voir auparavant dans la nécessité de ces détours une cause de jalousie plutôt que d'hilarité, ne cessait de rire aux éclats. Même si Harry préférait de beaucoup voir un Ron réjoui et prompt à la plaisanterie plutôt que le personnage maussade et agressif qu'il avait supporté au cours des dernières semaines, il estimait un peu trop élevé le prix à payer pour cette amélioration. Tout d'abord, il devait subir la présence fréquente de Lavande Brown qui considérait chaque instant où elle n'embrassait pas Ron comme un instant perdu. Ensuite, Harry se retrouvait une fois de plus le meilleur ami de deux personnes qui semblaient ne plus jamais vouloir se parler.

Ron, dont les mains et les bras portaient encore des marques et des égratignures dues à l'attaque des oiseaux d'Hermione, adoptait un ton défensif et amer.

– Elle ne peut pas se plaindre, dit-il à Harry. Elle a embrassé Krum et maintenant, elle se rend compte que quelqu'un a envie de m'embrasser aussi. On est libres, non ? Je n'ai rien fait de mal.

Harry ne répondit pas et fit semblant d'être absorbé par le livre qu'ils devaient lire avant le cours de sortilèges du lendemain matin (*La Quintessence : une quête*). Déterminé à rester ami à la fois avec Ron et avec Hermione, il se taisait souvent.

– Je n'ai jamais rien promis à Hermione, grommela Ron. Bon, d'accord, je devais aller à la soirée de Slughorn avec elle mais elle n'a jamais dit... c'était simplement en amis... Je suis libre, je n'ai pas de contrat...

Harry tourna une page de *La Quintessence*, conscient que Ron l'observait. Sa voix se perdit dans des bougonnements à peine audibles, dominés par le crépitement sonore du feu qui brûlait dans la cheminée, bien que Harry ait cru percevoir à nouveau les mots « Krum » et « ne peut pas se plaindre ».

L'emploi du temps d'Hermione était si chargé que Harry ne parvenait à lui parler que le soir, lorsque Ron était de toute façon trop étroitement enlacé avec Lavande pour remarquer ce que faisait Harry. Hermione refusait de s'asseoir dans la salle commune quand Ron s'y trouvait et Harry la rejoignait généralement à la bibliothèque, ce qui les obligeait à tenir leur conversation à voix basse.

– Il a parfaitement le droit d'embrasser qui il veut, dit Hermione pendant que la bibliothécaire, Madame Pince, rôdait derrière eux, le long des étagères. Je m'en fiche complètement.

Elle leva sa plume et mit un point sur un i d'un geste si féroce qu'elle en perça le parchemin. Harry, cette fois encore, resta silencieux en songeant que sa voix allait peut-être finir par disparaître, faute d'avoir servi. Il se pencha un peu plus sur son *Manuel avancé de préparation des potions* et continua de prendre des notes sur les élixirs éternels, s'arrêtant parfois pour déchiffrer les utiles ajouts du Prince au texte de Libatius Borage.

– Je te signale en passant, reprit Hermione au bout d'un moment, que tu ferais bien d'être prudent.

– Pour la dernière fois, répliqua Harry qui parlait dans un murmure légèrement rauque après trois quarts d'heure de silence, je n'ai pas l'intention de rendre ce livre. J'ai appris beaucoup plus avec le Prince de Sang-Mêlé que ce que Rogue ou Slughorn m'ont enseigné en...

– Je ne parle pas de ton idiot de soi-disant Prince, coupa Hermione en jetant un rcgard mauvais au livre, comme s'il avait été grossier avec elle, je parle de ce que j'ai vu tout à l'heure. Je suis allée dans les toilettes juste avant de venir ici et il y avait là une douzaine de filles, dont Romilda Vane, qui cherchaient un moyen de te faire boire un philtre d'amour. Elles espèrent toutes que tu vas les emmener à la soirée de Slughorn. Apparemment, elles ont acheté des potions chez Fred et George, et j'ai bien peur qu'elles soient efficaces…

– Pourquoi ne les as-tu pas confisquées ? demanda Harry.

Il semblait extraordinaire que la manie d'Hermione pour le respect du règlement l'ait abandonnée en un moment aussi crucial.

– Elles n'avaient pas emporté leurs philtres aux toilettes, répondit-elle d'un air dédaigneux. Elles parlaient simplement de tactique. Comme je doute que le *Prince de Sang-Mêlé* lui-même – elle lança à nouveau au livre un regard noir – ait pu imaginer un antidote à une douzaine de philtres d'amour différents, à ta place, j'inviterais tout de suite quelqu'un à m'accompagner à la soirée de Slughorn, comme ça les autres sauraient qu'elles n'ont plus aucune chance. Elle a lieu demain soir, alors elles sont prêtes à tout.

– Il n'y a personne que j'aie envie d'inviter, marmonna Harry, qui essayait toujours de penser le moins possible à Ginny, bien qu'elle apparût sans cesse dans ses rêves, et d'une telle manière qu'il était profondément soulagé que Ron ne sache pas pratiquer la legilimancie.

– Alors, fais simplement attention à ce que tu bois parce que Romilda Vane paraît vraiment décidée, dit Hermione d'un air sombre.

Elle remonta d'un cran le long rouleau de parchemin sur lequel elle rédigeait son devoir d'arithmancie et recommença à écrire dans un grattement de plume. Harry l'observa, l'esprit complètement ailleurs.

– Attends un peu, dit-il lentement. Je croyais que Rusard avait interdit tous les produits en provenance des Farces pour sorciers facétieux ?

– Et qui a jamais tenu compte des interdictions de

Rusard ? demanda Hermione, toujours concentrée sur son devoir.

– Mais je pensais que tous les hiboux étaient contrôlés ? Comment ces filles arrivent-elles à introduire des philtres d'amour à l'école ?

– Fred et George les envoient sous forme de parfums ou de potions contre la toux, répondit Hermione. Ça fait partie de leur service de vente par hibou.

– Tu as l'air d'être très au courant.

Hermione lui jeta le même regard noir qu'à son exemplaire du *Manuel avancé de préparation des potions*.

– C'était écrit sur les flacons qu'ils nous ont montrés, à Ginny et à moi, quand on est allés les voir cet été, dit-elle avec froideur. Seulement, moi, je ne m'amuse pas à verser des potions dans les verres des gens... ou à faire semblant, ce qui est tout aussi déplorable...

– Oui, bon, mais peu importe, répliqua Harry, l'important, c'est que Rusard se laisse berner. Ces filles reçoivent des produits interdits déguisés en autre chose ! Dans ce cas, pourquoi Malefoy n'aurait-il pas pu introduire le collier à l'école ?

– Oh, Harry, tu ne vas pas recommencer...

– Vas-y, dis-moi pourquoi ? insista Harry.

– Écoute, soupira Hermione, les Capteurs de Dissimulation détectent les maléfices, les mauvais sorts et les charmes de camouflage, d'accord ? Ils permettent de découvrir tout ce qui a trait à la magie noire. Ils auraient forcément repéré en quelques secondes un maléfice aussi puissant que celui du collier. En revanche, une potion qu'on met dans un autre flacon passerait inaperçue – d'ailleurs, les philtres d'amour n'appartiennent pas à la magie noire et ne sont pas dangereux.

– C'est toi qui le dis, marmonna Harry en pensant à Romilda Vane.

– Ce serait donc à Rusard de s'apercevoir par lui-même qu'il ne s'agit pas d'une potion contre la toux et comme il n'est pas un très bon sorcier, je doute qu'il puisse distinguer une potion d'une...

Hermione s'interrompit. Harry avait entendu, lui aussi. Quelqu'un avait bougé derrière eux, dans l'ombre des étagères. Ils attendirent un instant et la silhouette de vautour de Madame Pince apparut à l'angle d'un rayon, ses joues creuses, sa peau parcheminée et son long nez busqué soulignés par l'éclairage peu flatteur de la lampe qu'elle tenait à la main.

– La bibliothèque ferme, dit-elle. Prenez soin de remettre ce que vous avez emprunté à la bonne... *Qu'avez-vous fait à ce livre, espèce de dépravé ?*

– Il n'appartient pas à la bibliothèque, c'est le mien ! protesta Harry, saisissant son exemplaire du *Manuel avancé de préparation des potions* au moment où elle tendait une main en forme de griffes.

– Dégradé ! dit-elle d'une voix sifflante. Profané ! Souillé !

– Quelqu'un a simplement écrit dedans ! s'exclama Harry en lui arrachant le livre des mains.

Elle paraissait au bord de l'attaque. Hermione, qui s'était hâtée de ranger ses affaires, attrapa Harry par le bras et l'entraîna de force.

– Si tu n'es pas plus prudent, elle va t'interdire l'accès à la bibliothèque. Pourquoi a-t-il fallu que tu apportes ce stupide livre ?

– Ce n'est pas ma faute si elle est complètement cinglée. Peut-être qu'elle t'a entendue dire du mal de Rusard ? J'ai toujours pensé qu'il pourrait bien y avoir quelque chose entre eux...

– Oh, oh, ha, ha...

Profitant de ce qu'ils pouvaient à nouveau parler normalement, ils retournèrent dans la salle commune, le long des couloirs déserts éclairés par la flamme des lampes, en se demandant si oui ou non Rusard et Madame Pince étaient secrètement amoureux l'un de l'autre.

– Babioles, dit Harry à la grosse dame, le nouveau mot de passe pour la période des fêtes.

– Vous-même, répliqua-t-elle avec un sourire coquin.

Et elle pivota pour les laisser entrer.

– Salut, Harry ! lança Romilda Vane dès qu'il eut franchi l'ouverture. Tu veux un verre d'eau de giroflée ?

Hermione lui lança par-dessus son épaule un regard qui signifiait : « Qu'est-ce que je te disais ? »

– Non merci, s'empressa de répondre Harry. Ce n'est pas ce que je préfère.

– Alors, prends plutôt ça, je te l'offre, dit Romilda en lui mettant une boîte dans les mains. Des chaudrons en chocolat avec du whisky Pur Feu à l'intérieur. C'est ma grand-mère qui me les a envoyés mais je n'aime pas tellement.

– Ah, oui, merci beaucoup, répondit Harry qui ne trouva rien d'autre à ajouter. Heu... je vais là-bas, avec...

Il se hâta derrière Hermione, sa voix s'évanouissant en un faible murmure.

– Je t'avais prévenu, commenta brièvement Hermione. Plus vite tu demanderas à quelqu'un de t'accompagner, plus vite elles te laisseront tranquille et tu pourras...

Mais son visage se figea soudain. Elle venait d'apercevoir Ron et Lavande entrelacés dans le même fauteuil.

– Eh bien, bonsoir, Harry, lança-t-elle, bien qu'il fût tout juste sept heures du soir.

Et elle monta dans le dortoir des filles sans ajouter un mot.

Harry alla se coucher en se disant pour se consoler qu'il n'avait plus qu'une journée de cours et la soirée chez Slughorn à passer ; ensuite, Ron et lui partiraient ensemble au Terrier. Il semblait impossible à présent que Ron et Hermione se réconcilient avant le début des vacances mais peut-être que la coupure leur donnerait le temps de se calmer, de réfléchir à leur comportement...

Ses espoirs, cependant, étaient minces et ils s'amenuisèrent un peu plus après le cours de métamorphose qu'il dut subir le lendemain en leur compagnie. Ils venaient d'aborder le sujet extraordinairement complexe de la métamorphose humaine : travaillant face à des miroirs, ils étaient censés modifier la couleur de leurs sourcils. Hermione éclata d'un rire peu charitable en voyant la première tentative désastreuse de Ron qui s'arrangea pour se faire pousser une spectaculaire moustache en guidon de vélo. Ron répliqua par une imitation cruelle mais fidèle d'Hermione sautant sur sa chaise chaque fois que le professeur McGonagall posait une question. Lavande et Parvati s'amusèrent beaucoup mais Hermione était au bord des larmes. Dès que la cloche eut retenti, elle se rua hors de la salle en laissant derrière elle la moitié de ses affaires. Harry, estimant qu'en la circonstance, elle avait davantage besoin de lui que Ron, ramassa les livres qu'elle avait oubliés et la suivit.

Il finit par la retrouver au moment où elle sortait des toilettes des filles à l'étage au-dessous. Elle était accompagnée de Luna Lovegood qui lui donnait de vagues tapes dans le dos.

– Oh, bonjour, Harry, dit Luna. Est-ce que tu sais que tu as un sourcil jaune vif ?

– Salut, Luna. Hermione, tu as laissé ça sur ta table…

Il lui tendit ses livres.

– Ah oui, murmura Hermione d'une voix étouffée par les sanglots.

Elle prit ses affaires et se tourna pour cacher qu'elle s'essuyait les yeux avec sa trousse de crayons.

– Merci, Harry. Bon, il faut que j'y aille…

Et elle s'éloigna en hâte sans laisser à Harry le temps de lui offrir le moindre réconfort, bien qu'il n'eût sans doute rien trouvé à lui dire.

– Elle est un peu remuée, déclara Luna. Au début, j'ai cru entendre Mimi Geignarde mais en fait, c'était Hermione. Elle a dit quelque chose à propos de ce Ron Weasley…

– Oui, ils se sont disputés, expliqua Harry.

– Il est parfois très drôle, non ? remarqua Luna, tandis qu'ils repartaient ensemble dans le couloir. Mais il lui arrive de ne pas être très gentil. Ça m'avait déjà frappée l'année dernière.

– Oui, sans doute, admit Harry.

Luna manifestait une fois de plus son talent habituel pour dire des vérités gênantes. Il ne connaissait personne d'autre qui ait un tel don.

– Alors, tu as eu un bon trimestre ? demanda-t-il.

– Oui, pas mauvais, répondit Luna. Un peu solitaire sans l'A.D. Mais Ginny a été très gentille avec moi. L'autre jour, elle a empêché deux garçons de notre classe de m'appeler Loufoca.

– Ça te plairait de m'accompagner à la fête que donne Slughorn, ce soir ?

Les mots lui avaient échappé avant qu'il puisse les retenir. Il les entendit comme si c'était quelqu'un d'autre qui les avait prononcés.

Sous le coup de la surprise, Luna tourna vers lui ses yeux protubérants.

– La fête de Slughorn ? Avec toi ?

– Oui. On est censé amener des invités, alors j'ai pensé que tu aimerais peut-être… je veux dire…

Il tenait à ce que ses intentions soient parfaitement claires.

– Je veux dire, en amis, tu comprends ? Mais si tu ne veux pas…

Il espérait déjà à moitié qu'elle refuserait.

– Au contraire, ça me plairait beaucoup d'y aller avec toi en amie ! assura Luna.

Jamais il n'avait vu son visage aussi rayonnant.

– Personne ne m'a encore demandé de l'accompagner à une soirée en amie ! C'est pour ça que tu t'es teint le sourcil ? Pour la fête ? Tu veux que je m'en teigne un aussi ?

– Non, répondit Harry d'un ton ferme. C'est une simple erreur. Je demanderai à Hermione de m'arranger ça. Donc, on se retrouve dans le hall d'entrée à huit heures ?

– AHA ! hurla une voix au-dessus de leurs têtes.

Tous deux sursautèrent. Sans s'en apercevoir, ils venaient de passer juste au-dessous de Peeves qui s'était accroché à un lustre la tête en bas et souriait d'un air méchant.

– *Potty a demandé à Loufoca de l'accompagner à la fête ! Potty aime Loufoca ! Potty aiiiiiiime Louuuuuuufoca !*

Et il fila dans les airs, caquetant et hurlant :

– Potty aime Loufoca !

– C'est agréable d'avoir une vie privée, commenta Harry.

En effet, en très peu de temps, toute l'école sembla au courant que Harry Potter avait invité Luna Lovegood à la soirée de Slughorn.

– Tu aurais pu emmener *qui tu voulais* ! s'exclama Ron, incrédule, au cours du dîner. *Qui tu voulais !* Et tu as choisi Loufoca Lovegood ?

– Ne l'appelle pas comme ça, Ron, lança sèchement Ginny qui s'était arrêtée derrière Harry en allant rejoindre des amis. Ça me fait plaisir que tu l'aies invitée, Harry, elle est tellement ravie.

Et elle s'éloigna pour aller s'asseoir à côté de Dean. Harry s'efforça d'être content de voir Ginny si heureuse qu'il sorte avec Luna mais il n'y parvint pas. Loin au bout de la table, Hermione était seule et jouait avec son ragoût du bout de sa fourchette. Harry remarqua que Ron lui lançait des regards furtifs.

– Tu pourrais lui dire que tu es désolé, suggéra Harry à brûle-pourpoint.

– C'est ça, et recommencer à me faire attaquer par une bande de canaris ? marmonna Ron.

– Qu'est-ce qui t'a pris de l'imiter ?

– Elle s'est moquée de ma moustache !

– Moi aussi, c'était la chose la plus stupide que j'aie jamais vue.

Mais Ron ne semblait pas avoir entendu. Lavande venait d'arriver avec Parvati. Se glissant entre eux, Lavande prit Ron par le cou.

– Salut, Harry, dit Parvati qui, comme lui, paraissait un peu gênée et lassée de leur conduite.

– Salut, répondit Harry, comment ça va ? Finalement, tu

restes à Poudlard ? J'ai entendu dire que tes parents voulaient que tu t'en ailles.

– J'ai réussi à les en dissuader pour l'instant, dit Parvati. L'histoire de Katie les a mis dans tous leurs états mais comme il ne s'est plus rien passé depuis... Ah, salut, Hermione !

Parvati eut un sourire radieux. Harry comprit qu'elle se sentait coupable de s'être moquée d'Hermione au cours de métamorphose. Il tourna la tête et remarqua qu'Hermione lui rendait un sourire encore plus éclatant, si toutefois c'était possible. Les filles étaient parfois bien étranges.

– Salut, Parvati, lança Hermione sans accorder la moindre attention à Ron et à Lavande. Tu vas à la fête de Slughorn, ce soir ?

– Je ne suis pas invitée, répondit Parvati d'un air mélancolique. Mais je serais enchantée d'y aller, ce sera sûrement très bien... Tu y vas, toi, non ?

– Oui, j'ai rendez-vous avec Cormac à huit heures et ensuite, on ira...

Il y eut un bruit semblable à celui d'une ventouse qu'on retire d'un évier bouché et Ron refit surface. Hermione sembla n'avoir rien vu ni entendu.

– ... on ira à la soirée ensemble.

– Cormac ? s'étonna Parvati. Tu veux dire Cormac McLaggen ?

– Exactement, répondit Hermione d'une voix suave. Celui qui a *failli* – elle appuya lourdement sur le mot – devenir le gardien de Gryffondor.

– Tu sors avec lui ? demanda Parvati, les yeux ronds.

– Oui... Tu ne savais pas ? dit Hermione avec un gloussement de rire qui n'avait rien d'hermionien.

– Non ! s'exclama Parvati, surexcitée par cette confidence qui avait de quoi alimenter les ragots. Toi, au moins, on peut dire que tu aimes les joueurs de Quidditch ! D'abord Krum, maintenant McLaggen...

– J'aime les joueurs de Quidditch qui sont *vraiment bons*, rectifia Hermione, toujours souriante. A plus tard... Il faut que je me prépare pour aller à la soirée...

Elle se leva et quitta la table. Lavande et Parvati penchèrent aussitôt la tête l'une vers l'autre pour commenter la nouvelle, récapitulant tout ce qu'elles avaient entendu dire sur McLaggen et tout ce qu'elles avaient deviné d'Hermione. Ron, le visage étrangement dénué d'expression, ne prononça pas un mot. Harry médita en silence sur les extrémités auxquelles les filles étaient capables de recourir pour satisfaire leur désir de revanche.

Lorsqu'il arriva dans le hall d'entrée à huit heures ce soir-là, il vit un nombre inhabituel de filles rôder alentour en ayant l'air de l'observer avec dépit tandis qu'il s'approchait de Luna. Elle était vêtue d'une robe pailletée d'argent qui lui valait quelques gloussements dans l'assistance mais sinon, elle paraissait très jolie. En tout cas, Harry était content qu'elle ait renoncé à ses radis en guise de boucles d'oreilles, à son collier en bouchons de Bièraubeurre et à ses Lorgnospectres.

– Salut, dit-il. Alors, on y va ?

– Oh, oui, répondit-elle d'un ton joyeux. Où ça se passe ?

– Dans le bureau de Slughorn, dit Harry en l'emmenant vers l'escalier de marbre, loin des murmures et des regards insistants. Tu savais qu'il y a un vampire qui doit venir ?

– Rufus Scrimgeour ? demanda Luna.

– Je... Quoi ? s'étonna Harry, décontenancé. Tu veux dire le ministre de la Magie ?

– Oui, c'est un vampire, affirma Luna sur un ton d'évidence. Mon père a écrit un long article à ce sujet quand Scrimgeour a succédé à Cornelius Fudge mais quelqu'un au ministère l'a empêché de le publier. Ils ne voulaient pas voir la vérité révélée au grand jour !

Harry, qui estimait très peu probable que Rufus Scrimgeour fût un vampire mais avait l'habitude d'entendre Luna répéter les étranges opinions de son père comme s'il s'agissait de faits indiscutables, ne répondit rien. Ils approchaient déjà du bureau de Slughorn et la rumeur des rires, de la musique et des conversations s'intensifiait à chacun de leurs pas.

Qu'il ait été conçu ainsi ou aménagé par un procédé magique, le bureau de Slughorn était beaucoup plus grand que ceux des autres professeurs. Le plafond et les murs étaient drapés de tentures émeraude, cramoisies et dorées qui donnaient l'impression de se trouver sous une vaste tente. La pièce, bondée, étouffante, baignait dans la lumière rouge que diffusait une lampe d'or ouvragée accrochée au milieu du plafond et dans laquelle voletaient de véritables fées, chacune formant un point de lumière étincelante. Dans le coin opposé, on chantait une chanson à tue-tête, accompagnée par ce qui ressemblait à des mandolines. De la fumée de pipe flottait comme une brume au-dessus d'un groupe de vieux sorciers absorbés dans une grande conversation, et des elfes de maison se faufilaient en couinant entre les genoux des invités comme entre les arbres d'une forêt, cachés par de lourds plateaux d'argent portés à bout de bras, qui leur donnaient l'air de petites tables ambulantes.

– Harry, mon garçon ! lança Slughorn d'une voix de stentor dès que Harry et Luna se furent faufilés par la porte. Entrez, entrez, il y a tellement de gens que je voudrais vous présenter !

Slughorn portait un chapeau de velours à pompons assorti à sa veste d'intérieur. Agrippant le bras de Harry si étroitement qu'il semblait vouloir transplaner avec lui, il l'amena d'un pas résolu parmi les invités. Harry prit la main de Luna et l'entraîna à sa suite.

– Harry, je vous présente Eldred Worpel, un de mes anciens élèves, auteur d'un livre intitulé *Frères de sang : ma vie chez les vampires* et, bien sûr, son ami Sanguini.

Worpel, un petit homme à lunettes, saisit la main de Harry et la serra avec enthousiasme. Sanguini, le vampire, grand, émacié, des poches sombres sous les yeux, se contenta d'un signe de tête. Il paraissait s'ennuyer. Une horde de filles se tenaient auprès de lui, l'air curieux et surexcité.

– Harry Potter, je suis absolument enchanté ! s'exclama Worpel en fixant Harry d'un regard de myope. L'autre jour encore, je disais au professeur Slughorn : « Où est la biographie de Harry Potter que nous attendons tous ? »

– Ah... heu... vraiment ? dit Harry.

– Aussi modeste qu'Horace me l'avait décrit ! commenta Worpel. Mais sérieusement – son attitude changea, il prit soudain des mines d'homme d'affaires –, je serais ravi d'écrire moi-même cette biographie, les gens meurent d'envie d'en savoir plus à votre sujet, mon garçon, ils en meurent d'envie, croyez-moi ! Si vous étiez disposé à m'accorder une série d'interviews, disons, par tranches de quatre ou cinq heures, nous pourrions avoir fini le livre en quelques mois. Et sans qu'il vous en coûte beaucoup d'efforts, je peux vous l'assurer – demandez donc à Sanguini ici présent si ça n'a pas été très... *Sanguini, reste là !* ajouta Worpel, soudain sévère, car le vampire s'était glissé vers le groupe de filles, une lueur affamée dans le regard. Tiens, mange ça, dit-il.

Il prit un feuilleté sur le plateau d'un elfe qui passait devant lui et le fourra dans la main de Sanguini avant de se tourner à nouveau vers Harry.

– Mon garçon, vous n'avez pas idée de la quantité d'or que vous pourriez ramasser...

– Je ne suis pas du tout intéressé, répliqua Harry d'un ton ferme, et j'aperçois une de mes amies, là-bas, désolé.

Il entraîna Luna dans la foule. Il venait effectivement de voir une longue crinière de cheveux bruns disparaître entre deux filles qui ressemblaient à des membres de l'orchestre des Bizarr'Sisters.

– Hermione ! *Hermione !*

– Harry ! Tu es là, Dieu merci ! Salut, Luna !

– Qu'est-ce qui t'est arrivé ? demanda Harry en voyant Hermione passablement échevelée, comme si elle venait de s'arracher à grand-peine d'un buisson de Filet du Diable.

– Oh, je viens juste d'échapper à... je veux dire, je viens de quitter Cormac, répondit-elle. Sous la branche de gui, ajouta-t-elle en guise d'explication devant le regard interrogateur de Harry.

– Ça t'apprendra à venir avec lui, dit-il d'un ton grave.

– J'ai pensé qu'il agacerait Ron plus que les autres, expliqua Hermione, la voix dénuée de toute passion. Pendant un moment, j'avais songé à Zacharias Smith mais tout bien considéré...

– *Tu as envisagé de sortir avec Smith ?* s'exclama Harry, révolté.

– Oui, et je commence à regretter de ne pas l'avoir

choisi. A côté de McLaggen, Graup a l'air d'un gentleman. Viens, allons par là, on pourra le voir venir, il est tellement grand...

Tous trois se dirigèrent de l'autre côté de la pièce, prenant au passage des coupes d'hydromel et s'apercevant trop tard que le professeur Trelawney se trouvait là, toute seule.

– Bonsoir, lui dit poliment Luna.

– Bonsoir, ma chère, répondit le professeur Trelawney qui eut du mal à concentrer son regard sur elle.

Harry sentit à nouveau une odeur de xérès bon marché.

– Je ne vous ai pas vue dans ma classe, dernièrement...

– Non, cette année, j'ai Firenze, dit Luna.

– Ah, bien sûr, lança le professeur Trelawney avec un petit rire aviné et furieux. Dites plutôt Percheron, c'est comme ça que je l'appelle. On aurait pu penser, n'est-ce pas, que maintenant que j'ai repris mes cours, le professeur Dumbledore se serait débarrassé du cheval ? Mais non... Nous nous partageons les classes... Franchement, c'est une insulte, une véritable insulte. Rendez-vous compte...

Le professeur Trelawney semblait trop éméchée pour avoir reconnu Harry. Pendant qu'elle disait pis que pendre de Firenze, il s'était approché d'Hermione et lui glissa :

– Mettons les choses au net. Est-ce que tu as l'intention de raconter à Ron que tu es intervenue le jour des épreuves de sélection des gardiens ?

Hermione haussa les sourcils.

– Tu crois que je m'abaisserais à ce point ?

Harry la fixa d'un regard pénétrant.

– Hermione, si tu es capable de sortir avec McLaggen...

– Il y a une différence, répliqua Hermione avec dignité.

Je ne dirai rien à Ron sur ce qui aurait pu se passer ou non le jour des essais.

– Tant mieux, approuva Harry avec ferveur. Sinon, il s'effondrerait à nouveau et on perdrait le prochain match…

– Le Quidditch ! s'exclama Hermione, courroucée. C'est donc tout ce qui intéresse les garçons ? Cormac ne m'a pas posé une seule question sur moi, non, j'ai simplement eu droit au récit intégral des Cent-Plus-Grands-Arrêts-de-Tir-De-Cormac-McLaggen... oh, le voilà !

Elle fila aussi vite que si elle avait transplané. En un instant, elle avait disparu, se glissant entre deux sorcières qui riaient bruyamment.

– Vous n'avez pas vu Hermione ? demanda McLaggen une minute plus tard, après s'être frayé un chemin parmi la foule.

– Non, désolé, répondit Harry.

Et il se tourna vers Luna pour participer à sa conversation, oubliant pendant une fraction de seconde à qui elle était en train de parler.

– Harry Potter ! dit le professeur Trelawney d'un ton vibrant, profond, en remarquant pour la première fois sa présence.

– Oh, bonjour, répondit Harry sans enthousiasme.

– Mon cher garçon ! murmura-t-elle, la voix bien timbrée. Les rumeurs ! Les histoires ! L'Élu ! Bien sûr, je savais tout cela depuis très longtemps… Les présages n'étaient jamais bons, Harry… Mais pourquoi n'êtes-vous pas retourné aux cours de divination ? Pour vous, plus que pour tout autre, c'est une matière de la plus haute importance !

– Ah, Sibylle, nous pensons tous que nos matières sont

les plus importantes ! fit remarquer une voix tonitruante.

Slughorn apparut de l'autre côté du professeur Trelawney, le teint très rouge, son chapeau de velours un peu de travers, un verre d'hydromel dans une main et dans l'autre, un énorme morceau de tarte de Noël, débordant de pommes et de raisins secs.

– Mais je crois que je n'ai jamais vu quelqu'un qui ait un tel don pour les potions ! poursuivit-il en regardant Harry d'un œil affectueux quoique injecté de sang. C'est instinctif, chez lui – comme chez sa mère ! Je n'ai connu que très peu d'élèves qui aient ce genre d'aptitude, je peux vous le dire, Sibylle – même Severus...

A la grande horreur de Harry, Slughorn tendit le bras et amena Rogue vers eux comme s'il venait de le tirer du néant.

– Allons, arrêtez de faire la tête et venez avec nous, Severus ! hoqueta Slughorn, la mine réjouie. Je parlais justement des talents extraordinaires de Harry pour préparer les potions ! J'imagine bien sûr que vous y êtes pour quelque chose, puisque vous avez été son professeur pendant cinq ans !

Coincé par Slughorn qui lui avait passé un bras autour des épaules, Rogue baissa le regard vers Harry en plissant ses petits yeux noirs de chaque côté de son nez crochu.

– C'est drôle, je n'ai pas eu l'impression de réussir à enseigner quoi que ce soit à Potter.

– Alors, c'est une disposition naturelle ! s'exclama Slughorn. Vous auriez dû voir ce qu'il m'a montré dès le premier cours, un philtre de Mort Vivante. Je n'avais jamais vu quelqu'un en obtenir un aussi remarquable dès son premier essai, je ne pense pas que vous-même, Severus...

– Vraiment ? dit Rogue à voix basse, ses yeux vrillant toujours ceux de Harry qui ressentit une certaine appréhension.

Pour rien au monde il n'aurait voulu que Rogue se mette à rechercher la source de sa soudaine virtuosité dans la préparation des potions.

– Rappelez-moi donc quelles autres matières vous avez choisies, Harry ? demanda Slughorn.

– Défense contre les forces du Mal, sortilèges, métamorphose, botanique…

– En somme, toutes les disciplines requises pour devenir Auror, dit Rogue avec un imperceptible ricanement.

– C'est justement ce que je voudrais être plus tard, répliqua Harry sur un ton de défi.

– Et vous feriez un très grand Auror ! s'écria Slughorn de sa voix tonnante.

– Moi, je ne crois pas que tu devrais être Auror, dit Luna inopinément.

Ils se tournèrent tous vers elle.

– Les Aurors font partie de la conspiration de Rancecroc, je croyais que tout le monde le savait. Ils travaillent de l'intérieur pour abattre le ministère en combinant la magie noire et une maladie des gencives.

Harry éclata de rire en inspirant par le nez la moitié de son hydromel. Rien que pour cela, il valait la peine d'avoir invité Luna. Lorsqu'il émergea de sa coupe, toussant, ruisselant mais toujours hilare, il vit quelque chose qui semblait avoir été spécialement prévu pour le réjouir encore davantage : Rusard tenait Drago Malefoy par l'oreille et le traînait vers eux.

– Professeur Slughorn, dit Rusard de sa voix sifflante – ses bajoues frémissaient et le plaisir d'avoir surpris un élève en faute animait ses yeux globuleux d'une lueur démente –, j'ai trouvé ce garçon qui rôdait dans un couloir. Il prétend avoir été convié à votre soirée et être arrivé en retard. Lui avez-vous envoyé une invitation ?

Malefoy, furieux, se dégagea de la main de Rusard.

– D'accord, je n'ai pas été invité ! dit-il avec colère. J'ai essayé d'entrer en douce, voilà, vous êtes content ?

– Non, je ne suis pas content du tout ! s'exclama Rusard, une affirmation contredite par la jubilation qu'exprimait son visage. Vous allez avoir des ennuis, je peux vous le dire ! Le directeur n'a-t-il pas bien précisé qu'il était interdit de rôder dans les couloirs la nuit à moins d'en avoir la permission, hein ?

– Ça ne fait rien, Argus, ça ne fait rien, dit Slughorn en agitant la main. C'est Noël et ce n'est quand même pas un crime de vouloir aller à une fête. Pour une fois, passons l'éponge, vous pouvez rester, Drago.

La déception indignée qu'on lisait sur le visage de Rusard était parfaitement prévisible. Mais pourquoi, se demanda Harry, Malefoy avait-il l'air tout aussi mécontent ? Et pourquoi Rogue regardait-il Malefoy comme s'il était à la fois en colère et – était-ce possible ? – un peu effrayé ?

Mais avant que Harry ait eu le temps d'assimiler ce qu'il venait de voir, Rusard avait tourné les talons et s'éloignait en marmonnant, de sa démarche traînante. Malefoy s'était composé un sourire et remerciait Slughorn de sa générosité. Quant à Rogue, son visage était redevenu parfaitement lisse, impénétrable.

– Ce n'est rien, ce n'est rien, assura Slughorn avec un geste de la main pour mettre un terme aux remerciements de Malefoy. Après tout, j'ai connu votre grand-père…

– Il a toujours dit le plus grand bien de vous, monsieur, répondit aussitôt Malefoy. Il répétait que vous étiez le meilleur spécialiste des potions qu'il ait jamais connu...

Harry regarda Malefoy. Ce n'était pas son obséquiosité qui l'intriguait. Il le voyait agir ainsi avec Rogue depuis longtemps. C'était plutôt le fait que Malefoy paraissait un peu malade. Il y avait longtemps qu'il ne l'avait pas observé de si près et il remarqua son teint nettement grisâtre et des cernes sombres sous ses yeux.

– J'aimerais vous dire un mot, Drago, déclara soudain Rogue.

– Allons, Severus, intervint Slughorn, la voix toujours hoquetante, c'est Noël, il faut être indulgent...

– Je suis directeur de sa maison et je jugerai moi-même du degré d'indulgence dont il convient de faire preuve, répliqua sèchement Rogue. Suivez-moi, Drago.

Ils s'éloignèrent, Rogue marchant devant, Malefoy le visage amer. Harry resta là un moment, indécis, puis il dit :

– Je reviens tout de suite, Luna... heu... toilettes.

– D'accord, répondit Luna d'un ton joyeux, et tandis qu'il s'éloignait en hâte parmi la foule des invités, il crut l'entendre parler à nouveau de la conspiration de Rancecroc avec le professeur Trelawney qui paraissait très intéressée.

Une fois sorti de la pièce, il n'eut aucun mal à prendre dans sa poche la cape d'invisibilité et à s'en recouvrir, le couloir étant totalement désert. Il fut plus difficile en revanche de trouver Rogue et Malefoy. Harry courut le long du couloir, le bruit de ses pas étouffé par la musique et l'écho des conversations qui provenaient du bureau de

Slughorn. Rogue avait peut-être emmené Malefoy dans son propre bureau, au sous-sol... ou l'avait accompagné jusqu'à la salle commune des Serpentard... Harry, cependant, colla son oreille contre chacune des portes à mesure qu'il avançait jusqu'à ce que, avec un tressaillement de joie, il entende des voix à travers le trou de serrure de la dernière salle de classe.

– ... pouvez pas vous permettre de commettre des erreurs, Drago, parce que si vous êtes renvoyé...

– Je n'avais rien à voir avec ça, d'accord ?

– J'espère que vous dites la vérité, car c'était à la fois maladroit et idiot. On vous soupçonne déjà d'y être mêlé.

– Qui me soupçonne ? répliqua Malefoy avec colère. Je vous répète que je n'y suis pour rien, O.K. ? Cette Katie Bell doit avoir un ennemi dont personne ne sait rien. Ne me regardez pas comme ça ! Je sais ce que vous êtes en train de faire, je ne suis pas stupide, mais vous n'y arriverez pas, je vous en empêcherai !

Il y eut un silence puis Rogue dit à voix basse :

– Ah... je vois que la tante Bellatrix vous a enseigné l'occlumancie. Quelles pensées essayez-vous de cacher à votre maître, Drago ?

– Je n'essaye pas de *lui* cacher quoi que ce soit, simplement, je ne veux pas que *vous* vous en mêliez !

Harry colla un peu plus son oreille contre le trou de la serrure... Qu'était-il arrivé pour que Malefoy parle ainsi à Rogue, à qui il avait toujours montré du respect, et même de l'affection ?

– C'est donc pour ça que vous m'avez évité, ce trimestre ? Vous aviez peur que j'interfère ? Vous vous rendez compte, Drago, que si quiconque d'autre avait refusé de se présenter dans mon bureau alors que j'en avais fait la demande à plusieurs reprises...

– Si vous y tenez, donnez-moi une retenue ! Signalez-moi à Dumbledore ! l'interrompit Malefoy avec ironie.

Il y eut un nouveau silence. Puis Rogue reprit :

– Vous savez très bien que je ne veux ni l'un ni l'autre.

– Alors, arrêtez de me convoquer dans votre bureau !

– Écoutez-moi bien, dit Rogue, la voix si basse à présent que Harry dut appuyer son oreille de toutes ses forces contre la serrure pour l'entendre, j'essaye de vous aider. J'ai juré à votre mère que je vous protégerais. J'ai fait le Serment Inviolable, Drago...

– Dans ce cas, vous allez devoir le trahir parce que je n'ai pas besoin de votre protection ! C'est ma mission, il me l'a confiée et je l'accomplirai. J'ai un plan qui va marcher, il prend simplement un peu plus de temps que je ne le prévoyais !

– Quel est ce plan ?

– Ça ne vous regarde pas !

– Si vous me dites ce que vous essayez de faire, je pourrais vous assister...

– Je dispose de toute l'assistance nécessaire, merci. Je ne suis pas seul !

– Vous l'étiez, ce soir, ce qui était d'une extrême idiotie. Se promener ainsi dans les couloirs, sans personne pour faire le guet ou pour vous seconder. Il y a des erreurs élémentaires à ne pas commettre...

– J'aurais eu Crabbe et Goyle avec moi si vous ne leur aviez pas donné une retenue !

– Moins fort ! lança Rogue car Malefoy avait haussé le ton et parlait d'une voix surexcitée. Si vos amis Crabbe et

Goyle ont l'intention, cette année, de décrocher leur BUSE en défense contre les forces du Mal, il faudra qu'ils travaillent un peu plus qu'ils ne le font pour l'ins...

– Qu'est-ce que ça peut faire ? coupa Malefoy. La défense contre les forces du Mal, c'est une plaisanterie, non ? Une comédie. Comme si nous avions besoin de nous protéger contre les forces du Mal...

– C'est une comédie qui est indispensable au succès, Drago ! répliqua Rogue. Où croyez-vous que je me serais retrouvé pendant toutes ces années si je n'avais pas su jouer la comédie ? Maintenant, écoutez-moi bien ! Vous vous montrez imprudent en rôdant la nuit dans les couloirs et en vous laissant surprendre. Si par ailleurs, vous vous fiez à des gens comme Crabbe et Goyle...

– Ce ne sont pas les seuls, j'en ai d'autres de mon côté, et qui sont beaucoup mieux !

– Alors, pourquoi ne pas vous confier à moi, afin que je puisse...

– Je sais très bien ce que vous mijotez ! Vous voulez vous approprier ma gloire !

Il y eut encore un silence puis Rogue dit avec froideur :

– Vous parlez comme un enfant. Je comprends très bien que l'arrestation et l'emprisonnement de votre père vous aient bouleversé, mais...

Harry eut à peine une seconde pour réagir. Il entendit les pas de Malefoy de l'autre côté de la porte et eut tout juste le temps de s'écarter de son chemin à l'instant où il l'ouvrait à la volée. Malefoy s'éloigna dans le couloir à grands pas, sans s'arrêter devant la porte ouverte du bureau de Slughorn. Puis il tourna à l'angle du mur et disparut.

Osant tout juste respirer, Harry resta accroupi tandis que Rogue sortait lentement de la salle de classe. Le visage insondable, il retourna à la fête de Slughorn. Harry, caché sous sa cape, demeura immobile, ses pensées se bousculant dans sa tête.

16
UN NOËL GLACIAL

– Donc, Rogue proposait de l'aider ? Il proposait vraiment *de l'aider* ?

– Si tu me le demandes encore une fois, répliqua Harry, je te colle ce chou de Bruxelles dans le…

– Je vérifie, c'est tout ! protesta Ron.

Ils étaient tous les deux seuls devant l'évier de la cuisine du Terrier, occupés à éplucher une montagne de choux de Bruxelles pour Mrs Weasley. Par la fenêtre, ils voyaient la neige tomber devant eux.

– Oui, Rogue a proposé de l'aider ! répéta Harry. Il a dit qu'il avait promis à la mère de Malefoy de le protéger, qu'il avait fait avec elle un vœu inviolable ou je ne sais quoi…

– Un Serment Inviolable ? s'exclama Ron, stupéfait. Non, c'est impossible… tu es sûr ?

– Oui, j'en suis sûr, répondit Harry. Qu'est-ce que ça signifie ?

– Comme son nom l'indique, on ne peut pas violer un Serment Inviolable…

– Aussi curieux que ça puisse te paraître, je m'en étais douté. Mais qu'est-ce qui se passe si on le viole ?

– Tu en meurs, dit simplement Ron. Fred et George

ont voulu m'obliger à en faire un quand j'avais cinq ans. J'ai failli aller jusqu'au bout. Je tenais la main de Fred et il commençait à prononcer la formule quand papa est arrivé. Il est devenu fou, se rappela Ron, l'œil brillant à l'évocation de ce souvenir. C'est la seule fois où j'ai vu papa aussi en colère que maman. Fred dit que sa fesse gauche n'a plus jamais été la même depuis.

– D'accord, mais à part la fesse gauche de Fred...

– Pardon ? lança derrière eux la voix de Fred.

Les jumeaux venaient d'entrer dans la cuisine.

– Aaah, George, regarde ça. Ils utilisent des couteaux et tout le matériel. Je leur souhaite bien du plaisir.

– Dans un peu plus de deux mois, j'aurai dix-sept ans, grogna Ron, et à ce moment-là, j'aurai le droit de pratiquer la magie !

– Mais en attendant, dit George qui s'assit à la table et posa les pieds dessus, on peut encore assister à une belle démonstration de la façon dont on doit se servir d'un... Houlà !

– C'est ta faute ! s'écria Ron avec colère en suçant la coupure qu'il venait de se faire au pouce. Attends un peu que j'aie dix-sept ans...

– Je suis sûr que tu nous éblouiras par des talents magiques jusqu'alors insoupçonnés, dit Fred en bâillant.

– Et en parlant de talents jusqu'alors insoupçonnés, Ronald, c'est quoi cette histoire que Ginny nous a racontée à propos de toi et d'une jeune demoiselle qui s'appellerait – si nos informations sont exactes – Lavande Brown ? demanda George.

Ron rougit un peu mais ne sembla pas mécontent tandis qu'il retournait à ses choux de Bruxelles.

– Occupez-vous de vos affaires.

– Quelle réplique cinglante, commenta Fred. Je me demande où tu vas les chercher. Mais ce qu'on voulait savoir, c'était... comment est-ce arrivé ?

– Qu'est-ce que tu veux dire ?

– Elle a eu un accident, ou quoi ?

– Hein ?

– Pour avoir le cerveau aussi abîmé ? Attention !

Mrs Weasley entra au moment où Ron jetait le couteau avec lequel il épluchait les choux de Bruxelles droit sur Fred qui le transforma, d'un petit coup de baguette magique, en un avion en papier.

– Ron ! dit Mrs Weasley avec fureur. Que je ne te voie plus jamais lancer de couteau !

– C'est promis, je ne le ferai plus, répondit Ron, quand tu seras là, ajouta-t-il dans un murmure en se tournant à nouveau vers la montagne de choux de Bruxelles.

– Fred, George, je suis désolée, mes chéris, mais Remus arrive ce soir et vous devrez donc faire une petite place à Bill !

– Pas de problème, assura George.

– Comme Charlie ne revient pas à la maison, Harry et Ron coucheront dans le grenier et si Fleur partage la chambre de Ginny...

– ... ce sera le plus beau cadeau de Noël de Ginny..., marmonna Fred.

– ... tout le monde sera confortablement installé. Enfin, au moins, chacun aura son lit, dit Mrs Weasley qui avait l'air un peu fatiguée.

– On est certains que Percy ne montrera pas sa sale tête ? demanda Fred.

Mrs Weasley se détourna avant de répondre :

– Non, j'imagine qu'il est trop occupé au ministère.

– Ou alors, c'est le plus grand crétin du monde, dit Fred lorsque Mrs Weasley eut quitté la cuisine. L'un des deux. Bon, eh bien, allons-y, George.

– Qu'est-ce que vous mijotez ? interrogea Ron. Vous ne pourriez pas nous aider pour les choux de Bruxelles ? Vous n'auriez qu'à vous servir de votre baguette et nous aussi, on serait libres !

– Non, je ne pense pas que nous soyons disposés à le faire, répondit Fred, très sérieux. Éplucher des choux de Bruxelles sans recourir à la magie est excellent pour former le caractère, ça permet de se rendre compte combien c'est difficile pour les Moldus et les Cracmols...

– ... et puis si tu veux que les gens t'aident, ajouta George en lui jetant l'avion en papier, il vaut mieux ne pas leur balancer de couteaux à la figure. Simple suggestion. On va au village où il y a une très jolie fille qui travaille chez le marchand de journaux et qui trouve mes tours de cartes absolument merveilleux... quasiment magiques...

– Bande d'affreux, marmonna Ron d'un air sombre en regardant Fred et George traverser le jardin enneigé. Ça ne leur aurait pas pris plus de dix secondes et on aurait pu sortir aussi.

– Moi, je n'aurais pas pu, soupira Harry. J'ai promis à Dumbledore de ne pas aller me promener pendant que je serai ici.

– Ah, oui, bien sûr, dit Ron.

Il éplucha quelques choux de Bruxelles, puis ajouta :

– Tu vas raconter à Dumbledore la conversation que tu as entendue entre Rogue et Malefoy ?

– Oui, répondit Harry. Je vais la raconter à tous ceux qui peuvent mettre un terme à ça et Dumbledore est en tête de liste. Peut-être que j'en dirai aussi un mot à ton père.

– Dommage que tu n'aies pas su ce que Malefoy cherche à faire.

– Je n'aurais pas pu. C'était justement ça, le fond des choses, il refusait d'en parler à Rogue.

Il y eut un moment de silence, puis Ron reprit :

– Tu te doutes, bien sûr, de ce que tout le monde dira ? Papa, Dumbledore et tous les autres ? Que Rogue n'essaye pas vraiment d'aider Malefoy, qu'il voulait simplement savoir ce qu'il préparait.

– Ils ne l'ont pas entendu, trancha Harry d'un ton catégorique. Personne ne peut jouer aussi bien la comédie, pas même Rogue.

– Ouais... Je disais ça comme ça...

Harry se tourna vers lui, les sourcils froncés.

– Tu penses que j'ai raison, non ?

– Oui, bien sûr ! s'empressa de répondre Ron. Sérieusement, je te crois ! Mais ils sont tous convaincus que Rogue fait partie de l'Ordre, non ?

Harry resta silencieux. Il avait prévu qu'on lui opposerait cet argument. Il lui semblait déjà entendre Hermione : « C'est évident, Harry, il prétendait vouloir aider Malefoy pour l'inciter à lui raconter ce qu'il préparait... »

Il ne pouvait cependant qu'imaginer ses commentaires car il n'avait pas trouvé le temps de lui rapporter ce qu'il avait entendu. Hermione avait disparu de la fête de Slughorn avant que lui-même y soit revenu – c'était en tout cas ce que lui avait dit un McLaggen furieux –, et quand il était retourné dans la salle commune, elle était déjà montée se coucher. Comme Ron et lui partaient de bonne heure le lendemain matin pour aller au Terrier, il avait tout juste eu le temps de lui souhaiter un joyeux Noël et de lui annoncer qu'il aurait des nouvelles très importantes à lui communiquer à leur retour de vacances. Mais il n'était pas vraiment sûr qu'elle l'ait entendu, car pendant qu'il lui parlait, Ron et Lavande avaient échangé, juste derrière lui, un très long au revoir qui se passait de mots.

Pourtant, même Hermione ne pourrait le nier : Malefoy mijotait vraiment quelque chose et Rogue le savait. Harry pouvait donc légitimement affirmer : « Je te l'avais bien dit », ce qu'il ne s'était pas privé de faire auprès de Ron.

Harry n'eut pas l'occasion de parler à Mr Weasley qui avait travaillé de longues heures au ministère jusqu'au soir du réveillon. Les Weasley et leurs invités étaient installés dans le living-room, décoré par Ginny avec une telle profusion qu'on avait l'impression d'être assis au milieu d'une explosion de guirlandes. Fred, George, Harry et Ron étaient les seuls à savoir que l'ange accroché au sommet du sapin était en réalité un gnome de jardin qui avait mordu Fred à la cheville alors qu'il arrachait des carottes pour le réveillon. Stupéfixé, peint en doré, serré dans un tutu miniature avec de petites ailes collées sur le dos, il les regardait d'un œil noir. Jamais Harry n'avait vu un ange aussi laid, avec sa grosse tête chauve semblable à une pomme de terre et ses pieds velus.

Ce soir-là, ils devaient tous écouter une émission de Noël avec en vedette la chanteuse préférée de Mrs Weasley, Celestina Moldubec, dont la voix gazouillante s'élevait du grand poste de radio en bois. Fleur, qui semblait trouver Celestina très ennuyeuse, parlait à voix si haute dans son coin que Mrs Weasley, l'air mécontent, ne cessait de pointer sa baguette sur le bouton du son, si bien que Celestina chantait de plus en plus fort. Couverts par une chanson particulièrement jazzy intitulée *Un chaudron plein de passion*, Fred et George avaient entamé une partie de Bataille explosive avec Ginny. Ron, de son côté, lançait des regards en biais à Fleur et à Bill, comme s'il espérait s'instruire. Pendant ce temps, Remus Lupin, plus maigre et déguenillé que jamais, était assis auprès du feu, perdu dans ses pensées profondes, indifférent à la voix de Celestina qui chantait :

Oh, viens, viens remuer mon chaudron
Et si tu t'y prends comme il faut
Je te ferai bouillir une grande passion
Pour te garder ce soir près de moi bien au chaud.

– Nous dansions là-dessus quand nous avions dix-huit ans ! dit Mrs Weasley en s'essuyant les yeux avec le pull qu'elle était en train de tricoter. Tu te souviens, Arthur ?

– Mmpf ? marmonna Mr Weasley qui dodelinait de la tête en épluchant un kumquat. Oh, oui... merveilleuse chanson...

Il fit un effort pour se redresser un peu et se tourna vers Harry, assis à côté de lui.

– Désolé de t'infliger ça, s'excusa-t-il en désignant d'un signe de tête le poste de radio, tandis que Celestina chantait le refrain. Ce sera bientôt fini.

– Ce n'est pas grave, répondit Harry avec un sourire. Vous avez eu beaucoup de travail, au ministère ?

– Oh, oui, dit Mr Weasley. Ça ne me dérangerait pas si les résultats en valaient la peine mais sur les trois personnes que nous avons arrêtées ces deux derniers mois, je doute qu'il y en ait une seule qui soit véritablement un Mangemort – surtout, ne le répète à personne, Harry, ajouta-t-il aussitôt, l'air soudain beaucoup plus réveillé.

– Ils n'ont quand même pas gardé Stan Rocade en prison, j'espère ?

– J'ai bien peur que si. Je sais que Dumbledore a essayé d'intervenir directement auprès de Scrimgeour au sujet de Stan… Tous ceux qui l'ont vraiment interrogé s'accordent à dire qu'il n'est pas plus Mangemort que ce kumquat… Mais en haut lieu, ils veulent donner l'impression de progresser et « trois arrestations » sonnent mieux que « trois personnes arrêtées par erreur ont été relâchées »... Encore une fois, tout cela est top secret…

– Je ne dirai rien, promit Harry.

Il hésita un instant, cherchant le meilleur moyen d'aborder le sujet dont il voulait parler. Pendant qu'il mettait un peu d'ordre dans ses pensées, Celestina entama une ballade qui avait pour titre *Tu as ensorcelé mon cœur*.

– Monsieur Weasley, vous vous souvenez de ce que je vous ai dit à la gare le jour où nous partions pour l'école ?

– J'ai vérifié, répondit immédiatement Mr Weasley. J'ai perquisitionné la maison des Malefoy et je n'ai trouvé aucun objet, ni cassé, ni entier, qui n'aurait pas dû être là.

– Oui, je sais, j'ai lu ça dans *La Gazette*… mais je voudrais vous parler d'autre chose… Quelque chose de plus…

Et il raconta à Mr Weasley la conversation entre Malefoy et Rogue. Tandis qu'il parlait, Harry vit Lupin tourner légèrement la tête vers lui, écoutant chaque mot. Lorsqu'il eut terminé, il y eut un silence et on n'entendit plus que la voix suave de Celestina qui chantait :

Oh, mon cœur malheureux, où s'en est-il allé ?
C'est pour un sortilèg' qu'il m'a abandonnée…

– T'est-il venu à l'idée, Harry, que Rogue faisait simplement semblant..., commença Mr Weasley.

– Semblant de proposer son aide pour pouvoir découvrir ce que Malefoy préparait ? acheva Harry. Oui, je pensais bien que vous diriez cela. Mais comment le savoir ?

– Ce n'est pas notre affaire de le savoir, intervint inopinément Lupin.

Il avait à présent tourné le dos à la cheminée et regardait Harry en face, derrière Mr Weasley assis entre eux.

– C'est l'affaire de Dumbledore. Dumbledore a confiance en Severus et cela devrait nous suffire à tous.

– Mais, répondit Harry, imaginons simplement que... Dumbledore se trompe au sujet de Rogue...

– Il y a des gens qui l'ont souvent prétendu. Tout dépend si on fait confiance au jugement de Dumbledore ou pas. Moi, j'ai confiance, donc j'ai aussi confiance en Severus.

– Mais Dumbledore peut commettre des erreurs, répliqua Harry. Il le dit lui-même. Et vous...

Il fixa Lupin droit dans les yeux.

– Franchement, vous aimez Rogue ?

– Je ne peux pas dire que j'aime ou que je n'aime pas Severus, ni l'un ni l'autre, répondit Lupin. Non, Harry, c'est la vérité, ajouta-t-il en voyant son air sceptique. Nous ne serons peut-être jamais des amis intimes. Tout ce qui s'est passé entre James et Sirius d'un côté et Severus de l'autre a laissé trop de souvenirs amers. Mais je n'oublie pas que pendant l'année où j'ai enseigné à Poudlard, Severus m'a préparé chaque mois la potion Tue-Loup, d'une manière parfaite, si bien que je n'ai jamais eu à souffrir de la pleine lune comme cela m'arrive d'habitude.

– Mais il a quand même laissé comprendre « incidemment » que vous étiez un loup-garou, ce qui vous a obligé à partir ! dit Harry avec colère.

Lupin haussa les épaules.

– La nouvelle aurait filtré de toute façon. Nous savons tous les deux qu'il voulait ce poste mais il aurait pu me faire encore plus de mal s'il avait trafiqué la potion. Il m'a permis de conserver la santé. Je dois lui en être reconnaissant.

– Peut-être qu'il n'a pas osé toucher à la potion parce que Dumbledore le surveillait ! objecta Harry.

– Tu as décidé de le haïr, Harry, dit Lupin avec un faible sourire. Et je te comprends. James étant ton père et Sirius ton parrain, tu as hérité d'un vieux préjugé. Va donc répéter à Dumbledore ce que tu as raconté à Arthur et à moi mais ne t'attends pas à ce qu'il partage ton point de vue sur la question. Ne t'attends même pas à ce qu'il soit surpris de ce que tu lui diras. C'est peut-être sur ordre de Dumbledore que Severus a interrogé Drago.

Maintenant que tu l'as brisé
Sans la moindre pitié
Fais-moi je t'en prie la faveur
De me rendre mon cœur !

Celestina acheva sa chanson sur une longue note aiguë, déclenchant dans le poste des applaudissements retentissants auxquels Mrs Weasley se joignit avec enthousiasme.

– Ça y est, c'est fini, oui ? dit Fleur d'une voix sonore. Ce n'est pas trop tôt, quelle horrible…

– On boit un petit verre avant de monter se coucher ? proposa Mr Weasley en parlant plus fort qu'elle. Qui veut un lait de poule ?

– Qu'est-ce que vous avez fait, ces temps derniers ?

demanda Harry à Lupin tandis que Mr Weasley se hâtait d'aller chercher le lait de poule.

Les autres s'étirèrent et les conversations reprirent.

– Oh, je me suis consacré à un travail souterrain, répondit Lupin. Presque au sens propre du terme. C'est la raison pour laquelle je n'ai pas pu t'écrire, Harry. T'envoyer des lettres aurait éveillé les soupçons.

– Que voulez-vous dire ?

– J'ai passé mon temps avec mes semblables, mes égaux, expliqua Lupin. Les loups-garous, ajouta-t-il devant l'air d'incompréhension de Harry. Ils sont presque tous dans le camp de Voldemort. Dumbledore voulait un espion parmi eux, et j'étais là... prêt à l'emploi.

Il semblait un peu amer et s'en rendit peut-être compte car il eut un sourire plus chaleureux avant de poursuivre :

– Je ne m'en plains pas. C'est un travail nécessaire et qui peut l'accomplir mieux que moi ? Mais il a été difficile de gagner leur confiance. On voit tout de suite, à certains signes indiscutables, que j'ai essayé de vivre parmi les sorciers, alors qu'eux ont fui la société normale et mènent une existence marginale, en volant – et parfois en tuant – pour manger.

– Comment se fait-il qu'ils préfèrent Voldemort ?

– Ils pensent que sous son pouvoir, ils auront une meilleure vie, dit Lupin. Et il est difficile de discuter avec Greyback...

– Qui est Greyback ?

– Tu n'as jamais entendu parler de lui ?

Les mains de Lupin, posées sur ses genoux, se crispèrent en un geste convulsif.

– Greyback est sans doute le plus sauvage des loups-garous vivant aujourd'hui. Il considère comme sa mission dans l'existence de mordre et de contaminer le plus de gens possible. Il veut créer suffisamment de loups-garous pour que leur nombre l'emporte sur celui des sorciers. Voldemort lui a promis des proies en échange de ses services. Greyback se spécialise dans les enfants... « Mordez-les quand ils sont jeunes, dit-il, et élevez-les loin de leur famille, apprenez-leur à haïr les sorciers normaux. » Voldemort menace souvent les parents de le lâcher sur leurs fils ou leurs filles. Une tactique qui produit généralement de bons résultats.

Lupin s'interrompit un instant puis il dit :

– C'est Greyback qui m'a mordu.

– Quoi ? s'exclama Harry, stupéfait. Quand... quand vous étiez enfant ?

– Oui. Mon père l'avait offensé. Pendant longtemps, j'ai ignoré l'identité du loup-garou qui m'avait attaqué. J'éprouvais même de la pitié pour lui, en pensant qu'il n'avait pas pu se contrôler car je savais alors ce qu'on ressent quand on se transforme. Mais Greyback n'est pas comme ça. A la pleine lune, il se place à proximité de ses victimes désignées, s'assurant ainsi qu'il sera suffisamment près d'elles pour les frapper. Il organise tout d'avance. Voilà l'homme dont Voldemort se sert pour diriger les loups-garous. Je ne peux pas prétendre que mes arguments rationnels aient beaucoup d'influence face aux discours de Greyback qui répète sans cesse que les loups-garous ont droit à du sang, que nous devrions nous venger sur les gens normaux.

– Mais vous êtes normal ! affirma Harry avec force. Vous avez simplement un... un problème...

Lupin éclata de rire.

– Parfois, tu me rappelles beaucoup James. En public, il

appelait ça mon « petit problème de fourrure ». Les autres croyaient souvent que je possédais un lapin mal élevé.

L'air un peu plus joyeux, Lupin remercia Mr Weasley qui lui avait apporté un verre de lait de poule. Harry éprouva une soudaine excitation : cette allusion à son père venait de lui rappeler qu'il avait une question importante à poser à Lupin.

– Avez-vous jamais entendu parler de quelqu'un qui s'appelait le Prince de Sang-Mêlé ?

– Quoi de Sang-Mêlé ?

– Le Prince, répéta Harry en l'observant attentivement pour voir si le nom évoquait quelque chose en lui.

– Il n'y a pas de princes chez les sorciers, répondit Lupin qui souriait à présent. C'est un titre que tu songes à adopter ? Je pensais que « l'Élu » te suffirait.

– Ça n'a aucun rapport avec moi ! s'indigna Harry. Le Prince de Sang-Mêlé est quelqu'un qui étudiait à Poudlard. J'ai son ancien livre de potions et il a écrit des formules sur toutes les pages, des sortilèges qu'il a inventés lui-même. L'un d'eux était le Levicorpus…

– Oh, celui-là était très à la mode quand j'étais à Poudlard, se rappela Lupin. Au cours de ma cinquième année, il y a eu quelques mois pendant lesquels on ne pouvait plus faire un pas sans se retrouver suspendu dans les airs par une cheville.

– Mon père s'en est servi, dit Harry. Je l'ai vu dans la Pensine, il l'a utilisé contre Rogue.

Il avait essayé d'adopter un ton dégagé comme s'il s'agissait d'une remarque sans importance, lancée en passant, mais il n'était pas certain d'avoir obtenu l'effet désiré. Le sourire de Lupin montrait qu'il comprenait un peu trop bien.

– Oui, mais il n'était pas le seul. Comme je te le disais, c'était un sortilège très apprécié à l'époque… Toutes ces formules vont et viennent, comme tu le sais…

– Mais il semble avoir été inventé pendant que vous étiez à l'école, insista Harry.

– Pas forcément, répondit Lupin. Ces maléfices redeviennent parfois à la mode puis disparaissent à nouveau, comme tout le reste.

Il regarda Harry dans les yeux et dit à voix basse :

– James était un sang-pur, Harry, et je peux te promettre qu'il ne nous a jamais demandé de l'appeler « Prince ».

Abandonnant tout faux-semblant, Harry demanda :

– Et ce n'était pas Sirius ? Ou vous ?

– Certainement pas.

– Ah…

Harry contempla le feu dans la cheminée.

– Je pensais simplement que… En fait, le Prince m'a été très utile en cours de potions.

– Ce livre date de quand, Harry ?

– Je ne sais pas. Je n'ai jamais regardé.

– Peut-être que ça te donnera une idée de l'époque à laquelle le Prince était à Poudlard, dit Lupin.

Peu après, Fleur décida d'imiter Celestina chantant *Un chaudron plein de passion*, ce que tout le monde considéra, en voyant l'expression de Mrs Weasley, comme le signal qu'il était temps d'aller se coucher. Harry et Ron montèrent tout en haut, dans la chambre que Ron avait au grenier et où un lit de camp avait été ajouté pour Harry.

Ron s'endormit presque immédiatement mais avant de se mettre au lit, Harry plongea dans sa grosse valise pour y prendre son *Manuel avancé de préparation des potions*. Il tourna les pages jusqu'à ce qu'il trouve enfin, au tout début du livre, la date à laquelle il avait été publié, c'est-à-dire cinquante ans auparavant. Ni son père, ni les amis de son père n'étaient à Poudlard à cette époque-là. Déçu, Harry jeta le livre dans sa valise, éteignit la lampe et se retourna dans son lit, pensant aux loups-garous et à Rogue, à Stan Rocade et au Prince de Sang-Mêlé, puis sombrant enfin dans un sommeil agité, rempli d'ombres qui rôdaient autour de lui et de cris d'enfants mordus...

– Elle plaisante ou quoi ?

Harry se réveilla en sursaut et trouva une grosse chaussette posée au pied de son lit. Il mit ses lunettes et regarda à côté de lui. Devant la minuscule fenêtre presque entièrement masquée par la neige, Ron, assis droit dans son lit, examinait une épaisse chaîne d'or.

– Qu'est-ce que c'est que ça ? demanda Harry.

– C'est Lavande qui me l'a envoyée, répondit Ron, indigné. Elle ne peut quand même pas penser que je vais porter...

Harry regarda de plus près et éclata d'un grand rire. Accrochées à la chaîne, de grosses lettres d'or formaient les mots : « Ma Bien-Aimée ».

– Très joli, dit-il. Beaucoup de classe. Tu devrais la mettre quand Fred et George sont là.

– Si jamais tu leur racontes ça, menaça Ron en cachant le collier sous son oreiller, je... je... vais...

– Me bégayer à la figure ? suggéra Harry avec un sourire. Tu crois vraiment que je ferais une chose pareille ?

– Comment a-t-elle pu imaginer que ce machin-là me plairait ? demanda Ron dans le vide, l'air passablement choqué.

– Essaye de te souvenir, dit Harry, tu ne lui as jamais laissé entendre que tu aimerais bien te promener en public avec « Ma Bien-Aimée » autour du cou ?

– En fait… on ne parle pas tellement, répondit Ron. On passe surtout notre temps à…

– A vous embrasser, acheva Harry.

– Oui, c'est ça, admit Ron.

Il hésita un moment, puis ajouta :

– C'est vrai qu'Hermione sort avec McLaggen ?

– Je ne sais pas. Ils étaient ensemble à la soirée de Slughorn mais je crois que ça ne s'est pas très bien passé.

Ron parut un peu plus joyeux lorsqu'il replongea dans les profondeurs de sa chaussette.

Parmi les cadeaux de Harry, il y avait un pull avec un grand Vif d'or, tricoté par Mrs Weasley, une grosse boîte de produits des Farces pour sorciers facétieux envoyée par les jumeaux ainsi qu'un paquet légèrement humide qui sentait le moisi et dont l'étiquette indiquait : « Au maître, de la part de Kreattur ».

Harry regarda le paquet.

– Tu crois que je peux l'ouvrir sans risque ? demanda-t-il.

– Ça ne peut pas être dangereux, notre courrier est contrôlé par le ministère, répondit Ron tout en observant le paquet d'un air soupçonneux.

– Je n'ai pas songé à envoyer de cadeau à Kreattur ! Est-ce que les gens ont l'habitude d'offrir quelque chose à leurs elfes de maison pour Noël ? interrogea Harry en tâtant le paquet avec précaution.

– Hermione le ferait sûrement, dit Ron. Mais attends de voir ce que c'est avant de te sentir coupable.

Un instant plus tard, Harry poussa un grand cri et bondit hors de son lit. Le paquet était rempli d'asticots.

– Charmant, commenta Ron dans un grand éclat de rire. Très délicate attention.

– Je préfère ça à ton collier, répliqua Harry, ce qui calma aussitôt Ron.

Lorsqu'ils s'assirent à table pour le déjeuner, ils portaient tous de nouveaux pulls, à l'exception de Fleur (pour qui, semblait-il, Mrs Weasley n'avait pas voulu gaspiller sa laine) et de Mrs Weasley elle-même qui arborait un tout nouveau chapeau de sorcière bleu nuit, parsemé de minuscules étoiles étincelantes apparemment en diamant, ainsi qu'un collier d'or spectaculaire.

– C'est Fred et George qui me les ont offerts ! Ils sont magnifiques, non ?

– Tu vois, maman, maintenant que nous lavons nos chaussettes nous-mêmes, nous t'apprécions de plus en plus, dit George avec un geste dégagé. Un peu de panais, Remus ?

– Harry, tu as un asticot dans les cheveux, dit Ginny d'un ton amusé en se penchant par-dessus la table pour le lui enlever.

Harry sentit dans sa nuque un frisson qui n'avait rien à voir avec l'asticot.

– Oh, mais c'est absolument horrible ! s'exclama Fleur avec un haut-le-corps affecté.

– Oui, n'est-ce pas ? dit Ron. Un peu de sauce, Fleur ?

Dans sa hâte de la servir, il renversa la saucière. Bill donna un petit coup de baguette magique et la sauce s'éleva dans les airs pour retourner docilement dans son récipient.

– Tu es aussi maladroit que cette Tonks, dit Fleur à Ron lorsqu'elle eut fini d'embrasser Bill pour le remercier. C'est fou ce qu'elle peut renverser de…

– J'ai invité notre *chère* Tonks à venir aujourd'hui, l'interrompit Mrs Weasley qui lança à Fleur un regard noir en posant les carottes sur la table avec une force injustifiée. Mais elle n'a pas voulu. Tu lui as parlé, ces derniers temps, Remus ?

– Oh non, je n'ai pas vu grand monde, répondit Lupin. Mais Tonks va dans sa propre famille, non ?

– Mmmmh, dit Mrs Weasley. Peut-être. En fait, j'ai plutôt l'impression qu'elle avait l'intention de passer Noël seule.

Elle regarda Lupin d'un air agacé, comme si c'était à cause de lui qu'elle avait Fleur comme belle-fille plutôt que Tonks mais Harry, qui observait Fleur à la dérobée tandis qu'elle faisait manger à Bill des morceaux de dinde avec sa propre fourchette, songea que Mrs Weasley livrait un combat perdu depuis longtemps. Il se souvint alors d'une question qu'il s'était posée à propos de Tonks et à laquelle Lupin, l'homme qui savait tout des Patronus, était le mieux placé pour répondre.

– Le Patronus de Tonks a changé de forme, lui dit-il. C'est en tout cas ce que prétend Rogue. Je ne savais pas que ça pouvait se produire. Pourquoi un Patronus changerait-il ?

Lupin prit son temps pour mâcher sa dinde et l'avaler avant d'expliquer d'une voix lente :

– Parfois… un grand choc… un bouleversement émotionnel…

– Il paraissait très grand, avec quatre pattes, reprit Harry.

Frappé par une soudaine pensée, il ajouta à voix basse : Est-ce que ça ne pourrait pas être…

– Arthur ! dit soudain Mrs Weasley.

Elle s'était levée de sa chaise, la main pressée contre son cœur, les yeux fixés sur la fenêtre de la cuisine.

– Arthur… C'est Percy !

– *Quoi ?*

Mr Weasley se retourna. Tout le monde regarda par la fenêtre. Ginny se leva à son tour pour mieux voir. C'était bien Percy Weasley qui traversait à grands pas le jardin enneigé, ses lunettes d'écaille brillant sous le soleil. Mais il n'était pas seul.

– Arthur, il est… il est avec le ministre !

En effet, l'homme dont Harry avait vu la photo dans *La Gazette du sorcier* suivait Percy en boitant légèrement, sa crinière grisonnante et sa cape noire parsemées de neige. Avant que quiconque ait pu prononcer un mot, avant que Mr et Mrs Weasley aient pu faire autre chose que d'échanger des regards stupéfaits, la porte de derrière s'ouvrit et Percy entra.

Il y eut un moment de douloureux silence. Puis Percy dit avec raideur :

– Joyeux Noël, maman.

– Oh, Percy ! s'exclama Mrs Weasley.

Et elle se jeta dans ses bras.

Rufus Scrimgeour s'arrêta sur le seuil de la porte, appuyé sur sa canne, souriant au spectacle de cette scène touchante.

– Pardonnez cette intrusion, déclara-t-il, lorsque Mrs Weasley se tourna vers lui, le visage rayonnant, en essuyant ses larmes. Percy et moi étions dans les environs – le travail, vous comprenez – et il n'a pas pu résister à l'envie de vous faire à tous une petite visite.

Mais Percy ne manifestait aucun désir de saluer qui que ce soit d'autre dans la famille. Il restait là, droit comme un piquet, l'air mal à l'aise, regardant ailleurs. Mr Weasley, Fred et George l'observaient tous les trois, le visage impassible.

– Asseyez-vous donc, monsieur le ministre ! proposa Mrs Weasley d'un air affairé en redressant son chapeau. Vous prendrez bien un peu de dingue ou un gout de bâteau... je veux dire...

– Non, non, ma chère Molly, répondit Scrimgeour.

Harry devina qu'il avait dû demander à Percy quel était son prénom avant d'entrer dans la maison.

– Je ne veux pas m'imposer, je ne serais même pas venu si Percy n'avait pas eu une telle envie de vous retrouver tous...

– Oh, Perce ! dit Mrs Weasley, les yeux pleins de larmes en se dressant sur la pointe des pieds pour l'embrasser.

– Nous ne resterons pas plus de cinq minutes, je vais aller me promener dehors pendant que vous bavarderez avec Percy. Non, non, je vous assure, je ne veux surtout pas m'immiscer ! Si quelqu'un voulait bien me montrer votre charmant jardin... Ah, tiens, je vois que ce jeune homme a fini de manger, pourquoi ne ferait-il pas un petit tour avec moi ?

L'atmosphère changea autour de la table. Tout le monde regarda alternativement Scrimgeour et Harry. Nul ne semblait convaincu que Scrimgeour était sincère quand il prétendait ignorer le nom de Harry ou l'avoir choisi au hasard pour l'accompagner dans le jardin alors que Ginny, Fleur et George avaient eux aussi fini leurs assiettes.

– Oui, d'accord, répondit Harry dans le silence qui s'était installé.

Il n'était pas dupe. Scrimgeour avait beau affirmer qu'ils se trouvaient dans les environs et que Percy avait tenu à venir dire bonjour à sa famille, il ne faisait aucun doute que la véritable raison de leur présence était qu'il voulait parler seul à seul avec Harry.

– C'est très bien, dit-il à voix basse en passant devant Lupin qui s'était à moitié levé de sa chaise. Très bien, répéta-t-il, alors que Mr Weasley s'apprêtait à parler.

– Merveilleux ! dit Scrimgeour en reculant d'un pas pour laisser Harry sortir. On va simplement marcher un peu dans le jardin et nous repartirons tout de suite, Percy et moi. Continuez comme si je n'étais pas là !

Harry traversa la petite cour qui menait au jardin touffu et couvert de neige des Weasley, Scrimgeour boitant légèrement à côté de lui. Harry savait qu'il avait été directeur du Bureau des Aurors. Il paraissait coriace et portait les marques d'une vie de combats. Son allure contrastait avec la silhouette corpulente de Fudge, coiffé de son éternel chapeau melon.

– Vraiment charmant, ce jardin, dit Scrimgeour qui s'arrêta devant la clôture, en promenant son regard sur la pelouse enneigée et les plantes indistinctes en cette saison. Absolument charmant.

Harry resta silencieux. Il sentait que Scrimgeour l'observait.

– Il y a longtemps que je voulais vous voir, reprit Scrimgeour au bout d'un moment. Vous le saviez ?

– Non, répondit Harry en toute sincérité.

– Eh oui, bien, bien longtemps. Mais Dumbledore est très protecteur à votre égard. C'est normal, bien sûr, après tout ce que vous avez enduré… et surtout ce qui s'est passé au ministère…

Il attendit que Harry dise quelque chose mais voyant qu'il n'était pas décidé à lui donner satisfaction, il poursuivit :

– Depuis que je suis entré en fonctions, j'ai espéré trouver l'occasion de m'entretenir avec vous mais

Dumbledore – et c'est très compréhensible de sa part – a empêché cette rencontre.

Harry, toujours silencieux, attendit.

– Il y a eu tellement de rumeurs autour de vous ! continua Scrimgeour. Bien sûr, nous savons tous les deux à quel point ces histoires sont déformées... Tous ces ragots au sujet d'une prophétie... Ou ce surnom d'Élu qu'on vous a donné...

Ils abordaient à présent la raison de sa visite, songea Harry.

– J'imagine que Dumbledore a évoqué tout cela avec vous ?

Harry hésita, se demandant s'il devait mentir ou pas. Il contempla les minuscules empreintes de pas laissées par les gnomes autour des massifs de fleurs et les traces de lutte à l'endroit où Fred avait capturé le gnome vêtu d'un tutu qui ornait à présent l'arbre de Noël. Finalement, il décida de dire la vérité... en partie tout au moins :

– Oui, nous en avons parlé.

– Ah, vraiment, vraiment..., dit Scrimgeour.

Du coin de l'œil, Harry vit qu'il l'observait et il fit semblant d'être soudain très intéressé par un gnome qui venait de montrer sa tête sous un rhododendron gelé.

– Et que vous a raconté Dumbledore ?

– Désolé mais c'était une conversation privée, répliqua Harry.

Il avait parlé d'une voix aussi aimable que possible et le ton de Scrimgeour fut tout aussi léger et amical lorsqu'il lui déclara :

– Oh, bien sûr, si c'est confidentiel, je ne veux surtout pas que vous révéliez quoi que ce soit... non, non... D'ailleurs est-ce si important de savoir si vous êtes l'Élu ou pas ?

Harry réfléchit quelques instants avant de répondre :

– Je ne saisis pas très bien ce que vous voulez dire, monsieur le ministre.

– Bien entendu, pour *vous*, c'est d'une très grande importance, assura Scrimgeour en éclatant de rire. Mais pour la communauté des sorciers en général... Tout dépend des points de vue, n'est-ce pas ? L'essentiel, c'est ce que les gens croient.

Encore une fois, Harry resta muet. Il voyait plus ou moins où Scrimgeour voulait en venir mais il n'avait pas l'intention de l'aider à y arriver plus vite. A présent, le gnome creusait au pied du rhododendron pour chercher des vers et Harry ne le quitta pas des yeux.

– Les gens croient que vous êtes l'Élu, comprenez-vous, reprit Scrimgeour. Ils vous voient comme un héros – ce que vous êtes, sans aucun doute, Harry, Élu ou pas ! Combien de fois avez-vous affronté Celui-Dont-On-Ne-Doit-Pas-Prononcer-Le-Nom ? Quoi qu'il en soit, poursuivit-il sans attendre de réponse, le fond des choses, c'est que pour beaucoup, vous êtes un symbole d'espoir, Harry. Vous incarnez l'idée que quelqu'un sera peut-être capable un jour de terrasser Celui-Dont-On-Ne-Doit-Pas-Prononcer-Le-Nom – alors, bien sûr, pour eux, c'est une raison de retrouver le moral. Et je ne puis m'empêcher de penser qu'étant conscient de cela, vous considérerez, disons, presque comme un devoir de sou tenir le ministère afin de redonner confiance à chacun.

Le gnome avait réussi à attraper un ver qu'il tirait de toutes ses forces pour essayer de l'arracher du sol gelé. Harry resta si longtemps silencieux que Scrimgeour, les regardant tour à tour, le gnome et lui, finit par dire :

– Drôles de petits bonshommes, n'est-ce pas ? Alors, qu'en pensez-vous ?

– Je ne comprends pas très bien ce que vous voulez, répondit Harry avec lenteur. « Soutenir le ministère »... qu'est-ce que ça signifie ?

– Oh, rien de très contraignant, je peux vous l'assurer. Si par exemple, on vous voyait entrer au ministère ou en sortir de temps en temps, ce serait suffisant pour faire bonne impression. Et bien sûr, quand vous seriez là-bas, vous auriez toutes possibilités de vous entretenir avec Gawain Robards, mon successeur comme directeur du Bureau des Aurors. Dolores Ombrage m'a dit que vous nourrissiez l'ambition de devenir Auror. Voilà quelque chose qu'on pourrait très facilement arranger...

Harry sentit la colère bouillonner au creux de son estomac. Ainsi donc, Dolores Ombrage était toujours au ministère ?

– En somme, dit-il, comme s'il voulait clarifier la situation, vous voudriez donner l'impression que je travaille pour le ministère ?

– Tout le monde se sentirait stimulé si on pensait que vous êtes engagé à nos côtés, affirma Scrimgeour, apparemment soulagé que Harry ait si vite compris. L'Élu, comprenez-vous ? Il s'agit de rendre espoir aux gens, de leur donner le sentiment que les choses bougent...

– Mais si on me voit entrer souvent au ministère, dit Harry en s'efforçant de conserver un ton amical, n'aurai-je pas l'air d'approuver l'action des autorités ?

– Eh bien, répondit Scrimgeour, les sourcils légèrement froncés, en effet, c'est en partie la raison pour laquelle nous aimerions...

– Je ne pense pas que ce soit possible, l'interrompit

Harry d'un air aimable. Car, voyez-vous, je n'apprécie pas du tout certaines initiatives du ministère. L'arrestation de Stan Rocade, par exemple.

Pendant un moment, Scrimgeour ne prononça pas un mot mais son visage s'était instantanément durci.

– Vous ne pouvez pas comprendre cela, dit-il en se montrant moins habile que Harry à chasser toute colère de sa voix. Nous vivons une époque dangereuse et il faut prendre certaines mesures. Vous n'avez que seize ans...

– Dumbledore a beaucoup plus de seize ans et il ne croit pas non plus que Stan Rocade ait sa place à Azkaban, objecta Harry. Vous faites de Stan un bouc émissaire, de la même façon que vous voulez me transformer en mascotte.

Ils s'observèrent longuement, le regard dur. Enfin, abandonnant tout effort pour se montrer chaleureux, Scrimgeour lança :

– Je vois. Vous préférez – comme votre héros Dumbledore – vous dissocier du ministère ?

– Je ne veux pas qu'on se serve de moi, répondit Harry.

– Certains diraient qu'il est de votre devoir de laisser le ministère se servir de vous !

– Oui, et d'autres pourraient dire qu'il est de votre devoir de vérifier si les gens sont vraiment des Mangemorts avant de les jeter en prison, répliqua Harry qui commençait à s'énerver. Vous agissez de la même manière que Barty Croupton. Décidément, vous vous trompez toujours. Ou bien on a Fudge qui prétend que tout va pour le mieux alors que des gens se font tuer sous son nez, ou bien on a vous qui envoyez des innocents en prison en essayant de faire croire que l'Élu vous soutient !

– Vous n'êtes donc pas l'Élu ? demanda Scrimgeour.

– Je croyais que, de toute façon, ça n'avait pas d'importance, répondit Harry avec un rire amer. Pour vous en tout cas.

– Je n'aurais pas dû parler ainsi, admit Scrimgeour. J'ai manqué de tact...

– Non, vous étiez sincère, coupa Harry. C'est même une des seules choses sincères que vous m'ayez dites. Vous vous en fichez que je vive ou que je meure mais vous aimeriez bien que je vous aide à convaincre tout le monde que vous êtes en train de gagner la guerre contre Voldemort. Je n'ai pas oublié, monsieur le ministre...

Il leva son poing droit. Là, sur le dos de sa main glacée, on voyait briller les cicatrices blanchâtres laissées par les mots que Dolores Ombrage l'avait obligé à graver dans sa propre chair : « Je ne dois pas dire de mensonges. »

– Je ne me souviens pas que vous vous soyez précipité pour prendre ma défense quand j'essayais d'avertir les autres que Voldemort était de retour. Le ministère n'était pas si soucieux de m'avoir pour ami, l'année dernière.

Ils restèrent face à face dans un silence aussi glacial que le sol sous leurs pieds. Le gnome avait enfin réussi à extraire son ver de terre et le dégustait d'un air joyeux, appuyé contre les branches basses du massif de rhododendrons.

– Que prépare Dumbledore ? demanda brusquement Scrimgeour. Où va-t-il quand il s'absente de Poudlard ?

– Aucune idée, répondit Harry.

– Et si vous le saviez, vous ne me le diriez pas, j'imagine ?

– Non.

– Dans ce cas, je verrai si je peux le découvrir par d'autres moyens.

– Vous pouvez toujours essayer, dit Harry d'un ton indifférent. Mais vous semblez plus intelligent que Fudge et je pensais que vous auriez tiré un enseignement de ses erreurs. Il a essayé de se mêler des affaires de Poudlard. Résultat, vous aurez sans doute remarqué qu'il n'est plus ministre alors que Dumbledore est toujours directeur. Si j'étais vous, je laisserais Dumbledore tranquille.

Il y eut un long silence.

– Eh bien, je vois qu'il a fait du bon travail sur vous, dit enfin Scrimgeour, le regard froid et dur derrière ses lunettes cerclées de fer. Vous êtes l'homme de Dumbledore jusqu'au bout, Potter ?

– En effet, répondit Harry. Je suis content que ce soit clair entre nous.

Et tournant le dos au ministre de la Magie, il revint à grands pas vers la maison.

17
Un souvenir brumeux

Une fin d'après-midi, quelques jours après le Nouvel An, Harry, Ron et Ginny attendaient en file indienne devant la cheminée pour rentrer à Poudlard. Le ministère avait établi une connexion exceptionnelle avec le réseau des cheminées pour ramener rapidement et en toute sécurité les élèves à l'école. Seule Mrs Weasley était présente pour leur dire au revoir, Mr Weasley, Fred, George, Bill et Fleur étant tous partis travailler. Au moment de la séparation, Mrs Weasley fondit en larmes. Il en fallait d'ailleurs peu pour l'émouvoir, ces derniers temps. Elle avait pleuré à plusieurs reprises depuis que Percy était parti en trombe de la maison, ses lunettes maculées de purée de panais (ce dont Fred, George et Ginny s'attribuaient tous les trois le mérite).

– Ne sois pas triste, maman, dit Ginny en lui tapotant le dos tandis que Mrs Weasley sanglotait sur son épaule. Tout va bien...

– Oui, ne t'inquiète pas pour nous, ajouta Ron en laissant sa mère lui donner un baiser humide sur la joue, ni pour Percy. Un crétin pareil, ce n'est pas une grande perte.

Mrs Weasley sanglota de plus belle lorsqu'elle étreignit Harry.

– Promets-moi d'être bien prudent... Ne t'attire pas d'ennuis...

– Je suis toujours prudent, madame Weasley, assura Harry. Vous me connaissez, j'aime bien mener une vie paisible.

Elle eut un petit rire mouillé et recula d'un pas.

– Soyez sages, tous...

Harry s'avança dans le feu vert émeraude et s'écria :

– Poudlard !

Il eut une dernière vision fugitive de la cuisine et du visage ruisselant de larmes de Mrs Weasley avant que les flammes l'engloutissent. Tournant très vite sur lui-même, il entrevit des images floues d'autres maisons de sorciers qui disparaissaient en un éclair sans lui laisser le temps de les détailler. Puis le tourbillon ralentit et il s'arrêta enfin dans la cheminée du professeur McGonagall qui lui jeta à peine un coup d'œil lorsqu'il sortit de l'âtre.

– Bonsoir, Potter. Essayez de ne pas mettre trop de cendres sur le tapis.

– Oui, professeur.

Harry rajusta ses lunettes et se lissa les cheveux pendant que Ron apparaissait dans un tournoiement de flammes. Lorsque Ginny fut également arrivée, tous trois sortirent du bureau du professeur McGonagall et se dirigèrent vers la tour de Gryffondor. En passant devant les fenêtres, Harry jetait des coups d'œil au-dehors. Le soleil descendait déjà sur le parc enveloppé d'une couche de neige plus épaisse que celle qui recouvrait le jardin du Terrier. Au loin, il voyait Hagrid donner à manger à Buck devant sa cabane.

– Babioles, lança Ron d'un ton assuré lorsqu'ils furent arrivés devant la grosse dame qui paraissait plus pâle qu'à l'ordinaire et grimaça en l'entendant parler si fort.

– Non, dit-elle.

– Comment ça, non ?

– Il y a un nouveau mot de passe. Et arrêtez de hurler, s'il vous plaît.

– Mais on n'était pas là, comment voulez-vous qu'on…

– Harry ! Ginny !

Hermione se précipitait vers eux. Elle avait le teint d'un rose soutenu et portait une cape, un chapeau et des gants.

– Je suis revenue il y a deux heures. J'étais allée voir Hagrid et Buck – ou plutôt Ventdebout, dit-elle, hors d'haleine. Vous avez passé un bon Noël ?

– Ouais, répondit aussitôt Ron. Très mouvementé, Rufus Scrim…

– J'ai quelque chose pour toi, Harry, coupa Hermione sans regarder Ron et en faisant mine de n'avoir rien entendu. Oh, attends… le mot de passe, c'est *Abstinence*.

– Exact, dit la grosse dame d'une voix faible.

Et elle pivota pour dégager l'ouverture.

– Qu'est-ce qu'elle a ? demanda Harry.

– Apparemment, elle a fait des excès à Noël, répondit Hermione, levant les yeux au ciel tandis qu'elle entrait la première dans la salle commune bondée. Avec son amie Violette, elles ont bu tout le vin des moines ivres, dans ce tableau qu'on voit en allant au cours de sortilèges. Mais d'abord…

Elle fouilla un instant dans sa poche et en sortit un rouleau de parchemin qui portait l'écriture de Dumbledore.

– Parfait, dit Harry qui le déroula aussitôt pour découvrir que sa prochaine leçon avec Dumbledore aurait lieu le lendemain soir. J'ai beaucoup de choses à lui raconter – et à toi aussi. Allons nous asseoir...

Mais au même moment, une voix aiguë, retentissante, s'écria :

–Ron-Ron ! et Lavande Brown surgit de nulle part pour se jeter dans les bras de Ron.

Il y eut quelques ricanements autour d'eux. Hermione éclata d'un rire cristallin et dit :

– Je vois une table libre, là-bas... Tu viens avec nous, Ginny ?

– Non, merci, j'ai promis à Dean d'aller le retrouver, répondit-elle.

Mais Harry ne put s'empêcher de remarquer qu'elle n'avait pas l'air très enthousiaste. Laissant Ron et Lavande enlacés dans une étreinte qui ressemblait à une prise de catch, Harry entraîna Hermione vers la table.

– Alors, comment s'est passé ton Noël ?

– Oh, très bien, répondit-elle avec un haussement d'épaules. Rien de spécial. Comment c'était chez Ron-Ron ?

– Je te raconterai ça dans un instant, dit Harry. Mais d'abord, Hermione, est-ce que tu ne pourrais pas...

– Non, je ne peux pas, répliqua-t-elle d'un ton catégorique. Inutile de me le demander.

– Je me disais que peut-être, après Noël...

– C'est la grosse dame qui a bu un tonneau de vin de cinq cents ans d'âge, Harry, pas moi. Alors, quelle était cette nouvelle importante que tu voulais m'annoncer ?

Elle avait l'air trop féroce pour qu'on puisse discuter avec elle et Harry renonça à parler de Ron. Il lui raconta plutôt la conversation qu'il avait surprise entre Malefoy et Rogue.

Lorsqu'il eut terminé, Hermione réfléchit un moment, avant de dire :

– Tu ne crois pas...

– ... qu'il faisait semblant de lui proposer de l'aide pour amener Malefoy à lui révéler ce qu'il préparait ?

– Oui, c'est ça, approuva Hermione.

– Le père de Ron et Lupin pensent la même chose, dit Harry à contrecœur. Mais ça prouve quand même que Malefoy mijote quelque chose, tu ne peux pas le nier.

– Non, en effet, répondit Hermione avec lenteur.

– Et il agit sur ordre de Voldemort, comme je le disais.

– Mmmm... Est-ce que l'un d'eux a clairement prononcé le nom de Voldemort ?

Harry fronça les sourcils, essayant de se rappeler.

– Je ne me souviens plus très bien... Rogue a parlé de « votre maître », qui veux-tu que ce soit d'autre ?

– Je ne sais pas, dit Hermione en se mordant la lèvre. Peut-être son père ?

Elle regarda dans le vide, apparemment perdue dans ses pensées, sans même remarquer Lavande qui était en train de chatouiller Ron.

– Comment va Lupin ?

– Pas très bien, répondit Harry.

Il lui raconta sa mission chez les loups-garous et les difficultés qu'il rencontrait.

– Tu as déjà entendu parler de Fenrir Greyback ?

– Oh, oui ! s'exclama Hermione, alarmée. Et toi aussi, Harry !

– Quand ? En histoire de la magie ? Tu sais très bien que je n'écoute jamais...

– Non, non, pas en histoire de la magie. Malefoy a prononcé son nom pour en menacer Barjow ! Dans l'allée des

Embrumes, tu te souviens ? Il a dit que Greyback était un vieil ami de la famille et qu'il viendrait vérifier si Barjow faisait bien son travail !

Harry la regarda bouche bée.

– J'avais oublié ! Mais c'est bien la *preuve* que Malefoy est un Mangemort, sinon comment pourrait-il être en contact avec Greyback et lui donner des instructions ?

– C'est assez louche, en effet, admit Hermione dans un souffle. A moins que...

– Allons, ça suffit, coupa Harry, exaspéré. Cette fois, tu ne peux plus trouver d'autre explication !

– Il y a toujours la possibilité que ce soient des menaces en l'air.

– Tu es vraiment incroyable, répliqua Harry en hochant la tête. Mais on verra bien qui avait raison... Tu seras obligée d'admettre que tu t'es trompée, Hermione, tout comme le ministre. Ah oui, je ne t'ai pas dit, je me suis aussi disputé avec Rufus Scrimgeour...

Et le reste de la soirée se passa dans une ambiance amicale, tous deux fustigeant le ministre de la Magie car, tout comme Ron, Hermione pensait qu'après tout ce que le ministère avait fait subir à Harry l'année précédente, il avait du culot de lui demander son aide aujourd'hui.

Le nouveau trimestre commença le lendemain matin avec une bonne surprise pour les sixième année : un grand écriteau avait été placardé au cours de la nuit sur le tableau d'affichage de la salle commune.

LEÇONS DE TRANSPLANAGE
Si vous avez dix-sept ans ou si vous devez les avoir
avant le 31 août prochain, vous pourrez suivre
un stage de douze semaines consacré

à des leçons de transplanage sous la direction d'un moniteur de transplanage du ministère de la Magie.
Si vous êtes intéressé(e),
veuillez inscrire votre nom ci-dessous.
Coût : 12 Gallions.

Harry et Ron se mêlèrent à la foule qui se bousculait devant l'annonce, chacun attendant son tour d'écrire son nom. Ron venait de sortir sa plume pour noter le sien après celui d'Hermione lorsque Lavande s'approcha silencieusement de lui par-derrière, plaqua les mains sur ses yeux et dit d'une voix roucoulante :

– Devine qui c'est, Ron-Ron ?

Harry se retourna et vit Hermione s'éloigner avec raideur. N'ayant aucune envie de rester avec Ron et Lavande, il la rattrapa mais, à sa grande surprise, Ron les rejoignit peu après qu'ils furent sortis dans le couloir. Il avait les oreilles rouges et paraissait de mauvaise humeur. Sans un mot, Hermione accéléra le pas pour marcher à la hauteur de Neville.

– Des leçons de transplanage, dit Ron d'un ton signifiant clairement qu'il valait mieux ne pas faire allusion à ce qui venait de se passer. Ça devrait être rigolo, non ?

– Je ne sais pas, répondit Harry. C'est peut-être mieux quand on le pratique soi-même mais moi, je n'ai pas beaucoup aimé ça le jour où Dumbledore m'a emmené avec lui.

– J'avais oublié que tu l'avais déjà fait... J'espère que j'aurai mon permis du premier coup, dit Ron, anxieux. Fred et George ont eu le leur tout de suite.

– Charlie l'a raté, non ?

– Oui, mais Charlie pèse plus lourd que moi – Ron écarta les bras de chaque côté, comme un gorille –, alors

Fred et George n'ont pas fait trop de commentaires… pas en face de lui, en tout cas…

– Quand est-ce qu'on peut passer le permis ?

– Dès qu'on a dix-sept ans. Pour moi, ce sera seulement en mars !

– Oui, mais de toute façon, il te serait impossible de transplaner ici, dans le château…

– Ce n'est pas ça l'important. Tout le monde saura quand même que je pourrais le faire si je le voulais.

Ron n'était pas le seul à être emballé par la perspective d'apprendre à transplaner. Tout au long de la journée, on parla beaucoup des futures leçons. L'idée de disparaître et de réapparaître ailleurs à volonté plaisait beaucoup à tout le monde.

– Ça va être cool quand on pourra simplement… hop ! – Seamus claqua des doigts pour évoquer la disparition. Mon cousin Fergus le fait juste pour m'énerver mais attends que j'en sache autant que lui… Il n'aura plus jamais la paix…

Perdu dans les visions que lui inspirait cette heureuse pensée, il agita sa baguette avec un peu trop d'enthousiasme et au lieu de produire la fontaine d'eau pure qui était l'objet de la leçon de sortilèges du jour, il fit jaillir un puissant jet d'eau, semblable à celui d'un tuyau d'arrosage. Le jet d'eau ricocha contre le plafond et frappa de plein fouet le professeur Flitwick qui tomba face contre terre.

– Harry a déjà transplané, dit Ron à un Seamus quelque peu embarrassé après que le professeur Flitwick se fut séché d'un coup de baguette magique et lui eut donné des lignes à copier (« Je suis un sorcier et non un babouin armé d'un bâton »). Dum… heu… quelqu'un l'a emmené avec lui. Tu sais, le transplanage d'escorte.

– Whoa ! murmura Seamus.

Dean, Neville et lui penchèrent la tête un peu plus pour entendre Harry raconter l'effet que faisait un transplanage. Pendant tout le reste de la journée, il fut assiégé de questions posées par d'autres élèves de sixième année qui lui demandaient de décrire la sensation qu'on éprouvait en transplanant. Tous semblaient plus impressionnés que rebutés quand ils l'écoutaient expliquer à quel point c'était désagréable. A huit heures moins dix ce soir-là, il répondait encore à des questions détaillées jusqu'au moment où il fut obligé de mentir en prétendant devoir rendre un livre à la bibliothèque pour pouvoir arriver à temps à sa leçon avec Dumbledore.

Les lampes étaient allumées dans le bureau, les portraits des anciens directeurs ronflaient doucement dans leurs cadres et la Pensine était à nouveau prête sur la table. Dumbledore avait posé les mains de chaque côté, la droite toujours aussi noircie et brûlée. Elle ne semblait pas du tout avoir cicatrisé et Harry se demanda, sans doute pour la centième fois, ce qui avait pu provoquer une blessure aussi particulière mais il resta silencieux. Dumbledore lui avait dit qu'il finirait par le savoir un jour et de toute façon, il voulait lui parler d'un autre sujet. Mais avant que Harry ait pu dire quoi que ce soit sur Malefoy et Rogue, Dumbledore prit la parole :

– Il paraît que tu as rencontré le ministre de la Magie, à Noël ?

– Oui, dit Harry. Il n'est pas très content de moi.

– Non, soupira Dumbledore. Il n'est pas très content de moi non plus. Mais ne nous laissons pas submerger par l'angoisse, Harry, et continuons plutôt à nous battre.

Harry eut un sourire.

– Il voulait que je dise à la communauté des sorciers que le ministère faisait un travail magnifique.

Dumbledore sourit à son tour.

– A l'origine, c'était l'idée de Fudge. Au cours des derniers jours où il était en fonctions, quand il essayait désespérément de se cramponner à son poste, il a cherché à te rencontrer en espérant que tu lui apporterais ton soutien…

– Après tout ce qu'il m'a fait subir l'année dernière ? s'indigna Harry. Après *Ombrage* ?

– J'ai dit à Cornelius qu'il n'avait aucune chance d'y parvenir mais l'idée n'est pas morte lorsqu'il est parti. Quelques heures après sa nomination, j'ai vu Scrimgeour et il a exigé que j'organise une rencontre avec toi…

– C'est donc pour ça que vous vous êtes disputés ! s'exclama Harry. Ils en ont parlé dans *La Gazette du sorcier*.

– Il arrive de temps en temps que *La Gazette* dise la vérité, répondit Dumbledore, même si c'est par hasard. Oui, c'était bien l'objet de notre désaccord. Mais apparemment, Rufus a fini par trouver le moyen d'avoir un tête-à-tête avec toi.

– Il m'a accusé d'être « l'homme de Dumbledore jusqu'au bout ».

– Quelle grossièreté de sa part.

– Je lui ai répondu que c'était vrai.

Dumbledore ouvrit la bouche, comme s'il allait parler, puis la referma. Derrière Harry, Fumseck, le phénix, lança un faible cri, doux et mélodieux. Très gêné, Harry se rendit soudain compte que les yeux bleus et brillants de Dumbledore paraissaient un peu humides et il baissa aussitôt le regard sur ses genoux. Lorsque Dumbledore reprit la parole, cependant, sa voix était ferme :

– Je suis très touché, Harry.

– Scrimgeour voulait savoir où vous allez quand vous n'êtes pas à Poudlard, dit Harry, fixant toujours ses genoux.

– Oui, il est très curieux en la matière.

Dumbledore avait maintenant un ton joyeux et Harry pensa qu'il pouvait lever les yeux sans crainte.

– Il a même essayé de me faire suivre, continua Dumbledore. Très amusant, vraiment. Il a désigné Dawlish pour me filer. Ce n'était pas très gentil de sa part. J'avais déjà été obligé un jour de jeter un mauvais sort à ce Dawlish, et j'ai dû recommencer à mon plus grand regret.

– Donc, ils ne savent toujours pas où vous allez ? demanda Harry qui espérait en apprendre davantage sur ce sujet très intrigant, mais Dumbledore se contenta de sourire en le regardant par-dessus ses lunettes en demi-lune.

– Non, ils ne le savent pas et il n'est pas encore temps que tu le saches toi-même. A présent, je suggère que nous passions à la suite, à moins qu'il y ait autre chose...

– En fait, oui, monsieur, répondit Harry. C'est à propos de Malefoy et de Rogue.

– Le *professeur* Rogue, Harry.

– Oui, monsieur. J'ai surpris une conversation entre eux le soir de la fête que donnait le professeur Slughorn... En réalité, je les ai suivis...

Le visage impassible, Dumbledore écouta le récit de Harry. Lorsque celui-ci eut terminé, Dumbledore resta silencieux quelques instants puis il dit :

– Merci de m'avoir raconté ça, Harry, mais je te conseille de l'oublier. Je ne crois pas que ce soit d'une très grande importance.

– Pas d'une très grande importance ? répéta Harry, incrédule. Professeur, avez-vous compris…

– Oui, Harry. Étant doté d'une intelligence hors du commun, j'ai compris tout ce que tu m'as dit, répliqua Dumbledore d'un ton un peu brusque. Je crois que tu pourrais même considérer que j'ai compris un peu plus de choses que toi. Encore une fois, je suis très content que tu te sois confié à moi mais je puis t'assurer que rien dans ce que tu m'as raconté n'est de nature à m'alarmer.

Harry resta silencieux mais il se sentait bouillonner et regardait Dumbledore d'un œil flamboyant. Que se passait-il ? Cela signifiait-il que Dumbledore avait bel et bien ordonné à Rogue d'enquêter sur les manigances de Malefoy, auquel cas il savait déjà par Rogue tout ce que Harry venait de lui rapporter ? Ou bien ce qu'il avait entendu l'inquiétait-il véritablement sans qu'il veuille le montrer ?

– Donc, monsieur, dit Harry d'un ton qu'il espérait calme et poli, vous continuez à avoir confiance en…

– J'ai déjà eu l'indulgence de répondre à cette question, coupa Dumbledore, qui n'avait plus l'air très indulgent. Ma réponse n'a pas changé.

– Je m'en doute, lança une voix narquoise.

De toute évidence, Phineas Nigellus avait seulement fait semblant de dormir mais Dumbledore ne lui prêta aucune attention.

– Maintenant, Harry, j'insiste pour que nous passions à la suite. J'ai à te parler de choses beaucoup plus importantes, ce soir.

Harry avait envie de se révolter. Qu'arriverait-il s'il refusait de changer de sujet, s'il insistait pour défendre son point de vue sur Malefoy ? Comme s'il avait lu dans ses pensées, Dumbledore hocha la tête.

– Ah, Harry, cela se produit souvent, même chez les meilleurs amis du monde ! Chacun pense que ce qu'il a à dire est beaucoup plus important que tout ce que l'autre pourrait raconter !

– Je ne pense pas que ce que vous avez à dire est sans importance, monsieur, répondit Harry avec raideur.

– Eh bien, tu as parfaitement raison parce que ce n'est pas le cas, répliqua vivement Dumbledore. Ce soir, je veux te montrer deux autres souvenirs que j'ai eu les plus grandes difficultés à obtenir et je crois que le deuxième est le plus important de tous ceux que j'ai réunis jusqu'à présent.

Harry resta silencieux. Il était toujours en colère après la réaction de Dumbledore à ses confidences mais il ne voyait pas l'intérêt de discuter davantage.

– Donc, reprit Dumbledore d'une voix claironnante, nous sommes ici ce soir pour continuer l'histoire de Tom Jedusor que nous avions laissé au moment où il s'apprêtait à franchir la porte de Poudlard. Tu te souviens de son sentiment d'exaltation en apprenant qu'il était un sorcier, de son refus que je l'accompagne sur le Chemin de Traverse et de l'avertissement que je lui ai donné concernant l'interdiction de voler quand il serait à l'école.

« L'année scolaire a commencé et Tom Jedusor est arrivé, silencieux, vêtu d'une robe achetée d'occasion, attendant avec les autres élèves de première année d'être affecté à une maison. Le Choixpeau magique l'a envoyé à Serpentard au moment même, ou presque, où il a touché sa tête.

D'un geste de sa main noircie, Dumbledore désigna

l'étagère sur laquelle était posé, immobile, l'antique Choixpeau.

– A quel moment, poursuivit Dumbledore, Jedusor a-t-il appris que le célèbre fondateur de la maison connaissait la langue des serpents, je n'en sais rien – peut-être le même soir. Cette découverte n'a pu que l'enflammer davantage et accroître le sentiment de sa propre importance. A-t-il cependant essayé d'intimider ou d'effrayer ses camarades de Serpentard en parlant le Fourchelang, aucun professeur n'en a jamais eu le moindre indice. Il ne manifestait aucun signe d'arrogance ou d'agressivité. Étant exceptionnellement doué, très beau garçon et orphelin, il a tout naturellement attiré l'attention et la sympathie des enseignants dès son arrivée. Il semblait poli, sage, avide d'apprendre et presque tout le monde en fut favorablement impressionné.

– Vous ne leur aviez pas dit comment il s'était comporté quand vous l'aviez vu à l'orphelinat ? demanda Harry.

– Non. Même s'il n'avait jamais exprimé le moindre remords, il était possible qu'il ait regretté sa conduite passée et se soit décidé à tourner la page. J'ai choisi de lui donner cette chance.

Dumbledore s'interrompit et lança un regard interrogateur à Harry qui ouvrait la bouche pour parler. Là encore se manifestait la tendance de Dumbledore à accorder sa confiance aux gens, même quand des preuves accablantes démontraient qu'ils ne la méritaient pas. Mais Harry se rappela quelque chose...

– Pourtant, vous ne lui faisiez pas vraiment confiance, n'est-ce pas, monsieur ? C'est lui-même qui me l'a avoué... Le Jedusor qui était sorti de son journal intime m'a dit exactement : « Dumbledore ne semblait pas avoir autant de sympathie pour moi que les autres professeurs. »

– Disons plutôt que je ne considérais pas comme une certitude acquise qu'il soit digne de confiance, rectifia Dumbledore. Comme je l'ai déjà indiqué, j'avais décidé de garder un œil sur lui et c'est ce que j'ai fait. Au début, je ne peux pas prétendre que mes observations m'aient beaucoup appris. Il était réservé avec moi. Il sentait, j'en suis sûr, que dans sa joie de découvrir sa nature de sorcier, il m'en avait un peu trop dit. Par la suite, il s'est appliqué à ne plus me révéler autant de lui-même mais il ne pouvait reprendre ce qu'il avait laissé échapper dans l'excitation du moment, ni ce que Mrs Cole m'avait appris de lui. Il s'est montré cependant suffisamment intelligent pour ne pas essayer de me charmer comme il charmait nombre de mes collègues.

« A mesure qu'il poursuivait ses études, il a réuni autour de lui un groupe d'amis dévoués. J'emploie ce mot faute de mieux même si, comme je l'ai déjà souligné, Jedusor ne ressentait certainement aucune affection pour eux. Ce groupe exerçait dans le château une sorte de fascination ténébreuse. C'était un rassemblement hétéroclite où se mêlaient des faibles en quête de protection, des ambitieux à la recherche d'une gloire à partager et des voyous gravitant autour d'un chef qui pouvait leur enseigner des formes plus raffinées de cruauté. En d'autres termes, ils étaient les précurseurs des Mangemorts, ce que certains d'entre eux sont effectivement devenus après avoir quitté Poudlard.

« Strictement contrôlés par Jedusor, ils n'ont jamais été surpris à commettre ouvertement le moindre méfait mais leurs sept années d'études à Poudlard ont été marquées par nombre d'incidents très regrettables auxquels on n'a jamais pu les rattacher d'une manière certaine. Le plus grave a été, bien entendu, l'ouverture de la Chambre des Secrets qui a entraîné la mort d'une élève. Comme tu le sais, Hagrid a été accusé à tort de ce crime.

« Je n'ai pas pu rassembler beaucoup de souvenirs de Jedusor à Poudlard, poursuivit Dumbledore en posant sur la Pensine sa main ratatinée. Parmi ceux qui l'ont connu, très peu sont disposés à parler de lui. Ils ont trop peur. Ce que je sais, je l'ai découvert après son départ de l'école. Il a fallu pour cela déployer des efforts assidus, retrouver la trace des quelques personnes qu'on pouvait amener à parler, consulter d'anciens dossiers, interroger des témoins moldus ou sorciers.

« Ceux que j'ai pu convaincre de me répondre m'ont dit que Jedusor était obsédé par ses origines. C'est compréhensible, bien sûr. Il avait grandi dans un orphelinat et souhaitait tout naturellement savoir comment il était arrivé là. Il semble qu'il ait cherché en vain des traces de Tom Jedusor Senior sur les blasons de la salle des Trophées, dans les listes de préfets conservées parmi les archives de l'école et même dans les livres d'histoire de la sorcellerie. Finalement, il a été forcé d'admettre que son père n'avait jamais mis les pieds à Poudlard. Je suis persuadé que c'est à ce moment-là qu'il a définitivement laissé tomber son nom pour prendre celui de Lord Voldemort. Il s'est livré ensuite à d'autres investigations, cette fois dans la famille de sa mère qu'il avait méprisée jusqu'alors – la femme dont il pensait, tu t'en souviens, qu'elle ne pouvait être une sorcière si elle avait succombé à la honteuse faiblesse humaine de la mort.

« L'unique indice qu'il possédait était ce simple nom,

Elvis, dont il savait, par les gens de l'orphelinat, que c'était le prénom du père de sa mère. Enfin, après avoir longuement cherché dans de vieux livres retraçant l'histoire des familles de sorciers, il a découvert l'existence de la lignée survivante de Serpentard. L'été de sa seizième année, il a quitté l'orphelinat dans lequel il revenait chaque année pour les vacances et a entrepris de retrouver des membres de la famille Gaunt. A présent, Harry, si tu veux bien te lever...

Dumbledore quitta son fauteuil et Harry vit qu'il tenait à nouveau à la main un petit flacon de cristal rempli d'un souvenir nacré qui tournoyait à l'intérieur.

– J'ai eu beaucoup de chance de recueillir celui-ci, dit-il en versant la substance luisante dans la Pensine. Comme tu le comprendras lorsque nous l'aurons vu. On y va ?

Harry s'avança vers la bassine de pierre et baissa docilement la tête jusqu'à ce que son visage entre en contact avec la surface mouvante du souvenir. Il éprouva la sensation familière de la chute dans le vide puis atterrit sur un sol de pierre crasseux, dans une obscurité presque totale.

Il lui fallut les quelques instants que mit Dumbledore à le rejoindre pour reconnaître l'endroit. La maison des Gaunt était à présent dans un état de saleté plus indescriptible que tout ce que Harry avait jamais pu voir. Le plafond était masqué par d'épaisses toiles d'araignée, le sol tapissé d'immondices. Des aliments moisis pourrissaient sur la table au milieu d'un tas de casseroles recouvertes de croûtes. La seule lumière provenait d'une chandelle vacillante, posée aux pieds d'un homme dont les cheveux et la barbe avaient tellement poussé que Harry ne parvenait à distinguer ni ses yeux ni sa bouche. Il était affalé dans un fauteuil, près de la cheminée et Harry se demanda pendant un moment s'il n'était pas mort. Mais quelqu'un frappa alors de grands coups à la porte et l'homme se réveilla en sursaut, brandissant une baguette magique dans sa main droite, un couteau dans l'autre.

La porte s'ouvrit dans un grincement. Sur le seuil, une lampe ancienne à la main, se tenait un garçon que Harry reconnut aussitôt : grand, pâle, brun, avec un beau visage – Voldemort adolescent.

Son regard parcourut lentement l'intérieur du taudis avant de se poser sur l'homme avachi dans le fauteuil. Ils s'observèrent pendant quelques secondes puis l'homme se releva d'un pas titubant, les nombreuses bouteilles vides répandues à ses pieds tintant et s'entrechoquant sur le sol.

– TOI ! hurla-t-il. TOI !

Et il se précipita sur Jedusor d'une démarche d'ivrogne, couteau et baguette levés.

– *Arrêtez.*

Jedusor avait parlé en Fourchelang. L'homme glissa sur le sol et heurta la table, précipitant à terre des casseroles couvertes de moisissures qui tombèrent dans un grand bruit. Il fixa Jedusor et un long silence s'installa pendant lequel ils restèrent tous deux face à face à se contempler. L'homme fut le premier à le briser :

– *Tu le parles ?*

– *Oui, je le parle*, répondit Jedusor.

Il s'avança dans la pièce et la porte se referma derrière lui. Harry ne put s'empêcher d'éprouver une certaine admiration mêlée d'animosité devant l'absence totale de peur dont Voldemort faisait preuve. Son visage exprimait un simple dégoût et, peut-être, de la déception.

– *Où est Elvis ?* demanda-t-il.

– *Mort*, répondit l'autre. *Ça fait des années.*

Jedusor fronça les sourcils.

– *Qui êtes-vous, dans ce cas ?*

– *Je suis Morfin.*

– *Son fils ?*

– *Bien sûr, c'est moi...*

Morfin écarta ses cheveux de son visage malpropre pour mieux voir Jedusor et Harry s'aperçut qu'il portait à la main droite la bague de Gaunt, sertie de sa pierre noire.

– *Je croyais que tu étais ce Moldu,* murmura Morfin. *Tu lui ressembles drôlement.*

– *Quel Moldu ?* interrogea Jedusor d'un ton brusque.

– *Ce Moldu pour qui ma sœur avait le béguin, le Moldu qui habite dans la grande maison, de l'autre côté de la route,* répondit Morfin qui cracha soudain par terre, entre eux deux. *Tu as la même tête que lui. Jedusor, il s'appelle. Mais il est plus vieux que ça, non ? Plus vieux que toi, maintenant que j'y pense...*

Morfin parut légèrement étourdi et il vacilla un peu sur ses jambes, se cramponnant au bord de la table pour se soutenir.

– *Il est revenu,* ajouta-t-il stupidement.

Voldemort observait Morfin comme s'il évaluait ses possibilités d'action. Il s'approcha alors un peu plus et dit :

– *Jedusor est revenu ?*

– *Bah, il l'a laissée tomber, ça lui apprendra à avoir épousé cette saleté !* s'exclama Morfin en crachant à nouveau sur le sol. *En plus, elle nous a volés avant de décamper ! Où est le médaillon, hein ? Il est où, le médaillon de Serpentard ?*

Voldemort ne répondit pas. Morfin se mettait à nouveau en rage. Il brandit son couteau et hurla :

– *Elle nous a déshonorés, la petite traînée ! Et toi,*

d'abord, qui tu es pour entrer ici et poser des questions sur tout ça ? C'est fini, pas vrai ? C'est fini...

Il détourna le regard, titubant légèrement et Voldemort s'avança à nouveau. Une étrange obscurité se répandit alors dans la pièce, éteignant la lampe de Voldemort et la chandelle de Morfin, éteignant tout...

Les doigts de Dumbledore serrèrent étroitement le bras de Harry et ils s'envolèrent à nouveau pour retourner dans le présent. Après cette obscurité impénétrable, Harry fut ébloui par la lumière douce et dorée du bureau de Dumbledore.

– C'est tout ? demanda-t-il. Pourquoi tout est devenu sombre, qu'est-ce qui s'est passé ?

– A partir de là, Morfin n'arrivait plus à se rappeler quoi que ce soit, répondit Dumbledore en faisant signe à Harry de se rasseoir. Quand il s'est réveillé, le lendemain matin, il était allongé par terre, tout seul, et la bague de Gaunt avait disparu.

« Pendant ce temps, dans le village de Little Hangleton, une servante courait dans la rue principale en hurlant qu'il y avait trois corps étendus dans le salon de la grande maison : Tom Jedusor Senior, sa mère et son père.

« Les autorités moldues étaient perplexes. Pour autant que je le sache, ils ignorent encore aujourd'hui comment les Jedusor ont été tués car le maléfice d'Avada Kedavra ne laisse habituellement aucune trace de blessure... La seule exception connue est assise en face de moi, ajouta Dumbledore en désignant d'un signe de tête la cicatrice de Harry. Le ministère, de son côté, a su tout de suite qu'il s'agissait d'un meurtre de sorcier. Il savait aussi qu'un anti-Moldu notoire habitait de l'autre côté de la vallée où se trouvait la maison des Jedusor, un anti-Moldu qui avait déjà purgé une peine de prison pour avoir attaqué une des personnes assassinées.

« Alors, le ministère a convoqué Morfin. Il n'a pas été nécessaire de l'interroger, de le soumettre au Veritaserum ou à la legilimancie. Il a immédiatement avoué le meurtre en donnant des détails que seul l'assassin pouvait connaître. Il était fier, affirmait-il, d'avoir tué ces Moldus, après avoir attendu des années cette occasion. Il a donné sa baguette et on a tout de suite eu la preuve que c'était bien l'arme du crime. Quand on l'a emmené à Azkaban, il n'a opposé aucune résistance. Tout ce qui le préoccupait, c'était que la bague de son père avait disparu. "Il va me tuer s'il voit que je l'ai perdue, répétait-il sans cesse à ses gardiens. Il va me tuer s'il voit que j'ai perdu sa bague." Et c'est apparemment la seule chose qu'il ait jamais dite par la suite. Il a passé le reste de sa vie à Azkaban en se lamentant de la perte du dernier héritage de son père et aujourd'hui, il est enterré à côté de la prison en compagnie de tous les malheureux qui ont expiré entre ses murs.

– Donc, Voldemort avait volé la baguette de Morfin pour commettre le crime ? demanda Harry en se redressant dans son fauteuil.

– Exactement, répondit Dumbledore. Nous ne disposons d'aucun souvenir pour nous le montrer mais je pense que nous pouvons être à peu près sûrs de la façon dont les choses se sont déroulées. Voldemort a stupéfixé son oncle, lui a pris sa baguette et a traversé la vallée en direction de la « grande maison, de l'autre côté de la route ». Là, il a tué le Moldu qui avait abandonné sa sorcière de mère et, pour faire bonne mesure, ses grands-parents moldus également, supprimant ainsi les derniers représentants de l'indigne lignée des Jedusor et se vengeant du père qui n'avait jamais voulu de lui. Puis il est retourné dans le taudis des Gaunt, a implanté à l'aide de manipulations complexes de faux souvenirs dans l'esprit de son oncle, a posé la baguette à côté de son propriétaire évanoui, glissé la bague ancienne dans sa poche et s'est éclipsé.

– Morfin ne s'est jamais rendu compte que ce n'était pas lui le coupable ?

– Jamais, répondit Dumbledore. Il a livré, comme je l'ai dit, des aveux complets dont il s'est même vanté.

– Mais pendant tout ce temps, il a conservé en lui ce souvenir bien réel !

– Oui, mais il a fallu déployer des trésors d'habileté en matière de legilimancie pour le lui arracher, expliqua Dumbledore. D'ailleurs, pourquoi quelqu'un aurait-il eu l'idée d'aller fouiller plus loin dans la mémoire de Morfin alors qu'il avait déjà confessé le crime ? J'ai pu m'arranger cependant pour lui rendre visite dans les dernières semaines de sa vie, à un moment où j'essayais de découvrir tout ce que je pouvais sur le passé de Voldemort. J'ai eu beaucoup de mal à extirper ce souvenir et, quand j'ai vu ce qu'il contenait, j'ai essayé de m'en servir pour obtenir la libération de Morfin d'Azkaban. Mais avant que le ministère ait pris sa décision, Morfin était mort.

– Comment est-il possible que les gens du ministère ne se soient pas aperçus de ce que Voldemort lui avait fait ? demanda Harry avec colère. Il n'était pas majeur, à cette époque ? Je croyais qu'ils arrivaient à détecter la magie pratiquée par un sorcier de premier cycle !

– Tu as parfaitement raison, ils peuvent détecter l'acte magique lui-même, mais pas celui qui l'a commis. Tu te souviens que le ministère t'avait accusé d'avoir jeté un sortilège de Lévitation qui, en réalité, avait été exécuté par…

– Dobby, grogna Harry, encore ulcéré de cette injustice. Donc, si on n'est pas majeur et qu'on fait usage de magie dans la maison d'un sorcier ou d'une sorcière, le ministère ne s'en apercevra pas ?

– Ils seront en tout cas incapables de dire qui a jeté le sortilège, répondit Dumbledore, en esquissant un sourire devant l'indignation de Harry. Ils s'en remettent aux parents sorciers pour imposer l'obéissance à leurs enfants lorsqu'ils se trouvent sous leur toit.

– Des bêtises, tout ça, répliqua sèchement Harry. Regardez ce qui s'est passé là, regardez ce qui est arrivé à Morfin !

– Je suis d'accord avec toi, admit Dumbledore. Morfin avait beau être ce qu'il était, il ne méritait pas de mourir comme il est mort, condamné pour des meurtres qu'il n'avait pas commis. Mais il se fait tard et je veux que tu voies cet autre souvenir avant que nous nous séparions…

Il prit dans une poche intérieure une autre fiole de cristal et Harry se tut car il se souvenait que Dumbledore lui avait présenté ce souvenir comme le plus important qu'il ait recueilli. Harry remarqua que le contenu de la fiole était difficile à verser dans la Pensine, comme s'il s'était légèrement coagulé. Les souvenirs pouvaient-ils moisir ?

– Ce ne sera pas long, dit Dumbledore lorsqu'il eut enfin réussi à vider la fiole. Nous serons très vite revenus. Mais, pour l'instant, retournons dans la Pensine…

Et Harry traversa à nouveau la surface argentée pour atterrir cette fois face à un homme qu'il reconnut immédiatement.

C'était un Horace Slughorn beaucoup plus jeune. Harry était si habitué à sa calvitie qu'il fut déconcerté en le voyant avec des cheveux épais et brillants, d'une couleur jaune paille. On aurait dit qu'il portait un toit de chaume sur la tête bien qu'il eût déjà sur le sommet du crâne une tonsure luisante de la taille d'un Gallion. Sa moustache, moins fournie qu'aujourd'hui, était d'un blond roux. Il n'était pas aussi replet que le Slughorn qu'il connaissait, mais les boutons dorés de son gilet richement brodé subissaient malgré tout une assez forte tension. Enfoncé dans un fauteuil confortable, ses petits pieds posés sur un pouf de velours, il avait un verre de vin dans une main, et tâtonnait de l'autre dans une boîte d'ananas confits.

Harry jeta un coup d'œil alentour tandis que Dumbledore apparaissait à son côté et vit qu'ils se trouvaient dans le bureau de Slughorn. Une demi-douzaine d'élèves, des garçons âgés de quinze à seize ans, étaient assis autour de lui, sur des sièges plus bas ou plus durs que le sien. Harry reconnut tout de suite Jedusor. C'était le plus beau et le plus décontracté de tous. Sa main droite reposait négligemment sur le bras de son fauteuil et Harry sursauta en voyant qu'il portait la bague noir et or de Gaunt. Il avait déjà tué son père.

– Monsieur, est-il vrai que le professeur Têtenjoy prend sa retraite ? demanda Jedusor.

– Tom, Tom, même si j'étais au courant, je ne pourrais pas vous le dire, répondit Slughorn – il agita vers Jedusor un index réprobateur et couvert de sucre mais avec un clin d'œil qui gâcha quelque peu son effet. Je dois avouer que j'aimerais bien savoir d'où vous tenez vos renseignements, mon garçon. Vous êtes mieux informé que la moitié des enseignants.

Jedusor sourit. Les autres éclatèrent de rire en lui lançant des regards admiratifs.

– Avec votre étrange aptitude à connaître des choses que vous devriez ignorer et le soin que vous prenez à flatter les gens importants – au fait, merci pour l'ananas, vous aviez parfaitement raison, c'est mon préféré…

Tandis que plusieurs élèves pouffaient de rire, il se passa un phénomène surprenant. La pièce se remplit soudain d'un épais brouillard blanc et Harry ne vit plus que le visage de Dumbledore, à côté de lui. Puis, avec une puissance qui n'était pas naturelle, la voix de Slughorn retentit dans le brouillard :

– *Vous finirez mal, mon garçon, souvenez-vous de ce que je vous dis.*

Le brouillard se dissipa aussi vite qu'il était apparu mais personne n'y fit allusion, personne ne semblait penser que quelque chose d'anormal venait de se produire. Perplexe, Harry entendit une petite pendule d'or, sur le bureau de Slughorn, sonner onze heures.

– Bonté divine, il est déjà si tard ? s'exclama Slughorn. Il est temps que vous y alliez, les garçons, ou nous aurons tous des ennuis. Lestrange, je veux votre devoir demain, sinon, je vous donne une retenue. C'est également valable pour vous, Avery.

Slughorn se hissa hors de son fauteuil et alla poser son verre vide sur son bureau pendant que les élèves sortaient en file indienne. Mais Jedusor s'était attardé et Harry vit qu'il faisait exprès de traîner pour rester le dernier dans la pièce.

– Ouvrez l'œil, Tom, dit Slughorn en s'apercevant qu'il était toujours présent. Il ne faut pas vous laisser surprendre hors de votre lit à cette heure-ci, vous êtes préfet…

– Monsieur, je voulais vous demander quelque chose.

– Demandez, mon garçon, demandez…

– J'aurais voulu savoir ce que vous pouviez me dire des… des Horcruxes ?

Le même phénomène recommença : un brouillard dense emplit la pièce, masquant Slughorn et Jedusor. Harry ne voyait plus que Dumbledore qui souriait à côté de lui d'un air serein. Puis la voix de Slughorn résonna à nouveau, avec la même puissance que précédemment :

– *Je ne sais rien des Horcruxes et si j'en savais quelque chose, je ne vous le dirais pas ! Maintenant, sortez immédiatement d'ici et que je ne vous reprenne plus à prononcer ce mot !*

– Voilà, c'est tout, annonça Dumbledore d'un ton placide. Il est temps d'y aller.

Et les pieds de Harry s'élevèrent du sol pour retomber quelques secondes plus tard sur le tapis du bureau de Dumbledore.

– Il n'y a rien d'autre ? demanda Harry, perplexe.

Dumbledore avait dit que c'était le souvenir le plus important de tous mais il ne comprenait pas ce qu'il pouvait bien avoir de si marquant. Sans doute ce brouillard, et le fait que personne n'ait semblé le remarquer, avait-il quelque chose de bizarre mais sinon, il ne s'était apparemment rien passé, à part que Jedusor avait posé une question à laquelle il n'avait obtenu aucune réponse.

– Comme tu auras pu le remarquer, dit Dumbledore en se rasseyant derrière son bureau, ce souvenir a été falsifié.

– Falsifié ? répéta Harry qui s'assit à son tour.

– Sans aucun doute, assura Dumbledore. Le professeur Slughorn a modifié sa propre mémoire.

– Mais pourquoi ?

– Parce que je crois qu'il a honte de ce qui s'est passé. Il a essayé de remodeler son souvenir pour se montrer sous un meilleur jour, occultant les passages dont il ne voulait pas que je sois témoin. Comme tu l'auras constaté, cela a été réalisé d'une manière très grossière, et tant mieux, car on voit bien que le véritable souvenir reste présent sous les altérations. Et donc, pour la première fois, je vais te donner un devoir à faire, Harry. Tu auras pour tâche de convaincre le professeur Slughorn de livrer son vrai souvenir, ce qui constituera très certainement l'information la plus cruciale de toutes celles dont nous disposons.

Harry le regarda dans les yeux.

– Mais, monsieur, dit-il en s'efforçant de parler du ton le plus respectueux possible, vous n'avez sûrement pas besoin de moi... Vous pourriez utiliser la legilimancie... ou le Veritaserum...

– Le professeur Slughorn est un sorcier hautement qualifié qui s'attend à l'un et à l'autre, répondit Dumbledore. Il est beaucoup plus doué pour l'occlumancie que ce pauvre Morfin Gaunt et je serais étonné qu'il n'ait pas sur lui en permanence un antidote au Veritaserum depuis que je l'ai poussé à me confier ce simulacre de souvenir. Non, je pense qu'essayer de lui arracher la vérité par la force serait stupide et pourrait faire beaucoup plus de mal que de bien. Je ne veux pas qu'il quitte Poudlard. Mais comme nous tous, il a ses faiblesses et je crois que tu es la seule personne capable de pénétrer ses défenses. Il est d'une grande importance que nous puissions recueillir le vrai souvenir, Harry... Quelle importance exactement, nous ne le saurons qu'en découvrant la réalité. Alors, bonne chance... et bonne nuit.

Un peu interloqué de se trouver si brusquement congédié, Harry s'empressa de se lever.

– Bonne nuit, monsieur.

Lorsqu'il referma derrière lui la porte du bureau, il

entendit distinctement la voix de Phineas Nigellus dire :

– Je ne vois pas comment ce garçon pourrait faire mieux que vous, Dumbledore.

– Je savais bien que vous ne le verriez pas, répliqua Dumbledore.

Et Fumseck lança un nouveau cri, doux et mélodieux.

18
SURPRISES D'ANNIVERSAIRE

Le lendemain, Harry révéla à Ron et à Hermione la tâche que Dumbledore lui avait confiée, mais il leur parla séparément car Hermione refusait toujours de rester en présence de Ron plus longtemps qu'il n'était nécessaire pour lui jeter un regard méprisant.

Ron pensait que Harry n'aurait sans doute aucune difficulté à convaincre Slughorn.

– Il t'adore, dit-il au cours du petit déjeuner, agitant d'un geste dégagé une fourchette pleine d'œuf au plat. Il ne peut rien refuser à son petit prince des potions, n'est-ce pas ? Tu n'as qu'à rester à la fin du cours, cet après-midi, et lui demander.

Le point de vue d'Hermione, en revanche, était moins optimiste.

– Il doit être décidé à cacher ce qui s'est vraiment passé si Dumbledore lui-même n'a rien pu tirer de lui, dit-elle à voix basse, dans la cour enneigée où ils étaient sortis pour la récréation. Les Horcruxes… Les Horcruxes… je n'en ai jamais entendu parler…

– Ah bon ?

Harry était déçu. Il avait espéré qu'Hermione pourrait lui donner un indice.

– Il doit s'agir de quelque chose de très avancé en matière de magie noire, sinon pourquoi Voldemort aurait-il posé des questions à ce sujet ? Je crois que tu auras du mal à obtenir l'information, Harry, tu devras te montrer très prudent dans ta façon d'approcher Slughorn, réfléchir à une stratégie...

– Ron pense que je devrais simplement attendre la fin du cours de potions, cet après-midi...

– Ah, très bien, si c'est ce que pense *Ron-Ron*, il faut suivre ses conseils, répliqua-t-elle en s'enflammant aussitôt. Le jugement de *Ron-Ron* a-t-il jamais été pris en défaut ?

– Hermione, tu ne pourrais pas...

– *Non !* s'exclama-t-elle avec colère.

Et elle s'éloigna en trombe, laissant Harry seul, dans la neige jusqu'aux chevilles.

Les cours de potions étaient devenus assez inconfortables, ces temps derniers, car Harry, Ron et Hermione devaient partager la même table. Ce jour-là, Hermione déplaça son chaudron pour se rapprocher d'Ernie et ignora complètement Harry et Ron.

– Qu'est-ce que tu lui as fait, *toi* ? murmura Ron à Harry en regardant le profil dédaigneux d'Hermione.

Mais avant que Harry ait pu répondre, Slughorn, derrière son bureau, exigea le silence :

– Calmez-vous, calmez-vous, s'il vous plaît ! Dépêchons-nous, nous avons beaucoup de travail cet après-midi ! La troisième loi de Golpalott... Qui peut me l'énoncer ? Miss Granger, bien sûr !

Hermione récita à toute vitesse :

– La-troisième-loi-de-Golpalott-établit-que-l'antidote-d'un-poison-composé-doit-être-égal-à-plus-que-la-somme-des-antidotes-de-chacun-de-ses-composants.

– Exactement ! approuva Slughorn, la mine réjouie. Dix points pour Gryffondor ! Maintenant, si l'on considère comme vraie la troisième loi de Golpalott...

Harry devait croire Slughorn sur parole pour déterminer si la troisième loi de Golpalott était vraie ou pas car il n'y avait rien compris. Personne, à part Hermione, ne sembla comprendre davantage ce que Slughorn leur dit ensuite :

– ... cela signifie, bien sûr, que, en admettant qu'on ait identifié correctement les ingrédients de la potion grâce au Révélasort de Scarpin, notre but principal sera non pas celui relativement simple de sélectionner les antidotes de chacun de ces ingrédients, mais de découvrir le composant supplémentaire qui permettra, par un processus quasiment alchimique, de transformer ces éléments disparates...

Ron, assis à côté de Harry, la bouche entrouverte, griffonnait d'un air absent sur son nouvel exemplaire du *Manuel avancé de préparation des potions*. Il avait oublié qu'il ne pouvait plus compter sur Hermione pour se tirer d'affaire quand il n'arrivait pas à comprendre de quoi il était question.

– ... et donc, acheva Slughorn, je veux que chacun de vous prenne l'une des fioles qui sont sur mon bureau. Vous devrez mettre au point un antidote contre le poison qu'elles contiennent avant la fin du cours. Bonne chance et n'oubliez pas vos gants de protection !

Hermione s'était déjà levée de son tabouret et se trouvait à mi-chemin du bureau de Slughorn avant que le reste de la classe se soit rendu compte qu'il était temps de bouger. Au moment où Harry, Ron et Ernie retournaient s'asseoir à leur table, elle avait déjà versé le contenu de sa fiole dans son chaudron et allumait un feu au-dessous.

– C'est bête que le Prince ne puisse pas t'aider aujourd'hui, Harry, dit-elle d'un ton allègre en se redressant. Cette fois, il va falloir que tu comprennes toi-même le principe de l'expérience. Pas de raccourcis, pas de tricherie !

Agacé, Harry déboucha le flacon de poison qu'il avait pris sur le bureau de Slughorn, un liquide d'un rose criard, le vida dans son chaudron et le mit à chauffer. Il n'avait pas la moindre idée de ce qu'il devait faire ensuite. Il jeta un regard à Ron qui restait debout devant son propre chaudron, l'air pataud après avoir copié chacun des gestes de Harry.

– Tu es sûr que le Prince n'aurait pas un tuyau ? marmonna-t-il.

Harry sortit sa fidèle édition du *Manuel avancé de préparation des potions* et l'ouvrit au chapitre des antidotes. La troisième loi de Golpalott y était reproduite telle qu'Hermione l'avait récitée mais aucun commentaire de la main du Prince ne venait éclairer sa signification. Apparemment, le Prince, tout comme Hermione, n'avait eu aucune difficulté à la comprendre.

– Rien du tout, dit sombrement Harry.

Hermione agitait à présent sa baguette d'un geste enthousiaste au-dessus de son chaudron. Malheureusement, ils ne pouvaient copier le sortilège qu'elle était en train d'exécuter car elle était devenue si habile dans les incantations informulées qu'elle n'avait plus besoin de les prononcer à haute voix. Ernie Macmillan, penché sur son propre chaudron, marmonnait : « *Specialis revelio !* » d'une manière si convaincante que Harry et Ron s'empressèrent de l'imiter.

Il ne fallut guère plus de cinq minutes à Harry pour comprendre que sa réputation de meilleur préparateur de potions de la classe était en train de s'effondrer lamentablement. Lorsqu'il avait fait un premier tour de la salle, Slughorn avait plongé un regard plein d'espoir à l'intérieur de son chaudron, prêt à pousser des cris de ravissement comme à son habitude, mais il avait très vite détourné la tête en toussant, suffoqué par l'odeur d'œuf pourri qui s'en dégageait. Hermione n'avait jamais eu un tel air de suffisance. Elle ne supportait pas de voir ses talents surpassés à chaque cours de potions. En cet instant, elle décantait les ingrédients mystérieusement séparés de son poison dans dix fioles de cristal différentes. Pour s'épargner ce spectacle exaspérant plus que par nécessité, Harry se pencha sur le livre du Prince de Sang-Mêlé et en tourna quelques pages avec une brusquerie inutile.

La solution était là, griffonnée en travers d'une longue liste d'antidotes :

« Enfoncez-lui simplement un bézoard dans la gorge. »

Harry contempla ces mots un instant. N'avait-il pas déjà entendu parler un jour, bien longtemps auparavant, des bézoards ? Rogue ne les avait-il pas mentionnés dans son tout premier cours de potions ? « Une pierre qu'on trouve dans l'estomac des chèvres et qui constitue un antidote à la plupart des poisons. »

Ce n'était pas une réponse au problème de Golpalott et si Rogue avait toujours été leur professeur, Harry n'aurait pas osé proposer cette solution, mais le moment était venu de prendre des mesures radicales. Il se précipita vers l'armoire et y fouilla, écartant des cornes de licorne et un enchevêtrement d'herbes séchées jusqu'à ce qu'il déniche, tout au fond, une petite boîte en carton sur laquelle était écrit le mot « Bézoards ».

Il ouvrit la boîte au moment précis où Slughorn annonçait :

– Plus que deux minutes !

A l'intérieur se trouvaient une douzaine d'objets racornis, d'une couleur marron, qui ressemblaient plus à des rognons desséchés qu'à de véritables pierres. Harry en prit un, remit la boîte dans l'armoire et se dépêcha de revenir devant son chaudron.

– Le temps est... ÉCOULÉ ! lança Slughorn d'un ton cordial. Voyons un peu le résultat ! Blaise... qu'avez-vous à me montrer ?

Lentement, Slughorn fit le tour de la pièce, examinant les différents antidotes. Personne n'avait accompli la tâche juqu'au bout mais Hermione essaya d'ajouter quelques ingrédients dans son flacon avant que Slughorn n'arrive jusqu'à elle. Ron avait complètement abandonné et s'efforçait simplement de ne pas respirer les vapeurs putrides qui s'élevaient de son chaudron. Quant à Harry, il attendait, serrant le bézoard dans sa main légèrement moite.

Slughorn s'approcha de leur table en dernier. Il renifla la potion d'Ernie et passa à celle de Ron qui le fit grimacer. Il ne s'attarda pas devant son chaudron, reculant rapidement avec un léger haut-le-cœur.

– Et vous, Harry, dit-il. Vous avez quelque chose d'intéressant ?

Harry tendit la main, le bézoard au creux de sa paume.

Slughorn contempla la pierre pendant dix bonnes secondes et Harry se demanda s'il n'allait pas se mettre en colère. Puis il rejeta la tête en arrière et éclata d'un grand rire.

– Vous ne manquez pas d'audace, mon garçon ! s'exclama-t-il en prenant le bézoard qu'il leva devant lui pour que toute la classe puisse le voir. Vous êtes bien le fils de votre mère... Je ne peux pas vous en vouloir... Un bézoard pourrait sans nul doute servir d'antidote à toutes ces potions !

Hermione, le visage en sueur, de la suie au bout du nez, paraissait folle de rage. Son antidote à moitié terminé, composé de cinquante-deux ingrédients dont une mèche de ses propres cheveux, bouillonnait paresseusement derrière Slughorn qui n'avait d'yeux que pour Harry.

– Et tu as pensé tout seul au bézoard, Harry ? demanda-t-elle, les dents serrées.

– Voilà l'esprit d'initiative personnelle dont un vrai préparateur de potions doit savoir faire preuve ! déclara Slughorn d'un ton ravi avant que Harry ait pu répondre. Exactement comme sa mère, elle avait la même façon intuitive d'aborder les potions, il tient cela de Lily, indiscutablement... Oui, Harry, en effet, si vous avez un bézoard sous la main, il vous tirera d'affaire... Mais comme ils ne sont pas efficaces à tous les coups et qu'on les trouve assez rarement, il vaut quand même mieux savoir mélanger les antidotes...

Le seul qui paraissait encore plus en colère qu'Hermione était Malefoy : à la grande satisfaction de Harry, il avait renversé sur lui quelque chose qui ressemblait à des vomissures de chat. Mais avant qu'aucun des deux ait pu exprimer sa fureur de voir Harry surpasser tous les autres sans avoir fourni aucun travail, la cloche retentit.

– Il est temps de ramasser vos affaires ! Et je donne dix points de plus à Gryffondor pour récompenser ce pur et simple culot ! ajouta Slughorn.

Pouffant de rire, il rejoignit son bureau de sa démarche chaloupée, à l'autre bout du cachot.

Harry s'attarda, prenant tout son temps pour ranger son sac. Ni Ron ni Hermione ne lui souhaitèrent bonne chance en sortant. Tous deux avaient l'air passablement irrité. Enfin, Harry et Slughorn se retrouvèrent seuls dans la salle.

– Voyons, Harry, vous allez être en retard à votre prochain cours, avertit Slughorn d'un ton affable, en rabattant d'un geste sec les deux fermoirs d'or de sa mallette en peau de dragon.

– Monsieur, commença Harry, qui se faisait l'impression de se comporter comme Voldemort, je voulais vous demander quelque chose.

– Demandez, mon garçon, demandez…

– J'aurais voulu savoir ce que vous pouviez me dire des… des Horcruxes.

Slughorn se figea. Son visage rond sembla s'effondrer sur lui-même. Il se passa la langue sur les lèvres et lança d'une voix rauque :

– Qu'est-ce que vous avez dit ?

– Je vous demandais ce que vous saviez des Horcruxes, monsieur. Vous comprenez, je…

– C'est Dumbledore qui vous a chargé de poser la question, murmura Slughorn.

Sa voix avait complètement changé. Elle n'était plus du tout cordiale, mais bouleversée, terrifiée. Il tâtonna dans sa poche de devant et en sortit un mouchoir avec lequel il épongea son front couvert de sueur.

– Dumbledore vous a montré ce… ce souvenir. C'est bien cela, n'est-ce pas ?

– Oui, répondit Harry, décidant qu'il valait mieux ne pas mentir.

– Évidemment, reprit Slughorn à voix basse, en continuant d'essuyer son visage livide. Évidemment... Eh bien, si vous avez vu ce souvenir, Harry, vous comprendrez que je ne sais rien, *rien* – il répéta le mot avec vigueur – des Horcruxes.

Il prit sa mallette en peau de dragon, remit son mouchoir dans sa poche et s'avança à grands pas vers la porte du cachot.

– Monsieur, dit Harry dans une dernière tentative désespérée, je pensais simplement qu'il y avait peut-être quelque chose d'autre dans ce souvenir...

– Vraiment ? répliqua Slughorn. Eh bien, vous avez eu tort de penser cela, vous m'entendez ? Vous avez eu TORT !

Il avait hurlé ce dernier mot et avant que Harry ait pu ajouter quoi que ce soit, il claqua la porte derrière lui.

Ni Ron, ni Hermione ne lui manifestèrent la moindre compassion quand il leur raconta cette entrevue désastreuse. Hermione bouillait toujours de rage en pensant à la façon dont Harry avait triomphé sans accomplir son travail convenablement et Ron lui en voulait de ne pas lui avoir glissé à lui aussi un bézoard.

– On aurait eu l'air bête si on en avait eu un tous les deux ! protesta Harry, agacé. Tu comprends, il fallait que je le mette de bonne humeur pour lui poser des questions sur Voldemort. Oh, ça suffit, tu ne pourras donc jamais *te contrôler* ? ajouta-t-il, exaspéré lorsqu'il vit Ron grimacer en entendant ce nom.

Rendu furieux par son échec et par l'attitude de Ron et d'Hermione, Harry médita dans les jours qui suivirent sur la façon dont il convenait d'agir avec Slughorn. Il décida de lui laisser croire pour le moment qu'il ne pensait plus aux Horcruxes. Mieux valait lui donner une fausse impression de tranquillité avant de repasser à l'attaque.

Voyant que Harry ne l'interrogeait plus, le maître des potions retrouva avec lui ses manières affectueuses et sembla avoir oublié le sujet. Harry attendit une invitation à l'une de ses petites soirées, résolu cette fois à l'accepter, même s'il devait pour cela reporter une séance d'entraînement de Quidditch. Malheureusement, aucune invitation n'arriva. Harry se renseigna auprès d'Hermione et de Ginny mais elles non plus n'avaient rien reçu, ni personne d'autre à leur connaissance. Il se demanda alors si, après tout, Slughorn avait vraiment oublié et s'il n'avait pas plutôt décidé de ne plus lui offrir d'autres occasions de le questionner.

Pendant ce temps, pour la toute première fois depuis qu'elle la fréquentait, Hermione avait pris en défaut la bibliothèque de Poudlard. Elle en fut si troublée qu'elle en oublia même sa mauvaise humeur à l'égard de Harry après la ruse du bézoard.

– Je n'ai pas trouvé une seule explication sur les Horcruxes, lui dit-elle. Pas une seule ! J'ai fouillé partout dans la réserve et même dans les livres les plus *horribles*, là où on t'explique comment préparer les plus *épouvantables* potions… rien ! Tout ce que j'ai pu dénicher, c'est ça, dans l'introduction des *Grandes Noirceurs de la magie* – écoute : « De l'Horcruxe, la plus vile de toutes les inventions magiques, nous ne dirons mot ni n'enseignerons la pratique… » Dans ce cas, pourquoi le mentionner ? ajouta-t-elle, agacée.

D'un coup sec elle referma l'antique volume qui laissa échapper une plainte spectrale.

– Oh, silence, répliqua Hermione en le fourrant dans son sac.

Lorsque février arriva, la neige fondit autour de l'école et laissa place à une humidité morne et glaciale. Des nuages bas d'un gris violacé s'étendaient au-dessus du château et une pluie froide, ininterrompue, rendait les pelouses boueuses et glissantes. Le résultat fut que la leçon de transplanage des sixième année, prévue le samedi matin pour ne pas perturber les horaires de cours, n'eut pas lieu dans le parc mais dans la Grande Salle.

Quand Harry et Hermione arrivèrent (Ron était descendu avec Lavande), ils virent que les tables avaient disparu. La pluie fouettait les hautes fenêtres et le plafond enchanté tournoyait en volutes sombres au-dessus d'eux tandis qu'ils se rassemblaient devant les professeurs McGonagall, Rogue, Flitwick et Chourave – les directeurs des quatre maisons – accompagnés d'un petit sorcier dont Harry devina qu'il devait être le moniteur de transplanage du ministère. Il était étrangement incolore, avec des cils transparents, des cheveux fins et un air immatériel, comme s'il aurait suffi d'une simple rafale de vent pour l'emporter. Harry se demanda si ses constantes disparitions et réapparitions n'avaient pas d'une certaine manière diminué sa substance ou s'il avait toujours eu cette frêle charpente, idéale pour quelqu'un qui souhaite se volatiliser.

– Bonjour, dit le sorcier du ministère lorsque tous les élèves furent arrivés et que les directeurs de maison les eurent incités au silence. Je m'appelle Wilkie Tycross et je suis envoyé par le ministère pour être votre moniteur de transplanage au cours des douze semaines qui viennent. J'espère pendant cette période vous préparer à passer votre permis de transplanage...

– Malefoy, taisez-vous et écoutez ! aboya le professeur McGonagall.

Tout le monde se retourna. Le visage de Malefoy avait pris une teinte rose vif. L'air furieux, il s'écarta de Crabbe avec lequel il semblait s'être disputé à voix basse. Harry jeta un rapide coup d'œil à Rogue qui paraissait lui aussi agacé mais Harry soupçonnait fortement que c'était moins par la grossièreté de Malefoy que par la réprimande de McGonagall à un élève de sa maison.

– Nombre d'entre vous pourront alors se présenter à l'examen, poursuivit Tycross comme s'il n'y avait eu aucune interruption. Comme vous le savez sans doute, il est généralement impossible de transplaner dans l'enceinte de Poudlard. Le directeur a toutefois suspendu cet enchantement pour une durée d'une heure et uniquement entre les murs de la Grande Salle afin de vous permettre de vous entraîner. Je dois insister sur le fait que vous ne pourrez pas transplaner au-delà de cette salle et qu'il serait très imprudent d'essayer. A présent, je voudrais que vous vous placiez à une distance suffisante les uns des autres pour garder devant vous un espace libre d'un mètre cinquante.

Il y eut une grande agitation, des bruits de pas précipités, des bousculades, tandis que les élèves se séparaient, se heurtaient, se lançaient des ordres pour écarter les autres de leur chemin. Les directeurs des maisons passaient parmi eux, les aidaient à se placer et mettaient fin aux disputes.

– Harry, où vas-tu ? demanda Hermione.

Mais il ne lui répondit pas. Il se hâta de traverser la foule, passa devant le professeur Flitwick qui tentait d'une petite voix aiguë de disposer en bon ordre quelques Serdaigle tous décidés à se rapprocher du premier rang, puis devant le professeur Chourave, occupée à aligner ses élèves de Poufsouffle. Enfin, après avoir contourné Ernie

Macmillan, il parvint à se placer tout au fond, juste derrière Malefoy qui profitait du remue-ménage pour continuer sa dispute avec Crabbe. Celui-ci, la mine rebelle, se tenait à un mètre cinquante de lui.

– Je ne sais pas combien de temps ça va encore prendre, d'accord ? lui lança Malefoy, ignorant que Harry se trouvait juste derrière lui. C'est plus long que je ne le pensais.

Crabbe ouvrit la bouche mais Malefoy sembla deviner ce qu'il s'apprêtait à dire.

– Écoute, Crabbe, ce que je prépare ne te regarde pas, Goyle et toi, vous devez simplement obéir et faire le guet !

– Moi, quand je demande à mes amis de faire le guet, je leur explique pourquoi, dit Harry juste assez fort pour que Malefoy puisse l'entendre.

Malefoy pivota sur ses talons, la main sur sa baguette magique mais à ce moment précis, les quatre directeurs de maison s'écrièrent : « Taisez-vous » et le silence retomba. Malefoy se retourna lentement de l'autre côté.

– Merci, dit Tycross. Bien... Maintenant...

Il agita sa baguette. Des cerceaux à l'ancienne mode apparurent aussitôt sur le sol, devant chaque élève.

– La chose importante dont il faut se souvenir pour transplaner se résume à trois D ! expliqua Tycross. Destination, Détermination, Décision ! Première étape : fixez résolument votre esprit sur la *destination* souhaitée. Dans le cas présent, l'intérieur de votre cerceau. Veuillez dès maintenant vous concentrer sur cet objectif.

Tout le monde jeta un coup d'œil furtif pour voir si les autres regardaient bien leur cerceau puis chacun se hâta d'obéir. Harry observa le cercle poussiéreux délimité par son propre cerceau et s'efforça de ne penser à rien d'autre. Ce qui se révéla impossible car il ne cessait de se demander ce que

Malefoy pouvait bien préparer qui nécessite qu'on fasse le guet.

– Deuxième étape, poursuivit Tycross, concentrez votre *détermination* sur l'espace à occuper ! Que votre désir d'y pénétrer se répande dans chaque atome de votre corps !

Harry jeta subrepticement un regard autour de lui. Un peu plus loin sur sa gauche, Ernie Macmillan fixait son cerceau avec une telle intensité que son visage était devenu tout rouge. On aurait dit qu'il s'apprêtait à pondre un œuf de la taille d'un Souafle. Harry se mordit la lèvre pour ne pas éclater de rire et contempla à nouveau son cerceau.

– Troisième étape, reprit Tycross, et seulement quand je vous en donnerai le signal… Tournez sur place en essayant de trouver votre chemin dans le néant et en accomplissant votre mouvement avec *décision* ! A mon commandement, attention… un…

Harry jeta encore un coup d'œil alentour. Beaucoup d'élèves semblaient passablement inquiets à l'idée de devoir transplaner si vite.

– … deux…

Harry essaya à nouveau de focaliser ses pensées sur le cerceau. Il avait déjà oublié à quoi correspondaient les trois D.

– … TROIS !

Harry pivota sur place, perdit l'équilibre et faillit tomber. Il n'était pas le seul. Dans toute la salle, on voyait soudain les gens tituber sur place. Neville était étendu sur le dos. Ernie Macmillan avait sauté dans son cerceau en exécutant une sorte de pirouette et parut momentanément fou de joie jusqu'à ce qu'il voie Dean Thomas le regarder en hurlant de rire.

– Ce n'est pas grave, ce n'est pas grave, dit sèchement Tycross qui ne semblait pas s'attendre à mieux. Remettez vos cerceaux en place, s'il vous plaît, et reprenez votre position de départ...

La deuxième tentative ne fut pas plus heureuse que la première. La troisième se révéla aussi lamentable. Ce fut seulement à la quatrième qu'il se passa enfin quelque chose. Il y eut un horrible cri de douleur et tout le monde se retourna, terrifié, pour voir Susan Bones, de Poufsouffle, vaciller au milieu de son cerceau, sa jambe gauche restée à un mètre cinquante derrière elle, à l'endroit d'où elle était partie.

Les directeurs de maison se précipitèrent. Il y eut un grand *bang* et un panache de fumée violette. Lorsque la fumée se dissipa, Susan avait retrouvé sa jambe mais elle sanglotait, l'air horrifié.

– Le désartibulement, ou séparation de certaines parties du corps, se produit quand l'esprit n'est pas suffisamment *déterminé*, expliqua Wilkie Tycross d'un ton calme. Vous devez vous concentrer continuellement sur votre *destination* et vous mettre en mouvement sans hâte mais avec *décision*... Comme ceci.

Tycross fit un pas en avant, tourna sur lui-même avec grâce, les bras tendus, et disparut dans le tournoiement de sa robe, réapparaissant au fond de la salle.

– Souvenez-vous des trois D, dit-il, et essayez à nouveau... Un... Deux... Trois...

Mais une heure plus tard, le désartibulement de Susan restait le seul événement notable qui se soit produit au cours de la séance. Tycross ne paraissait pas découragé pour autant. Attachant sa cape autour de son cou, il dit simplement :

– Au revoir, tout le monde, à samedi prochain, et n'oubliez pas : *Destination, Détermination, Décision.*

Il donna alors un coup de baguette qui fit disparaître les cerceaux et sortit de la salle en compagnie du professeur McGonagall. Des conversations s'élevèrent de toutes parts tandis que les élèves sortaient dans le hall.

– Comment ça s'est passé, pour toi ? demanda Ron en se hâtant de rejoindre Harry. J'ai l'impression d'avoir senti quelque chose à mon dernier essai. Une sorte de fourmillement dans les pieds.

– Tes baskets doivent être trop petites, Ron-Ron, dit une voix derrière eux.

Hermione leur passa devant, l'air hautain, le sourire narquois.

– Moi, je n'ai rien senti du tout, dit Harry, indifférent à l'interruption. Mais ça ne m'intéresse pas beaucoup pour le moment…

– Qu'est-ce que tu veux dire ? Tu n'as pas envie d'apprendre à transplaner ? s'étonna Ron, incrédule.

– En fait, je ne suis pas vraiment emballé, je préfère voler, répondit Harry en jetant un coup d'œil derrière lui pour voir où était Malefoy.

Arrivé dans le hall, il accéléra l'allure.

– Viens, dépêche-toi, il y a quelque chose que je voudrais faire…

Perplexe, Ron suivit Harry qui retourna dans la tour de Gryffondor au pas de course. Ils furent momentanément retenus par Peeves qui avait bloqué une porte du quatrième étage et empêchait de passer quiconque refusait de mettre le feu à son propre caleçon. Mais Harry et Ron se contentèrent de faire demi-tour et de prendre un de leurs fidèles raccourcis. Quelques minutes plus tard, ils franchissaient le trou du portrait.

– Tu vas enfin me dire ce qui se passe ? demanda Ron, un peu essoufflé.

– Là-haut, répondit Harry.

Il traversa la salle commune et monta l'escalier.

Comme Harry l'avait espéré, le dortoir était vide. Il ouvrit sa valise et y fouilla, sous l'œil impatient de Ron.

– Harry...

– Malefoy se sert de Crabbe et de Goyle comme guetteurs. Il se disputait avec Crabbe tout à l'heure. Je veux savoir... Ah...

Il avait déniché un morceau de parchemin apparemment vierge qu'il déplia et tapota du bout de sa baguette.

– *Je jure solennellement que mes intentions sont mauvaises*... En tout cas, celles de Malefoy le sont.

Aussitôt, la carte du Maraudeur apparut à la surface du parchemin. On y voyait un plan détaillé de tous les étages du château et, se déplaçant un peu partout, les minuscules points, accompagnés d'un nom, qui correspondaient à chaque personne présente dans les lieux.

– Aide-moi à trouver Malefoy, dit Harry d'un ton pressant.

Il étala la carte sur son lit et tous deux se mirent à chercher.

– *Là !* dit Ron, au bout d'une minute. Il est dans la salle commune de Serpentard. Regarde... il y a aussi Parkinson, Zabini, Crabbe et Goyle...

Harry contempla la carte d'un air déçu mais reprit très vite contenance.

– A partir de maintenant, je vais l'avoir à l'œil, annonça-t-il d'un ton décidé. Et dès que je le verrai se cacher quelque part pendant que Crabbe et Goyle font le guet, je mettrai ma bonne vieille cape d'invisibilité et j'irai regarder ce qu'il…

Il fut interrompu par l'arrivée de Neville qui apporta avec lui une forte odeur de tissu brûlé et commença à fouiller dans sa valise pour y chercher un nouveau caleçon.

Malgré sa détermination à prendre Malefoy sur le fait, Harry n'eut guère de chance au cours des deux semaines qui suivirent. Il consultait la carte aussi souvent que possible, s'arrêtant parfois inutilement dans les toilettes entre deux cours pour l'examiner, mais il ne vit jamais Malefoy dans un endroit où il n'aurait pas dû être. Il repéra Crabbe et Goyle qui se promenaient seuls dans le château plus souvent qu'à l'ordinaire, restant parfois immobiles dans des couloirs déserts, mais dans ces moments-là, Malefoy ne se trouvait pas auprès d'eux et ne figurait d'ailleurs nulle part sur la carte. Ce qui constituait un grand mystère. Harry se demanda si Malefoy ne quittait pas l'école de temps à autre mais il ne voyait pas comment il pourrait y parvenir étant donné le haut niveau de sécurité en vigueur dans le château. Il supposait donc simplement qu'il n'arrivait pas à le retrouver parmi les centaines de points minuscules qui se déplaçaient sous ses yeux. Quant au fait que Malefoy, Crabbe et Goyle semblaient aller chacun de son côté alors qu'ils étaient habituellement inséparables, c'étaient des choses qui se produisaient lorsqu'on devenait plus grand – Ron et Hermione, songea tristement Harry, en étaient la preuve vivante.

Février s'approcha de mars sans que le temps change, sauf que le vent s'ajouta à la pluie. Accueilli dans une indignation générale, un avis apparut sur les tableaux d'affichage de toutes les salles communes pour annoncer que la prochaine sortie à Pré-au-Lard avait été annulée. Ron était furieux.

– C'était le jour de mon anniversaire ! s'exclama-t-il. Je me faisais une joie d'y aller !

– Ça n'a rien d'étonnant, commenta Harry. Après ce qui est arrivé à Katie.

Elle n'était toujours pas revenue de Ste Mangouste. Par surcroît, *La Gazette du sorcier* signalait d'autres cas de personnes disparues, dont certaines avaient un lien de parenté avec des élèves de Poudlard.

– Ma seule joie, maintenant, ça va être cette stupide leçon de transplanage ! marmonna Ron avec mauvaise humeur. Tu parles d'un cadeau d'anniversaire…

Au bout de la troisième leçon, le transplanage se révéla aussi difficile qu'au début, même si quelques autres élèves avaient réussi à se désartibuler. Le mécontentement était général et on commençait à éprouver une certaine animosité à l'égard de Wilkie Tycross et de ses trois D, ce qui lui avait valu divers surnoms dont les plus aimables étaient Dent-de-gargouille et Demi-potion.

– Joyeux anniversaire, Ron, dit Harry lorsqu'ils furent réveillés au matin du 1er mars par Seamus et Dean qui descendaient bruyamment prendre leur petit déjeuner. Tiens, c'est pour toi.

Il jeta un paquet sur le lit de Ron où il s'ajouta à un petit tas d'autres cadeaux qui avaient sans doute été apportés au cours de la nuit par les elfes de maison, pensa Harry.

– Merci, dit Ron d'une voix ensommeillée.

Tandis qu'il déchirait l'emballage, Harry se leva, ouvrit sa grosse valise et y fouilla pour reprendre sa carte du

Maraudeur qu'il y cachait chaque jour après s'en être servi. Il sortit la moitié du contenu de la valise avant de la retrouver, cachée sous les chaussettes roulées en boule dans lesquelles il conservait son flacon de potion de chance, Felix Felicis.

– Voyons un peu, murmura-t-il en la rapportant dans son lit.

Il la tapota doucement et chuchota : « Je jure solennellement que mes intentions sont mauvaises », à voix suffisamment basse pour que Neville qui passait au pied de son lit ne puisse l'entendre.

– Ça, c'est bien, Harry ! dit Ron avec enthousiasme, agitant la nouvelle paire de gants de gardien qu'il lui avait offerte. Merci !

– Pas de quoi, répondit Harry d'un ton absent pendant qu'il cherchait attentivement Malefoy dans le dortoir des Serpentard. Hé… je crois qu'il n'est pas dans son lit…

Ron ne réagit pas, trop occupé à déballer ses cadeaux en laissant échapper de temps à autre une exclamation réjouie.

– Joli butin, cette année ! annonça-t-il.

Il tenait devant lui une grosse montre en or avec des symboles anciens gravés sur le bord et de minuscules étoiles mouvantes en guise d'aiguilles.

– Tu as vu ce que mes parents m'ont offert ? Je crois que je vais devenir majeur l'année prochaine aussi pour avoir encore des cadeaux comme ça !

– Cool, marmonna Harry qui accorda un regard à la montre avant d'examiner la carte de plus près.

Où se trouvait Malefoy ? Apparemment, pas à la table des Serpentard pour le petit déjeuner… Pas davantage auprès de Rogue, qui était assis dans son bureau… Ni dans aucune des salles de bains, ni à l'infirmerie…

– Tu en veux un ? demanda Ron, la bouche pleine, en lui tendant une boîte de chaudrons en chocolat.

– Non, merci, répondit Harry. Malefoy a encore disparu !

– Impossible, dit Ron qui enfourna un deuxième chaudron et se glissa hors du lit pour s'habiller. Viens, si tu ne te dépêches pas, tu devras transplaner le ventre vide... Remarque, peut-être que ce sera plus facile...

Ron jeta un regard pensif à la boîte de chaudrons en chocolat puis haussa les épaules et en prit un troisième.

Harry tapota la carte avec sa baguette, murmura : « Méfait accompli », bien que ce ne fût pas le cas, et s'habilla en réfléchissant. Il fallait bien qu'il y ait une explication aux disparitions répétées de Malefoy mais il n'arrivait pas à la découvrir. La meilleure façon d'en savoir plus aurait été de le filer mais, même avec la cape d'invisibilité, l'idée n'était pas réalisable. Il avait ses cours, l'entraînement de Quidditch, des devoirs à faire et les leçons de transplanage. Il ne pouvait suivre Malefoy toute la journée sans que l'on remarque son absence.

– Prêt ? dit-il à Ron.

Il était à mi-chemin de la porte lorsqu'il s'aperçut que Ron n'avait pas bougé. Appuyé contre la colonne de son lit, il contemplait la fenêtre ruisselante de pluie d'un regard étrangement vague.

– Ron ? Le petit déjeuner.

– Je n'ai pas faim.

Harry l'observa attentivement.

– Je croyais que tu avais dit...

– Bon, d'accord, je vais descendre avec toi, soupira Ron, mais je ne veux rien manger.

Harry scruta son visage d'un air soupçonneux.

– Tu viens d'avaler la moitié d'une boîte de chaudrons en chocolat, non ?

– Ce n'est pas ça, répondit Ron avec un nouveau soupir. Tu... tu ne peux pas comprendre.

– Comme tu voudras, dit Harry, déconcerté.

Il se retourna vers la porte.

– Harry ! lança soudain Ron.

– Quoi ?

– Harry, je ne peux plus supporter ça !

– Qu'est-ce que tu ne peux plus supporter ? s'étonna Harry qui commençait à être véritablement inquiet.

Ron avait le teint pâle et semblait au bord de la nausée.

– Je ne peux pas m'empêcher de penser à elle, dit-il d'une voix rauque.

Harry le regarda bouche bée. Il ne s'était pas attendu à cela et n'avait pas très envie d'en entendre parler. Ils avaient beau être amis, si Ron se mettait à appeler Lavande Lav-Lav, il réagirait fermement.

– En quoi ça t'interdit de prendre ton petit déjeuner ? demanda Harry, essayant de faire preuve d'un peu de bon sens.

– Je crois que je n'existe même pas pour elle, se désola Ron avec un geste désespéré.

– Bien sûr que si, tu existes, répliqua Harry, décontenancé. Elle n'arrête pas de t'embrasser, non ?

Ron cligna des yeux.

– De qui tu parles ?

– Et toi, de qui tu parles ? interrogea Harry qui avait de plus en plus l'impression que leur conversation échappait à toute raison.

– De Romilda Vane, répondit Ron à voix basse.

Lorsqu'il prononça ce nom, son visage sembla s'illuminer, comme baigné par le plus pur des rayons de soleil.

Ils se regardèrent pendant près d'une minute, puis Harry reprit :

– C'est une plaisanterie ? Tu me fais une farce ?

– Harry, je crois que... Je crois que je suis amoureux d'elle, déclara Ron d'une voix étranglée.

– O.K., dit Harry en s'approchant de Ron pour regarder de plus près ses yeux vitreux et son teint blême. Maintenant, répète-moi ça sans rire.

– Je l'aime, murmura Ron, le souffle court. Tu as vu ses cheveux ? Ils sont noirs, brillants, soyeux... Et ses yeux ? Ses grands yeux sombres ? Et son...

– Écoute, c'est très drôle, l'interrompit Harry, agacé, mais la plaisanterie a assez duré, d'accord ? Laisse tomber.

Il tourna les talons et repartit vers la porte, mais à peine avait-il fait deux pas qu'il reçut un coup violent sur l'oreille droite. Titubant, il vit alors Ron brandir le poing, le visage déformé par la rage. Il s'apprêtait à frapper à nouveau.

Harry réagit instinctivement. Sa baguette jaillit de sa poche et l'incantation lui vint à l'esprit sans qu'il ait pris le temps de réfléchir :

– *Levicorpus !*

Ron poussa un hurlement et se retrouva une nouvelle fois suspendu en l'air par la cheville, sa robe de sorcier se rabattant sur lui.

– *Pourquoi tu m'as frappé ?* s'écria Harry.

– Tu l'as insultée ! Tu as dit que c'était une plaisanterie ! s'exclama Ron dont le teint devenait violacé à mesure que le sang affluait à son visage.

– C'est de la folie ! répliqua Harry. Qu'est-ce qui te...

A cet instant, il vit la boîte ouverte sur le lit de Ron et

la vérité le frappa avec la force d'un troll en pleine course.

– Où est-ce que tu as eu ces chaudrons en chocolat ?

– C'était un cadeau d'anniversaire ! s'écria Ron qui tournait lentement dans le vide en essayant de se libérer. Je t'en ai proposé un, non ?

– Tu les as ramassés par terre, c'est ça ?

– Ils étaient tombés de mon lit ! Laisse-moi redescendre !

– Ils ne sont pas tombés de ton lit, espèce d'imbécile. Tu ne comprends donc pas ? Ils étaient à moi, je les ai enlevés de ma valise quand je cherchais la carte. Ce sont les chaudrons en chocolat que Romilda m'a offerts avant Noël et ils ont été trafiqués avec un philtre d'amour !

Mais Ron semblait n'avoir entendu qu'un seul mot.

– Romilda ? répéta-t-il. Tu as dit Romilda ? Harry, tu la connais ? Tu peux me présenter à elle ?

Le visage de Ron, toujours suspendu par la cheville, exprimait à présent un immense espoir et Harry dut réprimer une forte envie d'éclater de rire. Une partie de lui-même – celle qui se trouvait la plus proche de son oreille douloureuse – était très tentée de libérer Ron et de le regarder devenir fou d'amour pour Romilda jusqu'à ce que les effets du philtre se dissipent... Mais d'un autre côté, ils étaient censés être amis, Ron n'était pas dans son état normal lorsqu'il l'avait frappé et Harry pensa qu'il mériterait un autre coup de poing s'il laissait Ron déclarer à Romilda Vane un amour éternel.

– Bon, je vais te la présenter, promit Harry en réfléchissant très vite. Je te relâche, d'accord ?

Il envoya Ron s'écraser sur le sol sans ménagements (son

oreille lui faisait décidément très mal) mais il le vit se relever avec un grand sourire comme si de rien n'était.

– Tu la trouveras dans le bureau de Slughorn, dit Harry d'un ton assuré.

Il se dirigea vers la porte du dortoir.

– Qu'est-ce qu'elle fabrique là-bas ? interrogea Ron, anxieux, en se hâtant derrière lui.

– Elle prend des cours particuliers de potions, répondit Harry, prêt à inventer n'importe quoi.

– Je pourrais peut-être demander à en prendre en même temps qu'elle ? suggéra Ron, le regard avide.

– Excellente idée, approuva Harry.

Lavande attendait près de l'ouverture du portrait, une complication que Harry n'avait pas prévue.

– Tu es en retard, Ron-Ron, dit-elle d'un ton boudeur. J'ai un cadeau d'anniv…

– Laisse-moi tranquille, l'interrompit Ron, agacé. Harry va me présenter à Romilda Vane.

Et, sans ajouter un mot, il sortit dans le couloir. Harry essaya d'adresser à Lavande un regard d'excuse mais sans doute eut-il l'air simplement amusé car elle parut encore plus offensée lorsque le portrait de la grosse dame se referma derrière eux.

Harry avait craint que Slughorn soit descendu prendre son petit déjeuner mais, dès qu'il eut frappé, il ouvrit la porte, vêtu d'une robe de chambre en velours vert avec bonnet de nuit assorti, l'œil plutôt vague.

– Harry, marmonna-t-il. Il est un peu tôt pour me rendre visite… En général, je fais la grasse matinée, le samedi.

– Professeur, je suis désolé de vous déranger, dit Harry en baissant la voix le plus possible tandis que Ron se dressait sur la pointe des pieds pour essayer de regarder à l'intérieur du bureau, mais mon ami Ron a avalé par erreur un philtre d'amour. Vous ne pourriez pas lui donner un antidote ? Je l'emmènerais bien voir Madame Pomfresh mais les produits en provenance des Farces pour sorciers facétieux sont interdits... Alors, pour éviter les questions embarrassantes...

– Je vous aurais cru capable d'improviser vous-même un petit remède, Harry, un expert en potions tel que vous, remarqua Slughorn.

– Heu..., répondit Harry, quelque peu distrait par Ron qui tentait d'entrer de force dans la pièce en lui donnant des coups de coude dans les côtes, je n'ai encore jamais préparé un antidote à un philtre d'amour, monsieur, et le temps que j'y parvienne, Ron aurait peut-être déjà commis des actes regrettables...

Ron eut la bonne idée de choisir ce moment pour lancer d'un ton gémissant :

– Je ne la vois pas, Harry. Tu crois qu'il la cache ?

– La potion n'avait-elle pas dépassé la date limite de consommation ? demanda Slughorn qui observait Ron à présent avec un intérêt de professionnel. Parfois, plus on les garde et plus elles deviennent puissantes.

– Ça expliquerait beaucoup de choses, dit Harry, la voix haletante car il devait littéralement lutter contre Ron pour l'empêcher de renverser Slughorn. C'est son anniversaire, professeur, ajouta-t-il d'un ton implorant.

– Bon, très bien, alors entrez, entrez, proposa Slughorn en se laissant fléchir. J'ai le nécessaire dans ma trousse, ce n'est pas un antidote très compliqué...

Ron se précipita soudain dans le bureau encombré et surchauffé de Slughorn, trébucha contre un petit tabouret à pompons, reprit son équilibre en se rattrapant au cou de Harry et murmura :

– Elle n'a pas vu ça, hein, elle ne l'a pas vu ?

– Elle n'est pas encore là, le rassura Harry qui regardait Slughorn ouvrir son nécessaire à potions et mélanger dans un petit flacon de cristal une pincée de ceci et une pincée de cela.

– Tant mieux, dit Ron d'un ton enfiévré. J'ai l'air comment ?

– Très séduisant, affirma Slughorn avec douceur en lui tendant un verre rempli d'un liquide clair. Buvez donc ça, c'est un tonique pour les nerfs qui vous permettra de rester calme quand elle arrivera, vous comprenez ?

– Excellent ! s'exclama Ron, avide, et il avala bruyamment l'antidote.

Harry et Slughorn l'observèrent. Pendant un moment, Ron parut rayonner. Puis, peu à peu, son sourire s'affaissa et s'évanouit, remplacé par une expression de suprême horreur.

– Alors, on retrouve ses esprits ? demanda Harry avec un sourire.

Slughorn pouffa.

– Merci beaucoup, professeur.

– Mais ce n'est rien, mon garçon, ce n'est rien du tout, répondit Slughorn pendant que Ron s'effondrait dans un fauteuil proche, l'air anéanti. Un petit remontant, voilà ce qu'il lui faut, poursuivit Slughorn qui se hâtait à présent vers une table chargée de bouteilles. J'ai de la Bièraubeurre, j'ai du vin, il me reste une dernière bouteille de cet hydromel vieilli en fût... mmh... Je voulais l'offrir à Dumbledore pour Noël, mais, bon...

Il haussa les épaules.

– Ça ne lui manquera pas puisqu'il ne saura jamais que c'était pour lui ! Pourquoi ne pas l'ouvrir maintenant pour fêter l'anniversaire de Mr Weasley ? Rien de mieux qu'un alcool fin pour chasser les tourments d'un amour déçu...

Il pouffa à nouveau et Harry l'imita. C'était la première fois qu'il se trouvait presque seul avec Slughorn depuis sa première tentative désastreuse pour lui arracher son vrai souvenir. Peut-être que s'il parvenait à le maintenir de bonne humeur... peut-être que s'ils buvaient suffisamment d'hydromel vieilli en fût...

– Tenez, goûtez-moi ça, dit Slughorn.

Il tendit un verre d'hydromel à Harry et à Ron avant de lever le sien.

– Eh bien, bon anniversaire, Ralph...

– Ron..., murmura Harry.

Mais Ron qui ne semblait pas avoir entendu qu'on lui portait un toast avait déjà avalé son hydromel.

En une seconde, à peine plus que le temps d'un battement de cœur, Harry comprit que quelque chose de terrible venait de se produire alors que Slughorn n'avait apparemment rien vu.

– ... et je vous souhaite encore de nombreux autres...

– *Ron !*

Ron avait lâché son verre. Il se leva à demi de son fauteuil puis s'effondra, les membres agités de spasmes. De l'écume coulait de ses lèvres et il avait les yeux exorbités.

– Professeur ! hurla Harry. Faites quelque chose !

Mais Slughorn semblait paralysé. Ron se convulsait, s'étranglait, le visage bleui.

– Quoi... Mais..., balbutia Slughorn.

Harry bondit par-dessus une table basse et se rua sur le nécessaire à potions resté ouvert, fouillant parmi les flacons et les petits sacs de cuir, tandis que derrière lui d'horribles gargouillements s'échappaient de la gorge de Ron.

Enfin, il la trouva – la petite pierre racornie en forme de rognon que Slughorn lui avait prise au cours de potions.

Il se précipita au côté de Ron, lui écarta les mâchoires de force et lui enfonça le bézoard dans la bouche. Ron fut parcouru d'un long frisson, il eut un hoquet rauque et son corps devint flasque, immobile.

19
DES ELFES SUR LES TALONS

– Donc, tout bien considéré, on ne peut pas dire que ce soit l'un des meilleurs anniversaires de Ron ? résuma Fred.

C'était le soir. Dans l'infirmerie silencieuse, les rideaux étaient tirés devant les fenêtres, les lampes allumées. Le lit de Ron était le seul à être occupé, Harry, Hermione et Ginny assis à son chevet. Ils avaient passé la journée à attendre devant les doubles portes, essayant de regarder ce qui se passait à l'intérieur chaque fois que quelqu'un entrait ou sortait. Madame Pomfresh ne les avait laissés voir Ron qu'à huit heures du soir. Fred et George étaient arrivés un peu après dix heures.

– Ce n'était pas vraiment comme ça qu'on avait prévu de lui donner notre cadeau, dit George d'un air sombre.

Il posa un gros paquet sur la petite armoire, à la tête de son lit, et s'assit à côté de Ginny.

– Oui, quand on imaginait la scène, il était conscient, dit Fred.

– Nous pensions l'attendre à Pré-au-Lard pour lui faire la surprise..., reprit George.

– Vous étiez à Pré-au-Lard ? demanda Ginny en levant la tête.

– On envisageait d'acheter la boutique de Zonko, expliqua Fred, d'un ton lugubre. Pour avoir une filiale à Pré-au-Lard, tu comprends, mais à quoi ça peut bien servir si on ne vous laisse plus sortir le week-end pour acheter notre marchandise... ? Enfin, peu importe, maintenant.

Il approcha une chaise de Harry et contempla le visage livide de Ron.

– Qu'est-ce qui s'est passé, exactement, Harry ?

Harry répéta l'histoire qu'il avait l'impression d'avoir déjà racontée cent fois à Dumbledore, à McGonagall, à Madame Pomfresh, à Hermione et à Ginny.

– ... alors, je lui ai enfoncé le bézoard dans la gorge et il a pu respirer un peu mieux, Slughorn est allé chercher du secours, McGonagall et Madame Pomfresh sont arrivées et elles ont amené Ron ici. Elles pensent qu'il ira bientôt mieux. Madame Pomfresh dit qu'il devra rester environ une semaine à l'infirmerie... en continuant à prendre de l'essence de Ruta...

– C'est une chance que tu aies pensé au bézoard, dit George à voix basse.

– Une chance qu'il y en ait eu un dans la pièce, remarqua Harry qui avait froid dans le dos en pensant à ce qui se serait produit s'il n'avait pu mettre la main sur la petite pierre.

Hermione renifla presque imperceptiblement. Elle avait gardé un silence inhabituel tout au long de la journée. Le visage blême, elle s'était précipitée auprès de Harry à la porte de l'infirmerie en exigeant de savoir ce qui s'était passé mais elle n'avait pris quasiment aucune part à la discussion lancinante entre Harry et Ginny qui se demandaient comment Ron avait bien pu être empoisonné. Elle s'était contentée de rester à côté d'eux, les dents serrées, l'air effaré, jusqu'à ce qu'on les autorise enfin à entrer.

– Est-ce que papa et maman sont au courant ? demanda Fred à Ginny.

– Ils l'ont déjà vu, ils sont arrivés il y a une heure. Pour le moment, ils sont dans le bureau de Dumbledore mais ils vont revenir bientôt.

Il y eut un silence pendant lequel ils regardèrent Ron émettre un grognement dans son sommeil.

– Donc, le poison était dans son verre ? dit Fred à voix basse.

– Oui, répondit Harry.

Il était incapable de penser à autre chose et fut content d'avoir une nouvelle occasion d'en parler.

– Slughorn l'avait rempli...

– Crois-tu qu'il aurait pu glisser quelque chose dans le verre sans que tu le voies ?

– Sans doute, admit Harry. Mais pourquoi aurait-il voulu empoisonner Ron ?

– Aucune idée, dit Fred, les sourcils froncés. Tu ne crois pas qu'il aurait pu se tromper de verre ? En essayant de t'empoisonner toi ?

– Pourquoi Slughorn voudrait-il empoisonner Harry ? s'étonna Ginny.

– Je ne sais pas, répondit Fred, mais il doit y avoir plein de gens qui ont envie de l'empoisonner, non ? Avec cette histoire d'Élu et tout ça ?

– Alors, tu crois que Slughorn est un Mangemort ? demanda Ginny.

– Tout est possible, déclara Fred d'un air sinistre.

– Il a peut-être été soumis au sortilège de l'Imperium, suggéra George.

– Ou peut-être qu'il est innocent, dit Ginny. Le poison pouvait très bien se trouver dans la bouteille, auquel cas, c'était Slughorn lui-même qui était visé.

– Qui aurait envie de le tuer ?

– Dumbledore pense que Voldemort voulait Slughorn dans son camp, expliqua Harry. Il s'est caché pendant un an avant de venir à Poudlard. Et…

Il repensa au souvenir que Dumbledore n'avait pas encore réussi à lui arracher.

– Et peut-être que Voldemort veut l'écarter de son chemin parce qu'il croit qu'il pourrait être utile à Dumbledore.

– Mais tu as dit que Slughorn avait l'intention d'offrir cette bouteille à Dumbledore pour Noël, lui rappela Ginny. Donc, l'empoisonneur pouvait tout aussi bien viser Dumbledore.

– Dans ce cas, il ne connaissait pas très bien Slughorn, intervint Hermione qui parlait pour la première fois depuis des heures.

Elle avait la voix de quelqu'un qui a attrapé un mauvais rhume.

– Quiconque connaît Slughorn aurait su qu'il y avait de bonnes chances qu'il garde pour lui quelque chose d'aussi délicieux.

– Er-my-nie, dit brusquement Ron d'une voix gutturale.

Tout le monde se tut en le regardant d'un air anxieux, mais après avoir marmonné quelques paroles incompréhensibles, il se mit simplement à ronfler.

Soudain, les portes de la salle s'ouvrirent à la volée en les faisant tous sursauter et Hagrid s'avança vers eux à grands pas, les cheveux tachetés de pluie, une arbalète à la main, son manteau en peau d'ours lui battant les jambes. Il laissait sur son passage des traces de boue de la taille d'un dauphin.

– Passé la journée dans la forêt ! dit-il d'une voix haletante. L'état d'Aragog empire, je lui ai fait la lecture. Je viens juste de rentrer dîner et le professeur Chourave m'a prévenu pour Ron. Comment va-t-il ?

– Pas mal, répondit Harry. Il devrait guérir bientôt.

– Pas plus de six visiteurs à la fois ! avertit Madame Pomfresh en surgissant de son bureau.

– Avec Hagrid, on est tout juste six, fit remarquer George.

– Ah... Oui..., admit Madame Pomfresh.

Apparemment, la taille immense de Hagrid lui avait donné l'impression qu'il représentait plusieurs personnes à lui tout seul. Pour masquer sa confusion, elle se hâta de nettoyer les traces de boue à l'aide de sa baguette.

– Je n'arrive pas à y croire, reprit Hagrid d'une voix rauque.

Il regardait Ron en hochant sa grosse tête hirsute.

– Je n'arrive vraiment pas à y croire... Regardez-le, allongé là... Qui aurait envie de lui faire du mal ?

– C'est justement de ça qu'on parlait, dit Harry. On n'en sait rien.

– Est-ce que quelqu'un aurait une dent contre l'équipe de Quidditch de Gryffondor ? interrogea Hagrid d'un ton angoissé. D'abord Katie, maintenant Ron...

– Je ne vois pas qui voudrait détruire une équipe de Quidditch, répondit George.

– Dubois aurait sûrement essayé avec celle de Serpentard s'il avait pu y arriver en toute impunité, assura Fred, dans un souci d'impartialité.

– A mon avis, il ne s'agit pas de Quidditch, mais je crois qu'il existe un lien entre les deux attaques, dit Hermione à voix basse.

– Qu'est-ce qui t'amène à penser ça ? demanda Fred.

– Eh bien, d'abord, elles auraient dû être fatales dans les deux cas. Or, elles ne l'ont pas été, même si c'est par simple chance. Ensuite, ni le poison, ni le collier ne semblent avoir atteint la personne à laquelle ils étaient destinés. Bien sûr, ajouta-t-elle d'un air grave, d'une certaine manière, ça rend le coupable encore plus dangereux car il ne paraît pas se soucier du nombre de gens qu'il risque d'abattre tant qu'il n'aura pas atteint sa victime désignée.

Avant que quiconque ait pu réagir à cet inquiétant exposé, les portes s'ouvrirent à nouveau et Mr et Mrs Weasley se précipitèrent dans la salle. Lors de leur visite précédente, ils s'étaient simplement assurés que Ron serait bientôt entièrement rétabli. Cette fois, Mrs Weasley prit Harry dans ses bras et le serra très fort contre elle.

– Dumbledore nous a raconté comment tu l'avais sauvé grâce au bézoard, sanglota-t-elle. Oh, Harry, je ne sais pas quoi te dire... Tu as sauvé Ginny... Tu as sauvé Arthur... Maintenant, tu sauves Ron...

– Oh, il ne faut pas... je n'ai..., marmonna Harry, mal à l'aise.

– Quand j'y pense, la moitié de notre famille te doit la vie, déclara Mr Weasley, la gorge serrée. Tout ce que je peux dire, c'est qu'on a eu de la chance le jour où Ron a décidé de s'asseoir pour la première fois dans ton compartiment du Poudlard Express, Harry.

Harry ne sut que répondre et il fut presque content que Madame Pomfresh vienne leur rappeler qu'il ne devait pas y avoir plus de six visiteurs autour du lit de Ron. Hermione et lui se levèrent aussitôt pour partir et Hagrid décida de les accompagner, laissant Ron en famille.

– C'est terrible, grommela Hagrid dans sa barbe tandis

qu'ils retournaient vers l'escalier de marbre. Toutes ces nouvelles mesures de sécurité et les enfants qui sont quand même touchés... Dumbledore se fait un sang d'encre... Il ne dit pas grand-chose mais je le sens bien...

– Il n'a pas une idée de ce qui se passe ? demanda désespérément Hermione.

– Des idées, il en a des centaines, j'imagine. Tu penses, un cerveau comme le sien ! répondit Hagrid avec une loyauté indéfectible. Mais il ne sait pas qui a envoyé ce collier ni qui a mis le poison dans cette bouteille, sinon, on aurait attrapé le coupable, non ? Ce qui m'inquiète, poursuivit-il à voix basse en jetant un regard par-dessus son épaule (Harry, pour faire bonne mesure, vérifia si Peeves ne se trouvait pas au plafond), c'est de savoir combien de temps Poudlard pourra rester ouvert si les élèves se font attaquer. Ça va recommencer comme avec la Chambre des Secrets. Ce sera la panique, de plus en plus de parents enlèveront leurs enfants de l'école, et ensuite, le conseil d'administration...

Hagrid s'interrompit lorsque le fantôme d'une femme à la longue chevelure les croisa, flottant dans le vide d'un air serein, puis il reprit dans un murmure rauque :

– ... le conseil d'administration voudra fermer l'école pour de bon.

– Quand même pas ? dit Hermione, effarée.

– Il faut se mettre à leur place, répondit Hagrid d'une voix accablée. C'est toujours un peu risqué d'envoyer un enfant à Poudlard, non ? On s'attend forcément à des accidents avec des centaines de jeunes sorciers enfermés ensemble, mais des tentatives de meurtre, c'est différent. Pas étonnant que Dumbledore soit en colère contre Ro...

Hagrid se figea sur place et une expression coupable qui

leur était familière apparut sur ce que sa barbe noire et hirsute laissait voir de son visage.

– Quoi ? s'exclama Harry. Dumbledore est en colère contre Rogue ?

– Je n'ai jamais dit ça, répliqua Hagrid, trahi cependant par son air soudain paniqué. Vous avez vu l'heure ? Il est près de minuit, il faut que je...

– Hagrid, pourquoi Dumbledore est-il en colère contre Rogue ? interrogea Harry d'une voix forte.

– Chut ! dit Hagrid, qui paraissait à la fois inquiet et courroucé. Ne crie pas ces choses-là, Harry, tu veux que je perde mon travail ? Remarque, ça vous serait égal, je suppose, puisque vous avez laissé tomber les cours de soins aux créa...

– N'essayez pas de nous donner mauvaise conscience, ça ne marchera pas ! protesta Harry d'un ton tranchant. Qu'est-ce qui s'est passé avec Rogue ?

– Je ne sais pas, Harry, je n'aurais jamais dû être au courant ! Je... Je revenais de la forêt l'autre soir et je les ai entendus parler – ou plutôt se disputer. Je ne voulais pas attirer l'attention sur moi et donc je suis resté dans l'ombre en essayant de ne pas écouter mais c'était... une discussion animée et j'avais du mal à ne pas entendre.

– Alors ? le pressa Harry tandis que Hagrid dansait maladroitement d'un pied sur l'autre.

– Alors... j'ai simplement entendu Rogue dire à Dumbledore qu'il avait un peu trop tendance à penser que tout allait de soi mais que lui – Rogue – n'avait peut-être plus envie de le faire...

– Faire quoi ?

– Je ne sais pas, Harry. Apparemment, Rogue trouvait

qu'il avait trop de travail, c'est tout – et Dumbledore a répondu d'un ton très sec qu'il avait accepté et que c'était comme ça. Il a été assez dur avec lui. Et puis, il a aussi parlé à Rogue d'une enquête qu'il devrait mener dans sa maison, à Serpentard. Eh bien, quoi, ça n'a rien d'étonnant ! ajouta précipitamment Hagrid en voyant Harry et Hermione échanger des regards éloquents. Il a demandé à tous les directeurs de maison de chercher ce qui avait pu se passer dans cette histoire de collier…

– Oui, mais Dumbledore ne s'est pas disputé avec eux, fit remarquer Harry.

– Écoute…

Hagrid tritura son arbalète d'un air gêné. Il y eut alors un craquement sonore et elle se cassa en deux.

– Je sais ce que tu penses de Rogue, Harry, et je ne veux pas que tu ailles imaginer des choses.

– Attention, dit Hermione d'un ton bref.

Ils se retournèrent juste à temps pour voir l'ombre d'Argus Rusard se dessiner sur le mur derrière eux, suivie de Rusard lui-même qui tourna le coin, le dos voûté, les bajoues frémissantes.

– Oho, lança-t-il de sa voix sifflante. Dans les couloirs à cette heure-ci ! Ça signifie une retenue !

– Non, pas de retenue, Rusard ! répondit sèchement Hagrid. Ils sont avec moi, non ?

– Et qu'est-ce que ça change ? demanda Rusard d'un ton odieux.

– Ça change que je suis un enseignant, espèce de Cracmol sournois ! répliqua Hagrid, en s'enflammant aussitôt.

Rusard se gonfla de fureur et on entendit soudain un sifflement. Miss Teigne venait d'arriver en catimini. Elle se faufila, sinueuse, entre les chevilles décharnées de son maître.

– Allez-y, dit Hagrid du coin des lèvres.

Harry ne se le fit pas répéter deux fois. Hermione et lui filèrent aussitôt, Hagrid et Rusard haussant le ton derrière eux, dans des éclats de voix qui résonnèrent tout au long du couloir. Ils croisèrent Peeves près du passage qui menait à la tour de Gryffondor mais il ne s'intéressa pas à eux et fila joyeusement vers la source du tumulte, caquetant et hurlant :

Quand il y a d'la bagarr' quand ça chauffe au château
Appelez donc Peevy, il viendra illico !

La grosse dame sommeillait et ne fut pas très contente d'être réveillée mais elle consentit malgré tout à pivoter d'un air grincheux pour les laisser entrer dans la salle commune vide et, fort heureusement, paisible. La nouvelle de ce qui était arrivé à Ron ne semblait pas encore connue. Harry en fut soulagé, on lui avait déjà posé assez de questions ce jour-là. Hermione lui souhaita bonne nuit et monta dans le dortoir des filles. Harry, lui, resta encore un peu et s'assit près de la cheminée en regardant s'éteindre les dernières braises.

Ainsi donc, Dumbledore s'était disputé avec Rogue. En dépit de tout ce qu'il avait dit à Harry, en dépit de son insistance à affirmer une entière confiance en Rogue, il avait fini par s'énerver contre lui… Il pensait que Rogue n'avait pas mené une enquête suffisamment approfondie chez les Serpentard… ou peut-être auprès d'un seul Serpentard : Malefoy ?

Était-ce pour lui éviter de se lancer dans des actions inconsidérées, le dissuader de prendre les choses en main, que Dumbledore avait fait mine de trouver les soupçons de Harry injustifiés ? C'était vraisemblable. Peut-être voulait-il simplement que rien ne vienne le distraire de leurs leçons, ou de la nécessité de se procurer le souvenir de Slughorn. Peut-être aussi que Dumbledore n'estimait pas convenable de confier ses propres doutes sur un professeur à un élève de seize ans...

– Ah, tu es là, Potter !

Surpris, Harry se leva d'un bond, sa baguette magique prête à servir. Il était convaincu que la salle commune était vide et ne s'était pas du tout attendu à voir une silhouette massive se lever d'un fauteuil, à l'autre bout de la pièce. En regardant plus attentivement, il s'aperçut qu'il s'agissait de Cormac McLaggen.

– J'attendais ton retour, dit McLaggen, sans s'occuper de la baguette de Harry. J'ai dû m'endormir. Écoute, j'ai vu qu'on emmenait Weasley à l'infirmerie, ce matin. Il n'avait pas l'air en état de jouer le match de la semaine prochaine.

Harry mit un certain temps à comprendre de quoi McLaggen voulait parler.

– Ah, oui, d'accord... le Quidditch, dit-il.

Il glissa sa baguette dans la ceinture de son jean et se passa la main dans les cheveux d'un geste las.

– Oui, c'est vrai... Il ne pourra peut-être pas jouer.

– Dans ce cas, c'est moi qui serai gardien, non ? demanda McLaggen.

– Oui, répondit Harry, oui, sans doute...

Il ne trouva aucun argument contre. Après tout, McLaggen était arrivé juste derrière Ron, le jour des essais.

– Parfait, dit McLaggen, l'air satisfait. C'est quand, le prochain entraînement ?

– Quoi ? Ah... heu... il y a une séance demain soir.

– D'accord. Écoute, Potter, on devrait se voir un peu avant. J'ai quelques idées en matière de stratégie qui pourraient te servir.

– C'est ça, répliqua Harry sans enthousiasme. Tu m'en parleras demain. Pour l'instant, je suis un peu fatigué… A plus tard…

La nouvelle de l'empoisonnement de Ron se répandit rapidement le lendemain mais elle ne causa pas la même sensation que l'agression contre Katie. On pensait généralement qu'il pouvait s'agir d'un accident, étant donné qu'il se trouvait à ce moment-là dans le bureau du maître des potions et que, ayant tout de suite absorbé un antidote, rien de grave ne s'était passé. En fait, les Gryffondor étaient beaucoup plus intéressés par le prochain match contre Poufsouffle. Nombre d'entre eux voulaient voir Zacharias Smith, un des poursuiveurs de l'équipe adverse, subir la défaite cuisante qu'il méritait pour son commentaire lors du match d'ouverture contre Serpentard.

Harry, cependant, n'avait jamais été aussi peu intéressé par le Quidditch. Il devenait de plus en plus obsédé par Drago Malefoy. Consultant toujours la carte du Maraudeur chaque fois qu'il en avait l'occasion, il faisait parfois des détours pour aller voir l'endroit où se trouvait Malefoy mais jusqu'à présent, il n'avait pas réussi à le surprendre dans des activités inhabituelles. Et il y avait encore des moments où Malefoy disparaissait inexplicablement de la carte…

Mais Harry n'avait pas beaucoup le temps de réfléchir au problème en raison de l'entraînement de Quidditch, de ses devoirs à finir et du fait qu'il était maintenant traqué, partout où il allait, par Cormac McLaggen et Lavande Brown.

Il n'arrivait pas à décider lequel des deux était le plus

exaspérant. McLaggen s'appliquait à lui laisser entendre qu'il serait bien meilleur que Ron comme gardien et que Harry ne tarderait pas à penser la même chose après l'avoir vu jouer régulièrement. Il était toujours prompt à critiquer les autres joueurs et à proposer de nouvelles tactiques qu'il exposait en détail pendant les entraînements au point que plus d'une fois, Harry dut lui rappeler qui était le capitaine.

Dans le même temps, Lavande ne ratait jamais une occasion de se glisser vers Harry pour lui parler de Ron, ce qu'il trouvait presque plus lassant que les leçons de Quidditch de McLaggen. Au début, elle s'était montrée très agacée de n'avoir pas été prévenue que Ron se trouvait à l'infirmerie – « Enfin quoi, je suis sa petite amie ! » – mais malheureusement, elle avait décidé de pardonner cet oubli à Harry et tenait absolument à parler avec lui en profondeur des sentiments de Ron à son égard. Une épreuve très embarrassante dont Harry se serait volontiers dispensé.

– Pourquoi ne pas demander tout cela directement à Ron ? lui suggéra-t-il après avoir subi de sa part un interrogatoire particulièrement long au cours duquel elle avait tout passé en revue, depuis l'opinion de Ron sur ses nouvelles robes de soirée jusqu'à la question de savoir s'il considérait leur relation comme « sérieuse ».

– Je voudrais bien, mais il dort toujours quand je vais le voir ! répondit Lavande, exaspérée.

– Vraiment ? s'étonna Harry, car il avait trouvé Ron parfaitement éveillé chaque fois qu'il le rejoignait à l'infirmerie, s'intéressant beaucoup au récit de la dispute entre Dumbledore et Rogue et toujours prêt à dire pis que pendre de McLaggen.

– Est-ce qu'il a toujours des visites d'Hermione Granger ? interrogea soudain Lavande.

– Oui, je crois. Ils sont amis, non ? dit Harry, mal à l'aise.

– Amis, ne me fais pas rire, répliqua Lavande avec mépris. Elle a cessé de lui parler pendant des semaines quand il a commencé à sortir avec moi ! Mais j'imagine qu'elle veut se réconcilier avec lui maintenant qu'il est devenu si *intéressant*...

– Tu trouves que c'est intéressant d'être empoisonné ? lui demanda Harry. Oh, désolé, il faut que j'y aille, McLaggen vient me voir pour me parler de Quidditch, ajouta-t-il précipitamment.

Il fit un bond de côté et franchit une porte qui avait l'air d'un morceau de mur. Puis il courut le long du raccourci menant à la salle des potions où, par bonheur, ni Lavande, ni McLaggen ne pourraient le suivre.

Le matin du jour où le match contre Poufsouffle devait avoir lieu, Harry passa par l'infirmerie avant de se rendre sur le terrain et trouva Ron très agité : Madame Pomfresh ne voulait pas l'autoriser à aller voir le match, craignant l'état de surexcitation qui en résulterait.

– Alors, comment s'en tire McLaggen ? demanda-t-il à Harry avec appréhension, oubliant apparemment qu'il avait déjà posé la question deux fois.

– Je te le répète, répondit Harry d'un ton patient, même si c'était un joueur de classe internationale, je ne le garderais pas. Il n'arrête pas de dire aux autres ce qu'ils doivent faire et il est persuadé qu'il pourrait jouer beaucoup mieux que nous à n'importe quel poste. J'ai hâte d'en être débarrassé, crois-moi. Et en parlant de gens dont j'aimerais bien être débarrassé, ajouta Harry qui se leva et prit son Éclair de feu, pourrais-tu cesser de faire semblant de dormir quand Lavande vient te voir ? Elle aussi me rend cinglé.

– Ah, marmonna Ron, l'air penaud. Bon, d'accord.

– Si tu ne veux plus sortir avec elle, tu n'as qu'à le lui expliquer, suggéra Harry.

– Oui... Bien sûr... mais ce n'est pas si facile.

Il se tut un instant puis demanda d'un ton dégagé :

– Hermione va passer me voir avant le match ?

– Non, elle est déjà descendue sur le terrain avec Ginny.

– Ah..., dit Ron, qui eut soudain l'air maussade. Bon, eh bien, bonne chance. J'espère que tu vas écraser McLag... je veux dire Smith.

– Je vais essayer, promit Harry en mettant son balai sur l'épaule. Je reviendrai te voir après le match.

Il se hâta le long des couloirs déserts. Tous les élèves de l'école étaient dehors, soit déjà assis dans le stade soit en train de s'y rendre. Au passage, il regardait par les fenêtres, essayant d'estimer la force du vent lorsqu'un bruit, un peu plus loin, lui fit lever la tête et il vit Malefoy s'avancer vers lui en compagnie de deux filles qui avaient l'air boudeuses et de mauvaise humeur.

Lorsqu'il vit Harry, Malefoy s'arrêta net, puis il eut un petit rire dénué d'humour et poursuivit son chemin.

– Où tu vas ? demanda Harry d'un ton impérieux.

– Ben voyons, je vais sûrement te le dire, puisque ça te regarde, Potter, répliqua Malefoy d'un ton narquois. Tu ferais mieux de te dépêcher, ils attendent tous le capitaine Élu – Celui-Qui-A-Marqué – ou je ne sais pas comment on t'appelle ces temps-ci.

L'une des filles laissa échapper un gloussement de rire involontaire. Harry la regarda et elle rougit. Malefoy passa devant lui, suivi des deux filles qui trottinaient derrière puis ils tournèrent le coin et sortirent de son champ de vision.

Harry resta sur place en les regardant disparaître. Il y avait de quoi être furieux. Il n'était déjà pas en avance pour le match et voilà qu'il surprenait Malefoy à rôder dans les couloirs pendant que le reste de l'école était absent : la meilleure chance que Harry ait eue jusqu'à présent de découvrir ce qu'il manigançait. Quelques secondes passèrent en silence et Harry demeura immobile, figé, l'œil fixé sur l'endroit où Malefoy s'était trouvé un instant auparavant...

– Où étais-tu ? demanda Ginny lorsque Harry arriva en courant dans les vestiaires.

Les autres s'étaient déjà changés, prêts à jouer. Coote et Peakes, les batteurs, se frappaient les mollets avec leurs battes d'un geste nerveux.

– J'ai croisé Malefoy, lui répondit Harry à voix basse en passant la tête dans sa robe écarlate.

– Et alors ?

– Alors, je voulais savoir ce qu'il fabrique dans le château avec deux filles pendant que tous les autres sont ici...

– C'est si important de s'en occuper maintenant ?

– En tout cas, je n'ai aucune chance de le découvrir pour le moment, dit Harry qui prit son Éclair de feu et rajusta ses lunettes. Bon, allons-y !

Sans ajouter un mot, il sortit sur le terrain d'un pas décidé sous des acclamations et des huées assourdissantes. Il n'y avait pas beaucoup de vent, les nuages étaient épars et de temps à autre, un soleil aveuglant se mettait à briller.

– Des conditions difficiles ! dit McLaggen d'un ton énergique au reste de l'équipe. Coote, Peakes, il ne faudra pas voler en plein soleil pour éviter qu'on vous voie arriver...

– C'est moi, le capitaine, McLaggen, l'interrompit Harry

avec colère, arrête de leur donner des instructions. Va te mettre devant tes buts !

Lorsque McLaggen se fut éloigné à grands pas, Harry se tourna vers Coote et Peakes.

– Et faites bien attention de *ne pas voler* en plein soleil, leur recommanda-t-il à contrecœur.

Il serra la main du capitaine de Poufsouffle puis, au coup de sifflet de Madame Bibine, il décolla et s'éleva dans les airs, plus haut que les autres joueurs, filant tout autour du terrain à la recherche du Vif d'or. S'il arrivait à l'attraper très vite, il lui resterait une chance de retourner au château, de prendre la carte du Maraudeur et de découvrir ce que fabriquait Malefoy...

– Et voilà que Smith de Poufsouffle prend le Souafle, annonça une voix rêveuse qu'on entendait résonner dans tout le stade. C'était lui qui était chargé du commentaire la dernière fois et Ginny Weasley lui a volé droit dessus en le heurtant de plein fouet. A mon avis, elle l'a sans doute fait exprès – on aurait dit, en tout cas. Smith avait été très désagréable avec Gryffondor, je pense qu'il doit le regretter maintenant qu'il joue contre eux... Oh, regardez, il a perdu le Souafle, Ginny le lui a pris, je l'aime beaucoup, elle est très sympathique...

Harry regarda l'estrade du commentateur. Aucune personne sensée n'aurait eu l'idée de confier à Luna Lovegood le soin de commenter le match. Pourtant, même de là-haut, il était impossible de ne pas reconnaître ces longs cheveux d'un blond sale, ou le collier de bouchons de Bièraubeurre... Assise à côté de Luna, le professeur McGonagall paraissait légèrement mal à l'aise comme si elle commençait à regretter ce choix.

– ... mais maintenant, c'est ce gros joueur de

Poufsouffle qui lui a repris le Souafle, je n'arrive pas à me souvenir de son nom, quelque chose dans le genre de Bibble… Non, Buggins…

– Il s'appelle Cadwallader ! dit le professeur McGonagall d'une voix forte.

La foule éclata de rire.

Harry regarda tout autour de lui, à la recherche du Vif d'or mais n'en vit pas la moindre trace. Quelques instants plus tard, Cadwallader marqua. McLaggen, trop occupé à critiquer Ginny à grands cris pour s'être fait prendre le Souafle, n'avait pas vu la grosse balle rouge lui passer à côté de l'oreille droite.

– McLaggen, tu veux bien te concentrer sur tes buts et laisser les autres tranquilles ! hurla Harry en se tournant face à son gardien.

– Tu ne donnes pas beaucoup l'exemple ! répliqua McLaggen, le teint écarlate, l'air furieux.

– Et maintenant, Harry Potter se dispute avec son gardien, dit Luna d'un ton serein tandis que s'élevaient des tribunes des acclamations et des quolibets lancés par les Poufsouffle et les Serpentard. Je ne pense pas que ça puisse l'aider à trouver le Vif d'or mais peut-être qu'il s'agit d'une ruse très habile…

Poussant un juron, Harry exécuta un demi-tour et repartit autour du terrain, scrutant le ciel à la recherche de la minuscule balle d'or.

Ginny et Demelza marquèrent chacune un but, donnant ainsi aux supporters rouge et or une occasion de hurler leur joie. Puis Cadwallader égalisa avec un nouveau but mais Luna ne semblait pas l'avoir remarqué. Elle paraissait se désintéresser de choses aussi bassement matérielles que le score et s'efforçait plutôt d'attirer l'attention de la foule sur la forme particulière d'un nuage ou sur l'éventualité que Zacharias Smith, qui n'avait pas réussi jusqu'à présent à conserver le Souafle plus d'une minute, soit atteint d'une maladie appelée la « perdantinite ».

– Soixante-dix à quarante en faveur de Poufsouffle ! aboya le professeur McGonagall dans le mégaphone de Luna.

– Ah bon, déjà ? dit Luna d'un ton rêveur. Oh, regardez, le gardien de Gryffondor a une batte à la main.

Harry fit volte-face dans les airs. McLaggen, pour des raisons qu'il était seul à connaître, s'était emparé de la batte de Peakes et semblait lui montrer comment il convenait d'expédier un Cognard en direction de Cadwallader qui arrivait vers eux.

– *Tu vas lui rendre sa batte et retourner dans tes buts !* rugit Harry en fonçant sur McLaggen juste au moment où il donnait un grand coup de batte au Cognard qu'il envoya dans la mauvaise direction.

Une douleur aveuglante, à donner la nausée... Un éclair de lumière... Des hurlements lointains... Et l'impression de tomber dans un long tunnel...

Lorsque Harry rouvrit les yeux, il était étendu dans un lit extraordinairement tiède et confortable et regardait une lampe qui projetait un cercle de lumière dorée sur un plafond obscur. Il leva la tête avec difficulté. Sur sa gauche, il vit quelqu'un avec des taches de rousseur et des cheveux flamboyants qui lui étaient familiers.

– C'est gentil de passer me voir, dit Ron avec un sourire.

Harry cligna des yeux et jeta un regard circulaire. De toute évidence, il se trouvait à l'infirmerie. Au-dehors, le ciel était d'un bleu indigo strié de traînées cramoisies. Le match avait dû prendre fin plusieurs heures auparavant...

tout comme ses espoirs de coincer Malefoy. Harry avait la tête étrangement lourde. Il leva la main et sentit sous ses doigts un épais turban de bandages.

– Qu'est-ce qui s'est passé ?

– Fêlure du crâne, répondit Madame Pomfresh en accourant pour le repousser sur ses oreillers. Rien de grave, j'ai arrangé ça tout de suite mais je te garde pour la nuit. Il ne faut pas que tu te surmènes pendant au moins quelques heures.

– Je ne veux pas rester ici, répondit Harry en colère.

Il se redressa et rabattit ses couvertures.

– Je vais aller voir McLaggen et le tuer.

– J'ai bien peur que ce soit une forme de surmenage, répliqua Madame Pomfresh qui le repoussa à nouveau sur son lit d'un geste ferme et brandit sa baguette magique, l'air menaçant. Tu vas rester là jusqu'à ce que je te donne l'autorisation de sortir, Potter, sinon j'appelle le directeur.

Elle se hâta de retourner dans son bureau et Harry s'enfonça dans ses oreillers, fulminant de rage.

– Tu sais de combien on a perdu ? demanda-t-il à Ron, les dents serrées.

– Oui, je le sais, répondit Ron sur un ton d'excuse. Le score final était de trois cent vingt à soixante.

– Remarquable, dit Harry, avec une sorte de sauvagerie dans la voix. Vraiment remarquable ! Quand j'aurai mis la main sur McLaggen...

– Il vaut mieux ne pas avoir la main dessus, il a la taille d'un troll, répliqua Ron, plus raisonnable. Personnellement, je crois qu'il serait préférable de lui jeter ce maléfice du Prince qui fait pousser les ongles des doigts de pied. De toute façon, peut-être que le reste de l'équipe se sera occupé de lui avant que tu sortes d'ici. Ils ne sont pas contents du tout...

Il y avait dans sa façon de parler une allégresse qu'il avait du mal à dissimuler : on le sentait enchanté que McLaggen ait provoqué un tel désastre. Harry resta immobile à contempler la tache de lumière au plafond. Son crâne raccommodé par Madame Pomfresh ne lui faisait pas vraiment mal mais il restait un peu sensible sous l'épaisseur des bandages.

– J'entendais le commentaire du match, d'ici, dit Ron, la voix à présent secouée d'un rire. J'espère que ce sera toujours Luna qui le fera, désormais... La *perdantinite*...

Mais Harry était encore trop en colère pour voir le côté humoristique de la situation et au bout d'un moment, Ron cessa de rire.

– Ginny est venue te voir pendant que tu étais évanoui, dit-il après un long silence.

L'imagination de Harry passa à la vitesse supérieure, il se représenta la scène : Ginny, pleurant devant son corps inerte, avouait qu'elle se sentait profondément attirée par lui tandis que Ron leur donnait sa bénédiction...

– Elle a raconté que tu étais arrivé tout juste à temps pour le match. Comment ça se fait ? Tu es parti tôt, pourtant.

– Ah..., dit Harry.

Le tableau qu'il contemplait dans sa tête se volatilisa.

– Oui... J'ai vu Malefoy rôder dans un couloir en compagnie de deux filles qui n'avaient pas l'air très contentes d'être avec lui. C'est la deuxième fois qu'il s'arrange pour ne pas être sur le terrain de Quidditch avec les autres. Il n'était pas là non plus pour le dernier match, tu te souviens ?

Harry soupira.

– Maintenant, je regrette de ne pas l'avoir suivi, après un tel fiasco...

– Ne sois pas stupide, répliqua sèchement Ron. Tu n'aurais quand même pas raté un match de Quidditch rien que pour suivre Malefoy. C'est toi le capitaine !

– Je veux savoir ce qu'il fabrique. Et ne prétends pas que tout est dans ma tête, pas après la conversation que j'ai entendue entre lui et Rogue...

– Je n'ai jamais prétendu que c'était dans ta tête, protesta Ron en se redressant sur un coude pour regarder Harry, les sourcils froncés. Mais rien ne dit qu'il n'y a qu'une seule personne à comploter quelque chose dans ce château ! Tu deviens un peu obsédé par Malefoy. Avoir l'idée de manquer un match simplement pour le suivre...

– Je veux le prendre sur le fait ! s'exclama Harry, frustré. Enfin, quoi, où va-t-il quand il disparaît de la carte ?

– Je n'en sais rien... A Pré-au-Lard, peut-être ? suggéra Ron en bâillant.

– Je ne l'ai jamais vu emprunter un des passages secrets qui y mènent. D'ailleurs, je croyais qu'ils étaient surveillés, maintenant ?

– Je n'ai aucune autre idée à te proposer, dit Ron.

Un silence s'installa. Harry contempla à nouveau le cercle de lumière au-dessus de lui. Il réfléchissait...

Si seulement il avait eu le pouvoir de Rufus Scrimgeour, il aurait pu faire suivre Malefoy mais malheureusement, Harry n'avait pas sous ses ordres un bureau rempli d'Aurors... Il pensa vaguement à essayer de mettre quelque chose sur pied avec l'A.D. mais là encore, le problème était de ne pas manquer les cours. Ils avaient presque tous un emploi du temps très serré...

Un long ronflement s'éleva du lit de Ron. Au bout d'un

moment, Madame Pomfresh sortit de son bureau, vêtue cette fois d'une épaisse robe de chambre. Il n'était pas difficile de feindre le sommeil. Harry se tourna sur le flanc et entendit les rideaux se fermer tout seuls lorsqu'elle agita sa baguette. La lumière des lampes s'atténua et elle retourna dans son bureau. Le loquet de la serrure cliqueta derrière elle et il sut alors qu'elle était partie se coucher.

C'était la troisième fois, songea Harry, plongé à présent dans la pénombre, qu'il était transporté à l'infirmerie en raison d'une blessure due au Quidditch. La dernière fois, il était tombé de son balai à cause de la présence de Détraqueurs autour du terrain et la fois d'avant, l'incompétence incurable du professeur Lockhart lui avait fait perdre tous les os de son bras... Cette blessure était de très loin la plus cuisante qu'il eût jamais reçue... Il se souvenait de la douleur éprouvée lorsque ses os avaient repoussé en une nuit, un inconfort que n'avait pas adouci l'arrivée d'un visiteur inattendu en plein milieu de la...

Harry se redressa brusquement, le cœur battant, son turban de travers. Il avait enfin trouvé la solution : il existait un moyen de suivre Malefoy... Comment pouvait-il l'avoir oublié, pourquoi n'y avait-il pas pensé plus tôt ?

Mais la question était : comment l'appeler ? Comment devait-on s'y prendre ?

A voix basse, timidement, Harry prononça le nom dans l'obscurité.

– Kreattur ?

Il y eut un *crac* sonore puis des bruits de lutte et des couinements retentirent dans la salle. Ron s'éveilla en poussant un petit cri.

– Qu'est-ce qui...

Harry pointa sa baguette vers la porte du bureau de

Madame Pomfresh et murmura : « *Assurdiato !* » pour éviter qu'elle accoure, réveillée par le tapage. Puis il s'avança à quatre pattes vers l'extrémité de son lit pour mieux voir ce qui se passait.

Deux elfes de maison se battaient par terre, roulant l'un sur l'autre. L'un était vêtu d'un pull violet, rétréci, et coiffé de plusieurs bonnets de laine, l'autre portait un vieux chiffon crasseux noué comme un pagne autour de ses hanches. Il y eut un nouveau *bang* et Peeves, l'esprit frappeur, apparut dans les airs, au-dessus des elfes qui s'empoignaient.

– J'étais en train de regarder ça, Potty, tu m'as dérangé ! dit-il à Harry d'un ton indigné, en montrant la bagarre du doigt.

Il se mit alors à caqueter de rire.

– Tu as vu ces petites créatures qui se chamaillent, et ça mord et ça tord et ça pince et ça coince…

– Kreattur n'insultera pas Harry Potter devant Dobby, non, certainement pas, sinon Dobby le fera taire ! s'écria Dobby d'une voix suraiguë.

– Et pif, ça griffe ! s'exclama joyeusement Peeves qui lançait maintenant des morceaux de craie aux deux elfes pour les exciter davantage. Et paf, la baffe !

– Kreattur dira ce qu'il voudra de son maître, oh oui, et quel maître, l'ignoble ami des Sang-de-Bourbe, oh, que dirait la pauvre maîtresse de Kreattur…

Mais personne ne sut jamais ce qu'aurait dit sa maîtresse car au même moment, Dobby enfonça son petit poing noueux dans la bouche de Kreattur et lui fit sauter la moitié des dents. Harry et Ron bondirent tous deux de leurs lits et séparèrent les deux elfes en les arrachant l'un à l'autre mais ils essayaient toujours de se donner des coups de pied et de poing, encouragés par Peeves qui volait autour de la lampe en couinant :

– Mets-lui les doigts dans le nez, fais-lui sauter la tête, tire-lui les oreilles…

Harry leva sa baguette et s'écria :

– *Bloclang !*

Peeves porta les mains à sa gorge, laissa échapper un hoquet puis fila hors de la salle en lui adressant des gestes obscènes mais incapable de parler car sa langue venait de se coller à son palais.

– Pas mal, celui-là, dit Ron d'un ton appréciateur.

Il avait soulevé Dobby au-dessus de sa tête pour qu'il ne puisse plus atteindre Kreattur.

– C'était encore un maléfice du Prince ?

– Oui, répondit Harry qui avait saisi le bras desséché de Kreattur et l'immobilisait dans une prise de catch. Bon, alors, je vous interdis de vous battre, tous les deux ! Ou plutôt, Kreattur, je t'interdis de te battre avec Dobby. Dobby, je sais bien que je n'ai pas le droit de te donner d'ordres…

– Dobby est un elfe de maison libre, il peut obéir à qui il veut et Dobby fera tout ce que lui commandera Harry Potter ! assura Dobby.

Des larmes ruisselaient à présent sur son petit visage fripé et coulaient sur son pull.

– O.K., dit Harry.

Ron et lui relâchèrent les deux elfes qui tombèrent sur le sol mais cessèrent de se battre.

– Le maître m'a appelé ? croassa Kreattur.

Il s'inclina profondément tout en lançant à Harry un regard qui exprimait sans ambiguïté son désir de le voir mourir dans les pires souffrances.

– Oui, répondit Harry.

Il jeta un coup d'œil vers le bureau de Madame Pomfresh pour s'assurer que le sortilège de l'Assurdiato était toujours actif. Apparemment, elle n'avait rien entendu du remue-ménage.

– J'ai un travail pour toi.

– Kreattur fera ce que le maître voudra, promit l'elfe en se courbant si bas que ses lèvres touchaient presque ses orteils noueux. Parce que Kreattur n'a pas le choix mais Kreattur a honte d'avoir un tel maître, oh, oui...

– Dobby s'en chargera, Harry Potter ! couina Dobby, ses yeux de la taille d'une balle de tennis toujours baignés de larmes. Dobby serait honoré d'aider Harry Potter !

– En y réfléchissant, ce serait très bien de vous avoir tous les deux, dit Harry. D'accord... Je veux que vous suiviez Drago Malefoy.

Indifférent à l'expression de surprise mêlée d'exaspération de Ron, Harry poursuivit :

– Je veux savoir où il va, qui il rencontre et ce qu'il fabrique. Je veux que vous le suiviez vingt-quatre heures sur vingt-quatre.

– Oui, Harry Potter ! s'exclama aussitôt Dobby, ses grands yeux brillants d'excitation. Et si Dobby ne donne pas satisfaction, Dobby se jettera de la plus haute tour du château, Harry Potter !

– Ce ne sera pas nécessaire, affirma précipitamment Harry.

– Le maître veut que je suive le plus jeune des Malefoy ? croassa Kreattur. Le maître veut que j'espionne le petit-neveu au sang pur de mon ancienne maîtresse ?

– Lui-même, répondit Harry.

Il prévoyait un grand danger qu'il décida de prévenir tout de suite.

– Et il t'est interdit de l'avertir, Kreattur, ou de lui montrer que tu le suis, ou de lui parler, ou de lui écrire des messages, ou... ou d'entrer en contact avec lui de quelque manière que ce soit. Compris ?

Il vit que Kreattur s'efforçait de découvrir un point faible dans les instructions qu'il venait de lui donner et attendit. Au bout d'un moment, à la grande satisfaction de Harry, Kreattur s'inclina à nouveau et déclara d'un ton où se mêlaient l'amertume et le ressentiment :

– Le maître a pensé à tout et Kreattur doit lui obéir, même si Kreattur aimerait beaucoup mieux être le serviteur du jeune Malefoy, oh oui...

– Alors, c'est entendu, coupa Harry. Je veux des rapports réguliers mais assure-toi que je suis seul quand tu viens me voir. Si Ron et Hermione sont là, ça va. Et ne raconte à personne ce que tu fais. Contente-toi de coller à Malefoy comme un emplâtre à une verrue.

20
La requête de Lord Voldemort

Harry et Ron quittèrent l'infirmerie le lundi matin à la première heure après avoir pleinement recouvré la santé grâce aux bons soins de Madame Pomfresh. Ils pouvaient à présent bénéficier de tous les avantages d'avoir été respectivement assommé et empoisonné, le plus notable de tous étant qu'Hermione s'était réconciliée avec Ron. Elle les accompagna même à la table du petit déjeuner en leur annonçant la nouvelle que Ginny s'était disputée avec Dean. La créature qui sommeillait dans la poitrine de Harry releva soudain la tête, reniflant autour d'elle avec espoir.

– Pourquoi se sont-ils disputés ? demanda-t-il d'un ton qu'il essaya de rendre désinvolte.

Au septième étage, ils s'engagèrent dans un couloir où il n'y avait personne, à part une toute petite fille qui contemplait une tapisserie représentant des trolls en tutu. Elle sembla terrifiée en voyant approcher des élèves de sixième année et laissa tomber la lourde balance de cuivre qu'elle tenait à la main.

– Ne t'inquiète pas, dit gentiment Hermione qui s'avança aussitôt vers elle pour l'aider. Voilà… *Reparo*, dit-elle en tapotant avec sa baguette la balance brisée.

La fille ne la remercia pas et resta plantée là à les regarder s'éloigner. Ron lui jeta un coup d'œil par-dessus son épaule.

– Ils les font de plus en plus petits, commenta-t-il.

– Ne t'occupe pas d'elle, dit Harry, avec une légère impatience. Alors, Hermione, pourquoi Ginny et Dean se sont-ils disputés ?

– Oh, Dean a rigolé à cause du Cognard que t'a envoyé McLaggen, répondit Hermione.

– Ça devait paraître drôle, estima raisonnablement Ron.

– Ça ne paraissait pas drôle du tout ! protesta Hermione avec véhémence. C'était terrible et si Coote et Peakes n'avaient pas rattrapé Harry en plein vol, il aurait pu se faire très mal !

– Il ne fallait quand même pas que Ginny et Dean se séparent pour autant, dit Harry qui s'efforçait toujours d'avoir un ton dégagé. Ils sont restés ensemble ou pas ?

– Oui… Mais pourquoi tu t'y intéresses tant ? demanda Hermione en observant Harry d'un regard aigu.

– Je ne veux pas avoir d'autres ennuis dans mon équipe de Quidditch ! répondit-il précipitamment.

Mais Hermione continuait de le fixer d'un air soupçonneux et il fut grandement soulagé lorsqu'une voix derrière eux appela : « Harry ! », lui donnant ainsi une excuse pour lui tourner le dos.

– Ah, salut, Luna.

– Je suis allée te voir à l'infirmerie, dit Luna en fouillant dans son sac. Mais ils m'ont annoncé que tu étais sorti…

Elle mit dans les mains de Ron une sorte d'oignon vert, ainsi qu'un gros champignon tacheté et une quantité considérable d'une substance qui ressemblait à de la litière pour chat, puis trouva enfin un morceau de parchemin sale qu'elle tendit à Harry.

– On m'a dit de te donner ça.

Harry vit tout de suite qu'il s'agissait d'une nouvelle invitation à se rendre chez Dumbledore.

– Ce soir, dit-il à Ron et à Hermione lorsqu'il eut déroulé le parchemin.

– J'ai beaucoup aimé ton commentaire du dernier match ! dit Ron à Luna tandis qu'elle reprenait le champignon et la litière pour chat.

Luna eut un sourire vague.

– Tu te moques de moi ? demanda-t-elle. Tout le monde a dit que c'était une horreur.

– Non, je suis sérieux ! assura Ron. Je n'ai jamais pris autant de plaisir à écouter un commentaire de Quidditch ! Au fait, qu'est-ce que c'est que ça ? ajouta-t-il en tenant à hauteur d'œil la chose en forme d'oignon.

– Oh, c'est une Ravegourde, répondit Luna qui fourra dans son sac le champignon et la litière pour chat. Tu peux la garder si tu veux, j'en ai plusieurs. Il n'y a rien de plus efficace contre les Boullus Goulus.

Et elle s'éloigna, Ron pouffant de rire derrière elle, sa Ravegourde à la main.

– Je l'apprécie de plus en plus, Luna, dit-il lorsqu'ils eurent repris leur chemin vers la Grande Salle. Je sais qu'elle est cinglée mais c'est dans le bon…

Il s'interrompit brutalement. Lavande Brown l'attendait au pied de l'escalier de marbre, la mine furieuse.

– Salut, dit Ron, un peu nerveux.

– Viens, murmura Harry à Hermione, et tous deux s'empressèrent de filer.

Harry eut cependant le temps d'entendre Lavande s'exclamer :

– Pourquoi tu ne m'as pas dit que tu sortais aujourd'hui ? Et pourquoi est-ce qu'*elle* était avec toi ?

Ron semblait à la fois boudeur et agacé lorsqu'il apparut une demi-heure plus tard à la table du petit déjeuner et bien qu'il fût assis à côté de Lavande, Harry ne les vit pas échanger un mot pendant tout le temps qu'ils restèrent ensemble. Hermione se comportait comme si tout cela lui était complètement indifférent mais une ou deux fois, Harry surprit sur son visage un sourire inexplicable. Toute la journée, elle parut d'excellente humeur et le soir, dans la salle commune, elle consentit même à regarder (en d'autres termes à achever de rédiger) le devoir de botanique de Harry, une chose qu'elle avait obstinément refusé de faire jusqu'alors car elle savait que Harry laisserait Ron copier sur lui.

– Merci beaucoup, Hermione, dit Harry.

Il lui donna une petite tape sur l'épaule et s'aperçut en consultant sa montre qu'il était près de huit heures.

– Il faut que je me dépêche si je ne veux pas être en retard chez Dumbledore...

Elle ne répondit pas et se contenta de barrer d'un air las quelques-unes des phrases les plus faibles du devoir de Harry. Avec un grand sourire, il se hâta de sortir par le trou du portrait pour se rendre dans le bureau du directeur. La gargouille s'écarta lorsqu'elle entendit parler d'éclairs au caramel et Harry monta quatre à quatre l'escalier en colimaçon, frappant à la porte au moment même où une pendule, de l'autre côté, sonnait huit heures.

– Entrez, dit Dumbledore.

Mais lorsque Harry tendit la main pour pousser la porte,

elle s'ouvrit brusquement de l'intérieur et il se retrouva face au professeur Trelawney.

– Aha ! s'écria-t-elle.

D'un geste théâtral, elle pointa l'index sur Harry et le regarda en battant des paupières derrière ses lunettes grossissantes.

– Voici donc la raison pour laquelle je me vois chassée sans cérémonie de votre bureau, Dumbledore !

– Ma chère Sibylle, répondit Dumbledore d'un ton quelque peu irrité, il n'est pas question de vous chasser sans cérémonie d'où que ce soit mais Harry a rendez-vous avec moi et je ne crois pas qu'il y ait grand-chose à ajouter...

– Très bien, dit le professeur Trelawney, d'une voix profondément blessée. Si vous ne voulez pas vous débarrasser de ce canasson usurpateur, qu'il en soit ainsi... Je trouverai peut-être une école où mes talents seront mieux appréciés...

Elle passa devant Harry et disparut dans l'escalier en colimaçon. Ils l'entendirent trébucher à mi-chemin et Harry devina qu'elle avait dû se prendre les pieds dans l'un de ses châles.

– Ferme la porte et assieds-toi, s'il te plaît, dit Dumbledore qui paraissait fatigué.

Harry obéit et s'installa dans son fauteuil habituel, devant le bureau. La Pensine était une fois de plus posée entre eux, ainsi que deux autres minuscules flacons de cristal remplis de souvenirs tourbillonnants.

– Le professeur Trelawney n'est toujours pas contente que Firenze donne des cours ? demanda Harry.

– Non, répondit Dumbledore. La divination me cause beaucoup plus de tracas que je ne l'avais prévu, n'ayant moi-même jamais étudié ce sujet. Je ne peux pas demander à Firenze de retourner dans la forêt, d'où il est maintenant banni, mais je ne peux pas non plus exiger de Sibylle qu'elle s'en aille. Entre nous, elle n'a aucune idée du danger qu'elle courrait si elle quittait le château. Elle ne sait pas – et je crois qu'il ne serait pas très avisé de l'éclairer à ce propos – que c'est elle qui a fait la prophétie sur Voldemort et toi, tu comprends ?

Dumbledore poussa un profond soupir puis il poursuivit :

– Mais peu importe mes problèmes d'enseignants. Nous devons parler de choses beaucoup plus importantes. Tout d'abord, as-tu réussi à mener à bien la tâche que je t'avais confiée à la fin de la leçon précédente ?

– Heu..., marmonna Harry, pris de court.

Avec les leçons de transplanage, le Quidditch, l'empoisonnement de Ron, la fêlure de son crâne et sa détermination à découvrir ce que préparait Malefoy, Harry avait presque oublié le souvenir que Dumbledore lui avait demandé d'arracher à Slughorn...

– J'ai posé la question au professeur Slughorn à la fin d'un cours de potions, mais il n'a pas voulu me répondre.

Il y eut un bref silence.

– Je vois, dit enfin Dumbledore en lançant par-dessus ses lunettes en demi-lune un regard qui donna à Harry l'habituelle sensation d'être passé aux rayons X. Et tu penses que tu as déployé tous les efforts possibles en la matière, n'est-ce pas ? Que tu as mis en œuvre toutes les ressources de ta considérable ingéniosité ? Que tu as exploré les plus insondables profondeurs de la ruse et de la sagacité dans la poursuite de ta quête ?

– Eh bien..., répondit Harry, interloqué, sans savoir ce qu'il allait dire.

Son unique tentative pour essayer de recueillir le souvenir apparaissait soudain bien faible.

– Eh bien... le jour où Ron a avalé par erreur le philtre d'amour, je l'ai emmené chez le professeur Slughorn. Je pensais que si j'arrivais à le mettre de bonne humeur...

– Et tu as obtenu un résultat ? demanda Dumbledore.

– Non, monsieur, parce que Ron a été empoisonné...

– ... ce qui, naturellement, t'a fait complètement oublier cette histoire de souvenir. Il ne pouvait pas en être autrement, étant donné que ton meilleur ami était en danger. Mais quand il est devenu certain que Mr Weasley recouvrerait une parfaite santé, je pouvais espérer que tu t'attellerais de nouveau à cette tâche. Je croyais avoir clairement souligné à quel point ce souvenir est important. Je me suis efforcé de mon mieux d'insister sur son caractère crucial. Sans lui, nous perdons notre temps.

Harry éprouva un sentiment de honte qui naquit comme un fourmillement brûlant au sommet de son crâne puis se répandit dans tout son corps. Dumbledore n'avait pas haussé le ton, il ne semblait même pas en colère mais Harry aurait préféré qu'il se mette à hurler. Cette déception exprimée d'un ton glacial était pire que tout.

– Monsieur, dit-il, un peu égaré, ce n'est pas que je n'aie pas voulu m'en occuper. J'ai simplement eu d'autres... d'autres choses...

– D'autres choses en tête, acheva Dumbledore. Je vois.

Un nouveau silence s'installa entre eux, le silence le plus gênant que Harry eût jamais connu en présence de Dumbledore. Il semblait se prolonger indéfiniment, ponctué par les petits ronflements du portrait d'Armando Dippet, accroché au-dessus de la tête de Dumbledore. Harry se sentit étrangement diminué, comme s'il avait un peu rétréci depuis qu'il était entré dans le bureau.

Il ne put en supporter davantage.

– Professeur Dumbledore, dit-il, je suis sincèrement désolé. J'aurais dû faire plus... J'aurais dû me rendre compte que vous ne m'auriez pas demandé cela si ce n'était pas vraiment important.

– Merci de le reconnaître, Harry, répondit Dumbledore à voix basse. Puis-je espérer, dans ce cas, que tu donneras désormais à cette question la priorité qu'elle mérite ? Après notre séance de ce soir, nous n'aurons plus tellement de raisons de nous revoir si nous ne sommes pas en possession de ce souvenir.

– J'y arriverai, monsieur, je l'obtiendrai, promit Harry, l'air grave.

– Alors, n'en parlons plus pour l'instant, dit Dumbledore plus aimablement, et continuons plutôt notre histoire là où nous l'avions laissée. Tu te souviens où nous en étions restés ?

– Oui, monsieur. Voldemort avait tué son père et ses grands-parents en faisant croire que le coupable était son oncle Morfin. Puis il était retourné à Poudlard et avait demandé... Il avait demandé au professeur Slughorn ce qu'étaient les Horcruxes, marmonna Harry, l'air honteux.

– Très bien. Dès le début de nos rencontres, tu t'en souviens, je t'avais dit que nous allions pénétrer dans le royaume des hypothèses et des spéculations ?

– Oui, monsieur.

– Jusqu'à présent, tu reconnaîtras, j'espère, que ma reconstitution de la vie de Voldemort jusqu'à l'âge de dix-sept ans s'appuyait sur des sources d'une raisonnable solidité ?

Harry approuva d'un signe de tête.

– Mais maintenant, reprit Dumbledore, maintenant, les choses vont paraître plus obscures et plus étranges. S'il a été difficile de réunir des témoignages sur ce qu'avait été le jeune Jedusor, il est presque impossible de trouver quelqu'un qui soit prêt à livrer ses souvenirs sur l'homme qu'est devenu Voldemort. En fait, je doute qu'il existe une seule âme vivante, à part lui-même, qui puisse fournir un récit complet de ce qu'a été sa vie depuis son départ de Poudlard. Je possède cependant deux derniers souvenirs que j'aimerais te faire partager.

Dumbledore montra les deux flacons de cristal qui luisaient à côté de la Pensine.

– J'aimerais bien savoir ensuite si les conclusions que j'en tire te paraîtront vraisemblables.

L'idée que Dumbledore accorde une telle valeur à son opinion rendit plus vive la honte de Harry de n'avoir pas réussi à lui rapporter le souvenir de l'Horcruxe. Mal à l'aise, il changea de position dans son fauteuil tandis que Dumbledore levait le premier des deux flacons à la lumière pour en examiner le contenu.

– J'espère que tu n'es pas lassé de plonger dans la mémoire des autres car ces deux souvenirs sont très singuliers, dit-il. Le premier est celui d'une très vieille elfe de maison du nom de Hokey. Avant de voir la scène dont elle a été témoin, il faut que je te rappelle brièvement de quelle façon Lord Voldemort a quitté Poudlard. Il a atteint la septième année de sa scolarité en obtenant comme tu peux le deviner les meilleures notes à tous les examens qu'il a passés. Autour de lui, ses camarades décidaient ce qu'ils allaient faire une fois leurs études terminées. Tout le monde ou presque s'attendait à des choses spectaculaires de la part de Tom

Jedusor, préfet, préfet-en-chef, titulaire de la médaille pour services rendus à l'école. Je sais que plusieurs enseignants, parmi lesquels le professeur Slughorn, lui ont suggéré de rejoindre le ministère de la Magie, ont proposé de lui organiser des rendez-vous, de lui fournir des contacts utiles. Il a refusé toutes ces offres. Et bientôt, ses professeurs ont appris que Voldemort travaillait chez Barjow et Beurk.

– Chez Barjow et Beurk ? répéta Harry, stupéfait.

– Chez Barjow et Beurk, confirma Dumbledore, avec le plus grand calme. Je pense que tu comprendras ce qui l'attirait dans cette boutique quand nous serons entrés dans le souvenir de Hokey. Mais ce n'était pas le métier que Voldemort avait choisi en premier. Presque personne ne le savait – j'étais l'un des rares à qui le directeur de l'époque l'avait confié – mais au début, Voldemort avait approché le professeur Dippet et lui avait demandé s'il pourrait rester à Poudlard pour y enseigner.

– Il voulait rester ici ? Pourquoi ? s'étonna Harry, de plus en plus ébahi.

– Je pense qu'il y avait plusieurs raisons bien qu'il n'en ait révélé aucune au professeur Dippet, répondit Dumbledore. D'abord, et c'est très important, je crois que Voldemort éprouvait pour cette école un attachement qu'aucun être humain n'aurait pu lui inspirer. Poudlard était l'endroit où il avait été le plus heureux. Le premier et le seul où il se soit senti chez lui.

Harry fut un peu mal à l'aise en entendant ces mots car il avait exactement le même sentiment par rapport à Poudlard.

– Ensuite, le château est une forteresse d'ancienne magie. Voldemort avait sans nul doute pénétré beaucoup plus de ses secrets que la plupart des autres élèves qui y sont passés mais peut-être sentait-il qu'il restait encore des mystères à découvrir, des réserves de magie dans lesquelles puiser. Et enfin, comme enseignant, il aurait eu beaucoup de pouvoir et d'ascendant sur de jeunes sorciers et sorcières. Peut-être avait-il eu cette idée au contact du professeur Slughorn, l'enseignant avec lequel il s'entendait le mieux et qui lui avait démontré le rôle influent que peut jouer un professeur. Je n'imagine pas un instant que Voldemort ait envisagé de passer le reste de sa vie à Poudlard mais je pense qu'il y a vu un utile terrain de recrutement, un lieu où il pourrait se constituer une armée.

– Et il n'a pas obtenu le poste ?

– Non. Le professeur Dippet lui a répondu qu'à dix-huit ans, il était trop jeune mais il l'a invité à poser à nouveau sa candidature quelques années plus tard s'il voulait toujours enseigner.

– Et vous, monsieur, quel était votre sentiment à ce sujet ? demanda Harry, hésitant.

– Un sentiment de profond malaise. J'ai conseillé à Armando de ne pas l'engager – je ne lui ai pas donné les raisons que je te donne à toi, car le professeur Dippet aimait beaucoup Voldemort et il était convaincu de son honnêteté – mais je ne voulais pas que Voldemort revienne à l'école, et surtout pas dans une position de pouvoir.

– Quel poste voulait-il ? Quelle matière avait-il choisie ?

Harry connaissait déjà la réponse avant que Dumbledore ne la lui donne.

– La défense contre les forces du Mal. Elle était enseignée en ce temps-là par un vieux professeur du nom de Galatea Têtenjoy qui était à Poudlard depuis près de cinquante ans. Donc, Voldemort est parti chez Barjow et Beurk et tous les professeurs qui l'avaient tant admiré répétaient qu'il était bien dommage de voir un jeune sorcier aussi brillant aller travailler dans une boutique. Voldemort, cependant, n'était pas qu'un simple vendeur. Poli, séduisant, intelligent, on lui a bientôt confié des tâches très particulières qui ne peuvent avoir d'utilité que dans un endroit comme Barjow et Beurk, spécialisé, comme tu le sais, dans le commerce d'objets aux pouvoirs inhabituels. On l'envoyait persuader certaines personnes de se séparer de trésors que les deux partenaires pourraient revendre dans leur boutique et, de l'avis général, il était exceptionnellement doué en la matière.

– J'en suis sûr, lança Harry, incapable de se retenir.

– Oui, très doué, dit Dumbledore avec un léger sourire. Et maintenant, il est temps d'entendre Hokey, l'elfe de maison qui travaillait chez une très vieille et très riche sorcière du nom de Hepzibah Smith.

Dumbledore tapota l'un des flacons avec sa baguette. Le bouchon sauta et il versa le souvenir dans la Pensine en disant :

– Après toi, Harry.

Harry se leva et se pencha une fois de plus sur la matière argentée qui tournoyait dans la bassine de pierre jusqu'à ce que son visage en touche la surface. Il fut alors précipité dans le néant et atterrit dans un salon, devant une énorme vieille dame coiffée d'une perruque rousse aux ondulations soigneusement étudiées. Sa robe d'un rose brillant flottait autour d'elle en lui donnant l'aspect d'un gros gâteau glacé en train de fondre. Elle se regardait dans un petit miroir incrusté de pierres précieuses et étalait à l'aide d'une grande houppette du rouge à joues sur ses pommettes déjà écarlates, tandis que l'elfe de maison la plus vieille et la plus minuscule que Harry ait jamais vue laçait autour de ses pieds charnus d'étroits chaussons de satin.

– Dépêche-toi, Hokey, ordonna Hepzibah d'un ton impérieux. Il a promis qu'il serait là à quatre heures, c'est-à-dire dans deux minutes et jusqu'à maintenant, il n'a jamais été en retard !

Elle rangea sa houppette et l'elfe se redressa. Sa tête atteignait à peine le siège du fauteuil de Hepzibah et sa peau parcheminée pendait de son corps comme le drap de toile apprêtée qu'elle portait à la manière d'une toge.

– Comment me trouves-tu ? demanda Hepzibah en tournant la tête devant le miroir pour admirer son visage sous tous les angles.

– Ravissante, madame, couina Hokey.

Harry pensa qu'il était sans doute spécifié dans son contrat qu'elle devait mentir ouvertement lorsque cette question lui était posée car, à son avis, Hepzibah Smith était loin d'être ravissante.

Une sonnette cristalline retentit soudain et toutes deux, la maîtresse et son elfe, sursautèrent.

– Vite, vite, Hokey, il est là ! s'écria Hepzibah.

L'elfe se précipita hors de la pièce à la décoration tellement surchargée qu'on ne voyait pas très bien comment il était possible de s'y déplacer sans renverser une bonne douzaine d'objets : de petites boîtes laquées remplissaient des vitrines, des bibliothèques débordaient de livres à la reliure frappée d'or, des globes et des sphères célestes s'alignaient sur des étagères, et des plantes luxuriantes foisonnaient dans des cache-pot de cuivre. On aurait dit un croisement entre un magasin d'antiquités magiques et une serre.

L'elfe de maison revint quelques minutes plus tard, suivie d'un grand jeune homme en qui Harry reconnut tout de suite Voldemort. Il était vêtu d'un costume noir de coupe classique. Ses cheveux étaient un peu plus longs qu'au temps de Poudlard et ses joues s'étaient creusées, mais ces changements lui allaient bien : il paraissait plus séduisant que jamais. Il s'avança dans la pièce encombrée avec une aisance montrant qu'il était déjà venu très souvent et s'inclina profondément devant la petite main grasse de Hepzibah qu'il effleura de ses lèvres.

– Je vous ai apporté des fleurs, dit-il à voix basse, en faisant surgir de nulle part une gerbe de roses.

– Oh, jeune polisson, vous n'auriez pas dû ! s'exclama la vieille Hepzibah d'une petite voix aiguë.

Harry remarqua pourtant qu'un vase vide était prêt sur une petite table proche.

– Vous gâtez beaucoup trop cette vieille dame, Tom… Asseyez-vous, asseyez-vous… Où est Hokey… ? Ah…

L'elfe était revenue à toutes jambes dans la pièce en apportant un plateau de petits gâteaux qu'elle posa à côté de sa maîtresse.

– Servez-vous, Tom, dit Hepzibah. Je sais que vous adorez mes gâteaux. Alors, comment allez-vous ? Vous me paraissez un peu pâle. Vous travaillez trop dans cette boutique, je l'ai répété cent fois…

Voldemort sourit machinalement et Hepzibah minauda.

– Quel est le prétexte de votre visite, cette fois ? demanda-t-elle en battant des cils.

– Mr Beurk voudrait vous faire une offre plus intéressante à propos de cette armure façonnée par les gobelins, répondit Voldemort. Cinq cents Gallions, il pense que c'est un prix plus que raisonnable…

– Allons, allons, pas si vite ou je vais finir par penser que vous venez me voir uniquement pour mes babioles ! protesta Hepzibah d'un air boudeur.

– On m'envoie ici pour cela, dit Voldemort d'une voix douce. Je ne suis, madame, qu'un modeste employé qui doit obéir aux instructions qu'on lui donne. Mr Beurk souhaite que je vous demande...

– Oh, assez de ce Mr Beurk ! s'écria Hepzibah en agitant sa petite main. J'ai quelque chose à vous montrer que Mr Beurk n'a jamais vu ! Êtes-vous capable de conserver un secret, Tom ? Me promettez-vous de ne jamais révéler à Mr Beurk que je possède cet objet ? Il ne me laisserait plus jamais en repos s'il savait que je vous l'ai montré et je ne le vendrai pas, ni à Beurk, ni à personne d'autre ! Mais vous, Tom, vous l'apprécierez pour sa valeur historique et non pour le nombre de Gallions que vous pourriez en tirer...

– Je serai toujours heureux de voir tout ce que Miss Hepzibah voudra bien me montrer, assura Voldemort de sa voix douce.

Hepzibah gloussa à nouveau comme une collégienne.

– J'ai dit à Hokey d'aller me le chercher... Hokey, où es-tu ? Je veux montrer à Mr Jedusor notre plus *magnifique* trésor... D'ailleurs, apporte-les donc tous les deux pendant que tu y es...

– Voilà, madame, couina l'elfe de maison.

Harry vit deux coffrets en cuir, posés l'un sur l'autre, traverser la pièce comme s'ils se déplaçaient tout seuls mais il savait que l'elfe minuscule les tenait au-dessus de sa tête en se faufilant entre les tables, les poufs et les repose-pieds.

– Voyons cela, dit Hepzibah d'un ton joyeux.

Elle prit les coffrets des mains de l'elfe, les plaça sur ses genoux et se prépara à ouvrir celui du dessus.

– Je pense que vous allez beaucoup aimer, Tom... Oh, si ma famille savait que je vous les ai montrés... Ils ont hâte de s'en emparer !

Elle souleva le couvercle du premier coffret. Harry s'avança pour mieux voir et distingua une petite coupe d'or avec des poignées finement ouvragées.

– Je me demande si vous savez ce que c'est, Tom ? Prenez-la, regardez-la bien ! murmura Hepzibah.

Voldemort tendit une main aux doigts effilés et prit la coupe par l'une des poignées, la soulevant de son écrin de soie douillet. Harry crut voir une lueur rougeoyante dans son regard. Son expression avide était étrangement semblable à celle de Hepzibah, sauf que cette dernière fixait de ses yeux minuscules le beau visage de Voldemort.

– Un blaireau, dit Voldemort dans un souffle en examinant le dessin gravé sur la coupe. Alors, ceci appartenait...

– A Helga Poufsouffle, comme vous le savez parfaitement, mon garçon, car vous êtes très intelligent ! répondit Hepzibah.

Elle se pencha en avant, dans un grincement sonore produit par son corset et pinça sa joue maigre.

– Ne vous ai-je jamais dit que j'étais une de ses lointaines descendantes ? Cette coupe est passée dans la famille depuis bien des années. Magnifique, n'est-ce pas ? Et il paraît qu'elle possède toutes sortes de pouvoirs mais je ne les ai jamais tous expérimentés, je me contente de la conserver ici, en sécurité...

Elle reprit la coupe des longs doigts de Voldemort et la rangea délicatement dans son coffret, trop occupée à la remettre en place avec le plus grand soin pour remarquer l'ombre qui était passée sur le visage de son visiteur lorsqu'elle lui avait enlevé l'objet des mains.

– Où est Hokey ? dit Hepzibah d'un ton enjoué. Ah, tu es là. Tiens, débarrasse-moi de ça…

L'elfe prit docilement la coupe et Hepzibah reporta son attention sur l'autre coffret, beaucoup plus plat, posé sur ses genoux.

– Je crois que ceci vous plaira encore davantage, Tom, murmura-t-elle. Penchez-vous un peu, mon cher, vous verrez mieux… Bien sûr, Beurk sait qu'il est en ma possession, puisque je le lui ai acheté, et je crois qu'il serait ravi de le récupérer lorsque je ne serai plus là…

Elle fit glisser le délicat fermoir en filigrane et ouvrit le couvercle, découvrant un lourd médaillon d'or niché dans un écrin de velours cramoisi.

Voldemort tendit la main, sans y avoir été invité cette fois, et examina le médaillon en le tenant à la lumière.

– La marque de Serpentard, dit-il à voix basse en regardant chatoyer un S ouvragé, en forme de serpent.

– Exactement ! s'exclama Hepzibah, apparemment ravie de voir Voldemort fasciné par son médaillon. Il m'a coûté les yeux de la tête mais je ne pouvais pas laisser passer un trésor pareil, il me le fallait pour ma collection. Il paraît que Beurk l'a acheté à une femme en haillons qui semblait l'avoir volé sans avoir aucune idée de sa valeur…

Cette fois, on ne pouvait s'y tromper : un éclair rouge était passé dans les yeux de Voldemort et Harry vit ses jointures blanchir tandis qu'il serrait entre ses doigts la chaîne du médaillon.

– Je suppose que Beurk l'a payé une misère mais enfin, le voilà… Très beau, n'est-ce pas ? Celui-là aussi, on lui attribue toutes sortes de pouvoirs mais là encore, je me contente de le garder bien à l'abri…

Elle tendit le bras pour récupérer le médaillon et pendant un instant, Harry crut que Voldemort ne le lâcherait pas mais il finit par glisser d'entre ses doigts et retrouva sa place dans l'écrin de velours rouge.

– Et voilà, mon cher Tom. J'espère que ça vous a plu !

Elle le regarda bien en face et, pour la première fois, Harry vit s'effacer son sourire niais.

– Vous ne vous sentez pas bien, mon cher ?

– Si, si, répondit Voldemort, toujours à voix basse. Je me sens parfaitement bien...

– Il m'a semblé... Mais j'imagine que c'est la lumière qui m'a joué un tour, dit Hepzibah, visiblement troublée.

Elle aussi, pensa Harry, avait dû voir la lueur rouge dans les yeux de Voldemort.

– Tiens, Hokey, emporte-les et range-les bien... avec les enchantements habituels...

– Il est temps de repartir, murmura Dumbledore.

Pendant que la petite elfe quittait la pièce, chargée des deux coffrets, Dumbledore saisit le bras de Harry et tous deux s'élevèrent dans le vide pour revenir dans le bureau.

– Hepzibah Smith est morte deux jours après cette petite scène, dit Dumbledore qui reprit place dans son fauteuil en faisant signe à Harry de l'imiter. Hokey, l'elfe de maison, a été déclarée coupable par le ministère d'avoir empoisonné par inadvertance la tasse de chocolat que sa maîtresse prenait chaque soir.

– C'est sûrement faux ! s'insurgea Harry avec colère.

– Je vois que nous avons la même idée sur la question, remarqua Dumbledore. Il y a sans aucun doute beaucoup de points communs entre cette mort et celle des Jedusor. Dans les deux cas, quelqu'un d'autre a été accusé, quelqu'un qui se souvenait clairement d'être l'auteur du crime...

– Hokey a avoué ?

– Elle se rappelait avoir mis dans le chocolat de sa maîtresse quelque chose qui, en définitive, n'était pas du sucre mais un petit poison mortel et peu connu. On en a conclu qu'elle ne l'avait pas fait exprès mais que, étant vieille, ayant l'esprit un peu confus...

– Voldemort est intervenu dans sa mémoire, comme dans celle de Morfin !

– Oui, c'est aussi ce que je pense ! dit Dumbledore. Et comme pour Morfin, le ministère était tout disposé à soupçonner Hokey...

– ... parce que c'était une elfe de maison, acheva Harry.

Il avait rarement éprouvé autant de sympathie pour la SALE, l'association qu'avait fondée Hermione.

– Exactement, approuva Dumbledore. Elle était très âgée, elle admettait avoir versé quelque chose dans le chocolat, et donc, le ministère ne s'est pas donné la peine de chercher plus loin. Et comme dans le cas de Morfin, quand j'ai réussi à la retrouver et à lui arracher ce souvenir, sa vie était quasiment arrivée à son terme. Mais son souvenir ne prouve rien, bien sûr, si ce n'est que Voldemort connaissait l'existence de la coupe et du médaillon. Lorsque Hokey a été condamnée, la famille de Hepzibah s'est rendu compte que deux de ses trésors les plus précieux avaient disparu. Il leur a fallu un certain temps pour s'en assurer car Hepzibah, qui avait toujours très jalousement conservé sa collection, disposait de nombreuses cachettes. Mais avant même qu'ils aient la certitude que la coupe et le médaillon n'étaient plus là, l'employé de Barjow et Beurk, le jeune homme qui venait régulièrement rendre visite à Hepzibah et savait si bien la charmer, avait donné sa démission et s'était volatilisé. Ses patrons n'avaient aucune idée de l'endroit où il était parti. Ils étaient tout aussi surpris que les autres de sa disparition et pendant très longtemps, on n'a plus du tout entendu parler de Tom Jedusor. Maintenant, continua Dumbledore, si ça ne t'ennuie pas, Harry, je voudrais m'arrêter à nouveau pour attirer ton attention sur certains points de notre histoire. Voldemort vient donc de commettre un autre meurtre. Était-ce le premier depuis l'assassinat des Jedusor, je n'en sais rien mais je pense que oui. Cette fois, comme tu auras pu le constater, il a tué non par esprit de vengeance mais par appât du gain. Il voulait les deux fabuleux trophées que cette malheureuse femme, envoûtée par son charme, lui avait montrés. De la même manière qu'il avait volé les autres enfants de l'orphelinat, ou qu'il s'était approprié la bague de son oncle Morfin, il s'emparait à présent de la coupe et du médaillon de Hepzibah.

– Mais, dit Harry, les sourcils froncés, c'est une folie... Tout risquer, abandonner son travail, simplement pour ces...

– Une folie pour toi, peut-être, mais pas pour Voldemort. J'espère que tu comprendras par la suite ce que ces objets signifiaient pour lui mais il n'est pas difficile d'imaginer qu'il considérait en tout cas le médaillon comme sa propriété légitime.

– Le médaillon peut-être mais pourquoi aussi la coupe ?

– Elle avait appartenu à l'un des autres fondateurs de l'école, répondit Dumbledore. Je crois qu'il se sentait encore très attiré par Poudlard et qu'il ne pouvait résister devant un objet si profondément enraciné dans son histoire. Je pense qu'il y avait aussi d'autres raisons... J'espère pouvoir te les exposer le moment venu. Passons à présent au dernier souvenir que j'ai à te montrer, au moins jusqu'à ce que tu sois parvenu à récupérer celui du professeur Slughorn. Dix années séparent le souvenir de Hokey de celui-ci, dix années pendant lesquelles nous ne pouvons que deviner ce que Lord Voldemort a fait...

Harry se leva à nouveau tandis que Dumbledore vidait le dernier flacon dans la Pensine.

– D'où nous vient ce souvenir ? demanda-t-il.

– De moi, dit Dumbledore.

Et Harry plongea à sa suite à travers la masse mouvante et argentée, atterrissant dans le même bureau qu'il venait de quitter. Fumseck somnolait sur son perchoir d'un air bienheureux et Dumbledore était assis à sa table, très semblable au Dumbledore qui se tenait à côté de lui, avec toutefois deux mains intactes et un visage peut-être un peu moins ridé. La seule différence entre le bureau d'aujourd'hui et celui-ci, c'était la neige qui tombait à l'époque. De l'autre côté de la fenêtre, on voyait des flocons aux reflets bleuis voltiger dans l'obscurité, et s'accumuler sur le rebord extérieur.

Le Dumbledore plus jeune semblait attendre quelqu'un. En effet, quelques instants plus tard, on frappa à la porte et il invita son visiteur à entrer.

Harry étouffa une exclamation. Voldemort venait de pénétrer dans la pièce. Sa physionomie n'était pas celle qu'il avait vue émerger du grand chaudron de pierre, presque deux ans auparavant. Il ressemblait moins à un serpent, ses yeux n'étaient pas encore rouges, son visage n'avait pas encore l'aspect d'un masque, mais ce n'était plus le séduisant Tom Jedusor. On aurait dit que ses traits avaient été brûlés, brouillés. Ils paraissaient cireux et étrangement déformés, le blanc de ses yeux était à présent injecté de sang, mais les pupilles n'étaient pas encore les deux fentes qu'elles allaient devenir. Il portait une longue cape noire et son teint était aussi pâle que la neige qui luisait sur ses épaules.

Le Dumbledore assis derrière son bureau ne manifesta aucun signe de surprise. De toute évidence, cette visite était prévue.

– Bonsoir, Tom, dit Dumbledore d'un ton paisible. Assieds-toi donc.

– Merci, répondit Voldemort en s'installant dans le fauteuil que Dumbledore lui avait désigné – le même apparemment que Harry venait de quitter à l'époque présente. J'ai entendu dire que vous étiez devenu directeur, poursuivit-il d'une voix légèrement plus forte et plus froide. Un choix judicieux.

– Je suis content que tu l'approuves, reprit Dumbledore avec un sourire. Puis-je t'offrir quelque chose à boire ?

– Avec grand plaisir. Je viens de loin.

Dumbledore se leva et s'approcha de l'armoire où il conservait aujourd'hui la Pensine mais qui était en ce temps-là remplie de bouteilles. Après avoir tendu à Voldemort une coupe de vin et s'en être versé une pour lui-même, il retourna s'asseoir derrière son bureau.

– Alors, Tom… Que me vaut le plaisir de ta visite ?

Voldemort ne répondit pas tout de suite et se contenta de boire une gorgée de vin.

– On ne m'appelle plus Tom, dit-il enfin. Désormais, on me connaît sous le nom de…

– Je sais sous quel nom on te connaît, l'interrompit Dumbledore en souriant aimablement. Mais à mes yeux, je le crains, tu resteras toujours Tom Jedusor. C'est l'une de ces habitudes agaçantes des anciens professeurs, ils n'oublient jamais tout à fait les années de jeunesse de leurs élèves.

Il leva son verre comme pour porter un toast à Voldemort dont le visage resta impassible. Harry sentit toutefois un subtil changement d'atmosphère : le refus de Dumbledore d'appeler Voldemort par le nom qu'il s'était choisi signifiait qu'il ne voulait pas le laisser dominer l'entretien et Harry voyait bien que Voldemort l'avait compris ainsi.

– Je suis surpris que vous soyez resté si longtemps ici, déclara Voldemort après un court silence. Je me suis souvent demandé pourquoi un sorcier tel que vous n'avait jamais eu envie de quitter l'école.

– Pour un sorcier tel que moi, répondit Dumbledore, toujours souriant, rien ne saurait être plus important que de transmettre d'anciens savoirs et d'aider de jeunes esprits à s'affiner. Si je me souviens bien, tu as toi-même ressenti à une certaine époque une attirance pour l'enseignement.

– Je la ressens encore, assura Voldemort. Je me demande simplement pourquoi vous – à qui le ministère demande si souvent conseil et à qui par deux fois, je crois, on a proposé le poste de ministre...

– Trois fois au dernier comptage, rectifia Dumbledore. Mais je n'ai jamais été séduit par une carrière ministérielle. Encore une chose que nous avons en commun, je crois.

Voldemort inclina la tête, sans sourire, et but une autre gorgée de vin. Dumbledore ne rompit pas le silence qui se prolongea entre eux. Il attendait, avec une expression bienveillante, que Voldemort parle le premier.

– Me voici à nouveau, dit-il au bout d'un moment, à une date plus tardive peut-être que ne l'avait prévu le professeur

Dippet... mais je suis quand même revenu solliciter une fois encore ce que, d'après lui, j'étais trop jeune pour obtenir au moment où je l'avais souhaité. Je voudrais vous demander la permission de retourner dans ce château afin d'y enseigner. Vous devez savoir, je pense, que j'ai vu et fait beaucoup de choses depuis que j'ai quitté cet endroit. Je pourrais transmettre à vos élèves des connaissances qu'aucun autre sorcier ne serait en mesure de leur apporter.

Dumbledore observa Voldemort par-dessus sa propre coupe de vin pendant un certain temps avant de lui répondre :

– Je sais sans aucun doute que tu as vu et fait beaucoup de choses depuis que tu nous as quittés, dit-il à voix basse. Les rumeurs de tes exploits sont parvenues jusqu'à ton ancienne école, Tom. Je serais navré si je devais croire ne serait-ce que la moitié d'entre elles.

– La grandeur inspire l'envie, l'envie engendre le dépit, le dépit répand le mensonge, déclara Voldemort, toujours impassible. Vous devez savoir cela, Dumbledore.

– Tu appelles grandeur ce que tu as fait, n'est-ce pas ? demanda Dumbledore avec délicatesse.

– Certainement, assura Voldemort.

Ses yeux semblèrent rougeoyer.

– J'ai entrepris diverses expériences, j'ai repoussé les limites de la magie plus loin peut-être que personne avant moi...

– D'une certaine magie, corrigea Dumbledore, très calme. Une certaine magie... Des autres formes de magie, tu restes... pardonne-moi... tristement ignorant.

Pour la première fois, Voldemort sourit, le regard torve, crispé, une expression malveillante sur le visage, plus menaçante qu'un accès de rage.

– La vieille discussion, dit-il dans un murmure. Mais rien

de ce que j'ai vu dans le monde n'est jamais venu étayer votre affirmation selon laquelle l'amour est plus puissant que ma forme de magie, Dumbledore.

– Tu n'es peut-être pas allé voir dans les bons endroits, suggéra Dumbledore.

– Dans ce cas, quel meilleur endroit que Poudlard pour commencer mes nouvelles recherches ? répliqua Voldemort. Me laisserez-vous revenir ? Permettrez-vous que je partage mon savoir avec vos élèves ? Je me mets, moi et mes talents, à votre entière disposition. Je suis à vos ordres.

Dumbledore haussa les sourcils.

– Et que vont devenir ceux qui sont sous *tes* ordres ? Que va-t-il arriver à ceux qui se font appeler – si l'on en croit la rumeur – des Mangemorts ?

Harry voyait bien que Voldemort ne s'était pas attendu à ce que Dumbledore connaisse ce nom. La lueur rouge passa à nouveau dans ses yeux et ses narines minces comme des fentes frémirent.

– Mes amis, dit-il après un silence, sauront très bien se passer de moi, j'en suis sûr.

– Je suis content d'entendre que tu les considères comme des amis, répondit Dumbledore. J'avais l'impression qu'ils appartenaient davantage à la catégorie des serviteurs.

– Vous vous êtes trompé.

– Donc, si j'allais à La Tête de Sanglier ce soir, je n'y trouverais pas certains d'entre eux – Nott, Rosier, Mulciber, Dolohov – réunis là en attendant ton retour ? Des amis bien dévoués, en tout cas, pour t'accompagner si loin un soir de neige, dans le seul but de te souhaiter bonne chance tandis que tu essayes de décrocher un poste de professeur.

Sans aucun doute possible, Voldemort accueillit encore plus mal le fait que Dumbledore connaisse tous ces détails sur les personnes qui étaient venues avec lui. Mais il se reprit presque aussitôt.

– Comme toujours, vous êtes omniscient, Dumbledore.

– Oh, non, simplement ami avec les barmen du coin, répliqua Dumbledore d'un ton léger. Maintenant, Tom…

Dumbledore posa son verre vide et se redressa dans son fauteuil, joignant le bout de ses doigts dans un geste très caractéristique.

– … parlons franchement. Pourquoi es-tu venu ce soir, entouré de tes acolytes, pour demander un poste dont nous savons pertinemment tous les deux que tu ne veux pas ?

Voldemort eut une expression de surprise glacée.

– Un poste dont je ne veux pas ? Au contraire, Dumbledore, je souhaite ardemment l'obtenir.

– Oh, tu veux revenir à Poudlard, ça oui, mais tu n'as pas plus envie d'enseigner aujourd'hui que lorsque tu avais dix-huit ans. Que cherches-tu, Tom ? Pourquoi ne pas formuler ta requête clairement pour une fois ?

Voldemort ricana.

– Si vous ne voulez pas me donner un travail…

– Bien sûr que je ne le veux pas, coupa Dumbledore, et tu le savais depuis le début. Pourtant, tu es venu jusqu'ici faire cette demande, tu avais donc un but.

Voldemort se leva, les traits durcis par la fureur. Jamais il n'avait aussi peu ressemblé à Tom Jedusor.

– C'est votre dernier mot ?

– En effet, répondit Dumbledore en se levant à son tour.

– Alors, nous n'avons plus rien à nous dire.

– Non, rien, admit Dumbledore, et une grande tristesse

envahit son visage. Le temps n'est plus où je pouvais t'effrayer en mettant le feu à une armoire et t'obliger à réparer tes méfaits. Mais j'aimerais bien pouvoir recommencer... j'aimerais bien...

Pendant un instant, Harry fut sur le point de crier une mise en garde inutile : il était sûr d'avoir vu la main de Voldemort esquisser un mouvement vers la poche où était rangée sa baguette magique. Mais ce bref moment était passé, Voldemort avait tourné les talons, la porte se refermait, il avait disparu.

Harry sentit les doigts de Dumbledore se refermer sur son bras et quelques secondes plus tard, ils se retrouvèrent presque à l'endroit précis qu'ils venaient de quitter mais la neige avait disparu du rebord de la fenêtre et la main de Dumbledore paraissait à nouveau morte, noircie.

– Pourquoi ? demanda aussitôt Harry en levant les yeux vers Dumbledore. Pourquoi était-il revenu ? L'avez-vous jamais découvert ?

– J'ai quelques idées, répondit Dumbledore, rien d'autre.

– Quelles idées, monsieur ?

– Je t'en ferai part lorsque tu seras parvenu à recueillir le souvenir du professeur Slughorn. Quand nous disposerons de cette dernière pièce du puzzle, j'espère que tout deviendra clair... pour nous deux.

Harry brûlait toujours de curiosité et bien que Dumbledore lui eût ouvert la porte, il ne sortit pas tout de suite.

– Voulait-il toujours enseigner la défense contre les forces du Mal ? Il ne l'a pas dit...

– Oh, c'était ce qu'il désirait, sans aucun doute, assura

Dumbledore. La suite de notre petite rencontre l'a prouvé. Nous n'avons jamais pu conserver un professeur de défense contre les forces du Mal plus d'un an depuis que j'ai refusé ce poste à Lord Voldemort.

21
La salle introuvable

Au cours de la semaine suivante, Harry se creusa la tête en se demandant comment convaincre Slughorn de lui livrer son véritable souvenir mais aucune idée géniale ne lui vint à l'esprit et il en fut réduit, comme il le faisait de plus en plus ces temps-ci, à consulter son livre de potions dans l'espoir que le Prince y aurait écrit quelque chose d'utile, comme cela avait été si souvent le cas jusqu'à présent.

– Tu ne trouveras rien là-dedans, lui dit Hermione d'un ton catégorique.

C'était dimanche soir et il était déjà tard.

– Ne commence pas, Hermione, répliqua Harry. Sans le Prince, Ron ne serait pas assis avec nous en ce moment.

– Oh si, il aurait suffi que tu écoutes Rogue en première année, assura Hermione d'un ton dédaigneux.

Harry ne réagit pas. Il venait de découvrir une incantation (*Sectumsempra !*) griffonnée dans un coin, au-dessus de ces mots mystérieux : « Contre les ennemis » et il avait hâte de l'essayer mais estima préférable de s'en abstenir devant Hermione. Il se contenta de corner subrepticement la page pour la retrouver par la suite.

Ils étaient installés près du feu, dans la salle commune.

Les seuls autres élèves encore debout étaient tous des sixième année. Il avait régné une certaine agitation un peu plus tôt dans la soirée lorsqu'ils avaient trouvé sur le tableau d'affichage, au retour du dîner, un nouvel avis leur annonçant la date de l'examen du permis de transplanage. Ceux qui seraient âgés de dix-sept ans le 21 avril, ou avant, pouvaient s'inscrire pour prendre quelques leçons supplémentaires qui auraient lieu (sous un contrôle rigoureux) à Pré-au-Lard.

Ron avait été saisi de panique en lisant l'information. Il n'avait toujours pas réussi à transplaner et craignait de ne pas être prêt le jour de l'examen. Hermione, qui était parvenue à transplaner deux fois, était un peu plus confiante. Harry, lui, devrait attendre encore quatre mois d'avoir dix-sept ans et ne pourrait donc pas se présenter, prêt ou pas.

– Au moins, tu arrives quand même à transplaner ! dit Ron, d'une voix tendue. Tu n'auras aucun mal à passer le permis en juillet !

– Je ne l'ai fait qu'une seule fois, lui rappela Harry.

Au cours de la leçon précédente, en effet, il avait fini par disparaître et se rematérialiser à l'intérieur de son cerceau.

Ayant perdu beaucoup de temps à s'inquiéter à haute voix des questions de transplanage, Ron s'efforçait à présent de terminer pour Rogue un devoir atrocement difficile que Harry et Hermione avaient déjà achevé. Harry s'attendait à une très mauvaise note car il avait contesté le point de vue de Rogue sur la meilleure façon de neutraliser un Détraqueur mais peu lui importait : pour l'instant, la seule chose qui comptait à ses yeux, c'était le souvenir de Slughorn.

– Je te dis que cet imbécile de Prince ne peut pas t'aider pour ça, Harry ! insista Hermione en haussant la voix. Le seul moyen de forcer quelqu'un à faire ce que tu veux, c'est le sortilège de l'Imperium, qui est illégal…

– Oui, je sais, merci, répondit Harry sans lever la tête de son livre. Voilà justement pourquoi je cherche autre chose. Dumbledore pense que le Veritaserum serait inefficace mais il existe peut-être une potion ou un sortilège…

– Tu prends la mauvaise voie, affirma Hermione. Il n'y a que toi qui puisses recueillir ce souvenir, a dit Dumbledore. Ça signifie sans doute que toi seul peux convaincre Slughorn. Il ne s'agit pas de lui verser une potion en douce, n'importe qui pourrait le faire…

– Comment tu écris « belligérant » ? demanda Ron qui secouait vigoureusement sa plume, l'œil fixé sur son parchemin. Ça ne peut pas commencer par B-Ê-T-E…

– Non, sûrement pas, répondit Hermione en lui prenant son devoir des mains. Et « augure » ne commence pas non plus par O-R-G. Qu'est-ce que tu utilises comme plume ?

– Un de ces modèles à vérificateur d'orthographe qu'on trouve chez Fred et George… Mais je crois que le sortilège doit être usé…

– J'en ai bien l'impression, dit Hermione en montrant le titre du devoir, car la question était comment combattre les Détraqueurs et non pas les « Détartreurs » et, à ma connaissance, tu n'as pas changé ton nom en Roonil Wazlib.

– Oh non ! s'exclama Ron qui contempla son parchemin d'un air horrifié. Ne me dis pas que je vais devoir tout réécrire !

– Ce n'est pas grave, on va arranger ça, assura Hermione.

Elle posa le devoir devant elle et tira sa baguette magique.

– Je t'adore, Hermione ! s'exclama Ron.

Il s'enfonça dans son fauteuil en se frottant les yeux d'un air las.

Hermione rosit légèrement et répondit :

– Ne répète pas ça quand Lavande est dans les parages.

– Non, dit Ron, le visage dans les mains. Ou plutôt si… Comme ça, elle me laissera tomber…

– Pourquoi tu ne la laisses pas tomber toi-même si tu en as assez ? interrogea Harry.

– Tu n'as jamais laissé tomber personne, toi ? remarqua Ron. Avec Cho, vous avez simplement…

– ... cessé de nous voir, oui, acheva Harry.

– J'aimerais bien que ça se passe de la même façon entre Lavande et moi, marmonna Ron d'un air lugubre.

Il regardait Hermione tapoter en silence du bout de sa baguette chacun des mots mal orthographiés qui se corrigeaient d'eux-mêmes au fur et à mesure.

– Mais plus j'essaye de lui faire comprendre que je voudrais en finir, plus elle s'accroche. J'ai l'impression de sortir avec le calmar géant.

– Et voilà, dit Hermione vingt minutes plus tard en rendant son devoir à Ron.

– Merci mille fois, répondit Ron. Je peux t'emprunter ta plume pour la conclusion ?

Harry, qui n'avait rien trouvé de très utile dans les notes du Prince de Sang-Mêlé, jeta un regard dans la salle. Ils n'étaient plus que tous les trois, Seamus étant monté se coucher quelques instants auparavant en maudissant Rogue et son devoir. On n'entendait que le crépitement du feu et le grattement de la plume d'Hermione avec laquelle Ron rédigeait le dernier paragraphe sur les Détraqueurs. Harry venait de refermer en bâillant le livre du Prince de Sang-Mêlé lorsque…

Crac !

Hermione laissa échapper un petit cri, Ron renversa de l'encre sur toute la surface de son devoir et Harry s'exclama :

– Kreattur !

L'elfe de maison s'inclina bien bas et s'adressa à ses orteils noueux.

– Le maître a dit qu'il voulait des comptes rendus réguliers sur les activités du jeune Malefoy, Kreattur est donc venu donner...

Crac !

Dobby apparut à côté de Kreattur, son chapeau cache-théière de travers.

– Dobby aussi a aidé, Harry Potter ! couina-t-il en jetant à Kreattur un regard amer. Et Kreattur devrait dire à Dobby quand il vient voir Harry Potter pour qu'ils puissent faire leur rapport ensemble !

– Qu'est-ce que c'est que ça ? demanda Hermione, encore sous le choc de ces apparitions soudaines. Que se passe-t-il, Harry ?

Harry hésita. Il ne lui avait pas dit qu'il avait demandé à Kreattur et à Dobby de filer Malefoy et les elfes de maison restaient un sujet sensible aux yeux d'Hermione.

– Eh bien... ils ont suivi Malefoy pour moi, répondit-il.

– Nuit et jour, croassa Kreattur.

– Dobby n'a pas dormi pendant une semaine, Harry Potter ! déclara fièrement Dobby en se balançant sur ses talons.

Hermione paraissait indignée.

– Tu n'as pas dormi, Dobby ? Voyons, Harry, ce n'est quand même pas toi qui lui as dit de ne pas...

– Bien sûr que non, affirma aussitôt Harry. Dobby, tu peux dormir, d'accord ? Mais est-ce que l'un d'entre vous a découvert quelque chose ? s'empressa-t-il de demander avant qu'Hermione ait pu intervenir à nouveau.

– Le jeune Malefoy marche avec la noblesse qui convient à son sang pur, dit Kreattur de sa voix rauque. Ses traits rappellent la finesse de ma maîtresse et ses manières sont celles de…

– Drago Malefoy est un mauvais garçon ! couina Dobby avec colère. Un mauvais garçon qui… qui…

Il frissonna depuis le pompon de son cache-théière jusqu'au bout de ses chaussettes puis se précipita vers la cheminée comme s'il voulait plonger dans les flammes. Harry, qui s'était un peu attendu à une telle réaction, l'attrapa par la taille et le maintint fermement. Pendant quelques secondes, Dobby se débattit puis son corps s'affaissa.

– Merci, Harry Potter, haleta-t-il. Dobby n'arrive pas encore à dire du mal de ses anciens maîtres…

Harry le relâcha. Dobby redressa son cache-théière et lança à Kreattur sur un ton de défi :

– Kreattur devrait savoir que Drago Malefoy n'est pas un bon maître pour un elfe de maison !

– Oui, on n'a pas envie d'entendre parler de ton grand amour pour Malefoy, dit Harry à Kreattur. Passons directement à ce qu'il a fait pendant que tu le suivais.

Kreattur s'inclina, l'air furieux, puis répondit :

– Le jeune Malefoy prend ses repas dans la Grande Salle, il dort dans le dortoir des cachots, il suit des cours dans plusieurs…

– Dobby, raconte-moi, coupa Harry. Est-ce que tu l'as vu aller dans un endroit où il n'aurait pas dû être ?

– Harry Potter, monsieur, s'écria Dobby de sa petite voix aiguë, ses grands yeux globuleux brillant à la lueur des flammes, Malefoy n'a violé aucun règlement que Dobby connaisse, mais il tient beaucoup à ne pas être vu. Il s'est souvent rendu au septième étage avec divers autres élèves qui font le guet pour lui pendant qu'il se trouve dans…

– La Salle sur Demande ! s'exclama Harry en se frappant le front avec son exemplaire du *Manuel avancé de préparation des potions*.

Hermione et Ron se tournèrent vers lui.

– Voilà où il se cache ! Voilà où il prépare… ce qu'il prépare ! Et je parie que c'est pour ça qu'il disparaît de la carte… Maintenant que j'y pense, je n'ai jamais vu la Salle sur Demande représentée sur la carte du Maraudeur !

– Les maraudeurs ignoraient peut-être son existence, fit observer Ron.

– A mon avis, ce doit être une des propriétés magiques de la salle, dit Hermione. En cas de besoin, elle devient incartable.

– Dobby, est-ce que tu as pu y entrer pour regarder ce que fabriquait Malefoy ? demanda avidement Harry.

– Non, Harry Potter, c'est impossible, répondit Dobby.

– Bien sûr que si, c'est possible, répliqua Harry. Malefoy a réussi à pénétrer dans le quartier général que nous y avions installé l'année dernière, j'arriverai donc moi aussi à y entrer et à l'espionner.

– Je ne pense pas que tu y parviendras, Harry, dit lentement Hermione. Malefoy savait déjà à quoi nous servait cette salle parce que cette stupide Marietta avait bavardé. Il lui suffisait de demander que la salle devienne le quartier général de l'A.D. pour qu'elle apparaisse. Mais toi, tu ne sais pas ce qu'elle devient lorsque Malefoy s'y rend et donc tu ne sais pas en quoi il faut lui demander de se transformer.

– Je trouverai la solution, assura Harry, balayant l'objection. Tu as été merveilleux, Dobby.

– Kreattur aussi a bien travaillé, ajouta Hermione avec gentillesse.

Mais loin de paraître reconnaissant, Kreattur détourna ses énormes yeux injectés de sang et regarda le plafond en lançant de sa voix croassante :

– La Sang-de-Bourbe parle à Kreattur, Kreattur va faire semblant de ne pas l'entendre...

– File d'ici, lui ordonna sèchement Harry.

Kreattur s'inclina profondément une dernière fois et transplana.

– Tu devrais aller dormir un peu, Dobby.

– Merci, Harry Potter, monsieur ! couina Dobby d'un ton joyeux.

Et lui aussi disparut.

– Vous avez vu ça ? s'écria Harry, enthousiaste, en se tournant vers Ron et Hermione dès que la salle fut débarrassée des deux elfes. Nous savons maintenant où va Malefoy ! On va pouvoir le coincer !

– Oui, fabuleux, commenta sombrement Ron.

Il essayait d'éponger la masse d'encre gluante qui avait été, quelques instants auparavant, un devoir presque achevé. Hermione fit glisser vers elle le parchemin détrempé et entreprit de siphonner l'encre à l'aide de sa baguette.

– Mais qu'est-ce que c'est que cette histoire des « divers autres élèves » qui l'accompagnent là-haut ? interrogea Hermione. Il a combien de personnes autour de lui ? Normalement, ils ne devraient pas être nombreux à être au courant de ses manigances...

– Oui, c'est bizarre, admit Harry, les sourcils froncés. Je

l'ai entendu dire à Crabbe que ce qu'il faisait ne le regardait pas... Alors qu'est-ce qu'il raconte à tous ces... tous ces...

La voix de Harry se perdit. Il contemplait le feu dans la cheminée.

– Mon Dieu, ce que je peux être bête, dit-il à voix basse. C'est pourtant évident, non ? Il y en avait tout un chaudron dans le cachot... Il pouvait en voler à n'importe quel moment pendant le cours...

– Voler quoi ? demanda Ron.

– Du Polynectar. Celui que Slughorn nous a montré à notre premier cours de potions... Il a dû en prendre un peu... Et donc, il n'y a pas « divers autres élèves » qui font le guet pour Malefoy... C'est simplement Crabbe et Goyle, comme d'habitude... Oui, tout se tient !

Harry se leva d'un bond et se mit à faire les cent pas devant la cheminée.

– Ils sont suffisamment bêtes pour lui obéir même s'il ne leur dit pas ce qu'il fabrique... mais il ne veut pas qu'on les voie rôder autour de la Salle sur Demande, alors il leur donne à boire du Polynectar pour qu'ils changent d'aspect... Ces deux filles avec lesquelles je l'ai vu quand il a raté le match de Quidditch... C'étaient Crabbe et Goyle !

– Tu veux dire, murmura Hermione, que cette fille dont j'ai réparé la balance...

– Oui, bien sûr ! s'écria Harry en se tournant vers elle. C'est évident ! Malefoy devait être à l'intérieur de la salle à ce moment-là et donc elle a – qu'est-ce que je raconte ? – *il* a laissé tomber la balance pour le prévenir qu'il ne devait pas sortir parce qu'il y avait du monde dans le couloir ! Et aussi la fille qui a fait tomber les œufs de crapaud ! A chaque fois, nous sommes passés devant lui sans nous en rendre compte !

– Il a obligé Crabbe et Goyle à se transformer en filles ? dit Ron en s'esclaffant. Pas étonnant qu'ils n'aient pas l'air très heureux, ces temps-ci… Je suis surpris qu'ils ne l'envoient pas promener…

– Ils ne se le permettraient pas s'il leur a montré sa Marque des Ténèbres.

– Hmmm… La Marque des Ténèbres, nous ne sommes pas sûrs qu'elle existe, intervint Hermione, sceptique.

Elle roula le parchemin de Ron avant qu'il ne subisse d'autres dégâts et le lui rendit.

– Nous verrons bien, dit Harry, d'un ton confiant.

– Oui, nous verrons, répéta Hermione.

Elle se leva et s'étira.

– Mais, Harry, avant de t'emballer, je continue de penser que tu ne pourras pas entrer dans la Salle sur Demande sans savoir d'abord ce qu'elle contient. Et à mon avis, il ne faudrait pas oublier – elle hissa son sac sur son épaule et l'observa d'un air très sérieux – que tu es *censé* te concentrer sur la façon d'obtenir le souvenir de Slughorn. Bonne nuit.

Un peu renfrogné, Harry la regarda s'éloigner. Lorsque la porte du dortoir des filles se fut refermée sur elle, il se tourna vers Ron.

– Qu'est-ce que tu en penses ?

– J'aimerais bien pouvoir transplaner comme un elfe de maison, répondit Ron en contemplant l'endroit d'où Dobby avait disparu. Je serais sûr d'avoir mon permis dans la poche le jour de l'examen.

Harry ne dormit pas bien, cette nuit-là. Il resta étendu les yeux ouverts pendant ce qui lui sembla des heures en se demandant à quoi Malefoy utilisait la Salle sur Demande et ce qu'il y découvrirait quand il y pénétrerait le lendemain. Car, quoi que dise Hermione, il était persuadé que si Malefoy avait pu voir le quartier général de l'A.D., lui-même pourrait voir ce qu'il fabriquait dans la salle... De quoi s'agissait-il ? L'avait-il transformée en lieu de rendez-vous ? En repaire ? En entrepôt ? En atelier ? Ses pensées tournaient fébrilement dans sa tête et quand il s'endormit enfin, ses rêves furent perturbés par des images de Malefoy qui se transformait en Slughorn qui se transformait en Rogue...

Le lendemain matin, pendant le petit déjeuner, l'impatience de Harry était à son comble. Il avait une période de temps libre avant son cours de défense contre les forces du Mal et était bien décidé à s'en servir pour essayer de pénétrer dans la Salle sur Demande. Hermione se montra ostensiblement indifférente lorsqu'il lui chuchota à l'oreille les plans qu'il avait imaginés pour forcer l'entrée de la salle. Harry en fut agacé car il pensait qu'elle aurait pu lui apporter une aide précieuse si seulement elle y avait consenti.

– Écoute, dit-il à voix basse.

Il posa la main sur *La Gazette du sorcier*, qu'elle venait de recevoir par hibou postal, pour l'empêcher de l'ouvrir et de disparaître derrière.

– Je n'ai pas oublié Slughorn mais je ne sais absolument pas comment lui arracher ce souvenir, alors, en attendant d'avoir une idée géniale, pourquoi ne pas essayer de découvrir ce que Malefoy prépare ?

– Je t'ai déjà dit que tu dois *convaincre* Slughorn, répondit Hermione. Il ne s'agit pas de le prendre au piège ou de l'ensorceler, sinon, Dumbledore aurait pu régler la question en une seconde. Au lieu de perdre ton temps à traîner devant la Salle sur Demande – d'un coup sec, elle reprit *La Gazette* et la déplia pour regarder la une –, tu devrais plutôt aller voir Slughorn et essayer de faire appel à ses bons sentiments.

– Ils parlent de quelqu'un qu'on connaît ? demanda Ron pendant qu'Hermione parcourait les titres.

– Oui ! s'exclama-t-elle.

Harry et Ron avalèrent de travers.

– Mais ce n'est pas grave, il n'est pas mort. C'est Mondingus, il a été arrêté et envoyé à Azkaban ! Il s'est fait passer pour un Inferius au cours d'une tentative de cambriolage... Il y a aussi un certain Octavius Pepper qui a disparu... Oh, ça, c'est horrible, un garçon de neuf ans a été arrêté pour avoir essayé de tuer ses grands-parents, on pense qu'il était soumis au sortilège de l'Imperium...

Ils terminèrent leur petit déjeuner en silence. Tout de suite après, Hermione partit à son cours de runes anciennes, Ron retourna dans la salle commune où il devait toujours achever la conclusion de son devoir sur les Détraqueurs et Harry se dirigea vers le couloir du septième étage où était accrochée la tapisserie de Barnabas le Follet enseignant la danse classique à des trolls.

Dès qu'il fut arrivé dans un coin désert, il se glissa sous sa cape d'invisibilité mais cette précaution se révéla inutile car il n'y avait personne alentour lorsqu'il parvint à destination. Harry ne savait pas si la présence ou l'absence de Malefoy dans la Salle sur Demande lui donnerait de meilleures chances d'y pénétrer mais au moins, sa première tentative ne serait pas compliquée par l'apparition de Crabbe ou de Goyle déguisés en fillettes de onze ans.

Les yeux fermés, il s'approcha de l'endroit où la porte de la salle était dissimulée. Devenu expert en la matière l'année précédente, il savait exactement ce qu'il devait faire. Il se concentra de toutes ses forces et pensa : « J'ai besoin de voir ce que Malefoy fabrique ici... J'ai besoin de voir ce que Malefoy fabrique ici... J'ai besoin de voir ce que Malefoy fabrique ici... »

Il passa trois fois devant la porte invisible, puis, le cœur battant d'excitation, il ouvrit les yeux mais se retrouva face à un mur nu.

Il s'avança et essaya de le pousser à tout hasard. Mais la pierre compacte ne céda pas.

– D'accord, dit Harry à haute voix. D'accord... Je n'ai pas pensé ce qu'il fallait...

Il réfléchit un moment puis recommença, les yeux fermés, avec toute la concentration dont il était capable.

« J'ai besoin de voir l'endroit où Malefoy vient en secret... J'ai besoin de voir l'endroit où Malefoy vient en secret... »

Après être passé à nouveau trois fois, il rouvrit les yeux avec espoir.

Aucune porte n'était apparue.

– Ah, ça suffit, hein ! lança-t-il au mur d'un ton irrité. Mes instructions étaient pourtant claires... Bon, très bien...

Il se concentra à nouveau pendant plusieurs minutes puis recommença à marcher dans le couloir.

« J'ai besoin que tu redeviennes l'endroit que tu deviens pour Drago Malefoy... »

Au terme de son troisième passage, il ne rouvrit pas immédiatement les yeux. Il tendait l'oreille comme s'il espérait que la porte émettrait un son en apparaissant. Mais il n'entendit rien à part le chant lointain des oiseaux dans le parc. Il regarda à nouveau.

Toujours pas de porte.

Harry jura à haute voix. Quelqu'un poussa alors un hurlement. Il se retourna et vit un troupeau d'élèves de première année s'enfuir en courant au coin du couloir comme s'ils venaient de rencontrer un fantôme particulièrement mal embouché.

Pendant une heure entière, Harry essaya toutes les variations qu'il put imaginer sur le thème de : « J'ai besoin de voir ce que Malefoy fait à l'intérieur. » Enfin, il dut admettre qu'Hermione avait peut-être raison : la Salle sur Demande refusait tout simplement de s'ouvrir pour lui. Frustré, exaspéré, il partit à son cours de défense contre les forces du Mal, ôtant sa cape d'invisibilité qu'il rangea dans son sac.

– Encore en retard, Potter, lança Rogue d'un ton glacé alors que Harry entrait en hâte dans la classe éclairée par des chandelles. Dix points de moins pour Gryffondor.

Harry regarda Rogue d'un air mauvais et se laissa tomber sur une chaise à côté de Ron. La moitié des élèves étaient encore debout, prenaient des livres, disposaient leurs affaires. Il n'était pas beaucoup plus en retard qu'eux.

– Avant de commencer, je vais ramasser vos devoirs sur les Détraqueurs, dit Rogue.

Il agita sa baguette d'un geste nonchalant et vingt-cinq rouleaux de parchemin s'envolèrent pour venir atterrir sur son bureau en une pile bien nette.

– Et j'espère pour vous qu'ils seront meilleurs que les détritus auxquels j'ai eu droit la dernière fois sur les moyens de résister au sortilège de l'Imperium. Maintenant, si vous voulez bien ouvrir vos livres à la page... Qu'y a-t-il, monsieur Finnigan ?

– Monsieur, dit Seamus, je me demandais comment on

peut distinguer un Inferius d'un fantôme ? Parce qu'ils ont parlé d'un Inferius dans *La Gazette*...

– Non, ils n'ont parlé de rien du tout, répliqua Rogue d'une voix lasse.

– Mais monsieur, j'ai entendu des gens raconter que...

– Si vous aviez véritablement lu l'article en question, monsieur Finnigan, vous auriez su que le soi-disant Inferius n'était en fait qu'un petit chapardeur malodorant du nom de Mondingus Fletcher.

– Je croyais que Rogue et Mondingus étaient dans le même camp ? murmura Harry à Ron et à Hermione. Normalement, l'arrestation de Mondingus devrait l'attrister...

– Mais Potter semble avoir beaucoup de choses à dire sur le sujet, poursuivit Rogue qui pointa soudain l'index vers le fond de la salle, ses yeux noirs fixés sur Harry. Demandons donc à Potter de nous expliquer la différence entre un Inferius et un fantôme.

Toute la classe se retourna vers Harry qui essaya de se rappeler ce que Dumbledore lui avait dit la nuit où ils étaient allés voir Slughorn.

– Heu... eh bien, les fantômes sont transparents..., répondit-il.

– Oh, excellent, l'interrompit Rogue, avec une moue méprisante. Tout le monde pourra aisément constater que les six années, ou presque, pendant lesquelles on vous a enseigné la magie n'auront pas été une perte de temps, Potter. *Les fantômes sont transparents.*

Pansy Parkinson laissa échapper un petit rire aigu. Plusieurs autres élèves ricanèrent. Harry respira profondément et poursuivit d'une voix calme, bien qu'il sentît ses entrailles bouillonner :

– Oui, les fantômes sont transparents, alors que les Inferi sont des cadavres, ils ont donc une consistance solide...

– Un enfant de cinq ans aurait pu nous en dire autant, répliqua Rogue d'un ton moqueur. L'Inferius est un cadavre qui a été réanimé par les maléfices d'un mage noir. Il n'est pas vivant, c'est une simple marionnette qui obéit à la volonté du sorcier. Un fantôme, je pense que vous devez le savoir maintenant, est l'empreinte qu'un défunt a laissée sur la terre... et bien entendu, comme Potter nous l'a fait si judicieusement observer, il est transparent.

– Ce que Harry a dit est bien plus utile à savoir quand on essaye de les reconnaître ! fit remarquer Ron. Si on se retrouve face à l'un d'eux dans une allée obscure, il vaut mieux jeter un coup d'œil pour voir s'il a une consistance solide plutôt que de lui demander : « Pardon, monsieur, ne seriez-vous pas par hasard l'empreinte d'un défunt ? »

Il y eut une vague d'éclats de rire aussitôt étouffée par le regard que Rogue lança à la classe.

– Encore dix points de moins pour Gryffondor, annonça-t-il. Je ne m'attendais à rien de plus raffiné de la part de Ronald Weasley, le garçon à la consistance si solide qu'il est incapable de transplaner de deux centimètres.

– Non ! chuchota Hermione en saisissant le bras de Harry qui ouvrait la bouche d'un air furieux. Ça ne sert à rien, tu vas encore finir avec une retenue, laisse tomber !

– A présent, ouvrez vos livres à la page 213, reprit Rogue, légèrement goguenard, et lisez les deux premiers paragraphes sur le sortilège Doloris...

Pendant tout le reste du cours, Ron parut très effacé. Lorsque la cloche retentit, à la fin de la classe, Lavande les rattrapa, Harry et lui (Hermione avait mystérieusement disparu à son approche), et s'enflamma contre Rogue et ses sarcasmes sur le transplanage mais elle ne parvint qu'à irriter Ron qui se débarrassa d'elle en faisant un détour par les toilettes avec Harry.

– Rogue a raison, non ? dit-il après avoir contemplé un miroir craquelé pendant une ou deux minutes. Je ne sais pas si ça vaut le coup que je me présente à l'examen. Je n'arrive pas à assimiler la technique du transplanage.

– Tu n'as qu'à prendre les leçons supplémentaires à Pré-au-Lard, tu verras bien ce que ça donne, conseilla Harry, avec raison. Ce sera sûrement plus intéressant que d'essayer de réapparaître dans un stupide cerceau. Ensuite, si tu... enfin... si tu n'y arrives pas aussi bien que tu le voudrais, tu pourras toujours passer l'examen plus tard, avec moi, par exemple, en ét... Mimi, ce sont des toilettes pour garçons, ici !

Le fantôme d'une jeune fille avait surgi derrière eux, au-dessus d'une des cabines, et flottait dans les airs en les observant à travers d'épaisses lunettes rondes et blanches.

– Oh, soupira-t-elle, la mine sombre, c'est vous.

– Qui attendais-tu ? demanda Ron en la regardant dans le miroir.

– Personne, répondit Mimi qui tripotait d'un air maussade un bouton sur son menton. Il a dit qu'il reviendrait me voir mais toi aussi, tu m'avais promis de passer de temps en temps... – elle adressa à Harry un regard de reproche – et il y a des mois que je n'ai plus de nouvelles de toi. J'ai appris à ne plus attendre grand-chose des garçons.

– Je croyais que tu habitais toujours dans tes toilettes de

filles, là-bas, dit Harry qui avait pris soin depuis plusieurs années de faire de larges détours pour les éviter.

– Oui, répondit-elle avec un petit haussement d'épaules boudeur, mais ça ne signifie pas que je ne puisse pas aller ailleurs. Un jour, j'étais venue te voir dans ton bain, tu te souviens ?

– Comme si c'était hier, assura Harry.

– Pourtant, je croyais qu'il m'aimait bien, poursuivit-elle d'une voix plaintive. Peut-être que si vous sortiez tous les deux, il reviendrait… Nous avons beaucoup de choses en commun… Il le sentait, j'en suis sûre…

Elle regarda la porte avec espoir.

– Quand tu dis que vous aviez beaucoup de choses en commun, lança Ron, plutôt amusé à présent, ça signifie que lui aussi habite dans un siphon de toilettes ?

– Non, répliqua Mimi sur un ton de défi, sa voix résonnant avec force dans la vieille salle de bains carrelée, ça signifie qu'il est sensible. Lui aussi, les gens le maltraitent et il se sent seul et il n'a personne à qui parler et il n'a pas peur de montrer ses sentiments et de pleurer !

– Un garçon est venu pleurer ici ? interrogea Harry avec curiosité. Un jeune garçon ?

– Ça ne te regarde pas ! s'exclama Mimi, ses petits yeux larmoyants fixés sur Ron qui souriait ouvertement. J'ai promis de ne rien raconter à personne et j'emporterai son secret dans la…

– Sûrement pas dans la tombe ? dit Ron avec un petit rire. Dans les égouts, peut-être…

Mimi poussa un cri de rage et replongea dans la cuvette des toilettes, projetant de l'eau tout autour. Taquiner Mimi semblait avoir revigoré Ron.

– Tu as raison, dit-il en balançant son sac sur l'épaule. Je vais suivre ces leçons à Pré-au-Lard avant de décider si je me présente ou non à l'examen.

Le week-end suivant, Ron se joignit donc à Hermione et au reste des élèves de sixième année qui auraient dix-sept ans suffisamment tôt pour passer l'examen fixé quinze jours plus tard. Harry éprouva une certaine jalousie en les voyant se préparer pour aller au village. Les sorties là-bas lui manquaient et cette journée de printemps était particulièrement belle, avec un ciel bleu comme ils n'en avaient pas vu depuis longtemps. Il avait décidé cependant de consacrer ces heures libres à tenter un nouvel assaut de la Salle sur Demande.

– Tu ferais mieux d'aller directement dans le bureau de Slughorn pour essayer d'obtenir son souvenir, lui conseilla Hermione, dans le hall d'entrée, après qu'il leur eut confié son projet.

– J'ai déjà essayé ! répliqua Harry avec colère, ce qui était parfaitement vrai.

Cette semaine-là, à la fin de chaque cours de Slughorn, il s'était attardé dans la classe pour s'efforcer de le voir en tête à tête mais le maître des potions quittait toujours le cachot si vite que Harry n'avait pas réussi à le coincer. A deux reprises, il était allé frapper à la porte de son bureau mais n'avait reçu aucune réponse bien qu'à la deuxième tentative il ait entendu quelqu'un étouffer en toute hâte le son d'un vieux gramophone.

– Il refuse de me parler, Hermione ! Il sait que je cherche à me trouver seul avec lui et il fait tout pour que ça n'arrive pas !

– Eh bien, il faut insister, non ?

La file des élèves, peu nombreux, qui attendaient de sortir avança de quelques pas et Harry resta silencieux, de peur d'être entendu par Rusard, occupé comme à son habitude à passer tout le monde au Capteur de Dissimulation. Il souhaita bonne chance à Ron et à Hermione puis remonta l'escalier de marbre, décidé, quoi que puisse dire Hermione, à consacrer une heure ou deux à la Salle sur Demande.

Lorsqu'il fut hors de vue, Harry sortit de son sac sa carte du Maraudeur et sa cape d'invisibilité. Après s'être caché, il tapota la carte, murmura : « Je jure solennellement que mes intentions sont mauvaises » et l'examina avec attention.

C'était dimanche matin et presque tous les élèves étaient réunis dans leurs salles communes, les Gryffondor dans une tour, les Serdaigle dans une autre, les Serpentard dans les cachots et les Poufsouffle dans la cave, près des cuisines. Ici ou là, quelqu'un se promenait du côté de la bibliothèque ou dans un couloir... Il y avait également quelques personnes dans le parc... et enfin, seul dans le couloir du septième étage, se trouvait Gregory Goyle. On ne voyait pas trace de la Salle sur Demande mais Harry ne s'en souciait guère. Si Goyle montait la garde à cet endroit-là, c'est qu'elle était ouverte, que la carte le sache ou pas. Il grimpa les escaliers quatre à quatre, ne s'arrêtant qu'à l'angle du couloir, et s'avança alors très lentement, très précautionneusement, en direction de la même petite fille qu'Hermione avait si gentiment aidée quinze jours auparavant. Aujourd'hui encore, elle serrait entre ses mains une lourde balance de cuivre. Il attendit d'être arrivé juste derrière elle puis se pencha et murmura :

– Bonjour... Tu es très jolie, tu sais ?

Goyle poussa un cri de terreur suraigu, jeta la balance

en l'air et s'enfuit à toutes jambes, disparaissant bien avant que le fracas de la balance qui s'était écrasée par terre n'ait fini de résonner le long du couloir. Harry éclata de rire et se retourna pour observer le mur nu derrière lequel Drago Malefoy avait dû se figer sur place, sachant qu'un intrus se trouvait là, mais n'osant pas se montrer. Harry éprouva un très agréable sentiment de puissance tandis qu'il cherchait de nouvelles paroles pour solliciter l'ouverture de la salle.

Cette humeur optimiste, pourtant, ne dura guère. Une demi-heure plus tard, après avoir essayé de nombreuses formules pour demander à voir ce que faisait Malefoy, aucune porte n'était apparue dans le mur. Harry en fut dépité au-delà de toute mesure. Malefoy n'était peut-être qu'à quelques mètres de lui et il n'avait toujours pas la moindre idée de ce qu'il fabriquait là-dedans. Perdant complètement patience, il se précipita sur le mur et y donna un grand coup de pied.

– AÏE !

Il crut s'être cassé l'orteil. Tenant à deux mains son pied douloureux, il sautilla sur place, debout sur une jambe, et sa cape d'invisibilité glissa sur le sol.

– Harry ?

Il se retourna, toujours à cloche-pied, perdit l'équilibre et tomba à la renverse. A sa grande stupéfaction, il vit alors arriver Tonks qui s'avançait vers lui comme s'il lui arrivait souvent de se promener dans ce couloir.

– Qu'est-ce que vous faites là ? demanda-t-il en se relevant avec peine.

Pourquoi fallait-il toujours qu'elle le trouve allongé par terre ?

– Je suis venue voir Dumbledore, répondit Tonks.

Elle avait l'air dans un état épouvantable, songea Harry, plus mince qu'à l'ordinaire, ses cheveux couleur souris raides et ternes.

– Son bureau n'est pas là, lui dit-il. Il est de l'autre côté du château, derrière la gargouille…

– Je sais. Mais il n'y a personne. Il a encore dû s'absenter.

– Ah bon ? s'étonna Harry, en reposant délicatement son pied sur le sol. Au fait, vous ne savez pas où il va, quand il n'est pas là ?

– Non.

– Pourquoi vouliez-vous le voir ?

– Rien de particulier, répondit Tonks qui tripotait la manche de sa robe d'un geste apparemment inconscient. Je pensais qu'il savait peut-être ce qui se passait… J'ai entendu des rumeurs… Des gens ont été blessés…

– Oui, je sais, ils en parlent dans les journaux, dit Harry. Ce petit garçon qui a essayé de tuer ses…

– *La Gazette* est souvent en retard sur l'actualité, l'interrompit Tonks qui ne semblait pas l'écouter. Tu n'as pas reçu de lettres de membres de l'Ordre, ces temps-ci ?

– Plus personne ne m'écrit, répondit Harry, depuis que Sirius…

Il vit ses yeux se remplir de larmes.

– Je suis désolé, murmura-t-il maladroitement. Je voulais dire… moi aussi, il me manque…

– Quoi ? demanda Tonks, le visage sans expression, comme si elle ne l'avait pas entendu. Bon, eh bien… à un de ces jours, Harry.

Elle tourna brusquement les talons et repartit dans le couloir. Harry la regarda s'éloigner puis, au bout d'une minute, remit sa cape d'invisibilité et s'efforça à nouveau de pénétrer dans la Salle sur Demande, mais le cœur n'y était plus. Finalement, le sentiment de vide qu'il éprouvait au creux de l'estomac et le retour prochain de Ron et d'Hermione pour le déjeuner l'incitèrent à abandonner toute nouvelle tentative. Il laissa donc le couloir à Malefoy en espérant que, pendant quelques heures encore, il aurait trop peur pour sortir.

Dans la Grande Salle, il retrouva Ron et Hermione qui étaient revenus de bonne heure et en étaient déjà au milieu de leur déjeuner.

– J'y suis arrivé... enfin presque ! annonça Ron d'un ton enthousiaste dès qu'il vit Harry. Je devais transplaner devant le salon de thé de Madame Pieddodu et je suis allé un peu trop loin, j'ai fini près de chez Scribenpenne, mais au moins, j'ai bougé !

– Bravo, dit Harry. Et toi, Hermione ?

– Oh, elle a été parfaite, bien sûr, répondit Ron avant qu'Hermione ait eu le temps d'ouvrir la bouche. Parfaite délibération, divination et déréliction ou je ne sais quoi... Après, on est allés boire un petit verre aux Trois Balais et tu aurais dû entendre ce que Tycross disait d'elle. Ça m'étonnerait qu'il ne la demande pas bientôt en mariage...

– Et toi, alors ? interrogea Hermione sans prêter attention à Ron. Tu as passé tout ce temps-là à t'occuper de la Salle sur Demande ?

– Ouais, répondit Harry. Et devine sur qui je suis tombé, là-haut ? Sur Tonks !

– Tonks ? répétèrent Ron et Hermione d'une même voix surprise.

– Oui, elle a dit qu'elle venait voir Dumbledore...

– Si vous voulez mon avis, déclara Ron lorsque Harry leur eut rapporté sa conversation avec elle, elle devient un peu dingue. Ses nerfs craquent depuis ce qui s'est passé au ministère.

– C'est un peu bizarre, remarqua Hermione qui, pour une raison inconnue, paraissait soudain très inquiète. Elle est censée garder l'école, pourquoi abandonne-t-elle soudain son poste pour venir voir Dumbledore alors qu'il n'est même pas là ?

– J'ai pensé à quelque chose, risqua Harry.

Il lui semblait un peu étrange d'exprimer cette idée qui était plutôt du domaine d'Hermione.

– Vous ne croyez pas qu'elle aurait pu être… disons… amoureuse de Sirius ?

Hermione le regarda avec de grands yeux.

– Qu'est-ce qui peut bien te faire penser ça ?

– Je ne sais pas, répondit Harry en haussant les épaules, mais elle pleurait presque quand j'ai prononcé son nom… et puis son Patronus est devenu une grande forme à quatre pattes… alors, je me demandais si ce n'était pas… vous comprenez… lui.

– Possible, dit lentement Hermione. Mais je ne vois toujours pas pourquoi elle débarquerait tout d'un coup au château pour aller voir Dumbledore, en admettant que ce soit la raison de sa présence…

– On en revient à ce que je disais, commenta Ron, occupé à enfourner de la purée de pommes de terre, elle est devenue un peu cinglée. Ses nerfs lâchent. C'est ça, les femmes, ajouta-t-il à l'adresse de Harry, sur le ton de la sagesse. Elles se laissent facilement dominer par leurs émotions.

– Pourtant, répliqua Hermione en sortant de sa rêverie, je ne pense pas qu'on puisse trouver une seule *femme* qui bouderait pendant une demi-heure parce que Madame Rosmerta n'a pas ri à son histoire drôle sur la harpie, le guérisseur et le *Mimbulus Mimbletonia*.

Ron se renfrogna.

22
Après l'enterrement

Des étendues de ciel d'un bleu éclatant commençaient à apparaître au-dessus des tourelles du château, mais ces signes annonciateurs de l'été ne parvenaient pas à remonter le moral de Harry. Il avait échoué sur les deux tableaux : il ne savait toujours pas ce que faisait Malefoy et n'avait pas réussi à parler à Slughorn en tête à tête pour l'amener à lui livrer son souvenir, apparemment occulté depuis des décennies.

– Je te le répète, oublie l'histoire Malefoy, lui conseilla Hermione d'un ton ferme.

Au retour du déjeuner, ils s'étaient assis avec Ron dans un coin ensoleillé de la cour. Hermione et Ron serraient chacun entre leurs mains une brochure du ministère intitulée : *Les Erreurs de transplanage les plus communes et comment les éviter.* Ils devaient en effet passer leur permis l'après-midi même, mais la brochure n'avait guère apaisé leur trac. Ron sursauta en voyant une fille tourner l'angle du mur et essaya de se cacher derrière Hermione.

– Ce n'est pas Lavande, le rassura Hermione d'un ton las.

– Ah, bon, dit Ron, plus calme.

– Harry Potter ? demanda la fille. Je dois te donner ça.

– Merci...

Harry sentit son cœur se serrer lorsqu'il prit le petit rouleau de parchemin.

– Dumbledore m'avait annoncé qu'il ne me donnerait pas d'autre leçon tant que je n'aurais pas récupéré le souvenir de Slughorn ! dit-il, dès que la messagère se fut suffisamment éloignée pour ne pas l'entendre.

– Il veut peut-être savoir où tu en es ? suggéra Hermione tandis que Harry déroulait le parchemin.

Mais au lieu de l'écriture longue, fine et penchée de Dumbledore, il vit un griffonnage désordonné, très difficile à lire en raison de grosses taches humides qui avaient fait baver l'encre en divers endroits.

Chers Harry, Ron et Hermione,

Aragog est mort la nuit dernière. Harry et Ron, vous l'aviez rencontré et vous savez que c'était un être hors du commun. Hermione, je suis sûr que tu aurais aimé le connaître. Je serais très touché si vous vouliez bien descendre ce soir pour assister à l'enterrement. Je voudrais qu'il ait lieu au crépuscule, c'était le moment de la journée qu'il préférait. Je sais que vous n'êtes pas censés sortir si tard mais vous pourrez vous servir de la cape. Ça m'ennuie de vous le demander mais je n'aurai pas la force de rester seul.

Hagrid

– Regardez ça, murmura Harry qui tendit le mot à Hermione.

– Oh non, pour l'amour du ciel ! s'écria-t-elle en parcourant rapidement le parchemin.

Elle le passa à Ron qui parut de plus en plus incrédule à mesure qu'il le lisait.

– C'est un *malade mental* ! s'exclama-t-il d'un ton furieux. Cette chose a dit à toute sa famille qu'ils pouvaient nous dévorer, Harry et moi ! Il les a invités à se servir ! Et maintenant, Hagrid voudrait qu'on aille pleurer sur son abominable cadavre velu !

– Il n'y a pas que ça, dit Hermione. Il nous demande de quitter le château le soir en sachant que les mesures de sécurité sont mille fois plus strictes qu'avant et qu'on risque de gros ennuis si on se fait prendre.

– On est déjà allés le voir le soir, fit remarquer Harry.

– Oui, mais pas pour ce genre de raison, répliqua Hermione. Il nous est arrivé de prendre de grands risques pour aider Hagrid mais là… Aragog est mort, de toute façon. S'il s'agissait de lui sauver la vie…

– J'irais encore moins, affirma Ron d'un ton résolu. Tu ne l'as jamais vu, Hermione. Crois-moi, il gagne à être mort.

Harry reprit la lettre et examina les taches d'encre qui la parsemaient. De toute évidence, de grosses larmes étaient tombées sur le parchemin…

– Harry, tu ne *peux pas* envisager d'y aller, dit Hermione. Ce serait trop bête d'avoir une retenue pour ça.

Harry soupira.

– Oui, je sais, répondit-il. Je pense que Hagrid devra enterrer Aragog sans nous.

– Exactement, approuva Hermione, soulagée. Écoute, il n'y aura presque personne au cours de potions, cet après-midi, à cause de l'examen de transplanage… Alors, profites-en pour essayer d'amadouer un peu Slughorn !

– Tu crois que j'aurai plus de chance à la cinquante-septième fois ? demanda Harry d'un ton amer.

– De la chance, répéta soudain Ron. Harry, voilà la solution… Arrange-toi pour avoir de la chance !

– Qu'est-ce que tu veux dire ?

– C'est simple : utilise ta potion !

– Ron… voilà la bonne idée ! s'exclama Hermione qui paraissait stupéfaite. Bien entendu ! Pourquoi n'y ai-je pas pensé plus tôt ?

Harry les regarda tous les deux.

– Felix Felicis ? dit-il. Je ne sais pas… Je la mettais de côté pour…

– Pour quoi ? demanda Ron, incrédule.

– Qu'y a-t-il de plus important que ce souvenir ? interrogea Hermione.

Harry ne répondit pas. L'image du petit flacon doré avait flotté dans un coin de sa tête pendant un certain temps. De vagues plans informulés, concernant la séparation de Ginny d'avec Dean et la joie de Ron de voir qu'elle avait trouvé un nouveau petit ami, avaient mijoté dans les profondeurs de son cerveau sans remonter à la surface, sauf dans ses rêves ou dans les brumes d'un demi-sommeil, avant de se réveiller…

– Harry ? Tu es toujours là ? demanda Hermione.

– Que… quoi… ? Oui, bien sûr, répondit-il en reprenant ses esprits. Bon, d'accord… Si je n'arrive pas à parler à Slughorn cet après-midi, je prendrai un peu de Felix et je ferai une nouvelle tentative ce soir.

– Très bien, c'est décidé, conclut Hermione d'un ton énergique.

Elle se leva et exécuta une gracieuse pirouette.

– Destination… Détermination… Décision…, murmura-t-elle.

– Oh, arrête, la supplia Ron. J'ai suffisamment le trac comme ça… Vite, cache-moi !

– Ce n'est pas Lavande ! répliqua Hermione, agacée.

Ron avait plongé derrière elle en voyant deux autres filles apparaître dans la cour.

– Tant mieux, dit Ron en jetant un coup d'œil pardessus l'épaule d'Hermione. En tout cas, elles n'ont pas l'air très heureuses…

– Ce sont les sœurs Montgomery et je ne vois pas comment elles pourraient être heureuses. Tu n'as pas entendu ce qui est arrivé à leur petit frère ?

– Pour être franc, il arrive tellement de choses aux familles de tout le monde que j'ai du mal à suivre, avoua Ron.

– Eh bien, il a été attaqué par un loup-garou. Selon la rumeur, leur mère aurait refusé d'aider les Mangemorts. Le garçon n'avait que cinq ans et il est mort à Ste Mangouste. Ils n'ont pas pu le sauver.

– Il est mort ? répéta Harry, choqué. Mais les loups-garous ne tuent pas, ils te transforment simplement en l'un d'entre eux.

– Parfois, ils tuent, dit Ron, avec une gravité inhabituelle. Il paraît que ça peut se produire quand le loup-garou se laisse emporter.

– Comment s'appelait ce loup-garou ? demanda précipitamment Harry.

– D'après les bruits qui courent, c'était Fenrir Greyback, répondit Hermione.

– J'en étais sûr… Ce fou qui veut s'en prendre aux enfants, celui dont Lupin m'a parlé ! s'écria Harry avec colère.

Hermione le regarda d'un œil sombre.

– Harry, il faut absolument que tu te procures ce souvenir, dit-elle. Il peut aider à arrêter Voldemort, n'est-ce pas ? Toutes ces choses atroces qui arrivent, c'est lui qui en est la cause…

Dans le château, la cloche sonna au-dessus de leur tête. Hermione et Ron se levèrent d'un bond, terrifiés.

– Vous y arriverez très bien, leur assura Harry tandis qu'ils se dirigeaient vers le hall d'entrée pour rejoindre les autres candidats à l'examen de transplanage. Bonne chance.

– A toi aussi ! lança Hermione avec un regard éloquent lorsque Harry prit le chemin des cachots.

Ils n'étaient que trois en cours de potions, cet après-midi-là : Harry, Ernie et Drago Malefoy.

– Vous êtes trop jeunes pour transplaner ? dit Slughorn d'une voix cordiale. Vous n'avez pas encore dix-sept ans ?

Ils hochèrent la tête en signe de dénégation.

– Eh bien, reprit Slughorn, l'air joyeux, puisque nous sommes si peu nombreux, essayons de faire quelque chose de *divertissant*. Vous allez tous les trois me concocter une potion amusante !

– C'est une très bonne idée, monsieur, approuva Ernie d'un ton flagorneur, en se frottant les mains.

Malefoy resta de marbre.

– Qu'est-ce que vous entendez par « une potion amusante » ? demanda-t-il, irrité.

– Surprenez-moi, répondit Slughorn avec légèreté.

La mine maussade, Malefoy ouvrit son exemplaire du *Manuel avancé de préparation des potions*. Il était évident qu'il considérait ce cours comme une perte de temps. En le regardant par-dessus son propre livre, Harry pensa que

Malefoy aurait certainement préféré passer ce moment dans la Salle sur Demande.

Était-ce un effet de son imagination ou bien Malefoy, tout comme Tonks, paraissait-il plus mince ? En tout cas, il était plus pâle, sans doute parce qu'il ne voyait pas souvent la lumière du jour, ces temps-ci. Mais on ne décelait chez lui aucune attitude de suffisance, d'excitation ou de mépris. Il n'y avait plus trace de la forfanterie qu'il avait manifestée dans le Poudlard Express, lorsqu'il s'était ouvertement vanté de la tâche que lui avait confiée Voldemort… On ne pouvait en tirer qu'une seule conclusion : sa mission, quelle qu'elle soit, ne se déroulait pas selon ses prévisions.

Réjoui par cette pensée, Harry feuilleta son exemplaire du manuel et découvrit une version abondamment corrigée par le Prince de Sang-Mêlé d'un élixir d'Euphorie qui semblait non seulement répondre aux souhaits de Slughorn mais pourrait également (l'idée fit bondir le cœur de Harry) le mettre d'assez bonne humeur pour qu'il soit disposé à lui confier son souvenir. Si toutefois il parvenait à le lui faire goûter…

– Voilà une vraie merveille ! s'exclama Slughorn une heure et demie plus tard en regardant le contenu d'un jaune éclatant du chaudron de Harry. Élixir d'Euphorie, j'imagine ? Et ce parfum ? Mmmm… Vous y avez ajouté une pincée de menthe, n'est-ce pas ? Pas très orthodoxe mais quelle inspiration, Harry ! Bien sûr, cela permet d'atténuer les éventuels effets secondaires qui donnent un peu trop envie de chanter ou de tordre le nez d'autrui… Je ne sais vraiment pas où vous allez chercher toutes ces idées, mon garçon… A moins que…

D'un coup de pied, Harry repoussa tout au fond de son sac le livre du Prince de Sang-Mêlé.

– … ce soit simplement les gènes de votre mère qui resurgissent en vous !

– Ah, oui… peut-être, dit Harry, soulagé.

Ernie avait l'air de mauvaise humeur. Décidé à l'emporter sur Harry, pour une fois, il s'était montré plus audacieux et avait inventé sa propre potion qui s'était figée au fond de son chaudron en une sorte de pâte violette. Malefoy rangeait déjà ses affaires, la mine grincheuse. Slughorn avait qualifié sa décoction Hoqueteuse de simplement passable.

Lorsque la cloche retentit, Ernie et Malefoy partirent aussitôt.

– Monsieur, dit Harry.

Slughorn jeta un regard par-dessus son épaule. Voyant qu'ils n'étaient plus que tous les deux dans la classe, il fila aussi vite que possible.

– Professeur… Professeur, vous ne voulez pas goûter ma po…, lança Harry, désespéré.

Mais Slughorn avait déjà disparu. Déçu, Harry vida son chaudron, fourra ses affaires dans son sac, quitta le cachot et remonta lentement les escaliers jusqu'à la salle commune.

Ron et Hermione revinrent en fin d'après-midi.

– Harry ! s'écria Hermione en se glissant à travers le trou du portrait. Harry, j'ai réussi !

– Bravo ! dit-il. Et Ron ?

– Il… il a raté à peu de chose près, murmura Hermione tandis que Ron entrait à son tour dans la salle, l'air morose. Un coup de malchance, un tout petit détail, l'examinateur a remarqué qu'il avait laissé la moitié d'un sourcil derrière lui… Comment ça s'est passé, avec Slughorn ?

– Ce n'est pas la joie, répondit Harry à l'instant où Ron

les rejoignait. Pas de chance, vieux, mais tu réussiras la prochaine fois… On se présentera ensemble.

– Oui, sans doute, dit Ron, grognon. Mais quand même, *la moitié d'un sourcil* ! Comme si c'était grave !

– Je te comprends, assura Hermione d'un ton apaisant, c'est vraiment dur…

Ils passèrent la plus grande partie du dîner à insulter copieusement l'examinateur de transplanage et Ron semblait un peu plus joyeux lorsqu'ils retournèrent dans la salle commune. La conversation s'était orientée à présent sur l'habituelle question du souvenir de Slughorn.

– Alors, quoi, Harry, tu vas te servir de Felix Felicis ou pas ? demanda Ron.

– Oui, je crois que ça vaudrait mieux, répondit Harry. Je pense que je n'aurai pas besoin de tout le flacon. Douze heures, c'est trop, ça ne prendra quand même pas la nuit entière… J'en boirai simplement une gorgée. Deux ou trois heures devraient suffire.

– C'est merveilleux, quand on avale ça, dit Ron, avec un sourire ému. On a l'impression qu'on ne peut rien rater.

– Qu'est-ce que tu racontes ? s'esclaffa Hermione. Tu n'en as jamais pris !

– Non, mais j'ai cru en prendre, répondit Ron, sur un ton d'évidence. C'est exactement la même chose…

Comme ils venaient de voir Slughorn entrer dans la Grande Salle et savaient qu'il aimait bien s'attarder à table, ils traînèrent un peu dans la salle commune, leur plan consistant à lui laisser le temps de remonter dans son bureau avant que Harry aille le voir. Dès que le soleil fut descendu au niveau de la cime des arbres de la Forêt interdite, ils estimèrent le moment venu. Après avoir soigneusement vérifié que Neville, Dean et Seamus se trouvaient dans la salle commune, ils montèrent discrètement dans le dortoir des garçons.

Harry prit les chaussettes roulées en boule au fond de sa grosse valise et en retira le minuscule flacon aux reflets dorés.

– Bon, j'y vais, dit-il.

Il porta le flacon à ses lèvres et en but une petite gorgée, soigneusement mesurée.

– Qu'est-ce que ça fait ? murmura Hermione.

Harry ne répondit pas tout de suite. Lentement mais sûrement, il éprouva la sensation enivrante qu'un nombre infini de possibilités s'ouvraient devant lui, comme s'il pouvait soudain tout faire, absolument tout... Obtenir le souvenir de Slughorn lui parut tout à coup non seulement possible mais facile...

Débordant de confiance en lui-même, il se leva avec un grand sourire.

– Parfait, dit-il. Vraiment parfait. Bon... Je descends chez Hagrid.

– Quoi ? s'écrièrent Ron et Hermione, effarés.

– Non, Harry... tu dois aller voir Slughorn, tu te souviens ? lui rappela Hermione.

– Pas du tout, répliqua Harry d'un ton résolu. Je vais chez Hagrid, je sens que c'est ce que je dois faire.

– Tu sens que tu dois aller enterrer une araignée géante ? demanda Ron, abasourdi.

– Oui, assura Harry en sortant sa cape d'invisibilité de son sac. J'ai l'intuition que c'est là qu'il faut être ce soir, vous voyez ce que je veux dire ?

– Non, répondirent Ron et Hermione d'une même voix. Ils semblaient tous deux très inquiets.

– C'est bien du Felix Felicis ? interrogea Hermione,

anxieuse, en levant le flacon à la lumière. Tu n'aurais pas confondu avec une autre petite bouteille pleine de... je ne sais pas quoi...

– D'essence de folie ? suggéra Ron tandis que Harry déployait sa cape sur ses épaules.

Il éclata de rire et Ron et Hermione parurent encore plus alarmés.

– Ayez confiance, dit-il, je sais ce que je fais... ou en tout cas... Felix le sait.

Il s'avança vers la porte d'un pas confiant, remonta sa cape d'invisibilité sur sa tête et descendit l'escalier, Ron et Hermione se hâtant derrière lui. Au pied des marches, Harry se glissa par la porte ouverte.

– Qu'est-ce que tu fabriquais là-haut avec *elle* ? s'écria Lavande Brown en regardant, à travers Harry, Ron et Hermione qui sortaient ensemble du dortoir des garçons.

Harry entendit Ron bredouiller quelques mots et s'éloigna à toutes jambes.

Franchir le trou du portrait ne fut pas difficile. Lorsqu'il s'en approcha, Ginny et Dean entrèrent l'un derrière l'autre et Harry n'eut qu'à se faufiler entre eux. Sans le vouloir, il effleura Ginny au passage.

– Ne me *pousse pas*, s'il te plaît, Dean, lança-t-elle, agacée. Tu fais toujours ça, je peux très bien me débrouiller toute seule...

Le portrait se referma derrière Harry qui eut le temps d'entendre Dean répliquer quelque chose à Ginny d'un ton furieux... Son sentiment d'allégresse n'en fut que renforcé et il s'élança d'un bon pas le long des couloirs du château. Il n'eut pas besoin de raser les murs car il ne croisa personne sur son chemin mais il n'en fut pas le moins du monde surpris : ce soir, personne ne pouvait avoir plus de chance que lui à Poudlard.

Comment savait-il que la meilleure chose à faire était d'aller chez Hagrid, il n'en avait aucune idée. C'était comme si la potion n'éclairait, à chaque étape, qu'une petite partie du chemin : il ne voyait pas la destination finale, ignorait à quel moment Slughorn allait apparaître, mais savait qu'il était sur la bonne voie pour obtenir son souvenir. Lorsqu'il atteignit le hall d'entrée, il vit que Rusard avait oublié de verrouiller la porte. Ravi, il l'ouvrit et respira pendant un moment une odeur d'herbe et d'air frais avant de descendre les marches dans la pénombre du crépuscule.

Quand il arriva au bas de l'escalier, il eut soudain l'impression qu'il serait particulièrement agréable de passer par le potager pour se rendre chez Hagrid. Ce n'était pas vraiment le chemin mais Harry sentait qu'il fallait satisfaire ce caprice et ses pas le menèrent aussitôt dans cette direction. Il eut alors la satisfaction, mais pas vraiment la surprise, d'y trouver le professeur Slughorn en grande conversation avec le professeur Chourave. Harry se tapit derrière un muret de pierre, avec un sentiment de parfaite tranquillité, et les écouta.

– Je vous remercie beaucoup de vous être donné cette peine, Pomona, disait Slughorn d'un ton courtois. La plupart des experts s'accordent à estimer qu'elles sont plus efficaces lorsqu'on les cueille au crépuscule.

– Je suis tout à fait d'accord, répondit chaleureusement le professeur Chourave. Vous en aurez assez ?

– Largement, largement, assura Slughorn, les bras chargés de plantes feuillues. Voilà qui devrait me permettre d'en donner quelques feuilles à chacun de mes élèves de troisième année et il m'en restera encore si quelqu'un les fait bouillir trop longtemps… Eh bien, bonne soirée à vous et encore tous mes remerciements !

Le professeur Chourave s'éloigna dans la nuit qui tombait, retournant dans ses serres, et Slughorn se dirigea vers l'endroit où se tenait Harry, invisible.

Pris d'une soudaine envie de se montrer, Harry enleva sa cape d'un geste majestueux.

– Bonsoir, professeur.

– Par la barbe de Merlin, Harry, vous m'avez fait peur, dit Slughorn.

Il s'était figé sur place, l'air méfiant.

– Comment avez-vous réussi à sortir du château ?

– Je crois que Rusard a oublié de verrouiller la porte, répondit Harry d'un ton enjoué.

Il fut ravi de voir Slughorn se renfrogner.

– Je vais le signaler. Si vous voulez mon avis, ce personnage s'occupe beaucoup plus de ce que les élèves jettent par terre que de leur sécurité. Mais pourquoi êtes-vous là, Harry ?

– Eh bien, c'est à cause de Hagrid, monsieur, expliqua Harry qui savait intuitivement que la meilleure chose à faire en cet instant était de dire la vérité. Il est bouleversé… mais ne le répétez à personne, professeur. Je ne voudrais pas lui attirer d'ennuis…

Il avait réussi à éveiller la curiosité de Slughorn.

– Je ne peux rien vous promettre, marmonna-t-il d'un ton bourru. Mais je sais que Dumbledore a une confiance absolue en Hagrid, je suis donc sûr que ce ne doit pas être très grave…

– C'est à cause de cette araignée géante qu'il avait depuis des années… Elle habitait la forêt… Elle savait parler, entre autres choses…

– J'ai entendu des rumeurs selon lesquelles il y avait des Acromentules dans la forêt, murmura Slughorn en regardant la masse sombre des arbres. C'est donc vrai ?

– Oui, dit Harry. Mais celle-ci, Aragog, est la première que Hagrid ait jamais eue. Et elle est morte la nuit dernière. Il est effondré et voudrait que quelqu'un soit auprès de lui pendant qu'il l'enterrera. Alors, j'ai dit que j'irais.

– Touchant, très touchant, commenta Slughorn, l'esprit ailleurs, ses grands yeux aux paupières tombantes fixés sur la lueur lointaine de la cabane de Hagrid. Mais figurez-vous que le venin d'Acromentule est très précieux... Si la bête vient seulement de mourir, il n'a peut-être pas encore séché... Bien entendu, je ne veux surtout rien faire qui puisse heurter Hagrid... mais s'il y avait un moyen de s'en procurer un peu... il est quasiment impossible de recueillir le venin d'une Acromentule quand elle est vivante...

Slughorn semblait parler à lui-même plus qu'à Harry.

– Ce serait du gaspillage de ne pas le récupérer... ça va chercher dans les deux cents Gallions le litre... Pour être franc, je n'ai pas un très gros salaire...

A présent, Harry voyait clairement comment il fallait s'y prendre.

– Eh bien..., dit-il avec une hésitation des plus convaincantes, si... si vous vouliez venir avec moi, professeur, Hagrid serait sans doute content... de pouvoir offrir à Aragog une cérémonie d'adieu plus digne...

– Oui, bien sûr, répondit Slughorn, le regard soudain brillant d'enthousiasme. Voilà ce que je vous propose, Harry, je vous retrouve là-bas avec une ou deux bouteilles... Nous boirons à la... je ne dirais pas la santé... de la pauvre bête mais nous lui rendrons en tout cas un bel hommage une fois qu'elle sera enterrée. Je vais en profiter pour changer de cravate, celle-ci est un peu trop tapageuse pour la circonstance...

Il se hâta de retourner au château et Harry, très content de lui, se dirigea à grands pas vers la cabane de Hagrid.

– Tu es venu, dit Hagrid, la voix rauque, lorsqu'il ouvrit la porte et vit Harry émerger de la cape d'invisibilité.

– Oui, mais Ron et Hermione n'ont pas pu, répondit Harry. Ils sont vraiment désolés.

– Ce... ce n'est pas grave... Il aurait été très touché que tu sois là, Harry...

Hagrid fut secoué d'un gros sanglot. Il avait un brassard noir constitué apparemment d'un chiffon trempé dans du cirage et ses yeux étaient rouges et gonflés. Dans un geste de consolation, Harry lui tapota le coude, c'est-à-dire la plus haute partie de son corps qu'il puisse atteindre sans trop de difficultés.

– Où allons-nous l'enterrer ? demanda-t-il. Dans la forêt ?

– Oh, grand Dieu, non, répondit Hagrid en essuyant ses yeux ruisselants avec un pan de sa chemise. Les autres araignées ne me laisseraient pas approcher de leurs toiles maintenant qu'Aragog n'est plus là. Je me suis rendu compte que c'est seulement parce qu'il en avait donné l'ordre qu'elles ne m'ont pas dévoré ! Tu aurais cru une chose pareille, Harry ?

S'il avait fallu être sincère, il aurait répondu oui sans hésitation. Harry se souvenait douloureusement du jour où Ron et lui s'étaient retrouvés face aux Acromentules : il ne faisait aucun doute que sans Aragog, elles n'auraient pas hésité à manger Hagrid.

– C'est la première fois qu'il y a un endroit de la Forêt

interdite où je ne puisse plus aller ! se désola Hagrid en hochant la tête. Ça n'a pas été facile de ramener le corps d'Aragog, je peux te le dire – d'habitude, ils mangent leurs morts, tu comprends... Mais je voulais qu'il ait un bel enterrement... Une vraie cérémonie d'adieu...

A nouveau, il éclata en sanglots. Harry recommença à lui tapoter le coude et, obéissant à ce que la potion semblait lui indiquer, il dit :

– En venant ici, j'ai rencontré le professeur Slughorn.

– Tu ne vas pas avoir d'ennuis, j'espère ? s'inquiéta Hagrid en relevant la tête. Tu n'as pas le droit de sortir du château le soir, je le sais, c'est ma faute...

– Non, non, soyez sans crainte, quand il a su où j'allais, il a dit qu'il aimerait bien venir aussi rendre un dernier hommage à Aragog, expliqua Harry. Je crois qu'il est parti se changer pour mettre quelque chose de plus approprié aux circonstances... et il a ajouté qu'il apporterait deux bouteilles pour que nous puissions boire à la mémoire d'Aragog.

– Vraiment ? s'exclama Hagrid, qui paraissait à la fois surpris et ému. C'est... c'est très gentil de sa part, et aussi de ne pas te dénoncer. Je n'ai jamais eu beaucoup affaire à Horace Slughorn, jusqu'à maintenant... Mais venir dire adieu à Aragog... Alors, là... Ça lui aurait plu, à Aragog, tu peux me croire...

Harry songea que ce qui aurait surtout plu à Aragog, chez Slughorn, c'était la quantité appréciable de chair comestible qu'il aurait pu lui fournir. Mais il se contenta de s'approcher de la fenêtre, au fond de la cabane, pour contempler avec horreur la gigantesque araignée morte, couchée sur le dos, les pattes recroquevillées, enchevêtrées.

– Est-ce qu'on va l'enterrer ici, Hagrid, dans votre jardin ?

– Derrière le potager aux citrouilles, répondit Hagrid, la voix étouffée par les sanglots. J'ai déjà creusé la... la tombe. Je pensais que nous pourrions simplement dire quelques mots... rappeler de bons souvenirs, tu comprends...

Sa voix hachée se brisa. Quelqu'un frappa à la porte et il alla ouvrir en se mouchant dans un grand mouchoir à pois. Slughorn entra précipitamment, des bouteilles plein les bras, une cravate noire autour du cou.

– Hagrid, dit-il d'une voix grave, solennelle, je suis vraiment navré d'apprendre que vous avez perdu un être cher.

– C'est très gentil à vous, répondit Hagrid. Merci beaucoup. Et merci de ne pas avoir donné de retenue à Harry...

– Je n'y aurais même pas pensé, assura Slughorn. Triste soirée, bien triste soirée... Où est la malheureuse créature ?

– Là-bas, dit Hagrid d'une voix tremblante. On pourrait... on pourrait peut-être commencer ?

Tous trois sortirent dans le jardin, à l'arrière de la cabane. La lune projetait une lueur pâle à travers les arbres et ses rayons, mêlés à la lumière que diffusait la fenêtre de Hagrid, illuminaient le corps d'Aragog, étendu au bord d'une vaste fosse, à côté d'un tas de terre fraîche de trois mètres de haut.

– Magnifique, murmura Slughorn.

Il s'approcha de la tête de l'araignée. Ses yeux laiteux, au nombre de huit, semblaient fixer le ciel de leur regard mort et deux énormes pinces recourbées luisaient, inertes, dans la clarté de la lune. Harry crut entendre un tintement de verre lorsque Slughorn se pencha sur les pinces, comme s'il voulait examiner de plus près l'immense tête velue.

– Ce n'est pas tout le monde qui peut apprécier leur beauté, soupira Hagrid dans le dos de Slughorn, des larmes coulant au coin de ses paupières ridées. Je ne savais pas que vous vous intéressiez à des créatures comme Aragog, Horace.

– M'intéresser ? Mais, mon cher Hagrid, je les vénère, répondit Slughorn en s'écartant du cadavre.

Harry vit scintiller une bouteille qui disparut sous sa cape mais Hagrid, occupé une fois de plus à essuyer ses larmes, ne remarqua rien.

– Et maintenant, si nous procédions à la mise en terre ?

Hagrid approuva d'un signe de tête et s'avança. Il souleva dans ses bras la gigantesque araignée puis, avec un grognement retentissant, la fit basculer dans la fosse obscure. Elle tomba au fond dans un bruit sourd accompagné d'un horrible craquement et Hagrid se remit à pleurer.

– Bien sûr, c'est difficile pour vous qui le connaissiez mieux que tout autre, lui dit Slughorn.

Tout comme Harry, il ne pouvait atteindre que son coude qu'il tapota à son tour dans un geste de réconfort.

– Je pourrais peut-être prononcer quelques mots.

Slughorn avait dû tirer du cadavre d'Aragog une assez bonne quantité de venin, songea Harry, car il affichait un sourire satisfait lorsqu'il s'avança au bord de la fosse et déclara :

– Adieu, Aragog, roi des arachnides. Ceux qui te connaissaient n'oublieront pas ta longue et fidèle amitié ! Et bien que ton corps doive retourner à la poussière, ton esprit demeurera au cœur de ta forêt, dans le calme de ces lieux où tu as su si bien tisser ta toile. Puissent tes descendants aux yeux multiples prospérer après toi et tes amis humains y voir une consolation à la perte cruelle qu'ils ont subie.

– Ce... c'é... c'était... merveilleux ! mugit Hagrid qui s'effondra sur le tas de terre en pleurant de plus belle.

– Allons, allons, dit Slughorn.

Il agita sa baguette et la masse de terre se souleva pour retomber avec un bruit étouffé sur l'araignée morte, en formant un tertre bien lisse.

– Allons boire quelque chose à l'intérieur. Soutenez-le de l'autre côté, Harry... Voilà... Relevez-vous, Hagrid... Comme ça, c'est bien...

Ils déposèrent Hagrid sur une chaise, devant la table de la cabane. Crockdur, qui s'était réfugié dans son panier pendant l'enterrement, s'approcha à pas feutrés et posa comme d'habitude sa lourde tête sur les genoux de Harry. Pendant ce temps, Slughorn déboucha l'une des bouteilles de vin qu'il avait apportées.

– Cette fois, j'ai vérifié qu'aucune d'elles n'était empoisonnée, assura-t-il à Harry.

Il vida presque la première bouteille dans l'une des chopes de la taille d'un seau de Hagrid et la lui tendit.

– J'ai fait goûter chaque bouteille par un elfe de maison, après ce qui est arrivé à votre pauvre ami Rupert.

Harry imagina la tête d'Hermione si elle apprenait qu'on traitait des elfes de maison de cette manière et il se promit de ne jamais lui en parler.

– Une pour Harry..., poursuivit Slughorn en partageant une deuxième bouteille entre deux chopes. Et une pour moi. Eh bien, dit-il en levant haut son verre, à Aragog.

– A Aragog, répétèrent ensemble Harry et Hagrid.

Slughorn et Hagrid burent longuement tous les deux,

mais Harry, à qui Felix Felicis indiquait le chemin à suivre, savait qu'il ne devait pas boire. Il fit semblant d'avaler une gorgée puis reposa sa chope devant lui.

– Je l'ai eu sous forme d'œuf, savez-vous, dit tristement Hagrid. Il était minuscule quand il est sorti de sa coquille. De la taille d'un pékinois.

– Très mignon, commenta Slughorn.

– Je le gardais dans un placard de l'école jusqu'à ce que… enfin…

Le visage de Hagrid s'assombrit. Harry savait pourquoi : à l'époque, Tom Jedusor avait intrigué pour que Hagrid soit renvoyé de l'école, sous la fausse accusation d'avoir ouvert la Chambre des Secrets. Slughorn, cependant, ne semblait pas écouter. Il regardait le plafond auquel étaient suspendus de nombreuses casseroles de cuivre ainsi qu'un long écheveau de poils blancs et soyeux.

– Ce n'est quand même pas du crin de licorne, Hagrid ?

– Si, si, répondit celui-ci d'un air indifférent. On en trouve dans la forêt, quand elles se prennent la queue dans les branches ou les buisssons…

– Mais mon cher ami, vous savez combien cela *vaut* ?

– Je m'en sers pour attacher des bandages quand une créature se blesse, expliqua Hagrid en haussant les épaules. C'est sacrément utile. Très solide, voyez-vous.

Slughorn but à nouveau une longue gorgée, en regardant attentivement dans tous les coins de la cabane, à la recherche – Harry le savait – d'autres trésors qu'il pourrait éventuellement reconvertir en d'abondantes quantités d'hydromel vieilli en fût, d'ananas confit et de vestes d'intérieur en velours. Il remplit à nouveau la chope de Hagrid et la sienne puis l'interrogea sur les créatures qui habitaient la forêt ces temps-ci en lui demandant comment il arrivait à s'occuper d'elles toutes en même temps. Hagrid, rendu expansif par la boisson et les flatteries de Slughorn, cessa de s'essuyer les yeux et se lança avec joie dans des explications détaillées sur l'élevage des Botrucs.

A cet instant, sous l'impulsion de Felix Felicis, Harry remarqua que les provisions de vin apportées par Slughorn s'épuisaient rapidement. Il n'avait encore jamais réussi à exécuter le charme de Remplissage sans prononcer l'incantation à haute voix mais ce soir, l'idée qu'il ne puisse y parvenir lui semblait risible. Il eut un grand sourire lorsque, sans que Slughorn ni Hagrid le remarquent (ils se racontaient à présent des histoires sur le commerce illégal des œufs de dragon), il pointa sa baguette sous la table, vers les bouteilles vides qui se remplirent aussitôt.

Au bout d'une heure environ, Hagrid et Slughorn commencèrent à porter des toasts extravagants : à Poudlard, à Dumbledore, au vin des elfes et à...

– Harry Potter ! beugla Hagrid.

Il fit couler du vin sur son menton en vidant sa quatorzième chope de la taille d'un seau.

– Oui, c'est ça, s'écria Slughorn d'une voix un peu pâteuse. Parry Otter, l'Élu, le Survi... heu... quelque chose dans ce genre-là, marmonna-t-il, et il vida sa chope à son tour.

Quelques instants plus tard, Hagrid eut à nouveau les larmes aux yeux et il décrocha les crins de licorne pour les mettre dans les mains de Slughorn qui les fourra dans sa poche aux cris de : « A l'amitié ! A la générosité ! Aux dix Gallions le crin ! »

Pendant un bon moment, Hagrid et Slughorn restèrent assis côte à côte, se tenant par la taille, et chantèrent une chanson triste et lente qui racontait la mort d'un sorcier nommé Odo.

– Aaaargh, ce sont les meilleurs qui partent les premiers, marmonna Hagrid.

Il s'effondra sur la table, ses yeux louchant un peu, tandis que Slughorn continuait de chanter le refrain.

– Mon père n'avait pas l'âge de mourir… ni ta mère, ni ton propre père, Harry…

De grosses larmes apparurent encore une fois au coin des paupières de Hagrid. Il saisit le bras de Harry et le secoua.

– Les'lus'rands zorziers et zorzières de leur génération que j'ai jamais connus… Une chose horrible… horrible…

Pendant ce temps, Slughorn chantait d'une voix plaintive :

Et Odo le héros, ils ramenèr't chez lui
Là où il habitait quand il était petit
Ils le portèr't en terre
Son chapeau à l'envers
Sa baguette cassée
C'est triste à en pleurer

– … horrible, grogna Hagrid.

Sa grosse tête hirsute roula de côté sur l'un de ses bras et il tomba endormi, ronflant profondément.

– Désolé, s'excusa Slughorn avec un hoquet. Je serai toujours incapable de chanter, même si ma vie en dépendait.

– Hagrid ne parlait pas de votre façon de chanter, murmura Harry. Il parlait de la mort de mes parents.

– Oh, s'exclama Slughorn en réprimant un rot. Oh,

mon Dieu, oui, c'était... c'était horrible, en effet. Horrible... horrible...

Il semblait ne plus savoir quoi dire et se contenta de remplir à nouveau leurs chopes.

– J'imagine que... que vous ne vous en souvenez pas, Harry ? demanda-t-il maladroitement.

– Non... je n'avais qu'un an quand ils sont morts, répondit Harry, le regard fixé sur la flamme de la chandelle vacillante sous le souffle puissant de Hagrid qui continuait de ronfler. Mais depuis, j'ai appris beaucoup de choses sur ce qui s'était passé. Mon père est mort le premier. Vous le saviez ?

– Heu... non, dit Slughorn d'une voix étouffée.

– Oui... Voldemort l'a tué puis il a enjambé son corps pour s'avancer vers ma mère, raconta Harry.

Slughorn fut parcouru d'un frisson. Il paraissait incapable de détacher son regard horrifié du visage de Harry.

– Il lui a ordonné de s'écarter de son chemin, poursuivit Harry, implacable. Lui-même m'a dit qu'elle n'était pas condamnée à mourir. C'était seulement moi qu'il voulait. Elle aurait pu s'enfuir.

– Oh, mon Dieu, soupira Slughorn. Elle aurait pu... elle n'était pas condamnée... c'est affreux...

– N'est-ce pas ? reprit Harry d'une voix à peine plus forte qu'un chuchotement. Et pourtant, elle n'a pas bougé. Papa était déjà mort mais elle ne voulait pas me laisser mourir aussi. Elle a essayé de supplier Voldemort... mais il a simplement éclaté de rire...

– Ça suffit ! s'écria soudain Slughorn en levant une main tremblante. Ça suffit, mon garçon... Je suis un vieil homme... Je ne veux pas entendre... Je ne veux pas...

– J'avais oublié, mentit Harry, se laissant guider par Felix Felicis. Vous l'aimiez beaucoup, n'est-ce pas ?

– Si je l'aimais ? dit Slughorn, les yeux remplis de larmes. Je n'imagine pas que quiconque l'ayant rencontrée ait pu ne pas l'aimer... Très courageuse... Très drôle... C'est la chose la plus horrible...

– Mais vous ne voulez pas aider son fils, l'interrompit Harry. Elle a donné sa vie pour moi et vous, vous ne voulez même pas me donner un souvenir.

Les ronflements de Hagrid faisaient trembler la cabane. Harry fixait les yeux larmoyants de Slughorn. Le maître des potions semblait incapable de détourner son regard.

– Ne dites pas ça..., murmura-t-il. Ce n'est pas une question de... Si cela pouvait vous aider, bien sûr... Mais ce serait inutile...

– Non, ce ne serait pas inutile, déclara Harry, catégorique. Dumbledore a besoin de savoir. Moi aussi, j'ai besoin de savoir.

Il savait qu'il ne courait aucun risque. Felix lui assurait que Slughorn ne se souviendrait de rien le lendemain matin. Continuant de le regarder droit dans les yeux, Harry se pencha un peu vers lui.

– Je suis l'Élu. Je dois le tuer. Il me faut ce souvenir.

Slughorn devint plus pâle que jamais. Son front brillant luisait de sueur.

– Vous *êtes* l'Élu ?

– Bien sûr que je le suis, affirma Harry d'une voix calme.

– Dans ce cas, mon garçon... vous me demandez beaucoup... Vous me demandez en fait de vous aider dans votre tentative pour détruire...

– Vous ne voulez pas être débarrassé du sorcier qui a tué Lily Evans ?

– Harry, Harry, bien sûr que je le veux, mais…

– Vous avez peur qu'il découvre que vous m'avez apporté votre aide ?

Slughorn ne dit rien. Il paraissait terrifié.

– Ayez le même courage que ma mère, professeur…

Slughorn leva une main potelée et pressa contre ses lèvres ses doigts tremblants. Pendant un moment, il eut l'air d'un énorme bébé.

– Je ne suis pas fier…, murmura-t-il entre ses doigts. J'ai honte de… de ce que montre ce souvenir. Je crois que j'ai fait beaucoup de dégâts, ce jour-là…

– Vous effaceriez tout en me le confiant, dit Harry. Ce serait un acte très noble, très courageux.

Hagrid eut un spasme dans son sommeil et continua de ronfler. Slughorn et Harry se regardaient dans les yeux par-dessus la flamme oscillante de la chandelle. Il y eut un long, un très long silence, mais Felix Felicis conseilla à Harry de ne pas le rompre, d'attendre.

Très lentement, Slughorn mit alors une main dans sa poche et en retira sa baguette magique. Il glissa l'autre main à l'intérieur de sa cape où il prit un petit flacon vide. Sans quitter Harry du regard, il toucha sa tempe du bout de sa baguette puis l'écarta doucement. Un long filament de mémoire s'y accrocha. Le souvenir s'étira, de plus en plus long, jusqu'à ce qu'il se détache de sa tempe et se balance au bout de la baguette dans des reflets argentés. Slughorn le déposa dans le flacon où il s'enroula sur lui-même avant de se déployer en tournoyant comme une volute de vapeur. Slughorn reboucha le flacon d'une main tremblante et le donna à Harry.

– Merci beaucoup, professeur.

– Vous êtes un garçon digne d'estime, dit le professeur

Slughorn, des larmes coulant sur ses grosses joues et disparaissant dans sa moustache de morse. Et vous avez les mêmes yeux qu'elle... N'ayez quand même pas une trop mauvaise opinion de moi quand vous aurez vu ce souvenir...

Puis il posa à son tour sa tête dans ses bras, poussa un profond soupir et s'endormit.

23
Les Horcruxes

A son retour, lorsqu'il se glissa à l'intérieur du château, Harry sentit les effets de Felix Felicis se dissiper. La porte d'entrée n'était toujours pas verrouillée mais il tomba sur Peeves au troisième étage et eut tout juste le temps de s'engouffrer dans l'un de ses raccourcis pour éviter que sa présence ne soit détectée. Quand il arriva enfin devant le portrait de la grosse dame, il ôta sa cape d'invisibilité et ne fut pas surpris de la voir très peu disposée à l'aider.

– C'est une heure pour rentrer, ça ?

– Je suis désolé, j'ai dû sortir pour un important…

– Eh bien, le mot de passe a changé à minuit, vous n'aurez qu'à dormir dans le couloir, d'accord ?

– Vous plaisantez ! protesta Harry. Pourquoi a-t-il changé à minuit ?

– C'est comme ça, répliqua la grosse dame. Si vous n'êtes pas content, allez donc vous expliquer avec le directeur, c'est lui qui a renforcé la sécurité.

– Fantastique, dit Harry d'un ton amer en contemplant le sol dur. Une idée vraiment brillante. Oui, j'irais volontiers m'expliquer avec Dumbledore s'il était là parce que c'est lui qui a voulu que…

– Il est là, lança une voix derrière Harry. Le professeur Dumbledore est revenu à l'école il y a une heure.

Nick Quasi-Sans-Tête flottait vers lui, sa tête vacillant sur sa fraise, comme à son habitude.

– Le Baron Sanglant m'a dit qu'il l'avait vu arriver, déclara Nick. A l'en croire, il avait l'air de bonne humeur, quoique un peu fatigué, bien sûr.

– Où est-il ? demanda Harry qui sentit son cœur bondir dans sa poitrine.

– Oh, il gémit et fait des bruits de chaînes dans la tour d'astronomie, c'est un de ses passe-temps préférés…

– Pas le Baron Sanglant, Dumbledore !

– Ah… il est dans son bureau, répondit Nick. D'après le Baron, il devait encore s'occuper de certaines choses avant d'aller se coucher.

– Ça, c'est vrai, il va avoir de quoi s'occuper, approuva Harry.

Il brûlait d'excitation à l'idée d'annoncer à Dumbledore qu'il était en possession du souvenir. Il tourna les talons et repartit à toutes jambes, indifférent à la grosse dame qui criait derrière lui :

– Revenez ! J'ai menti ! J'étais énervée parce que vous m'aviez réveillée ! Le mot de passe est toujours « Ver solitaire » !

Mais Harry avait déjà filé à l'autre bout du couloir et quelques minutes plus tard, il lançait : « Éclairs au caramel » à la gargouille de Dumbledore qui fit un pas de côté, permettant à Harry d'accéder à l'escalier en colimaçon.

– Entrez, répondit Dumbledore lorsque Harry eut frappé.

Sa voix semblait épuisée.

Harry poussa la porte. Le bureau avait le même aspect

qu'à l'ordinaire mais, cette fois, on voyait à travers les fenêtres un ciel noir parsemé d'étoiles.

– Bonté divine, Harry, dit Dumbledore, surpris. Que me vaut le plaisir de ta visite ?

– Monsieur, ça y est, je l'ai. Slughorn m'a confié son souvenir.

Harry sortit de sa poche le minuscule flacon et le montra à Dumbledore. Pendant un moment, le directeur parut abasourdi. Puis son visage se fendit en un large sourire.

– Harry, c'est une merveilleuse nouvelle ! Bravo ! Je savais que tu y parviendrais !

Oubliant complètement l'heure tardive, il contourna son bureau, prit de sa main indemne le flacon qui contenait le souvenir de Slughorn et s'avança vers l'armoire où était rangée la Pensine. Il posa la bassine de pierre sur la table et y vida le contenu du flacon.

– Maintenant, dit Dumbledore, nous allons enfin savoir. Vite, Harry…

Celui-ci se pencha docilement sur la Pensine et sentit ses pieds quitter le sol… une fois de plus, il tomba dans l'obscurité et atterrit dans le bureau d'Horace Slughorn bien des années auparavant.

Le Slughorn beaucoup plus jeune lui apparut à nouveau, avec ses cheveux épais et brillants, d'une couleur jaune paille, et sa moustache d'un blond roux. Il était toujours enfoncé dans un fauteuil confortable, ses pieds posés sur un pouf de velours, un petit verre de vin dans une main, l'autre tâtonnant dans une boîte d'ananas confits. Les six garçons étaient assis autour de lui, Tom Jedusor au milieu, la bague noir et or de Gaunt luisant à son doigt.

Dumbledore rejoignit Harry au moment où Jedusor demandait :

– Monsieur, est-il vrai que le professeur Têtenjoy prend sa retraite ?

– Tom, Tom, même si j'étais au courant, je ne pourrais pas vous le dire, répondit Slughorn, agitant vers lui un index réprobateur tout en clignant de l'œil. Je dois avouer que j'aimerais bien savoir d'où vous tenez vos renseignements, mon garçon. Vous êtes mieux informé que la moitié des enseignants.

Jedusor sourit. Les autres éclatèrent de rire en lui lançant des regards admiratifs.

– Avec votre étrange aptitude à connaître des choses que vous devriez ignorer et le soin que vous prenez à flatter les gens importants – au fait, merci pour l'ananas, vous aviez parfaitement raison, c'est mon préféré...

Il y eut des rires parmi les élèves.

– ... je ne doute pas que vous deviendrez ministre de la Magie dans vingt ans. Quinze si vous continuez à m'envoyer des ananas. J'ai d'*excellents* contacts au ministère.

Tom Jedusor se contenta de sourire tandis que les autres s'esclaffaient à nouveau. Harry remarqua qu'il n'était pas, et de loin, le plus âgé du groupe mais que tous semblaient le considérer comme leur chef.

– Je ne crois pas que la politique soit ma vocation, dit-il lorsque les rires se furent dissipés. D'abord, je ne pense pas être issu du milieu qui convient.

Deux des garçons qui l'entouraient échangèrent un sourire. Ils devaient partager, pensa Harry, une plaisanterie qu'ils étaient seuls à connaître, liée sans aucun doute à ce qu'ils savaient, ou soupçonnaient, de l'illustre ancêtre dont descendait leur chef.

– Allons donc, répliqua vivement Slughorn, avec des dons comme les vôtres, il est bien évident que vous venez d'une lignée de sorciers très honorable. Croyez-moi, vous irez loin, Tom, je ne me suis encore jamais trompé sur un de mes élèves.

La petite pendule d'or, sur le bureau de Slughorn, sonna onze heures derrière lui et il se retourna.

– Bonté divine, il est déjà si tard ? Il est temps que vous y alliez, les garçons, ou nous aurons tous des ennuis. Lestrange, je veux votre devoir demain, sinon je vous donne une retenue. C'est également valable pour vous, Avery.

Un par un, les garçons sortirent de la pièce. Slughorn se hissa hors de son fauteuil et alla poser son verre vide sur son bureau. Un bruit dans son dos lui fit tourner la tête. Jedusor était toujours là.

– Ouvrez l'œil, Tom. Il ne faut pas vous laisser surprendre hors de votre lit à cette heure-ci, vous êtes préfet…

– Monsieur, je voulais vous demander quelque chose.

– Demandez, mon garçon, demandez…

– J'aurais voulu savoir ce que vous pouviez me dire des… des Horcruxes ?

Slughorn le regarda, ses doigts épais caressant machinalement le pied de son verre de vin.

– Vous faites une recherche pour le cours de défense contre les forces du Mal ?

Mais Slughorn – Harry le voyait bien – savait parfaitement qu'il ne pouvait s'agir d'un devoir.

– Pas vraiment, monsieur, répondit Jedusor. Je suis tombé sur ce mot dans un texte que je lisais et je ne l'ai pas totalement compris.

– Non… bien sûr… Vous auriez beaucoup de mal à trouver à Poudlard un livre qui vous donne des détails sur les Horcruxes, Tom. C'est de la magie très noire, très très noire, déclara Slughorn.

– Mais vous savez sûrement tout sur le sujet, monsieur ? Un sorcier tel que vous… excusez-moi, peut-être que vous ne pouvez rien me dire… mais pour moi, il était évident que… si quelqu'un était capable de m'en parler, ce serait forcément vous… Voilà pourquoi j'ai pensé à vous demander…

C'était fait à merveille, songea Harry, l'hésitation, le ton dégagé, la flatterie mesurée, tout était très bien dosé. Lui-même avait trop souvent dû user d'artifices afin d'arracher à des personnes réticentes des informations utiles pour ne pas reconnaître un maître en la matière. Il voyait que Jedusor tenait absolument à obtenir une réponse à sa question. Peut-être préparait-il ce moment depuis des semaines.

– Eh bien, répondit Slughorn sans le regarder, en tripotant le ruban qui ornait sa boîte d'ananas confits, j'imagine que ça ne peut pas faire de mal si je vous donne une idée générale. Pour que vous compreniez simplement le sens du mot. Horcruxe est le terme qu'on utilise pour désigner un objet dans lequel une personne a dissimulé une partie de son âme.

– Je ne vois pas très bien le principe, dit Jedusor.

Sa voix était soigneusement contrôlée, mais Harry percevait son excitation.

– Il s'agit de séparer son âme en deux, reprit Slughorn, et d'en cacher une partie dans un objet, en dehors du corps. Ainsi, même si son corps est attaqué ou détruit, on ne peut pas mourir parce qu'un morceau de l'âme reste attaché à la vie terrestre sans avoir subi de dommage. Mais bien sûr, l'existence sous une telle forme…

Le visage de Slughorn s'affaissa et Harry se rappela les paroles qu'il avait entendues près de deux ans auparavant. « Je me suis senti arraché de mon corps, réduit à moins qu'un esprit, moins que le plus infime des fantômes... mais j'étais quand même vivant. »

– ... rares sont ceux qui en voudraient, Tom, très rares. La mort serait préférable.

La soif d'en savoir plus était à présent apparente sur le visage de Jedusor : il ne pouvait plus cacher son avidité.

– Comment fait-on pour séparer son âme en deux ?

– Eh bien, dit Slughorn, mal à l'aise, il faut comprendre que l'âme est censée rester entière et intacte. La diviser est une violation, quelque chose contre nature.

– Mais comment fait-on ?

– Par un acte maléfique – l'acte maléfique suprême. En commettant un meurtre. Tuer déchire l'âme. Le sorcier désireux de créer un Horcruxe tourne à son avantage cette destruction : il enferme la partie arrachée...

– Il l'enferme ? Mais comment...

– Il existe un sortilège, ne me demandez pas lequel, je ne le connais pas ! répliqua Slughorn en hochant la tête comme un vieil éléphant importuné par des moustiques. Est-ce que j'ai l'air de quelqu'un qui a essayé... est-ce que j'ai l'air d'un tueur ?

– Non, monsieur, bien sûr que non, s'empressa de répondre Jedusor. Je suis désolé... Je n'avais pas l'intention de vous offenser...

– Mais pas du tout, pas du tout, je ne suis pas offensé le moins du monde, assura Slughorn d'un ton bourru. Il est tout naturel d'éprouver de la curiosité pour un tel sujet... Les sorciers d'une certaine envergure ont toujours été attirés par ce genre de magie...

– Oui, monsieur, dit Jedusor. Ce que je ne comprends pas, cependant – il s'agit d'une simple curiosité de ma part – c'est... est-ce qu'un seul Horcruxe aurait beaucoup d'utilité ? Ne peut-on séparer son âme qu'une seule fois ? N'obtiendrait-on pas un meilleur résultat, une plus grande force, si l'on parvenait à diviser son âme en plusieurs morceaux ? Par exemple, le chiffre sept n'est-il pas celui qui possède la plus grande puissance magique, est-ce que sept...

– Par la barbe de Merlin, Tom ! glapit Slughorn. Sept ! N'est-il pas suffisamment horrible de penser qu'on peut tuer une seule personne ? Déchirer son âme est déjà une idée épouvantable... Alors, la déchirer en sept morceaux...

Slughorn paraissait profondément troublé, à présent. Il observait Jedusor comme s'il ne l'avait jamais vraiment vu auparavant et Harry se rendait compte qu'il regrettait de s'être laissé entraîner dans cette conversation.

– Bien entendu, marmonna-t-il, tout ce dont nous parlons est du domaine de la théorie, n'est-ce pas ? C'est une discussion académique...

– Oui, bien sûr, monsieur, répondit précipitamment Jedusor.

– Mais quand même, Tom... ne répétez pas ce que je vous ai dit... enfin, ce dont nous avons parlé. Ce serait mal vu si on apprenait que nous avons eu une conversation sur les Horcruxes. C'est un sujet tabou, à Poudlard, vous comprenez... Dumbledore est particulièrement féroce en la matière...

– Je n'en dirai pas un mot, monsieur, promit Jedusor.

Il sortit alors du bureau, mais Harry eut le temps d'entrevoir sur son visage la même exaltation sauvage qu'il avait manifestée en apprenant sa nature de sorcier, cette sorte de ravissement qui, loin d'accentuer la beauté de ses traits, leur enlevait d'une certaine manière un peu de leur humanité...

– Merci, Harry, murmura Dumbledore. Allons-y…

Lorsque Harry atterrit à nouveau dans le bureau, Dumbledore était déjà assis derrière sa table. Harry s'installa à son tour et attendit qu'il prenne la parole.

– Il y a longtemps que j'attendais ce témoignage, dit-il enfin. Il confirme la théorie sur laquelle j'ai travaillé, je sais désormais que j'ai eu raison, je sais aussi combien est long le chemin qui reste à parcourir…

Harry remarqua soudain que tous les anciens directeurs et directrices représentés dans les portraits accrochés aux murs s'étaient réveillés et écoutaient leur conversation. Un sorcier corpulent au nez rouge avait même un cornet acoustique dans l'oreille.

– Harry, reprit Dumbledore, je suis sûr que tu comprends la signification de ce que nous venons d'entendre. Au même âge que le tien aujourd'hui, à quelques mois près, Tom Jedusor faisait ce qu'il pouvait pour trouver le moyen de se rendre immortel.

– Et vous croyez qu'il a réussi, monsieur ? demanda Harry. Il a créé un Horcruxe ? C'est pour ça qu'il n'est pas mort quand il m'a attaqué ? Il avait un Horcruxe caché quelque part ? Un fragment de son âme était préservé ?

– Un fragment… ou davantage, dit Dumbledore. Tu as entendu Voldemort : ce qu'il voulait surtout apprendre d'Horace, c'était ce qui se passerait si on créait plus d'un Horcruxe, ce qui arriverait à un sorcier si résolu à échapper à la mort qu'il serait prêt à commettre de nombreux meurtres, à déchirer son âme à plusieurs reprises pour la conserver dans des Horcruxes dissimulés en différents lieux. Aucun livre n'aurait pu lui fournir cette information. Pour autant que je le sache – et, j'en suis sûr, pour autant que l'ait su

Voldemort –, aucun sorcier n'avait jamais séparé son âme en plus de deux parties.

Dumbledore s'interrompit un instant, rassemblant ses pensées, puis il poursuivit :

– Il y a quatre ans, j'ai eu ce que je considérais comme une preuve que Voldemort avait détaché un morceau de son âme.

– Où ? demanda Harry. Comment ?

– C'est toi qui me l'as fournie, Harry, répondit Dumbledore. Le journal intime, le journal de Jedusor, celui qui indiquait comment rouvrir la Chambre des Secrets.

– Je ne comprends pas, monsieur, dit Harry.

– Je n'ai pas vu le Jedusor qui est sorti de ce journal intime, mais ce que tu m'en as décrit constituait un phénomène dont je n'avais jamais été témoin. Un simple souvenir qui se serait mis à agir et à penser par lui-même ? Un simple souvenir consumant l'énergie vitale de la jeune fille entre les mains de laquelle il était tombé ? Non, c'était quelque chose de beaucoup plus redoutable qui habitait ce livre… Un morceau d'âme, j'en étais presque sûr. Ce journal intime était un Horcruxe. Mais cette conclusion soulevait autant de questions qu'elle apportait de réponses. Ce qui m'intriguait et m'alarmait le plus, c'était que le journal était conçu comme une arme autant qu'une sauvegarde.

– Je ne comprends toujours pas, répéta Harry.

– Eh bien, il fonctionnait comme est censé fonctionner un Horcruxe – en d'autres termes, le fragment d'âme qui y était caché se trouvait en sécurité et avait sans nul doute joué son rôle en empêchant la mort de son propriétaire. Mais il était évident que Jedusor souhaitait qu'on lise ce journal, il tenait à ce que cette part de son âme habite ou possède quelqu'un d'autre, afin que le monstre de Serpentard soit à nouveau libéré.

– Il ne voulait pas que ce travail considérable soit perdu, dit Harry. Il voulait qu'on sache qu'il était l'héritier de Serpentard parce qu'il ne pouvait s'en prévaloir à l'époque.

– Parfaitement exact, approuva Dumbledore avec un hochement de tête. Mais ne vois-tu pas, Harry, que s'il avait l'intention de faire passer, ou d'imposer, ce journal à un futur élève de Poudlard, cela signifiait qu'il attachait bien peu d'importance au précieux fragment de son âme qui s'y trouvait caché ? Comme l'a expliqué le professeur Slughorn, l'objectif d'un Horcruxe consiste à dissimuler une part de soi-même pour la conserver hors d'atteinte, et non pas à la mettre sous les yeux de quelqu'un d'autre en courant le risque qu'elle soit détruite – comme cela s'est d'ailleurs produit : ce fragment d'âme a été anéanti, tu t'en es chargé toi-même. Le peu de considération accordée par Voldemort à cet Horcruxe m'a semblé de très mauvais augure. Cela signifiait qu'il avait créé – ou qu'il avait l'intention de le faire – d'autres Horcruxes ; la perte de celui-ci ne lui était donc guère préjudiciable. Je ne voulais pas le croire, mais c'était la seule hypothèse logique. Tu m'as dit alors, deux ans plus tard, que la nuit où Voldemort a réintégré son corps, il a fait aux Mangemorts une déclaration très révélatrice et très alarmante : « Moi qui suis allé plus loin que quiconque sur le chemin qui mène à l'immortalité. » Ce sont les paroles que tu m'as rapportées. *« Plus loin que quiconque... »* Je pensais savoir ce que cela signifiait, même si les Mangemorts, eux, l'ignoraient. C'était une référence à ses Horcruxes. Ses Horcruxes au pluriel, Harry, ce dont aucun autre sorcier n'avait jamais disposé jusqu'alors, j'en suis convaincu.

Tout se tenait : Lord Voldemort semblait devenir de moins en moins humain à mesure que les années passaient et sa transformation ne pouvait s'expliquer à mes yeux que par la mutilation qu'avait subie son âme, au-delà des limites de ce qu'on appelle habituellement le royaume du Mal…

– Il a donc assassiné d'autres personnes pour qu'on ne puisse plus le tuer lui-même ? interrogea Harry. Pourquoi n'avoir pas plutôt fabriqué une pierre philosophale, ou en avoir volé une, s'il était tellement attiré par l'immortalité ?

– Nous savons qu'il a essayé il y a cinq ans, répondit Dumbledore. Mais il existe diverses raisons pour lesquelles je pense qu'une pierre philosophale aurait eu moins d'attrait que des Horcruxes aux yeux de Lord Voldemort. Certes, l'élixir de Longue Vie prolonge l'existence mais il doit être bu régulièrement si celui qui le possède veut maintenir son immortalité. Par conséquent, Voldemort aurait été entièrement dépendant de l'élixir et s'il en avait manqué, ou s'il avait été contaminé par un poison, ou encore si on lui avait volé la pierre, il serait mort comme n'importe quel autre homme. Souviens-toi que Voldemort aime agir seul. Je suis persuadé que l'idée de dépendre ne serait-ce que d'un élixir lui était intolérable. Bien entendu, il était prêt à en boire si cela avait pu le sortir de cet horrible semblant de vie auquel il était condamné après t'avoir attaqué mais il ne l'aurait fait que pour retrouver une existence corporelle. Par la suite, j'en suis certain, il aurait continué à se fier à ses Horcruxes : il n'aurait eu besoin de rien d'autre si seulement il avait pu reprendre forme humaine. Il était déjà immortel, comprends-tu… ou aussi proche qu'on puisse l'être de l'immortalité. Mais maintenant, Harry, armé de cette information, ce souvenir crucial que tu as réussi à nous procurer, nous sommes plus près que personne ne l'a jamais été du secret qui permettra d'éliminer Lord Voldemort. Tu l'as entendu, Harry : « N'obtiendrait-on pas un meilleur résultat, une plus grande force, si l'on parvenait à diviser son âme en plusieurs morceaux… Le chiffre sept n'est-il pas celui qui possède la plus grande puissance magique… » « *Le chiffre sept n'est-il pas celui qui possède la plus grande puissance magique.* » Oui, je crois que l'idée d'une âme séparée en sept parties séduirait beaucoup Lord Voldemort.

– Il a créé *sept* Horcruxes ? s'écria Harry, frappé d'horreur tandis que plusieurs des portraits accrochés aux murs exprimaient par des exclamations semblables leur effarement et leur indignation. Mais ils pourraient être n'importe où dans le monde, cachés, enterrés ou invisibles…

– Je suis content de voir que tu mesures l'ampleur du problème, dit Dumbledore avec calme. Mais d'abord, non, Harry, pas sept Horcruxes : six. La septième partie de son âme, bien que mutilée, réside dans son corps régénéré. C'est la part de lui-même qui a vécu une existence spectrale pendant de si nombreuses années au cours de son exil. Sans cela, il n'existerait plus en tant que personne. Cette septième parcelle de son âme sera celle que devra attaquer en dernier quiconque souhaite tuer Voldemort – la partie qui se trouve dans son corps.

– Mais ces six Horcruxes, alors, dit Harry, gagné par le désespoir, comment allons-nous les trouver ?

– Tu oublies… Tu en as déjà détruit un. Et j'en ai détruit un autre.

– Vous ? s'exclama Harry, impatient de savoir.

– Oui, répondit Dumbledore.

Il leva sa main noircie, brûlée.

– La bague, Harry. La bague de Gaunt. Elle contenait

aussi un terrible maléfice. Pardonne-moi mon manque apparent de modestie mais, sans mes prodigieux pouvoirs et sans l'action opportune du professeur Rogue lorsque je suis revenu à Poudlard, très gravement blessé, je ne serais peut-être plus là pour te raconter cette histoire. Une main desséchée ne semble pas toutefois un prix trop élevé à payer en échange d'un septième de l'âme de Voldemort. La bague n'est plus un Horcruxe.

– Mais comment l'avez-vous trouvée ?

– Eh bien, comme tu le sais maintenant, je me suis appliqué pendant de nombreuses années à découvrir tout ce que je pouvais sur la vie passée de Lord Voldemort. J'ai beaucoup voyagé pour me rendre dans les endroits qu'il a connus et je suis tombé sur la bague en fouillant les ruines de la maison des Gaunt. Il semble que Voldemort, après avoir réussi à y cacher une partie de son âme, n'ait plus voulu la porter. Il l'a donc dissimulée, protégée par de nombreux enchantements, dans la masure où ses ancêtres avaient autrefois vécu (Morfin, bien sûr, ayant été envoyé à Azkaban), sans se douter que je pourrais un jour prendre la peine de visiter cette ruine, ou de chercher les indices d'une cachette magique. Nous ne devons pas pourtant nous féliciter trop chaleureusement. Tu as détruit le journal intime et moi la bague, mais si nous avons vu juste dans notre théorie d'une âme divisée en sept, il reste quatre Horcruxes.

– Et ce pourrait être n'importe quoi ? interrogea Harry. De vieilles boîtes de conserve ou... je ne sais pas, des flacons de potion vides ?

– Tu penses aux Portoloins qui doivent être des objets ordinaires, choisis pour ne pas attirer l'attention. Mais Lord Voldemort, utiliser des boîtes de conserve ou des flacons vides pour enfermer sa précieuse âme ? Tu oublies ce que je t'ai montré. Il aimait rassembler des trophées et il préférait les objets chargés d'un passé de puissante magie. Son orgueil, sa foi en sa propre supériorité, sa détermination à se tailler une place exceptionnelle dans l'histoire de la magie, tout cela me laisse penser que Voldemort a dû sélectionner ses Horcruxes avec beaucoup de soin, privilégiant des objets dignes d'un tel honneur.

– Le journal intime n'avait rien de spécial.

– Ce journal, comme tu l'as dit toi-même, apportait la preuve qu'il était l'héritier de Serpentard. Je suis convaincu que, aux yeux de Voldemort, il avait une prodigieuse importance.

– Et vous pensez savoir ce que sont les autres Horcruxes, monsieur ? demanda Harry.

– Je ne peux que deviner, répondit Dumbledore. Pour les raisons que j'ai exposées, je crois que Voldemort devait préférer des objets qui possèdent en eux-mêmes une certaine grandeur. J'ai par conséquent mené des recherches dans son passé en espérant découvrir des indications que de tels objets avaient disparu autour de lui.

– Le médaillon ! s'écria soudain Harry. La coupe de Poufsouffle !

– Oui, approuva Dumbledore avec un sourire. Je serais prêt à mettre mon autre main au feu – enfin, disons deux doigts – qu'ils sont devenus les Horcruxes numéro trois et quatre. Les deux derniers, en admettant encore une fois qu'il en ait créé six au total, posent un plus grand problème mais je me risquerai à supposer qu'après avoir obtenu des objets de Serpentard et de Poufsouffle, il s'est mis en quête d'en trouver qui aient appartenu à Gryffondor ou à Serdaigle. Quatre objets, venant chacun d'un des fondateurs de Poudlard, auraient exercé, j'en suis sûr, une très puissante attirance sur l'imagination de Voldemort. Je ne sais pas s'il a jamais réussi à se procurer quelque chose qui ait été en possession de Serdaigle mais je suis certain que la seule relique connue de Gryffondor demeure en sûreté.

Dumbledore désigna de ses doigts noircis le mur derrière lui. Dans une vitrine reposait une épée incrustée de rubis.

– Pensez-vous que c'était la raison pour laquelle il tenait tant à revenir à Poudlard, monsieur ? demanda Harry. Pour essayer de trouver des objets issus des autres fondateurs ?

– Je le pense, en effet. Malheureusement, cela ne nous avance guère car il a été éconduit sans avoir eu l'occasion – c'est du moins ce que je crois – de fouiller l'école. Je suis forcé d'en conclure qu'il n'a jamais réalisé son ambition de rassembler quatre objets possédés autrefois par les fondateurs. Il en a obtenu deux, sans aucun doute – peut-être même en a-t-il trouvé trois –, mais on ne peut rien savoir de plus pour l'instant.

– Même s'il en a eu un de Serdaigle ou de Gryffondor, il reste un sixième Horcruxe, dit Harry en comptant sur ses doigts. A moins que, finalement, il en ait eu un de chaque ?

– Je ne le pense pas, répondit Dumbledore. Je crois savoir ce qu'est le sixième Horcruxe. Je me demande ce que tu vas dire quand je t'avouerai que je m'intéresse depuis un certain temps au comportement de ce serpent, Nagini.

– Le serpent ? s'étonna Harry. On peut se servir d'un animal comme Horcruxe ?

– Ce n'est pas conseillé car confier une partie de son âme à un être capable de penser et de se déplacer par lui-même présente bien évidemment un grand risque. Mais si mes calculs sont exacts, il manquait toujours à Voldemort un Horcruxe pour arriver au nombre de six lorsqu'il est entré dans la maison de tes parents avec l'intention de te tuer. Il semble avoir réservé à la création de ses Horcruxes des victimes dont la mort avait une signification particulière. Tu aurais certainement été l'une d'elles. Il croyait qu'en te tuant, il allait supprimer le danger que la prophétie annonçait. Il pensait qu'il allait se rendre invincible. Je suis persuadé que c'est par ta mort qu'il avait l'intention de créer son dernier Horcruxe. Comme nous le savons, il a échoué. Au bout d'un certain nombre d'années, cependant, il s'est servi de Nagini pour tuer un vieux Moldu et il lui est peut-être venu à l'idée à ce moment-là de faire du serpent son dernier Horcruxe. L'animal soulignait le lien avec Serpentard, ce qui ne pouvait que renforcer la mystique de Lord Voldemort. Je ne serais pas étonné qu'il lui porte une affection plus grande qu'à n'importe qui d'autre. Il aime le garder à ses côtés et exerce sur lui un contrôle inhabituel, même pour un Fourchelang.

– Donc, reprit Harry, le journal intime n'existe plus, la bague n'existe plus. La coupe, le médaillon et le serpent sont toujours intacts et vous pensez qu'il pourrait exister un Horcruxe qui ait appartenu un jour à Serdaigle ou à Gryffondor.

– Voilà un résumé admirable de concision et d'exactitude, dit Dumbledore en inclinant la tête.

– Et... vous les cherchez toujours, monsieur ? C'est pour essayer de les trouver que vous vous absentez de l'école ?

– Exact, admit Dumbledore, je les cherche depuis très

longtemps. Je pense… peut-être… être sur le point d'en découvrir un autre. Il y a des signes encourageants.

– Si vous y arrivez, est-ce que je pourrai venir avec vous et vous aider à vous en débarrasser ? demanda précipitamment Harry.

Dumbledore le fixa d'un regard intense avant de répondre :

– Oui, je pense.

– Vraiment ? dit Harry, proprement stupéfait.

– Oui, assura Dumbledore en esquissant un sourire. Il me semble que tu as gagné ce droit.

Harry sentit son cœur devenir plus léger. C'était un grand plaisir d'entendre parler pour une fois d'autre chose que de prudence et de sécurité. Tout autour de la pièce, les anciens directeurs et directrices paraissaient moins favorablement impressionnés par la décision de Dumbledore. Harry en vit quelques-uns hocher la tête et Phineas Nigellus renifla d'un air dédaigneux.

– Est-ce que Voldemort le sait lorsqu'un Horcruxe est détruit ? Peut-il le sentir ? interrogea Harry, indifférent aux portraits.

– Une question très intéressante, Harry. Je ne le crois pas. A mon avis, Voldemort est à présent si profondément immergé dans le mal, et ces fragments essentiels de son être depuis si longtemps détachés de lui, qu'il n'a plus la même sensibilité que nous. Peut-être qu'à l'article de la mort, il prendrait conscience de sa perte… Mais il n'a pas su par exemple que le journal intime était détruit jusqu'à ce qu'il oblige Lucius Malefoy à lui révéler la vérité. Lorsque Voldemort a appris que le journal avait été mutilé et privé de tous ses pouvoirs, j'ai entendu dire qu'il était entré dans une terrible colère.

– Mais je croyais qu'il voulait que Lucius Malefoy introduise le journal à Poudlard ?

– Oui, il y a des années, quand il était sûr de pouvoir créer d'autres Horcruxes mais Lucius devait quand même attendre son feu vert. Or, il ne l'a jamais eu, car Voldemort a disparu peu après lui avoir confié le journal. Sans doute avait-il cru que Lucius conserverait soigneusement l'Horcruxe sans oser en faire usage mais c'était trop compter sur la crainte que pouvait inspirer un maître disparu depuis des années et que Lucius croyait mort. Bien entendu, ce dernier ne connaissait pas la véritable nature du journal. Voldemort lui avait dit, j'imagine, qu'il provoquerait la réouverture de la Chambre des Secrets grâce aux habiles sortilèges dont il était doté. Si Lucius avait su qu'il détenait entre ses mains une portion de l'âme de son maître, il l'aurait très certainement traité avec infiniment plus de révérence – mais au lieu de cela, il s'en est tenu au plan d'origine, à seule fin de servir ses propres objectifs : en donnant à son insu le journal à la fille d'Arthur Weasley, il espérait tout à la fois discréditer Arthur, me faire renvoyer de Poudlard et se débarrasser d'un objet hautement compromettant. Pauvre Lucius... Après la colère de Voldemort, furieux qu'il ait gâché un Horcruxe pour son propre bénéfice, et le fiasco du ministère l'année dernière, je ne serais pas étonné qu'il soit secrètement content d'être en sécurité à Azkaban pour le moment.

Harry resta songeur un instant, puis il demanda :

– Donc, si tous ses Horcruxes étaient détruits, il serait *possible* de tuer Voldemort ?

– Je le crois, répondit Dumbledore. Sans ses Horcruxes, Voldemort ne sera plus qu'un homme mortel avec une âme mutilée, diminuée. N'oublie jamais, cependant, que même si son âme est à jamais dénaturée, son cerveau et sa puissance magique restent intacts. Il faudra une habileté et un pouvoir hors du commun pour parvenir à tuer un sorcier tel que Voldemort, même privé de ses Horcruxes.

– Mais je n'ai pas une habileté et un pouvoir hors du commun, dit Harry, avant d'avoir pu s'en empêcher.

– Si, tu les as, répliqua Dumbledore avec fermeté. Tu possèdes un pouvoir qui a toujours manqué à Voldemort. Le pouvoir de...

– Je sais, l'interrompit Harry, agacé. Le pouvoir d'aimer !

Il eut beaucoup de mal à ne pas ajouter : « Et alors ? »

– Oui, tu es capable d'aimer, reprit Dumbledore qui avait l'air de savoir parfaitement ce que Harry s'était retenu de dire. Et compte tenu de tout ce qui t'est arrivé, c'est une chose merveilleuse et remarquable. Tu es encore trop jeune pour comprendre à quel point tu es exceptionnel, Harry.

– Alors, quand la prophétie dit que j'aurai « un pouvoir que le Seigneur des Ténèbres ignore », cela signifie simplement... l'amour ? interrogea Harry, un peu déçu.

– Oui... simplement l'amour, répéta Dumbledore. Mais, ne l'oublie jamais, Harry, ce que dit la prophétie n'a de sens que parce que Voldemort lui en a donné un. Je te l'ai expliqué à la fin de l'année dernière. Voldemort t'a désigné comme son ennemi le plus dangereux – et c'est ainsi qu'il a véritablement *fait* de toi le plus grand danger qui le menace !

– Mais cela revient au même...

– Pas du tout ! coupa Dumbledore, qui semblait à présent irrité.

Pointant l'index de sa main desséchée sur Harry, il poursuivit :

– Tu accordes trop d'importance à la prophétie !

– Mais, balbutia Harry, vous m'avez dit vous-même que la prophétie signifie...

– Si Voldemort n'en avait jamais entendu parler, se serait-elle accomplie ? Aurait-elle eu un sens ? Bien sûr que non ! Crois-tu que chaque prophétie contenue dans la salle du ministère a été réalisée ?

– Mais, répéta Harry, décontenancé, l'année dernière, vous avez dit que l'un de nous deux devrait tuer l'autre...

– Harry, Harry, simplement parce que Voldemort a commis une grave erreur et a agi en fonction des paroles du professeur Trelawney ! S'il n'avait pas assassiné ton père, t'aurait-il inspiré un furieux désir de vengeance ? Bien sûr que non ! S'il n'avait pas obligé ta mère à mourir pour toi, t'aurait-il donné une protection magique qu'il ne pouvait pénétrer ? Bien sûr que non, Harry ! Tu ne comprends donc pas ? Voldemort s'est créé lui-même son pire ennemi comme le font toujours les tyrans partout dans le monde ! Sais-tu à quel point ces tyrans craignent les peuples qu'ils oppressent ? Chacun d'eux sait très bien qu'un jour, parmi ses nombreuses victimes, il y en aura forcément une qui se lèvera et frappera à son tour ! Voldemort n'est pas différent ! Il a toujours guetté celui qui le défierait. Dès qu'il a connu la prophétie, il est aussitôt passé à l'action et le résultat, c'est que non seulement il a choisi l'homme le plus susceptible de le vaincre mais qu'il lui a également fourni les armes les plus mortelles qui soient !

– Mais...

– Il est essentiel que tu saches cela ! insista Dumbledore.

Il se leva et fit les cent pas dans la pièce, sa robe chatoyante virevoltant dans son sillage. Harry ne l'avait jamais vu aussi agité.

– En essayant de te tuer, Voldemort a distingué la personne remarquable qui est assise devant moi et lui a fourni les instruments pour mener à bien sa tâche ! C'est la faute de Voldemort si tu as été capable de lire dans ses pensées, de connaître ses ambitions, et même de comprendre le langage des serpents dans lequel il donne ses ordres. Pourtant, Harry, en dépit de ce privilège que tu as eu de pénétrer dans son monde (et que, soit dit en passant, n'importe quel Mangemort serait prêt à tuer pour posséder), tu n'as jamais été séduit par les forces du Mal, jamais, pas même l'espace d'une seconde, tu n'as manifesté le moindre désir de devenir l'un des partisans de Voldemort !

– Bien sûr que non ! s'exclama Harry, indigné. Il a tué ma mère et mon père !

– Bref, tu es protégé par ta capacité à aimer ! dit Dumbledore avec force. La seule protection qui soit efficace contre la séduction d'un pouvoir tel que celui de Voldemort ! Malgré toutes les tentations que tu as endurées, malgré toutes tes souffrances, tu as gardé un cœur pur, aussi pur que lorsque tu avais onze ans et que tu contemplais un miroir qui reflétait tes désirs les plus profonds ; tu n'y as vu alors que le moyen de lutter contre Lord Voldemort et non pas l'immortalité ou la richesse. Harry, sais-tu combien sont rares les sorciers capables de voir ce que tu as vu dans ce miroir ? Voldemort aurait dû savoir à qui il avait affaire, mais il en a été incapable ! A présent, il sait. Tu t'es glissé dans son esprit sans dommage pour toi-même mais lui ne peut te posséder sans subir une mortelle souffrance, comme il l'a découvert au ministère. Je ne pense pas qu'il en connaisse la raison,

Harry, mais dans sa hâte de mutiler sa propre âme, il n'a jamais pris le temps de comprendre le pouvoir incomparable que possède une âme entière et sans tache.

– Mais, monsieur, répondit Harry, en faisant de louables efforts pour ne pas avoir l'air de le contredire. Tout ça revient à la même chose, non ? Je dois essayer de le tuer, sinon...

– Tu dois ? dit Dumbledore. Bien sûr que tu le dois ! Mais pas à cause de la prophétie ! Tu le dois parce que toi, toi-même, tu ne pourras vivre en paix tant que tu n'auras pas essayé ! Nous le savons tous les deux ! Imagine, s'il te plaît, rien qu'un instant, que tu n'aies jamais entendu la prophétie ! Quels seraient tes sentiments à l'égard de Voldemort, à présent ? Penses-y !

Harry regarda Dumbledore arpenter le bureau et réfléchit. Il songea à sa mère, à son père et à Sirius. Il songea à Cedric Diggory. Il songea à tous les terribles méfaits commis par Voldemort. Une flamme sembla alors jaillir dans sa poitrine et lui dessécher la gorge.

– Je voudrais qu'on le tue, dit Harry à voix basse. Et je voudrais m'en charger moi-même.

– Bien sûr que tu le voudrais ! s'écria Dumbledore. Vois-tu, la prophétie ne signifie pas que tu *doives* faire quelque chose ! Mais c'est elle qui a amené Lord Voldemort à te *marquer comme son égal*... Autrement dit, tu es libre de choisir ta voie, libre de tourner le dos à la prophétie ! Mais Voldemort, lui, continuera à s'y tenir. Il continuera à te traquer... Et donc, inévitablement...

– L'un de nous deux finira par tuer l'autre, acheva Harry. Oui.

Il comprenait enfin ce que Dumbledore avait essayé de lui expliquer. C'était, pensa-t-il, la différence entre être traîné dans l'arène pour livrer un combat à mort et entrer dans cette même arène la tête haute. Certains diraient peut-être qu'entre les deux voies, le choix était limité, mais Dumbledore savait – « et moi aussi, songea Harry, avec un orgueil féroce, et mes parents aussi » – qu'on ne pouvait imaginer plus grande différence.

24
SECTUMSEMPRA

Épuisé mais enchanté du travail accompli au cours de la nuit, Harry, pendant le cours de sortilèges du lendemain matin, raconta tout ce qui s'était passé à Ron et à Hermione (après avoir pris la précaution de jeter le sort d'Assurdiato sur leurs voisins les plus proches). Ils furent à la fois très impressionnés – à sa grande satisfaction – par la façon dont il avait réussi à arracher son souvenir à Slughorn et positivement effrayés par ses révélations sur les Horcruxes de Voldemort et la promesse de Dumbledore d'emmener Harry avec lui s'il en découvrait un nouveau.

– Wouaoh ! dit Ron lorsque Harry eut enfin terminé son récit.

Il agitait distraitement sa baguette en direction du plafond sans accorder la moindre attention à son geste.

– Wouaoh, répéta-t-il, tu vas vraiment accompagner Dumbledore... et essayer de détruire... wouaoh...

– Ron, tu fais tomber de la neige, signala Hermione d'une voix patiente.

Elle lui saisit le poignet et détourna sa baguette du plafond d'où de gros flocons blancs avaient en effet commencé à tomber. Harry remarqua que Lavande Brown, les yeux très rouges, lançait d'une table voisine des regards flamboyants à Hermione qui lâcha aussitôt le bras de Ron.

– Ah, oui, tiens, remarqua Ron, vaguement surpris, en regardant ses épaules. Désolé... On dirait d'horribles pellicules...

Il enleva la fausse neige de l'épaule d'Hermione et Lavande fondit en larmes. L'air infiniment coupable, Ron lui tourna le dos.

– On a rompu, murmura-t-il à Harry du coin des lèvres. Hier soir. Quand elle m'a vu sortir du dortoir avec Hermione. Bien entendu, toi, elle ne pouvait pas te voir, elle a donc cru qu'on était seulement tous les deux.

– Ah, répondit Harry. Bah, tu t'en fiches que ce soit fini, non ?

– Oui, admit Ron. C'était assez pénible quand elle a commencé à crier, mais au moins ce n'est pas moi qui ai été obligé de la quitter.

– Trouillard, lança Hermione, tout en paraissant amusée. D'une manière générale, la soirée n'a pas été très bonne pour les histoires d'amour. Ginny et Dean se sont séparés aussi, Harry.

Il lui sembla qu'elle avait un petit air entendu en lui disant cela mais elle ne pouvait quand même pas deviner que ses entrailles s'étaient mises à danser la conga. Gardant un visage imperturbable et un ton aussi indifférent que possible, il demanda :

– Comment ça se fait ?

– Oh, une histoire vraiment bête... Elle a dit qu'il essayait toujours de l'aider à passer par le trou du portrait comme si elle n'était pas capable de se débrouiller toute seule… Mais il y a longtemps qu'ils ne s'entendaient plus très bien.

Harry jeta un coup d'œil vers Dean, assis à l'autre bout de la classe. En effet, il n'avait pas l'air très heureux.

– Bien sûr, ça te met dans une situation un peu délicate, reprit Hermione.

– Qu'est-ce que tu veux dire ? demanda précipitamment Harry.

– L'équipe de Quidditch, répondit Hermione. Si Ginny et Dean ne se parlent plus.

– Ah… Ah oui.

– Attention, voilà Flitwick, les prévint Ron.

Le minuscule maître des sortilèges se dirigeait vers eux d'une démarche sautillante. Hermione était la seule à avoir réussi à changer son vinaigre en vin. Sa flasque de verre était remplie d'un liquide rouge sombre tandis que celles de Harry et de Ron avaient toujours la même couleur terreuse.

– Allons, allons, les garçons, dit le professeur Flitwick de sa voix flûtée, le ton réprobateur. Si vous parliez un peu moins et si vous agissiez un peu plus… Montrez-moi donc ce que vous savez faire.

Tous deux levèrent leurs baguettes en se concentrant de toutes leurs forces et les pointèrent sur leurs flasques. Le vinaigre de Harry se changea en glace, celui de Ron explosa.

– Bien… alors, comme devoirs…, reprit le professeur Flitwick qui sortit de sous la table en enlevant les éclats de verre plantés dans son chapeau, vous devrez *pratiquer cet exercice*.

Après le cours, ils disposaient d'une de leurs rares périodes communes de temps libre et ils retournèrent ensemble dans la tour de Gryffondor. Ron paraissait ravi d'avoir mis fin à sa liaison avec Lavande. Hermione aussi avait l'air joyeux, mais quand on lui demandait ce qui la faisait sourire ainsi, elle se contentait de répondre : « C'est une belle journée. » Ni l'un ni l'autre ne semblait avoir remarqué qu'un féroce combat s'était engagé dans l'esprit de Harry.

C'est la sœur de Ron.

Mais elle a laissé tomber Dean !

Elle reste la sœur de Ron.

Je suis son meilleur ami !

Ce serait encore pire.

Si je lui parle d'abord.

Il te casserait la figure.

Et si je m'en fiche ?

C'est ton meilleur ami !

Harry remarqua à peine qu'ils franchissaient le trou du portrait pour entrer dans la salle commune ensoleillée et il ne vit que très vaguement le petit groupe d'élèves de septième année qui s'y étaient rassemblés, jusqu'à ce qu'Hermione s'écrie :

– Katie ! Tu es revenue ! Comment ça va ?

Harry regarda plus attentivement : c'était bien Katie Bell, qui paraissait en pleine forme, entourée de ses amis ravis de la revoir.

– Je vais très bien ! assura-t-elle d'un ton enjoué. Ils m'ont laissée sortir de Ste Mangouste lundi, j'ai passé deux jours avec mes parents et je suis revenue ici ce matin. Leanne était en train de me raconter ce qui s'est passé avec McLaggen pendant le dernier match, Harry…

– Eh oui, dit-il, mais maintenant, tu es de retour et Ron est guéri, nous avons donc une bonne chance d'écraser

Serdaigle, ce qui signifie que nous pouvons encore nous battre pour la coupe. Écoute, Katie…

Il fallait qu'il lui pose la question tout de suite. Sa curiosité chassa même provisoirement Ginny de ses pensées. Il baissa la voix pendant que les amis de Katie préparaient leurs affaires. Apparemment, ils étaient en retard pour le cours de métamorphose.

– Ce collier… tu te souviens, maintenant, qui te l'a donné ?

– Non, répondit Katie en hochant la tête avec tristesse. Tout le monde me le demande mais je n'en ai aucune idée. La seule chose dont je me souvienne, c'est d'être entrée dans les toilettes des Trois Balais.

– Alors, tu es vraiment allée aux toilettes ? interrogea Hermione.

– Je sais en tout cas que j'ai poussé la porte, dit Katie, je pense donc que la personne qui m'a soumise à l'Imperium devait se trouver juste derrière. Après, mes seuls souvenirs remontent à quinze jours, quand j'étais à Ste Mangouste. Écoute, il faut que j'y aille. McGonagall est bien capable de me donner des lignes à copier même le jour de mon retour…

Elle prit son sac et ses livres et se dépêcha de suivre ses amis, laissant Harry, Ron et Hermione, assis à une table près de la fenêtre, réfléchir à ce qu'elle venait de leur dire.

– C'est sûrement une fille, ou une femme, qui a donné le collier à Katie, fit remarquer Hermione, si ça s'est passé dans les toilettes des dames.

– Ou quelqu'un qui avait l'apparence d'une fille ou d'une femme, ajouta Harry. N'oublie pas qu'il y avait un chaudron plein de Polynectar à l'école. On sait qu'une certaine quantité en a été volée…

Dans sa tête, il vit passer tout un défilé de Crabbe et de Goyle qui paradaient, habillés en filles.

– Je crois que je vais prendre une autre gorgée de Felix, dit Harry, et essayer encore une fois d'entrer dans la Salle sur Demande.

– Ce serait gaspiller la potion, répliqua Hermione d'un ton catégorique en posant l'exemplaire du *Syllabaire Lunerousse* qu'elle venait de prendre dans son sac. La chance a des limites, Harry. Avec Slughorn, la situation était différente, tu avais toujours la possibilité de le convaincre, il fallait simplement aider un peu les circonstances. Mais la chance ne suffirait pas à neutraliser un puissant enchantement. Ne perds pas le reste de ta potion ! Tu auras besoin de toute la chance dont tu peux disposer si Dumbledore t'emmène avec lui…

Sa voix n'était plus qu'un murmure.

– On ne pourrait pas en fabriquer nous-mêmes ? demanda Ron à Harry, sans écouter Hermione. Ce serait formidable d'en avoir une provision… Regarde un peu dans le livre…

Harry prit dans son sac son *Manuel avancé de préparation des potions* et consulta le chapitre « Felix Felicis ».

– Houlà, c'est très compliqué, dit-il en parcourant la liste des ingrédients. Et ça prend six mois… Il faut laisser mijoter…

– Ça ne m'étonne pas, soupira Ron.

Harry était sur le point de ranger son livre quand il remarqua une page cornée. Il regarda à cet endroit et vit le sortilège de Sectumsempra « Contre les ennemis », qu'il avait repéré quelques semaines auparavant. Il n'en connaissait toujours pas les effets, principalement parce qu'il n'osait pas l'essayer lorsqu'Hermione se trouvait à proximité, mais il envisageait d'en faire usage contre McLaggen la prochaine fois qu'il arriverait derrière lui à son insu.

La seule personne qui n'était pas particulièrement ravie de voir revenir Katie Bell était Dean Thomas car on n'avait plus besoin de lui pour la remplacer comme poursuiveur. Il prit la nouvelle stoïquement lorsque Harry la lui annonça, se contentant de grogner et de hausser les épaules, mais quand Harry s'éloigna, il eut la très nette impression que Dean et Seamus marmonnaient derrière son dos sur le ton de la révolte.

Au cours des quinze jours suivants, les séances d'entraînement furent les meilleures que Harry ait connues depuis qu'il était capitaine. Ses joueurs étaient si contents d'être débarrassés de McLaggen et d'avoir vu revenir Katie qu'ils volaient merveilleusement bien.

Ginny ne semblait pas du tout chagrinée de sa séparation d'avec Dean. Au contraire, elle était l'âme et la vie de l'équipe. Ses imitations de Ron sautillant devant ses buts à l'approche du Souafle ou de Harry hurlant des ordres à McLaggen avant de se faire assommer provoquaient l'hilarité générale. Harry, qui riait avec les autres, était content d'avoir une innocente raison de regarder Ginny. Au cours des entraînements, il avait encore été blessé à plusieurs reprises par des Cognards pour avoir lâché le Vif d'or des yeux.

La bataille continuait de faire rage dans sa tête : Ginny ou Ron ? Parfois, il se disait qu'après son aventure avec Lavande, Ron ne se formaliserait pas s'il demandait à Ginny de sortir avec lui. Mais Harry se rappelait alors l'expression de son visage lorsqu'il l'avait vue embrasser Dean et il était convaincu que le simple fait de prendre la main de Ginny lui apparaîtrait comme une ignoble trahison…

Harry ne pouvait s'empêcher pour autant de parler à Ginny, de rire avec elle, de la raccompagner à la fin des séances d'entraînement. Malgré ses cas de conscience, il cherchait toujours le meilleur moyen de se retrouver seul en sa compagnie : l'idéal aurait été que Slughorn donne d'autres petites soirées, car Ron n'aurait pas été présent. Malheureusement, Slughorn semblait avoir abandonné cette pratique. Une ou deux fois, Harry avait envisagé de demander l'aide d'Hermione, mais il n'aurait pu supporter son petit air suffisant, celui-là même qu'il remarquait parfois lorsqu'Hermione le voyait contempler Ginny ou rire à ses plaisanteries. Pour compliquer les choses, l'idée le hantait que si lui-même ne le faisait pas, quelqu'un d'autre allait bientôt demander à Ginny de sortir avec lui : Ron et Harry étaient au moins d'accord sur le fait qu'il n'était pas très bon pour elle d'avoir autant de succès.

La tentation d'avaler une autre gorgée de Felix Felicis grandissait chaque jour ; n'était-ce pas le moment, pour reprendre la formule d'Hermione, d'« aider un peu les circonstances » ? Au cours des belles journées de printemps qui s'écoulèrent en douceur au long du mois de mai, Ron se trouvait toujours à côté de Harry chaque fois qu'il voyait Ginny. Harry aurait bien aimé que, par un brusque coup de chance, Ron se rende soudain compte que son plus grand bonheur serait de voir sa sœur et son meilleur ami tomber amoureux l'un de l'autre et qu'il les laisse alors seuls plus de quelques secondes. Mais, apparemment, l'approche du dernier match de Quidditch de la saison interdisait tout espoir à ce sujet car Ron voulait sans cesse lui parler de tactique de jeu et ne pensait pas à grand-chose d'autre.

Ron n'était pas seul dans ce cas. Toute l'école manifestait

le plus vif intérêt pour le match Gryffondor-Serdaigle : la rencontre, en effet, déciderait de l'issue du championnat qui restait largement ouvert. Si Gryffondor l'emportait sur Serdaigle avec trois cents points d'avance (c'était beaucoup demander mais Harry n'avait jamais vu son équipe jouer aussi bien), ils seraient les vainqueurs du championnat. S'ils gagnaient avec moins de trois cents points d'avance, ils arriveraient deuxièmes derrière Serdaigle, s'ils perdaient de cent points, ils seraient troisièmes derrière Poufsouffle et s'ils perdaient de plus de cent points, ils seraient quatrièmes. Personne alors, songea Harry, ne le laisserait jamais oublier qu'il avait été capitaine de l'équipe lorsque Gryffondor était tombé au dernier rang pour la première fois depuis deux siècles.

Dans la période qui précéda le match crucial, les incidents habituels se multiplièrent : des élèves de maisons rivales essayaient d'intimider les équipes adverses dans les couloirs ; des slogans désobligeants dirigés contre certains joueurs en particulier étaient scandés à pleins poumons sur leur passage ; les joueurs eux-mêmes se pavanaient, ravis de l'attention qu'on leur portait, ou au contraire se précipitaient dans les toilettes entre deux cours pour aller vomir. D'une certaine manière, l'issue du match était devenue inextricablement liée dans l'esprit de Harry au succès ou à l'échec de ses projets avec Ginny. Il avait l'impression que s'ils gagnaient avec plus de trois cents points d'avance, les scènes d'euphorie et la fête bruyante qui s'ensuivraient auraient autant d'effet qu'une bonne gorgée de Felix Felicis.

Parmi toutes ses préoccupations, Harry n'oubliait pas son autre ambition : découvrir ce que fabriquait Malefoy dans la Salle sur Demande. Il consultait toujours la carte du

Maraudeur et comme il arrivait souvent que Malefoy n'y figure pas, il en concluait qu'il passait encore beaucoup de temps dans la salle. Bien que Harry perdît peu à peu espoir de jamais pouvoir y pénétrer, il essayait quand même chaque fois qu'il se trouvait à proximité. Mais quelle que soit la forme sous laquelle il formulait sa demande, aucune porte n'apparaissait dans le mur nu.

Quelques jours avant le match contre Serdaigle, Harry descendit dîner seul en sortant de la salle commune, Ron s'étant rué dans les toilettes les plus proches pour y vomir une nouvelle fois, et Hermione ayant couru voir le professeur Vector au sujet d'une erreur qu'elle pensait avoir commise dans son dernier devoir d'arithmancie. Plus par habitude qu'autre chose, Harry fit son habituel détour dans le couloir du septième étage, examinant en chemin la carte du Maraudeur. Pendant un moment, il ne put trouver Malefoy nulle part et pensa qu'il était à nouveau dans la Salle sur Demande, mais le point minuscule qui le représentait apparut soudain dans des toilettes de l'étage au-dessous, en compagnie non pas de Crabbe ou de Goyle mais de Mimi Geignarde.

Harry garda les yeux fixés sur ce couple inattendu jusqu'à ce qu'il heurte une armure de plein fouet. Le fracas métallique le tira de sa rêverie. Se hâtant de quitter les lieux avant que Rusard n'apparaisse, il descendit quatre à quatre l'escalier de marbre et courut le long du couloir, à l'étage inférieur. Parvenu devant les toilettes, il colla son oreille contre la porte mais n'entendit rien. Il entra alors en silence.

A l'intérieur, Drago Malefoy lui tournait le dos, cramponné des deux mains au lavabo, sa tête aux cheveux d'un blond presque blanc penchée en avant.

– Non, calme-toi, dit la voix chantante de Mimi

Geignarde qui s'élevait de l'une des cabines. Calme-toi... Dis-moi ce qui ne va pas... Je peux t'aider...

– Personne ne peut m'aider, répondit Malefoy, le corps tremblant. Je n'y arrive pas... C'est impossible... Ça ne marchera pas... Et si je n'y parviens pas bientôt... Il a dit qu'il me tuerait...

Avec un choc si considérable qu'il en fut cloué sur place, Harry comprit alors que Malefoy pleurait – pleurait vraiment –, des larmes coulant de son visage blême dans le lavabo malpropre. Malefoy sanglota, renifla puis, parcouru d'un grand frisson, regarda dans le miroir craquelé et vit par-dessus son épaule Harry qui le regardait.

Il fit aussitôt volte-face en sortant sa baguette. Instinctivement, Harry saisit la sienne. Le sortilège de Malefoy manqua Harry de quelques centimètres, fracassant la lampe accrochée au mur, tout près de lui. Harry se jeta de côté, pensa : « *Levicorpus !* », sa baguette brandie, mais Malefoy bloqua le maléfice et leva la main pour en envoyer un nouveau...

– Non ! Non ! Arrêtez ! s'écria Mimi Geignarde, l'écho de sa voix résonnant avec force sur le carrelage. Arrêtez ! ARRÊTEZ !

Il y eut un *bang* ! retentissant et la corbeille à papiers derrière Harry explosa. Il tenta de lancer le sortilège du Bloque-jambes qui ricocha sur le mur, derrière l'oreille de Malefoy, et fit voler en éclats le réservoir de la chasse d'eau, juste au-dessous de Mimi Geignarde. L'eau déferla de tous côtés. Harry glissa et perdit l'équilibre au moment où Malefoy, le visage déformé par la haine, s'exclamait :

– *Endolo*...

– *SECTUMSEMPRA !* hurla Harry tombé à terre, en agitant frénétiquement sa baguette.

Du sang jaillit alors du visage et de la poitrine de Malefoy comme si une épée invisible l'avait tailladé. Il vacilla et s'effondra sur le sol inondé d'eau dans un grand bruit d'éclaboussures, sa baguette tombant de sa main inerte.

– Non..., s'étrangla Harry.

Glissant, chancelant, il se releva et se précipita sur Malefoy dont le visage était maintenant d'un rouge luisant, ses mains blanches crispées sur sa poitrine ensanglantée.

– Non... Je ne voulais...

Harry ne savait plus ce qu'il disait. Il se laissa tomber à genoux à côté de Malefoy qui tremblait de tout son corps dans une mare de sang et Mimi Geignarde poussa soudain un hurlement assourdissant.

– AU MEURTRE ! MEURTRE DANS LES TOILETTES ! AU MEURTRE !

Derrière Harry, la porte s'ouvrit à la volée. Il releva la tête, terrifié : Rogue venait de surgir, le visage livide. Écartant brutalement Harry, il s'agenouilla au-dessus de Malefoy, sortit sa baguette et la passa le long des profondes blessures que le maléfice avait causées, marmonnant une incantation qui ressemblait presque à une chanson. Le flot de sang parut s'assécher. Rogue essuya celui qui maculait le visage de Malefoy et répéta son enchantement. Les blessures se refermaient à présent.

Harry regardait fixement, horrifié par ce qu'il avait fait, à peine conscient que lui aussi était trempé de sang et d'eau. Mimi Geignarde sanglotait, gémissait, au-dessus de leur tête. Lorsque Rogue eut exécuté pour la troisième fois son contre-maléfice, il souleva à moitié Malefoy pour le remettre debout.

– Vous devez aller à l'infirmerie. Il restera peut-être des cicatrices mais, si vous prenez tout de suite du dictame, on peut l'éviter... venez...

Il soutint Malefoy pour l'aider à traverser les toilettes puis, arrivé devant la porte, lança avec une colère froide :

– Vous, Potter, vous m'attendez ici.

Harry n'eut pas un seul instant l'idée de désobéir. Il se redressa lentement, tremblant de tous ses membres, et baissa les yeux vers le sol humide. Des taches de sang flottaient à sa surface comme des fleurs cramoisies. Il ne trouva même pas la force de faire taire Mimi Geignarde qui continuait de se lamenter, de sangloter, avec un plaisir manifeste et grandissant.

Rogue revint dix minutes plus tard. Il entra et referma la porte derrière lui.

– Va-t'en, dit-il à Mimi qui replongea dans sa cuvette, laissant derrière elle un silence retentissant.

– Je n'ai pas voulu ça, affirma aussitôt Harry.

Sa voix résonna en écho dans l'espace froid et humide.

– Je ne connaissais pas les effets de ce sortilège.

Mais Rogue ne l'écoutait pas.

– Apparemment, je vous ai sous-estimé, Potter, répliqua-t-il à voix basse. Qui aurait pu penser que vous saviez de telles choses en matière de magie noire ? Qui vous a enseigné ce maléfice ?

– Je... je l'ai lu quelque part.

– Où ?

– Dans... dans un livre de la bibliothèque, répondit Harry, inventant ce qu'il pouvait. Je ne me souviens plus du ti...

– Menteur, l'interrompit Rogue.

Harry avait la gorge sèche. Il savait ce que Rogue

s'apprêtait à faire. Et il n'avait jamais été capable de l'en empêcher...

Les murs semblèrent scintiller devant ses yeux. Il essaya de chasser toute pensée de son esprit mais malgré ses efforts, l'image nébuleuse du *Manuel avancé de préparation des potions* du Prince de Sang-Mêlé flottait dans sa tête...

Il regarda à nouveau Rogue, debout au milieu des toilettes inondées, dévastées. Il le fixa droit dans ses yeux noirs, espérant contre toute attente que Rogue n'avait pas vu ce qu'il redoutait de révéler, mais...

– Apportez-moi votre sac, ordonna Rogue d'une voix doucereuse, et tous vos livres d'école. *Tous*. Apportez-les-moi ici. Immédiatement !

Il ne servait à rien de discuter. Harry tourna les talons et sortit des toilettes en pataugeant dans l'eau. Parvenu dans le couloir, il se mit à courir vers la tour de Gryffondor. La plupart des élèves allaient dans la direction opposée et le regardaient bouche bée en le voyant trempé d'eau et de sang mais il ne répondit à aucune des questions qu'on lui lançait au passage.

Il était abasourdi : c'était comme si un animal de compagnie pour qui il aurait eu une grande affection s'était soudain transformé en bête sauvage. A quoi pensait le Prince en recopiant un tel sortilège dans son livre ? Et que se passerait-il quand Rogue le verrait ? Raconterait-il à Slughorn – Harry sentit son estomac chavirer – par quel moyen il avait obtenu de si bons résultats en potions toute l'année ? Allait-il confisquer ou détruire le livre qui avait appris tant de choses à Harry... le livre qui était devenu comme un guide et un ami ? Harry ne pouvait le laisser faire... c'était impossible...

– Où est-ce que... Pourquoi tu es trempé... C'est du *sang* ?

Ron se trouvait en haut de l'escalier, stupéfait de voir Harry dans cet état.

– J'ai besoin de ton livre, dit Harry d'une voix haletante. Ton livre de potions. Vite... donne-le-moi...

– Mais celui du Prince...

– Je t'expliquerai plus tard !

Ron sortit de son sac son *Manuel avancé de préparation des potions* et le lui tendit. Harry lui passa devant le nez et retourna en courant dans la salle commune où il prit son sac, sans prêter attention aux regards ahuris des quelques élèves présents qui avaient déjà fini de dîner. Puis il se jeta à travers le trou du portrait et s'élança dans le couloir du septième étage.

Il s'arrêta dans une glissade à côté de la tapisserie représentant les trolls en train de danser, ferma les yeux et se remit à marcher d'un pas normal.

« J'ai besoin d'un endroit pour cacher mon livre... J'ai besoin d'un endroit pour cacher mon livre... J'ai besoin d'un endroit pour cacher mon livre... »

Il passa trois fois devant le mur nu et lorsqu'il rouvrit les yeux, il la vit enfin : la porte de la Salle sur Demande. Harry la poussa d'un geste brusque, se rua à l'intérieur et la claqua derrière lui.

Il eut alors une exclamation de surprise. Malgré sa hâte, sa panique, la crainte de ce qui l'attendait lorsqu'il reviendrait devant Rogue, il resta figé sur place, fasciné par ce qu'il voyait. Il se trouvait dans une salle aussi vaste qu'une cathédrale. Filtrant à travers de hautes fenêtres, des rayons de lumière illuminaient ce qui ressemblait à une ville aux immenses murailles constituées, Harry le savait, d'objets cachés par des générations d'occupants de Poudlard. Il y avait des allées, des rues même, bordées de meubles cassés ou endommagés, entassés en piles vacillantes, relégués là pour dissimuler peut-être les effets de mauvaises manipulations magiques ou entreposés par des elfes de maison fiers de leur château. On voyait aussi des livres par milliers, sans aucun doute interdits, couverts de graffiti ou volés ; des catapultes ailées et des Frisbee à dents de serpent, certains encore dotés d'assez de vie pour voltiger sans conviction au-dessus de montagnes d'autres objets prohibés ; des flacons ébréchés de potions coagulées par le temps, des chapeaux, des bijoux, des capes ; il y avait également des coquilles d'œufs de dragon, des bouteilles bouchées dont le contenu brillait encore de lueurs maléfiques, plusieurs épées rouillées et une lourde hache maculée de sang.

Harry s'enfonça dans l'une des nombreuses allées qui sillonnaient ces amas de trésors cachés. Il tourna à droite, passa devant un énorme troll empaillé, courut un peu plus loin, tourna à gauche, devant l'Armoire à Disparaître cassée dans laquelle Montague s'était perdu l'année précédente, et s'arrêta enfin à côté d'un grand placard couvert de cloques comme s'il avait reçu des giclées d'acide. Il ouvrit dans un grincement l'une des portes du placard et s'aperçut qu'on l'avait déjà utilisé pour cacher une créature en cage, morte depuis longtemps et dont le squelette avait cinq pattes. Il glissa le livre du Prince de Sang-Mêlé derrière la cage et referma la porte en la claquant. Il s'arrêta un instant, son cœur lui martelant les côtes, et contempla tout ce fouillis… Arriverait-il à retrouver sa cachette dans ce bric-à-brac ? Il prit sur une caisse le buste écaillé d'un vieux sorcier très laid et le posa sur le placard où le livre était à présent rangé. Pour la rendre plus reconnaissable, il coiffa la tête de la statue d'une perruque mitée et d'un diadème terni. Puis il courut à toutes jambes le long des allées bordées de vieilleries, retrouva la porte et sortit dans le couloir en la refermant derrière lui. Le mur retrouva aussitôt sa surface de pierre nue.

Harry se précipita vers les toilettes de l'étage du dessous, tout en fourrant dans son sac le *Manuel avancé de préparation des potions* de Ron. Une minute plus tard, il était de retour devant Rogue qui tendit la main sans un mot pour prendre le sac de Harry. Pantelant, il le lui donna, une douleur cuisante dans la poitrine, et attendit.

Rogue enleva un par un les livres de Harry et les examina. Le dernier était le manuel de potions qu'il regarda très attentivement avant de lui demander :

– C'est votre exemplaire du *Manuel avancé de préparation des potions*, n'est-ce pas, Potter ?

– Oui, répondit Harry, qui n'avait pas encore repris haleine.

– Vous en êtes bien sûr, Potter ?

– Oui, affirma Harry, avec une nuance de défi.

– C'est l'exemplaire que vous avez acheté chez Fleury et Bott ?

– Oui, répéta Harry d'un ton ferme.

– Dans ce cas, pourquoi, demanda Rogue, le nom de Roonil Wazlib est-il inscrit à l'intérieur de la couverture ?

Harry eut l'impression que son cœur s'arrêtait de battre.

– C'est mon surnom, expliqua-t-il.

– Votre surnom, répéta Rogue.

– Oui… c'est comme ça que m'appellent mes amis, dit Harry.

– Je sais ce qu'est un surnom, répliqua Rogue.

Ses yeux noirs, glacés, vrillaient à nouveau ceux de Harry qui essayait de ne pas le regarder. « Ferme ton esprit…

Ferme ton esprit... » mais il n'avait jamais appris à le faire convenablement...

– Vous savez ce que je pense, Potter ? poursuivit Rogue à voix très basse. Je pense que vous êtes un menteur, un tricheur, et que vous méritez de rester en retenue avec moi tous les samedis jusqu'à la fin du trimestre. Qu'en dites-vous, Potter ?

– Je... je ne suis pas d'accord, monsieur, répondit Harry qui refusait toujours de regarder Rogue en face.

– Eh bien, nous verrons quel sera votre sentiment à l'issue de vos retenues. Dix heures, samedi matin, Potter. Dans mon bureau.

– Mais monsieur, protesta Harry en levant les yeux d'un air désespéré. Le Quidditch... Le dernier match de...

– Dix heures, murmura Rogue avec un sourire qui découvrit ses dents jaunâtres. Pauvre Gryffondor... J'ai bien peur que cette année, son équipe se retrouve à la quatrième place...

Et il sortit sans ajouter un mot, laissant Harry seul devant le miroir craquelé. Ron, il en était sûr, n'avait jamais éprouvé une nausée pire que la sienne en cet instant.

– Je ne te ferai pas le coup du Je-te-l'avais-bien-dit, déclara Hermione une heure plus tard dans la salle commune.

– Laisse tomber, Hermione, lança Ron avec colère.

Ayant perdu tout appétit, Harry avait renoncé à dîner. Il venait d'expliquer à Ron, Hermione et Ginny ce qui s'était passé, bien que ce ne fût pas vraiment nécessaire. La nouvelle en effet n'avait pas tardé à circuler : apparemment, Mimi Geignarde s'était chargée de faire la tournée des toilettes du château pour raconter l'histoire. A l'infirmerie, Malefoy avait déjà reçu la visite de Pansy Parkinson qui n'avait pas perdu de temps pour répandre les pires horreurs sur Harry. De son côté, Rogue avait informé les professeurs : Harry avait dû ainsi quitter la salle commune pour aller passer un très mauvais quart d'heure en compagnie du professeur McGonagall. Elle lui avait notamment affirmé qu'il pouvait s'estimer heureux de n'avoir pas été renvoyé et qu'elle approuvait sans réserve la décision de Rogue de lui infliger une retenue tous les samedis jusqu'à la fin du trimestre.

– Je t'avais prévenu qu'il y avait quelque chose de louche chez ce Prince, dit Hermione, incapable de se retenir. J'avais raison, non ?

– Non, je ne crois pas, répliqua Harry, obstiné.

Il avait déjà suffisamment d'ennuis comme ça sans devoir en plus subir les sermons d'Hermione. Voir la tête des membres de l'équipe de Quidditch lorsqu'il leur avait annoncé qu'il ne pourrait pas jouer samedi avait constitué sa plus cruelle punition. Il sentait le regard de Ginny posé sur lui à présent, mais n'osait pas le croiser. Il ne voulait pas lire la déception ou la colère dans ses yeux. Il lui avait simplement dit qu'elle jouerait au poste d'attrapeur samedi et que Dean la remplacerait comme poursuiveur. Peut-être que s'ils gagnaient, Ginny et Dean se réconcilieraient dans l'euphorie d'après match… Cette pensée traversa Harry comme une lame glacée…

– Harry, dit Hermione, comment peux-tu encore défendre ce livre alors que le maléfice…

– Tu vas cesser de me harceler avec ce bouquin ? l'interrompit sèchement Harry. Le Prince a seulement copié la formule ! Il n'a jamais conseillé de l'utiliser ! Sans doute a-t-il simplement pris note de quelque chose dont on s'était servi contre lui !

– Je n'y crois pas, reprit Hermione. En réalité, tu justifies…

– Je ne justifie pas ce que j'ai fait ! protesta Harry. Je regrette d'avoir jeté ce sort et pas seulement parce que ça me vaut une douzaine de retenues. Tu sais très bien que je n'utiliserais jamais un sortilège comme celui-là, même contre Malefoy, mais tu ne peux pas en vouloir au Prince, il n'a jamais écrit : « Essayez donc ça, c'est très efficace ! » Il prenait des notes pour lui, rien de plus, et pour personne d'autre…

– Tu veux dire par là, insista Hermione, que tu vas retourner…

– Et reprendre le livre ? Oui, exactement, répondit Harry avec vigueur. Écoute, sans le Prince, jamais je n'aurais gagné Felix Felicis, je n'aurais jamais pu sauver Ron de l'empoisonnement, je n'aurais jamais…

– … acquis une réputation imméritée d'élève brillant en potions, acheva Hermione, féroce.

– Fiche-lui un peu la paix, Hermione ! intervint Ginny.

Harry fut si étonné, si reconnaissant, qu'il leva les yeux vers elle.

– Apparemment, Malefoy a essayé de jeter un Sortilège Impardonnable, alors tu peux être contente que Harry ait eu quelque chose dans sa manche pour se défendre !

– Bien sûr, je suis contente qu'il ait échappé au maléfice ! répliqua Hermione, piquée au vif, mais il n'empêche que ce Sectumsempra n'est pas un sortilège acceptable, Ginny, regarde où ça l'a mené ! Et j'aurais pensé, étant donné les chances qui vous restent maintenant de gagner le match…

– Je t'en prie, n'essaye pas de nous faire croire que tu comprends quelque chose au Quidditch, coupa sèchement Ginny. Tu ne parviendrais qu'à te rendre ridicule.

Harry et Ron ouvrirent de grands yeux : Hermione et Ginny, qui s'étaient toujours très bien entendues, étaient à présent assises les bras croisés, lançant des regards noirs dans des directions opposées. Ron jeta un coup d'œil inquiet à Harry puis attrapa un livre au hasard et se cacha derrière. Harry, quant à lui, tout en sachant qu'il ne le méritait guère, éprouva soudain un incroyable sentiment d'allégresse, même si plus personne ne parla de toute la soirée.

Sa joie fut cependant de courte durée. Le lendemain, il dut subir les railleries des Serpentard, sans parler de la colère des autres Gryffondor, très mécontents que leur capitaine se soit vu interdire par sa propre faute de jouer le dernier match de la saison. Le samedi matin, quoi qu'il ait pu dire à Hermione, Harry aurait très volontiers donné tout le Felix Felicis du monde pour pouvoir descendre sur le terrain de Quidditch en compagnie de Ron, de Ginny et des autres. Il lui fut presque insupportable de se détourner du flot des élèves qui déferlaient sous le soleil du parc, arborant tous des rosettes et des chapeaux, brandissant des bannières et des foulards, pour descendre les marches de pierre des cachots et s'enfoncer sous terre tandis que s'évanouissaient derrière lui les bruits lointains de la foule. Il savait que, là où il allait, il ne pourrait pas entendre le moindre mot de commentaire, pas la moindre acclamation, pas le moindre grognement.

– Ah, Potter, dit Rogue lorsque Harry eut frappé à la porte et fut entré dans le sinistre bureau qu'il connaissait bien et que Rogue n'avait pas quitté, même s'il enseignait désormais plusieurs étages au-dessus.

Il était aussi mal éclairé qu'à l'ordinaire et les mêmes créatures visqueuses et mortes flottaient dans des bocaux remplis de liquides colorés, alignés le long des murs. Des boîtes couvertes de toiles d'araignée étaient empilées, menaçantes, sur une table à laquelle, de toute évidence, Harry était censé s'asseoir. L'aura qui en émanait promettait un travail fastidieux, difficile, inutile.

– Mr Rusard cherchait quelqu'un pour classer ces anciens dossiers, reprit Rogue de sa voix douce. Ce sont les archives des méfaits commis par d'autres élèves de Poudlard avec les punitions correspondantes. Là où l'encre est délavée, ou lorsque les fiches ont été abîmées par les souris, vous voudrez bien recopier les infractions et les châtiments infligés pour chacune d'elles, puis les classer par ordre alphabétique et les remettre dans les boîtes. Bien entendu, vous n'aurez pas recours à la magie.

– Bien, professeur, dit Harry en s'efforçant de prononcer les trois dernières syllabes avec tout le mépris dont il était capable.

– J'ai pensé que vous pourriez commencer, poursuivit Rogue avec un sourire malveillant, par les boîtes portant les numéros 1012 à 1056. Vous trouverez là des noms qui vous sont familiers, ce qui devrait ajouter de l'intérêt à votre tâche. Tenez, regardez...

D'un geste majestueux, il sortit une fiche d'une des boîtes posées au sommet de la pile et lut :

– « James Potter et Sirius Black. Surpris à faire usage d'un maléfice illégal sur la personne de Bertram Aubrey. La tête d'Aubrey a doublé de volume. Double retenue. »

Rogue ricana.

– Il doit être singulièrement réconfortant de penser que, bien qu'ils ne soient plus là, une trace de leurs exploits les plus remarquables aura été conservée.

Harry ressentit l'habituel bouillonnement au creux de son estomac. Se mordant la langue pour s'empêcher de répliquer, il s'assit devant les boîtes et en tira une vers lui.

Ainsi qu'il s'y était attendu, c'était un travail ennuyeux, inutile, ponctué régulièrement (comme Rogue l'avait prévu) d'un serrement de cœur lorsqu'il lisait les noms de son père ou de Sirius, généralement associés dans divers petits méfaits, accompagnés à l'occasion de ceux de Remus Lupin et de Peter Pettigrow. Pendant qu'il recopiait le détail de leurs frasques et des punitions qu'elles leur avaient values, il se demandait ce qui se passait sur le terrain, où le match devait avoir commencé... Ginny jouant au poste d'attrapeur face à Cho...

Harry ne cessait de jeter des coups d'œil à la grosse pendule accrochée au mur. Elle semblait avancer moitié moins vite qu'une pendule normale. Peut-être Rogue l'avait-il ensorcelée pour qu'elle tourne le plus lentement possible ? Il ne pouvait pas être là depuis seulement une demi-heure... une heure... une heure et demie...

Lorsque la pendule indiqua midi et demi, l'estomac de Harry se mit à gronder. Rogue, qui n'avait plus ouvert la bouche depuis que Harry avait entrepris sa tâche, releva enfin la tête à une heure dix.

– Je pense que ça suffira pour aujourd'hui, dit-il avec froideur. Marquez l'endroit où vous vous êtes arrêté. Vous reprendrez samedi prochain à dix heures.

– Bien, monsieur.

Harry glissa au hasard dans la boîte une fiche cornée et se dépêcha de sortir avant que Rogue ne change d'avis. Il remonta quatre à quatre l'escalier de pierre, tendant l'oreille pour essayer de percevoir des bruits en provenance du stade, mais tout était silencieux... le match avait donc pris fin...

Parvenu à l'entrée de la Grande Salle bondée, il hésita puis grimpa l'escalier de marbre en courant. Que

Gryffondor gagne ou perde, l'équipe célébrait la victoire ou déplorait la défaite dans la salle commune.

– *Quid agis ?* dit-il timidement à la grosse dame en se demandant ce qui l'attendait de l'autre côté.

Avec une expression impénétrable, elle répondit :

– Vous verrez bien.

Puis elle pivota.

Le tumulte d'une fête explosa derrière elle. Harry ouvrit de grands yeux tandis que des cris saluaient son apparition. Des mains l'attrapèrent et le tirèrent à l'intérieur de la salle.

– On a gagné ! hurla Ron qui avait surgi devant lui en brandissant la coupe d'argent sous son nez. On a gagné ! Quatre cent cinquante à cent quarante ! On a gagné !

Harry tourna la tête et vit Ginny courir vers lui. Elle se jeta dans ses bras, le visage résolu, le regard flamboyant. Alors, sans réfléchir, sans l'avoir prévu, sans se soucier des cinquante personnes qui les regardaient, Harry l'embrassa.

Au bout d'un long moment – il n'avait plus de notion du temps, il pouvait s'être passé une demi-heure ou même plusieurs jours sous un soleil radieux –, ils relâchèrent leur étreinte. Un grand silence s'était installé autour d'eux. Puis des sifflets admiratifs retentirent et des gloussements de rire nerveux parcoururent la salle. Harry regarda par-dessus la tête de Ginny. Il vit Dean Thomas, un verre brisé à la main, et Romilda Vane qui paraissait sur le point de jeter quelque chose. Hermione rayonnait mais c'était Ron que Harry cherchait des yeux. Il finit par le trouver, tenant toujours la coupe contre lui, avec l'air d'avoir pris un coup de massue sur le crâne. Pendant une fraction de seconde, ils échangèrent un regard puis Ron eut un bref mouvement de tête qui, d'après ce que Harry put comprendre, signifiait : « Bah… s'il le faut vraiment… »

Harry sentit la créature pousser un rugissement de triomphe dans sa poitrine. Il sourit à Ginny et, sans dire un mot, montra d'un geste le trou du portrait. Une longue promenade dans le parc semblait tout indiquée. Ils pourraient alors parler du match – s'ils en avaient le temps.

25
A L'ÉCOUTE DE LA VOYANTE

Le fait que Harry Potter sorte avec Ginny Weasley semblait susciter un grand intérêt dans toute l'école, surtout chez les filles, mais au cours des semaines qui suivirent, Harry s'aperçut qu'il avait acquis une indifférence nouvelle et joyeuse aux ragots. C'était un changement agréable de savoir qu'on parlait de lui pour quelque chose qui le rendait plus heureux que jamais, plutôt qu'à cause d'une horrible histoire de magie noire dans laquelle il aurait été impliqué.

– On pourrait penser que les gens ont des sujets de conversation plus intéressants, dit Ginny dans la salle commune, alors qu'elle lisait *La Gazette du sorcier*, assise par terre, le dos appuyé contre les jambes de Harry. Trois attaques de Détraqueurs en une semaine et tout ce que Romilda Vane trouve à me demander, c'est s'il est vrai que tu as un hippogriffe tatoué sur la poitrine.

Ron et Hermione éclatèrent de rire. Harry les ignora.

– Qu'est-ce que tu lui as répondu ?

– Que c'était un Magyar à pointes, déclara Ginny en tournant négligemment une page du journal. Beaucoup plus macho.

– Je te remercie, lança Harry avec un sourire. Tu lui as dit que Ron aussi avait un tatouage ?

– Oui, un Boursouflet, mais je n'ai pas précisé où.

Ron se renfrogna tandis qu'Hermione était prise de fou rire.

– Attention ! prévint-il en pointant un index menaçant sur Harry et Ginny. Le fait d'avoir donné ma permission ne signifie pas que je ne puisse pas la retirer…

– *Ta permission !* s'esclaffa Ginny. Depuis quand j'ai besoin de ta permission pour faire quoi que ce soit ? De toute façon, tu as dit toi-même que tu préférais Harry à Michael ou à Dean.

– C'est vrai, admit Ron à contrecœur. A condition que vous ne commenciez pas à vous embrasser en public…

– Espèce de sale hypocrite ! Et quand toi et Lavande, on vous voyait partout enlacés comme des anguilles ? s'indigna Ginny.

Mais la tolérance de Ron ne fut guère mise à l'épreuve tandis que commençait le mois de juin car le temps que Harry et Ginny pouvaient passer ensemble était de plus en plus restreint. Les BUSE de Ginny approchaient, l'obligeant à réviser jusqu'à une heure tardive. L'un des soirs où elle s'était retirée dans la bibliothèque, Harry était resté assis près de la fenêtre, dans la salle commune, apparemment occupé à terminer un devoir de botanique. Mais en réalité, il revivait dans sa tête les moments particulièrement heureux qu'il avait passés avec elle au bord du lac, à l'heure du déjeuner. Soudain, Hermione se laissa tomber dans un fauteuil, entre Ron et lui, en affichant un air décidé qui n'annonçait rien de bon.

– Je veux te parler, Harry.

– De quoi ? demanda-t-il, soupçonneux.

La veille, déjà, elle lui avait vertement reproché de distraire Ginny au moment où elle aurait dû travailler plus que jamais pour préparer ses examens.

– Du soi-disant Prince de Sang-Mêlé.

– Oh, non, pas encore, gémit-il. Tu ne pourrais pas arrêter un peu, s'il te plaît ?

Il n'avait pas osé retourner dans la Salle sur Demande pour récupérer son livre et ses performances en cours de potions s'en étaient ressenties (bien que Slughorn, qui approuvait le choix de Ginny, en ait plaisanté en attribuant cette soudaine faiblesse aux tourments de l'amour). Harry était persuadé que Rogue n'avait pas abandonné l'espoir de mettre la main sur le livre du Prince et il était donc décidé à le laisser là où il se trouvait tant que Rogue serait à l'affût.

– Non, je n'arrêterai pas avant que tu m'aies écoutée, dit fermement Hermione. J'ai essayé de découvrir un peu qui pouvait bien s'amuser à inventer des maléfices pour passer le temps...

– Il ne faisait pas ça pour s'amuser...

– Il, il... comment sais-tu que c'est « il » ?

– On en a déjà parlé, répliqua Harry avec colère. Le *Prince*, Hermione, le *Prince* !

– C'est ça ! s'exclama Hermione.

Les joues embrasées de taches rouges, elle sortit de sa poche une très vieille coupure de journal qu'elle posa sur la table d'un geste sec, sous les yeux de Harry.

– Regarde un peu ! Regarde cette photo !

Harry prit le morceau de papier craquelé et contempla la photo mouvante et jaunie qui y était imprimée. Ron se pencha à son tour pour y jeter un coup d'œil. L'image montrait une jeune fille maigrichonne d'une quinzaine d'années. Elle n'était pas très belle, avec un long visage au teint pâle barré de gros sourcils, et paraissait à la fois maussade et courroucée. Au-dessous, une légende indiquait : « Eileen Prince, capitaine de l'équipe de Bavboules de Poudlard. »

– Et alors ? demanda Harry en parcourant le bref article qui accompagnait la photo.

Il s'agissait d'une histoire sans aucun intérêt concernant des compétitions entre écoles.

– Elle s'appelait Eileen Prince. *Prince*, Harry.

Ils échangèrent un regard et Harry, comprenant où elle voulait en venir, éclata d'un grand rire.

– Impossible.

– Quoi ?

– Tu penses que c'était elle, le Prince de Sang-Mêlé ? Allons…

– Et pourquoi pas ? Harry, il n'y a pas de véritables princes dans le monde des sorciers ! Ou bien c'est un surnom, un titre inventé que quelqu'un s'est donné, ou bien ce pourrait être un nom de famille. Écoute-moi ! Imaginons que son père soit un sorcier du nom de Prince et que sa mère soit une Moldue, ça ferait d'elle une Prince de Sang-Mêlé !

– Ouais, très ingénieux, Hermione…

– Mais c'est vrai ! Peut-être qu'elle était fière d'être à moitié Prince !

– Écoute, Hermione. Je suis sûr que ce n'est pas une fille, j'en suis certain.

– La vérité, c'est que pour toi, une fille ne pourrait pas être aussi intelligente, répliqua Hermione avec colère.

– Tu crois vraiment qu'après t'avoir fréquentée pendant cinq ans, je pourrais encore penser que les filles ne sont pas intelligentes ? protesta Harry, piqué au vif. C'est simplement la façon dont il écrit qui me fait dire ça. Je sais que le Prince était un garçon, je le vois bien. Cette fille n'a rien à voir dans l'histoire. Et d'abord, tu l'as trouvée où, cette coupure ?

– A la bibliothèque, répondit Hermione, comme on pouvait s'y attendre. Il y a toute une collection d'anciens numéros de *La Gazette*, là-bas. Je vais essayer d'en savoir plus sur cette Eileen Prince, si je peux.

– Amuse-toi bien, dit Harry, agacé.

– Compte sur moi. Et la première chose que je vais faire, lança-t-elle lorsqu'elle fut arrivée devant le trou du portrait, c'est consulter les listes des anciens élèves qui ont eu des prix en potions !

Harry la regarda sortir, les sourcils froncés, puis se plongea à nouveau dans la contemplation du ciel qui s'assombrissait.

– Elle n'a jamais pu supporter que tu sois meilleur qu'elle en potions, commenta Ron en retournant à sa lecture des *Mille herbes et champignons magiques*.

– Tu ne crois pas que je sois fou de vouloir récupérer ce livre ?

– Bien sûr que non, affirma Ron avec vigueur. C'était un génie, ce Prince. En tout cas... sans son conseil sur le bézoard... (d'un geste éloquent, il se passa un doigt en travers de la gorge), je ne serais plus là pour en parler. Je ne prétends pas que le maléfice dont tu t'es servi contre Malefoy soit vraiment recommandable...

– Moi non plus, dit aussitôt Harry.

– Mais il s'en est très bien remis, non ? Il était sur pied en un rien de temps.

– Oui, admit Harry – c'était parfaitement vrai mais sa

conscience n'en était pas moins un peu troublée. Grâce à Rogue.

– Tu as toujours une retenue avec lui, samedi ? demanda Ron.

– Oui, et le samedi d'après et le samedi d'après, soupira Harry. Il me laisse même entendre que si je n'ai pas terminé toutes les boîtes à la fin du trimestre, on continuera l'année prochaine.

Il trouvait ces retenues d'autant plus insupportables qu'elles réduisaient encore le temps déjà limité qu'il pouvait passer avec Ginny. Dernièrement, il s'était souvent demandé si Rogue n'était pas au courant de leur relation, car il le gardait de plus en plus tard à chaque fois et lançait des petites réflexions chargées de sous-entendus sur les occasions que Harry manquait de profiter du beau temps et des diverses possibilités qu'il offrait.

L'apparition de Jimmy Peakes qui lui tendait un rouleau de parchemin l'arracha à ses sombres pensées.

– Merci, Jimmy... Hé, c'est de Dumbledore ! annonça Harry, surexcité en déroulant le parchemin qu'il parcourut rapidement. Il veut que j'aille dans son bureau le plus vite possible !

Il échangea un regard avec Ron.

– Tu crois que..., murmura celui-ci. Il aurait trouvé...

– Le mieux, c'est d'aller voir, non ? dit Harry en se levant d'un bond.

Il se dépêcha de sortir et parcourut le septième étage à toutes jambes, sans rencontrer personne d'autre que Peeves qui filait dans la direction opposée et lui lança quelques morceaux de craie, par simple routine. Avec un petit rire, il esquiva le maléfice de défense que lui jeta Harry puis disparut. Le silence revint aussitôt dans les couloirs. Il n'y avait plus qu'un quart d'heure avant le couvre-feu et la plupart des élèves étaient déjà retournés dans leurs salles communes.

Harry entendit alors un hurlement suivi d'un bruit de chute. Il s'immobilisa, tendant l'oreille.

– Comment... *osez*... vous... aaaaargh !

La voix venait d'un couloir proche. Harry se rua en avant, sa baguette brandie, tourna à l'angle d'un mur et vit le professeur Trelawney étalée par terre, la tête recouverte de l'un de ses nombreux châles, des bouteilles de xérès à côté d'elle, dont l'une s'était brisée sous le choc.

– Professeur...

Harry se précipita et l'aida à se relever. Quelques-unes des perles étincelantes qu'elle portait au cou s'étaient emmêlées dans ses lunettes. Elle hoqueta bruyamment, s'arrangea les cheveux et s'appuya sur le bras secourable de Harry pour se remettre debout.

– Que s'est-il passé, professeur ?

– Allez savoir ! répondit-elle d'une voix perçante. Je marchais en méditant sur certains mauvais présages dont il se trouve que j'ai eu connaissance...

Mais Harry ne l'écoutait guère. Il venait de reconnaître sur sa droite la tapisserie représentant la danse des trolls et sur sa gauche, la surface lisse et impénétrable derrière laquelle se cachait...

– Professeur, avez-vous essayé de pénétrer dans la Salle sur Demande ?

– ... des présages qu'il m'a été donné de... Quoi ?

Elle eut soudain le regard fuyant.

– La Salle sur Demande, répéta Harry. Avez-vous essayé d'y pénétrer ?

– Je… eh bien… j'ignorais que les élèves connaissaient…

– Pas tous, précisa Harry. Mais qu'est-il arrivé ? Vous avez crié… Comme si vous vous étiez blessée…

– Je… eh bien, répondit le professeur Trelawney – elle resserra ses châles autour d'elle en un geste de défense et le fixa de ses yeux considérablement agrandis par ses lunettes –, je souhaitais… heu… entreposer certains… heu… objets personnels dans la salle…

Elle marmonna alors quelque chose à propos « d'ignobles accusations ».

– Je comprends, dit Harry en jetant un coup d'œil aux bouteilles de xérès. Mais vous n'avez pas pu entrer pour les cacher ?

Il trouvait cela très bizarre. La salle s'était pourtant ouverte pour lui quand il avait voulu y déposer le livre du Prince de Sang-Mêlé.

– Oh, si, j'y suis entrée, reprit le professeur Trelawney qui regardait le mur d'un œil noir, mais il y avait déjà quelqu'un à l'intérieur.

– Quelqu'un à l'intérieur… Qui ? interrogea Harry d'une voix pressante. Qui était là ?

– Je n'en ai aucune idée, répondit le professeur Trelawney, quelque peu interloquée par le ton impérieux de Harry. Je me suis avancée dans la pièce et j'ai entendu une voix, ce qui ne s'était encore jamais produit depuis des années que je cache… je veux dire que j'utilise cette salle.

– Une voix ? Qui disait quoi ?

– Il ne me semble pas qu'elle disait quoi que ce soit. Elle lançait plutôt des… cris de joie.

– *Des cris de joie ?*

– Une véritable jubilation, assura le professeur Trelawney avec un hochement de tête.

Harry la regarda dans les yeux.

– Une voix d'homme ou de femme ?

– Je dirais plutôt d'homme.

– Et qui exprimait un grand bonheur ?

– Un intense bonheur, dit le professeur Trelawney avec dédain.

– Comme si la personne était en train de célébrer quelque chose ?

– Exactement.

– Et ensuite ?

– Ensuite, j'ai demandé : « Qui est là ? »

– Vous n'auriez pas pu savoir qui c'était sans poser la question ? demanda Harry, légèrement contrarié.

– Mon troisième œil, répondit le professeur Trelawney d'un ton digne en rajustant ses châles et ses nombreux rangs de perles, était concentré sur des sujets bien éloignés du monde bassement matériel où retentissent les cris de joie.

– C'est ça, dit Harry.

Il n'avait que trop souvent entendu parler du troisième œil du professeur Trelawney.

– Et la voix vous a répondu ?

– Non. Soudain, la salle a été plongée dans l'obscurité et j'ai été jetée dehors, tête la première.

– Vous n'aviez rien vu venir ? demanda Harry, incapable de se retenir.

– Non, car, comme je vous l'ai dit, l'obscurité…

Elle s'interrompit et lui lança un regard soupçonneux.

– Je pense que vous devriez en parler au professeur Dumbledore, conseilla Harry. Nous devons savoir ce que

Malefoy célébrait – je veux dire la personne qui vous a jetée hors de la salle.

En entendant cette suggestion, le professeur Trelawney, à la grande surprise de Harry, se redressa d'un air hautain.

– Le directeur m'a laissé entendre qu'il souhaitait voir mes visites s'espacer, répliqua-t-elle avec froideur. Je n'ai pas pour habitude d'imposer ma compagnie aux gens qui ne l'apprécient guère. Si Dumbledore choisit d'ignorer les avertissements que je lis dans les cartes…

Ses doigts osseux se refermèrent brusquement sur le poignet de Harry.

– A chaque fois, quelle que soit la façon dont je les tire…

D'un geste théâtral, elle sortit une carte de sous ses châles.

– … la Maison-Dieu apparaît, murmura-t-elle, la tour frappée par la foudre. Calamité. Désastre. Qui se rapprochent toujours un peu plus…

– C'est ça, répéta Harry. Eh bien, je crois quand même que vous devriez raconter à Dumbledore l'histoire de cette voix, de l'obscurité soudaine et de votre expulsion de la salle…

– Vous pensez vraiment ?

Le professeur Trelawney sembla réfléchir un moment mais Harry était sûr que l'idée de faire à nouveau le récit de sa petite aventure la séduisait.

– Je vais justement le voir maintenant, dit Harry. J'ai rendez-vous avec lui. Nous pourrions y aller ensemble.

– Bon, dans ce cas…, répondit-elle avec un sourire.

Elle se pencha, ramassa ses bouteilles de xérès et les fourra sans cérémonie dans un grand vase bleu et blanc exposé dans une niche proche.

– Je regrette de ne plus vous avoir dans ma classe, Harry, dit-elle d'un ton ému, tandis qu'ils repartaient ensemble dans le couloir. Vous n'étiez pas vraiment un voyant... Mais vous étiez un merveilleux sujet...

Harry ne répondit pas. Il avait toujours détesté que le professeur Trelawney le prenne pour sujet de ses prédictions en lui promettant sans cesse les plus grands malheurs.

– J'ai bien peur, poursuivit-elle, que le canasson – pardon, le centaure – ne sache rien de la cartomancie. Je lui ai demandé – entre voyants – si lui aussi avait senti les lointaines vibrations d'une catastrophe imminente. Mais il a eu l'air de me trouver presque comique. Oui, comique !

Sa voix était devenue quasiment hystérique et, bien qu'elle ait laissé les bouteilles derrière elle, Harry sentit une bouffée de xérès.

– Le cheval a peut-être entendu dire que je n'avais pas hérité du don de mon arrière-arrière-grand-mère. Pendant des années, cette rumeur a été colportée par des jaloux. Vous savez ce que je réponds à ces gens-là, Harry ? Je leur réponds : « Croyez-vous que Dumbledore m'aurait laissée enseigner dans sa prestigieuse école, qu'il m'aurait accordé une telle confiance pendant toutes ces années, si je n'avais pas fait mes preuves auprès de lui ? »

Harry marmonna quelques mots indistincts.

– Je me souviens très bien de ma première entrevue avec Dumbledore, poursuivit le professeur Trelawney d'une voix gutturale. Il a été profondément impressionné, bien sûr, profondément impressionné... Je séjournais à La Tête de Sanglier, un établissement que je ne recommanderais pas, soit dit en passant – figurez-vous, mon cher, qu'il y a des punaises dans les lits –, mais mes finances étaient au plus bas. Dumbledore a eu la courtoisie de me rendre visite dans ma chambre, à l'auberge. Il m'a posé des questions... je dois avouer qu'au début, il m'a semblé assez mal disposé à l'égard de la divination... et je me souviens que je me suis sentie un peu bizarre, tout à coup, je n'avais pas mangé grand-chose ce jour-là... Mais à ce moment...

Pour la première fois, Harry l'écouta attentivement car il savait ce qui s'était passé ensuite : le professeur Trelawney avait fait la prophétie qui devait entièrement changer le cours de sa vie, la prophétie sur lui et Voldemort.

– ... mais à ce moment, nous avons été grossièrement interrompus par Severus Rogue !

– Quoi ?

– Oui, il y a eu une grande agitation derrière la porte, elle s'est ouverte d'un coup et le barman de l'établissement, un personnage assez fruste, est apparu avec Rogue qui prétendait s'être trompé de chemin, mais moi je pense plutôt qu'il avait été surpris en train d'écouter ma conversation avec Dumbledore. Vous comprenez, lui aussi cherchait un emploi à l'époque et il espérait sans aucun doute obtenir quelques informations ! Après cela, voyez-vous, Dumbledore a paru plus disposé à me confier un poste et je n'ai pu m'empêcher de songer, Harry, que c'était parce qu'il avait su apprécier le contraste frappant entre mon attitude réservée, mon talent manifeste mais discret, et le comportement agressif, arrogant, de ce jeune homme qui était prêt à écouter aux portes pour parvenir à ses fins – Harry, mon cher ?

Elle regarda par-dessus son épaule après s'être rendu compte que Harry n'était plus à côté d'elle. Il s'était arrêté net et se trouvait à présent trois mètres en arrière.

– Harry ? répéta-t-elle, incertaine.

Peut-être avait-il le teint pâle pour qu'elle ait l'air si

inquiète, si effrayée ? Harry demeura immobile tandis que des ondes de choc le submergeaient, comme une succession de vagues, effaçant tout de son esprit en dehors de cette information qui lui avait été si longtemps cachée…

C'était Rogue qui avait entendu la prophétie en écoutant aux portes. Rogue qui était allé la répéter à Voldemort. C'était à cause de Rogue et de Peter Pettigrow que Voldemort était parti tuer Lily, James et leur fils…

En cet instant, plus rien d'autre n'avait d'importance pour Harry.

– Harry ? dit à nouveau le professeur Trelawney. Harry… je croyais que nous devions aller voir le directeur ensemble ?

– Restez ici, répondit-il, parvenant à peine à remuer les lèvres.

– Mais, mon cher… Je voulais lui raconter comment j'avais été agressée dans la Salle sur…

– Restez ici ! répéta Harry avec colère.

Elle parut alarmée lorsqu'il passa devant elle en courant avant de disparaître dans le couloir où la gargouille solitaire gardait l'entrée du bureau de Dumbledore. Harry cria le mot de passe et monta quatre à quatre l'escalier mobile. Il ne se contenta pas de frapper à la porte mais tambourina de toutes ses forces.

– Entrez, répondit la voix calme de Dumbledore, alors que Harry s'était déjà précipité dans la pièce.

Fumseck, le phénix, tourna la tête, ses yeux noirs et brillants reflétant la lueur dorée du soleil couchant, de l'autre côté de la fenêtre. Dumbledore, debout devant la vitre, contemplait le parc, une longue cape noire sur le bras.

– Eh bien, Harry, je t'avais promis que tu pourrais venir avec moi.

Pendant un instant, Harry ne comprit pas. La conversation avec Trelawney avait chassé de sa tête toute autre pensée et son cerveau paraissait fonctionner au ralenti.

– Venir… avec vous ?

– Seulement si tu le souhaites, bien sûr.

– Si je…

Harry se souvint alors de la première raison pour laquelle il avait été si impatient de rejoindre Dumbledore dans son bureau.

– Vous en avez trouvé un ? Vous avez découvert un Horcruxe ?

– Je le crois.

La rage et le ressentiment combattaient en lui la surprise et l'excitation : pendant un moment, Harry fut incapable de parler.

– Il est normal d'éprouver de la crainte, dit Dumbledore.

– Je n'ai pas peur ! répliqua aussitôt Harry.

C'était parfaitement vrai. La peur était absente des émotions qu'il ressentait.

– De quel Horcruxe s'agit-il ? Où est-il ?

– Quel Horcruxe ? Je l'ignore, mais je pense que nous pouvons exclure le serpent. Je suis convaincu, en tout cas, qu'il est caché dans une caverne, sur la côte, très loin d'ici, une caverne que j'essaye depuis bien longtemps de localiser : celle où le jeune Tom Jedusor a un jour terrorisé deux de ses camarades de l'orphelinat lors de leur excursion annuelle, tu te souviens ?

– Oui, dit Harry. Comment est-il protégé ?

– Je ne le sais pas. J'ai quelques idées qui pourraient se révéler entièrement fausses.

Après un moment d'hésitation, Dumbledore ajouta :

– Harry, je t'ai promis que tu pourrais venir avec moi et je tiendrai cette promesse, mais j'aurais grand tort de ne pas t'avertir des extrêmes dangers de cette expédition.

– Je viens, répondit Harry, presque avant que Dumbledore ait fini sa phrase.

Il bouillait de fureur contre Rogue et son désir de se lancer dans une action risquée, téméraire même, avait décuplé en quelques minutes. Apparemment, le visage de Harry trahissait ce sentiment car Dumbledore s'écarta de la fenêtre et s'avança vers lui pour le regarder avec plus d'attention, un léger pli entre ses sourcils argentés.

– Que t'est-il arrivé ?

– Rien, affirma Harry.

– Pourquoi es-tu si bouleversé ?

– Je ne suis pas bouleversé.

– Harry, tu n'as jamais été un très bon occlumens...

Le mot fut l'étincelle qui fit exploser sa fureur.

– Rogue ! s'exclama-t-il d'une voix retentissante.

Derrière eux, Fumseck lança un léger cri.

– Rogue, voilà ce qui m'est arrivé ! C'est *lui* qui a rapporté la prophétie à Voldemort, *lui* qui a écouté à la porte, Trelawney me l'a dit !

L'expression de Dumbledore ne changea pas mais Harry eut l'impression qu'il avait pâli sous la lueur rouge sang que projetait le soleil couchant. Pendant un long moment, il resta silencieux.

– Quand as-tu découvert cela ? demanda-t-il enfin.

– Il y a quelques instants ! répondit Harry qui avait les plus grandes difficultés à ne pas hurler.

Soudain, il lui fut impossible de se contenir plus longtemps :

– ET VOUS LUI AVEZ PERMIS D'ENSEIGNER ICI, ALORS QUE C'EST LUI QUI A LANCÉ VOLDEMORT SUR LES TRACES DE MA MÈRE ET DE MON PÈRE !

La respiration haletante, comme s'il était en plein combat, Harry se détourna de Dumbledore qui n'avait toujours pas remué un muscle, et fit les cent pas dans la pièce, frottant les jointures de ses doigts, se retenant à grand-peine de tout renverser sur son passage. Il aurait voulu déchaîner sa rage contre Dumbledore mais il voulait aussi l'accompagner dans sa tentative de détruire l'Horcruxe. Il aurait voulu lui dire qu'il était un vieillard imbécile pour avoir accordé sa confiance à Rogue mais il avait très peur que Dumbledore renonce à l'emmener avec lui s'il ne parvenait pas à maîtriser sa colère...

– Harry, dit alors Dumbledore à voix basse. Veux-tu bien m'écouter, s'il te plaît ?

Il eut autant de mal à cesser d'arpenter la pièce qu'à s'empêcher de hurler. Il s'arrêta enfin, se mordant la lèvre, et regarda en face le visage ridé de Dumbledore.

– Le professeur Rogue a commis une terrible...

– Ne me dites pas que c'était une erreur, monsieur, il écoutait à la porte !

– Laisse-moi finir, s'il te plaît.

Dumbledore attendit que Harry ait acquiescé d'un bref signe de tête avant de poursuivre :

– Le professeur Rogue a commis une terrible erreur. Il était toujours au service de Lord Voldemort le soir où il a entendu la première moitié de la prophétie du professeur Trelawney. Naturellement, il s'est hâté d'en rapporter les termes à son maître puisque celui-ci était concerné au premier chef. Mais il ne savait pas – il n'avait aucun moyen de le savoir – quel était le garçon que Voldemort devait éliminer. Il ne savait pas non plus que les parents qu'il allait tuer dans sa quête meurtrière étaient des personnes que le professeur Rogue connaissait, il ignorait qu'il s'agissait de ta mère et de ton père…

Harry éclata d'un rire sans joie.

– Il haïssait mon père autant qu'il haïssait Sirius ! N'avez-vous jamais remarqué, professeur, comme les gens que déteste Rogue ont une très nette tendance à mourir prématurément ?

– Tu n'as aucune idée du remords qu'a éprouvé le professeur Rogue lorsqu'il a compris comment Lord Voldemort avait interprété la prophétie, Harry. Je suis persuadé que c'est le plus grand regret de sa vie et la raison pour laquelle il est retourné…

– Mais *lui* est un très bon occlumens, n'est-ce pas, monsieur ? l'interrompit Harry dont la voix tremblait sous ses efforts pour la maîtriser. Et Voldemort n'est-il pas convaincu que Rogue est de son côté, encore maintenant ? Professeur… comment pouvez-vous être certain que Rogue est dans notre camp ?

Dumbledore resta silencieux un moment, comme s'il réfléchissait avant de prendre une décision. Enfin, il répondit :

– J'en suis sûr. J'ai entièrement confiance en Severus Rogue.

Harry respira profondément pour essayer de se calmer. Sans succès.

– Eh bien, moi pas ! lança-t-il d'une voix toujours tonitruante. Il prépare quelque chose avec Drago Malefoy en ce moment même, juste sous votre nez, et vous continuez…

– Nous avons déjà parlé de cela, Harry, coupa

Dumbledore, l'air à nouveau sévère. Je t'ai exposé mon point de vue.

– Vous quittez l'école cette nuit et je parie que vous n'avez même pas envisagé que Rogue et Malefoy puissent décider…

– Décider quoi ? interrogea Dumbledore en haussant les sourcils. Qu'est-ce que tu les soupçonnes de faire, exactement ?

– Je… Ils préparent quelque chose ! affirma Harry en serrant les poings. Le professeur Trelawney est entrée tout à l'heure dans la Salle sur Demande pour essayer d'y cacher des bouteilles de xérès et elle a entendu Malefoy pousser des cris de joie, comme s'il célébrait une victoire ! Il essayait de réparer un objet dangereux là-dedans et si vous voulez mon avis, il a enfin réussi, alors que vous vous apprêtez à quitter l'école sans…

– Assez, l'interrompit Dumbledore.

Il avait parlé d'une voix très calme et pourtant Harry se tut à l'instant même. Il savait qu'il avait fini par franchir une ligne invisible.

– Crois-tu que j'aie laissé une seule fois l'école sans protection au cours de mes absences ? Non. Ce soir, quand je partirai, des mesures supplémentaires seront encore mises en place. N'essaye pas, je t'en prie, d'insinuer que je ne prends pas au sérieux la sécurité de mes élèves, Harry.

– Je n'ai pas dit que…, marmonna Harry un peu honteux, mais Dumbledore l'interrompit :

– Je ne souhaite pas parler plus longtemps de ce sujet.

Harry ravala sa réplique, craignant d'être allé trop loin et d'avoir perdu toute chance d'accompagner Dumbledore, mais celui-ci reprit :

– Veux-tu venir avec moi, ce soir ?

– Oui, répondit aussitôt Harry.

– Très bien. Alors, écoute.

Dumbledore se redressa de toute sa taille.

– Je ne t'emmène qu'à une seule condition : que tu obéisses immédiatement et sans la moindre discussion à toute instruction que je pourrais te donner.

– Bien sûr.

– Comprenons-nous bien, Harry, je veux dire par là que tu dois même obéir à des ordres tels que « fuis », « cache-toi » ou « retourne en arrière ». J'ai ta parole ?

– Je... Oui, bien sûr.

– Si je te dis de te cacher, tu le feras ?

– Oui.

– Si je t'ordonne de fuir, tu obéiras ?

– Oui.

– Si je te dis de me laisser et de te sauver tout seul, tu m'écouteras ?

– Je...

– Harry ?

Ils se regardèrent pendant un moment.

– Oui, monsieur.

– Très bien. Maintenant, je voudrais que tu ailles chercher ta cape d'invisibilité et que tu me retrouves dans cinq minutes dans le hall d'entrée.

Dumbledore se retourna pour regarder au-dehors, à travers la fenêtre embrasée par le crépuscule. Le soleil n'était plus qu'une lueur couleur rubis au long de la ligne d'horizon. Harry s'empressa de quitter le bureau et descendit l'escalier en colimaçon. Tout à coup, il avait l'esprit étrangement clair. Il savait exactement ce qu'il devait faire.

Lorsqu'il revint dans la salle commune, il trouva Ron et Hermione assis côte à côte.

– Qu'est-ce que voulait Dumbledore ? demanda aussitôt Hermione. Harry, ça va ? ajouta-t-elle d'un ton anxieux.

– Ça va très bien, répondit brièvement Harry en passant très vite devant eux.

Il se rua dans l'escalier puis dans le dortoir où il ouvrit à la volée le couvercle de sa grosse valise dans laquelle il prit la carte du Maraudeur et une paire de chaussettes roulées en boule. Puis il redescendit dans la salle commune en dévalant les marches, s'arrêtant dans une glissade devant Ron et Hermione, visiblement abasourdis.

– Je n'ai pas beaucoup de temps, dit-il d'une voix haletante. Dumbledore pense que je suis venu chercher ma cape d'invisibilité. Écoutez…

Il leur raconta en quelques mots où il allait et pourquoi, sans tenir compte des exclamations horrifiées d'Hermione ni des questions précipitées de Ron. Ils pourraient toujours imaginer les détails eux-mêmes un peu plus tard.

– Vous comprenez ce que ça signifie ? acheva Harry en parlant très vite. Dumbledore ne sera pas là cette nuit, donc Malefoy aura à nouveau le champ libre pour agir. *Non, écoutez-moi !* lança-t-il avec colère en voyant Ron et Hermione sur le point de l'interrompre. Je sais que c'était Malefoy qui poussait des cris de joie dans la Salle sur Demande. Tiens – il fourra la carte du Maraudeur dans la main d'Hermione –, il faut le surveiller et surveiller Rogue, aussi. Prenez avec vous tous les membres de l'A.D. que vous pourrez rassembler. Hermione, tes faux Gallions qui servaient à se donner rendez-vous doivent toujours marcher, non ? Dumbledore dit qu'il a pris des mesures de protection supplémentaires mais si Rogue est dans le coup, il les connaît et sait comment les déjouer – seulement, il ne s'attendra pas à ce que vous soyez tous en alerte.

– Harry..., commença Hermione, les yeux écarquillés de terreur.

– Je n'ai pas le temps de discuter, répliqua-t-il sèchement. Prends aussi ça – il mit les chaussettes dans la main de Ron.

– Merci, dit Ron. Heu... pourquoi est-ce que j'aurais besoin de chaussettes ?

– Tu auras besoin de ce qu'il y a dedans. C'est le Felix Felicis. Vous vous le partagerez, donnez-en aussi à Ginny. Dites-lui au revoir de ma part. Il faut que j'y aille, maintenant, Dumbledore m'attend...

– Non ! s'exclama Hermione tandis que Ron, impressionné, sortait le petit flacon de potion dorée. Nous n'en voulons pas, garde-le, qui sait ce que tu devras affronter ?

– Je n'ai rien à craindre, je serai avec Dumbledore, répondit Harry. Je veux être sûr que ça se passe bien pour vous... Ne fais pas cette tête-là, Hermione. A plus tard...

Et il repartit, se glissant à travers le trou du portrait pour filer en direction du hall d'entrée.

Dumbledore l'attendait devant les portes de chêne. Il se retourna alors que Harry surgissait sur la plus haute marche de pierre, le souffle court, un point de côté lui déchirant le flanc.

– Je voudrais que tu mettes ta cape, s'il te plaît, dit Dumbledore.

Il attendit que Harry s'en soit enveloppé avant d'ajouter :

– Très bien. On y va ?

Dumbledore descendit les marches, sa propre cape de voyage remuant à peine dans l'air immobile de l'été. Sous sa cape d'invisibilité, Harry, toujours haletant, ruisselant de sueur, se hâtait à côté de lui.

– Que va-t-on penser si on vous voit partir, professeur ? demanda-t-il en pensant à Malefoy et à Rogue.

– Que je suis allé boire un verre à Pré-au-Lard, répondit Dumbledore d'un ton léger. Il m'arrive parfois d'honorer Rosmerta de ma clientèle ou de faire un tour à La Tête de Sanglier... en apparence tout au moins. C'est une manière comme une autre de dissimuler ma véritable destination.

Ils suivirent l'allée dans la nuit qui commençait à tomber autour d'eux. L'herbe tiède, l'eau du lac et le feu de bois dont la fumée s'élevait de la cabane de Hagrid embaumaient l'atmosphère. On aurait eu du mal à croire qu'ils s'apprêtaient à affronter quelque chose de dangereux ou d'effrayant.

– Professeur, dit Harry à voix basse lorsque le portail se dessina au bout de l'allée. Allons-nous transplaner ?

– Oui, répondit Dumbledore. Je crois que tu y arrives, maintenant ?

– Oui. Mais je n'ai pas encore mon permis.

Il préférait être franc. Que se passerait-il s'il gâchait tout en se retrouvant à cent cinquante kilomètres de l'endroit où il était censé se rendre ?

– Ça ne fait rien, le rassura Dumbledore. Je peux t'aider à nouveau.

Ils franchirent le portail et s'engagèrent sur la route déserte de Pré-au-Lard, dans les dernières lueurs du crépuscule. L'obscurité gagnait rapidement à mesure qu'ils avançaient et, quand ils atteignirent la grand-rue, la nuit tombait pour de bon. Des lumières scintillaient aux fenêtres, au-dessus des boutiques. Lorsqu'ils approchèrent des Trois Balais, ils entendirent des éclats de voix retentissants.

– Et ne remets plus jamais les pieds ici ! hurlait Madame

Rosmerta en expulsant avec vigueur un sorcier à l'aspect crasseux. Oh, bonsoir, Albus... Vous sortez bien tard...

– Bonsoir, Rosmerta, bonsoir... Pardonnez-moi mais je vais à La Tête de Sanglier... Ne m'en veuillez pas, j'ai simplement envie d'une atmosphère un peu plus tranquille, ce soir...

Une minute plus tard, ils tournèrent à l'angle de la petite rue où l'enseigne de La Tête de Sanglier grinçait un peu, malgré l'absence de vent. A la différence des Trois Balais, le pub était complètement vide.

– Nous n'aurons pas besoin d'entrer, murmura Dumbledore en jetant des regards autour de lui. Du moment que personne ne nous voit partir... Prends-moi le bras, Harry. Inutile de serrer trop fort, je ne ferai que te guider. A trois, attention... un... deux... trois...

Harry se tourna et éprouva aussitôt cette horrible impression de s'enfoncer dans un épais tuyau de caoutchouc. Il ne parvenait plus à respirer, chaque partie de son corps était comprimée presque au-delà du supportable. Enfin, au moment où il était sur le point d'étouffer, les bandelettes invisibles semblèrent se déchirer et il se retrouva debout dans un endroit froid, obscur, respirant à pleins poumons des bouffées d'air frais et salé.

26
La caverne

Harry sentait une odeur de sel et entendait des vagues déferler. Une petite brise fraîche lui ébouriffa les cheveux lorsqu'il contempla devant lui une mer éclairée par la lune et un ciel parsemé d'étoiles. Il se tenait sur de hauts rochers sombres en saillie, au-dessus d'une eau bouillonnante d'écume. Il jeta un regard derrière lui et vit une imposante falaise à la paroi verticale, noire et lisse. Quelques gros rochers semblables à celui sur lequel il avait atterri au côté de Dumbledore semblaient s'être détachés de la falaise dans un passé lointain. C'était une vision austère, désolée. Aucun arbre, aucune étendue d'herbe ou de sable ne venaient adoucir ce paysage de mer et de roc.

– Qu'en penses-tu ? interrogea Dumbledore.

On aurait dit qu'il demandait à Harry s'il estimait que l'endroit pourrait convenir à un pique-nique.

– Ils ont amené les enfants de l'orphelinat ici ? s'étonna Harry qui ne pouvait imaginer de lieu moins accueillant pour une excursion.

– Pas ici exactement, répondit Dumbledore. Il y a une sorte de village un peu plus loin sur les falaises. Je pense qu'on y a emmené les enfants pour qu'ils respirent un peu d'air marin et puissent regarder les vagues. Seuls Tom Jedusor et ses jeunes victimes ont visité cet endroit. Aucun Moldu ne pourrait atteindre ce rocher sans être un alpiniste exceptionnellement doué, et les bateaux ne peuvent pas approcher des falaises. Les eaux y sont trop dangereuses. J'imagine que Jedusor est descendu ici par des moyens magiques, beaucoup plus efficaces que des cordes. Et sans doute a-t-il emmené les deux autres enfants avec lui pour le seul plaisir de les terroriser. Le simple trajet jusqu'ici y aurait suffi, tu ne crois pas ?

Harry leva à nouveau les yeux vers la falaise et en eut la chair de poule.

– Mais sa destination finale – qui est aussi la nôtre – se trouve un peu plus loin. Viens.

Dumbledore fit signe à Harry de le suivre tout au bord du rocher où de petites cavités aux contours pointus permettaient de poser le pied pour descendre sur des rocs à la surface arrondie, à moitié enfoncés dans l'eau et plus proches de la falaise. La descente était périlleuse et Dumbledore, quelque peu gêné par sa main brûlée, progressait lentement. En bas, les rochers étaient rendus glissants par la mer. Harry sentit la fraîcheur des embruns lui fouetter le visage.

– *Lumos*, dit Dumbledore en atteignant le roc qui se trouvait le plus près de la falaise.

Des milliers de petits points de lumière dorée étincelèrent à la surface obscure de l'eau, au-dessous de l'endroit où il était accroupi. A côté de lui, la paroi de roche noire fut elle aussi illuminée.

– Tu vois ? murmura Dumbledore en levant un peu sa baguette.

Harry distingua dans la falaise une anfractuosité à l'intérieur de laquelle une eau sombre tourbillonnait.

– Ça ne te dérangera pas d'être un peu mouillé ?

– Non, répondit Harry.

– Alors, enlève ta cape d'invisibilité – tu n'en as pas besoin pour l'instant – et plongeons.

Avec la soudaine agilité d'un homme beaucoup plus jeune, Dumbledore se laissa glisser dans la mer et se mit à nager une brasse parfaite en direction de la crevasse, sa baguette allumée entre les dents. Harry enleva sa cape, la fourra dans sa poche et l'imita.

L'eau était glacée. Les vêtements trempés de Harry ondulaient autour de lui et l'attiraient vers le fond. Prenant de profondes inspirations, les narines remplies d'une odeur de sel et d'algues, il s'efforça de suivre la lueur brillante qui diminuait en s'enfonçant plus profondément à l'intérieur de la falaise.

La crevasse s'ouvrit bientôt sur un tunnel obscur que l'eau devait remplir à marée haute, songea Harry. Les parois visqueuses, qui laissaient entre elles un espace d'à peine un mètre, luisaient comme du goudron humide au passage de la lumière que diffusait la baguette de Dumbledore. Un peu plus loin, le passage tournait vers la gauche et Harry vit qu'il se prolongeait au cœur de la falaise. Il continua de nager dans le sillage de Dumbledore, les extrémités engourdies de ses doigts effleurant les parois rugueuses et mouillées.

Enfin, Dumbledore émergea de l'eau, ses cheveux argentés et sa robe sombre brillant à la lueur de la baguette. Parvenu au même endroit, Harry découvrit des marches qui menaient dans une vaste caverne. Il les grimpa péniblement, l'eau ruisselant de ses vêtements, et arriva, secoué de tremblements incontrôlables, dans un air glacé et immobile.

Dumbledore était au milieu de la caverne, tenant haut sa baguette, tandis qu'il tournait lentement sur place, examinant les parois et le plafond.

– C'est bien là, dit-il.

– Comment le savez-vous ? demanda Harry dans un murmure.

– De la magie a été pratiquée dans cette caverne, répondit simplement Dumbledore.

Harry aurait été incapable de dire si ses frissons étaient dus au froid qui le pénétrait jusqu'à la moelle ou aux enchantements dont il était lui aussi conscient. Il observa Dumbledore qui continuait de tourner sur place, se concentrant sur des choses que Harry ne pouvait percevoir.

– Nous ne sommes que dans l'antichambre, le hall d'entrée, expliqua Dumbledore au bout d'un moment. Nous devons pénétrer au cœur même des lieux... A présent, ce sont les obstacles dressés par Lord Voldemort qui sont sur notre chemin, pas ceux créés par la nature...

Dumbledore s'approcha de la paroi et en caressa la surface du bout de ses doigts noircis, murmurant des mots dans une langue étrange que Harry ne comprenait pas. A deux reprises, il fit le tour de la caverne, tâtant la roche brute partout où il le pouvait, s'arrêtant parfois, passant les doigts dans un sens puis dans l'autre à un endroit particulier jusqu'à ce qu'il s'immobilise enfin, la main plaquée contre la pierre.

– Ici, dit-il. C'est par là qu'il faut passer. L'entrée est cachée.

Harry ne lui demanda pas comment il le savait. Il n'avait

encore jamais vu un sorcier élucider un enchantement en se contentant de regarder et de toucher, mais il avait depuis longtemps appris que produire des détonations et de la fumée était plus souvent la marque de l'inaptitude que de la compétence.

Dumbledore s'écarta de la paroi et pointa sa baguette sur la surface rocheuse. Pendant un moment, une arcade se dessina, en une ligne blanche éclatante, comme si une puissante lumière brillait derrière une fissure.

– Vous… vous avez réussi ! s'exclama Harry en claquant des dents.

Mais avant qu'il ait fini sa phrase, l'arcade avait disparu, laissant la roche aussi nue et compacte qu'auparavant. Dumbledore regarda derrière lui.

– Désolé, j'ai oublié, dit-il.

Il pointa sa baguette sur Harry dont les vêtements devinrent aussitôt secs et chauds comme s'ils avaient été suspendus devant un bon feu.

– Merci, dit Harry avec reconnaissance, mais Dumbledore avait déjà reporté son attention sur la paroi de pierre.

Il n'essaya pas d'autre sortilège et resta simplement là, à la contempler d'un regard intense, comme si quelque chose de passionnant y était inscrit. Harry demeura parfaitement immobile. Il ne voulait pas déranger la concentration de Dumbledore.

Enfin, au bout de deux bonnes minutes, celui-ci murmura :

– Incroyable. C'est tellement grossier.

– Qu'y a-t-il, professeur ?

– Je crois qu'on nous demande de payer pour passer, expliqua Dumbledore en glissant sa main valide à l'intérieur de sa robe d'où il retira un petit couteau d'argent semblable à celui dont Harry se servait pour couper ses ingrédients en cours de potions.

– Payer ? s'étonna Harry. Il faut donner quelque chose à la porte ?

– Oui. Du sang, si je ne me trompe pas.

– *Du sang ?*

– Je t'ai dit que c'était grossier, répondit Dumbledore d'un ton dédaigneux, déçu même, comme si Voldemort n'avait pas été à la hauteur de ce qu'il attendait de lui. L'idée, comme tu auras pu le déduire toi-même, c'est que l'ennemi doit s'affaiblir avant d'entrer. Une fois de plus, Lord Voldemort n'a pas compris qu'il existe des choses bien plus terribles que les blessures physiques.

– Oui, mais quand même, si on peut les éviter..., dit Harry, qui avait eu suffisamment mal dans sa vie pour ne pas être pressé de recommencer.

– Parfois, elles sont inévitables.

D'un geste, Dumbledore remonta la manche de sa robe, exposant son avant-bras, du côté de sa main noircie.

– Professeur ! protesta Harry en se précipitant vers lui tandis que Dumbledore levait son couteau. C'est moi qui vais m'en charger, je suis...

Il ne savait pas ce qu'il allait dire – plus jeune, plus résistant ? Mais Dumbledore se contenta de sourire. Il y eut un éclair argenté, puis un jaillissement écarlate et la paroi de pierre fut éclaboussée de gouttelettes sombres et brillantes.

– C'est très gentil à toi, Harry, déclara Dumbledore.

Il passait à présent le bout de sa baguette sur la profonde entaille qu'il avait faite dans son propre bras et qui guérit instantanément, tout comme Rogue avait guéri les plaies de Malefoy.

– Mais ton sang vaut beaucoup plus que le mien. Ah, il semble que ça ait marché.

A nouveau, le contour étincelant d'une arcade était apparu sur la paroi et, cette fois, il ne s'effaça pas : la surface rocheuse constellée de sang qu'il délimitait se volatilisa, ménageant une ouverture qui donnait sur une obscurité totale.

– Il vaut mieux que je passe devant, dit Dumbledore.

Il franchit l'arcade, suivi de Harry qui alluma à son tour sa propre baguette.

Ils eurent alors sous les yeux une vision étrange, effrayante : ils se trouvaient au bord d'un grand lac noir, si étendu que Harry ne parvenait pas à en distinguer la rive opposée, dans une caverne si haute que le plafond restait également hors de vue. Une lueur verdâtre, nébuleuse, brillait au loin, là où semblait se situer le centre du lac, et se reflétait dans une eau parfaitement immobile. Cette lueur et la clarté projetée par les deux baguettes étaient les seules sources lumineuses qui perçaient l'obscurité d'un noir satiné, mais leurs rayons ne parvenaient pas à pénétrer aussi loin que Harry l'aurait pensé. D'une certaine manière, l'obscurité était ici plus épaisse que la normale.

– Avançons, dit Dumbledore à voix basse. Prends bien garde de ne pas marcher dans l'eau. Reste près de moi.

Il longea le lac, Harry sur ses talons. Le claquement de leurs pas résonnait sur l'étroite bordure rocheuse qui entourait l'eau. Ils marchaient, marchaient, mais rien ne changeait autour d'eux : d'un côté, la paroi brute de la caverne, de l'autre, une étendue sans fin d'un noir lisse, vitreux, au milieu de laquelle brillait la mystérieuse lueur verte. Harry trouvait cet endroit et ce silence oppressants, angoissants.

– Professeur ? Croyez-vous que l'Horcruxe est caché ici ? demanda-t-il enfin.

– Oh oui, répondit Dumbledore. Ça, j'en suis sûr. La question est : comment le trouver ?

– Nous pourrions... nous pourrions peut-être utiliser un sortilège d'Attraction ? proposa Harry, certain que sa suggestion était stupide, mais il avait hâte de sortir d'ici le plus vite possible, même s'il n'était pas disposé à l'avouer.

– Nous pourrions, en effet, approuva Dumbledore en s'arrêtant si brusquement que Harry faillit le heurter. Pourquoi n'essayes-tu pas ?

– Moi ? Heu... d'accord...

Harry ne s'était pas attendu à cela mais il s'éclaircit la gorge et lança à haute voix, sa baguette brandie :

– *Accio Horcruxe !*

Avec un bruit semblable à une explosion, une forme massive et pâle surgit de l'eau noire à cinq ou six mètres d'eux. Avant que Harry ait pu voir ce que c'était, la forme avait replongé dans une gerbe d'éclaboussures qui projeta des ondulations larges et profondes à la surface miroitante du lac. Sous le choc, Harry fit un bond en arrière, heurtant la paroi de la caverne. Son cœur battait à tout rompre lorsqu'il se tourna vers Dumbledore.

– Qu'est-ce que c'était ?

– Quelque chose qui, je crois, se tient prêt à réagir si nous essayons de nous emparer de l'Horcruxe.

Harry regarda à nouveau le lac. Sa surface noire était redevenue lisse et brillante comme du verre : les ondulations avaient disparu à une vitesse qui n'était pas naturelle. Le cœur de Harry, cependant, continuait de battre avec force.

– Vous pensiez que cela pourrait se produire ?

– Je pensais que *quelque chose* se produirait si nous tentions ouvertement de mettre la main sur l'Horcruxe. C'était une très bonne idée, Harry. La manière la plus simple de découvrir ce que nous devrons affronter.

– Mais nous ne savons pas ce qu'était cette chose, fit observer Harry en contemplant l'eau satinée à l'aspect sinistre.

– Ce que *sont ces* choses, tu veux dire, rectifia Dumbledore. Je doute fort qu'il n'y en ait qu'une seule. On continue ?

– Professeur ?

– Oui, Harry ?

– Vous pensez qu'il va falloir aller dans le lac ?

– *Dans* le lac ? Seulement si nous sommes malchanceux.

– Vous ne croyez pas que l'Horcruxe pourrait se trouver au fond ?

– Oh, non... Je crois qu'il se trouve *au milieu.*

Dumbledore pointa l'index en direction de la lueur verte et brumeuse.

– Nous devrons donc traverser le lac pour aller le chercher ?

– Oui, j'en ai bien l'impression.

Harry demeura silencieux. Ses pensées étaient peuplées de monstres aquatiques, de serpents gigantesques, de démons, de lutins, et d'esprits maléfiques tapis au fond des eaux...

– Aha, dit Dumbledore qui s'arrêta à nouveau.

Cette fois, Harry le heurta de plein fouet. Pendant un instant, il vacilla au bord de l'eau noire et la main valide de Dumbledore le saisit fermement par le bras en le tirant en arrière.

– Désolé, Harry, j'aurais dû te prévenir. Recule vers le mur, s'il te plaît. Je crois que j'ai trouvé.

Harry n'avait aucune idée de ce que Dumbledore voulait dire. Cet endroit de la rive était semblable à tout ce qu'ils avaient vu jusqu'à présent mais Dumbledore semblait avoir fait une découverte. Cette fois, il passa la main non pas sur la paroi rocheuse mais dans les airs comme s'il s'attendait à y trouver un objet invisible qu'il pourrait saisir.

– Oho, dit-il d'un air joyeux, quelques instants plus tard.

Sa main s'était refermée sur quelque chose que Harry ne pouvait voir. Dumbledore s'approcha de l'eau. Harry le regarda d'un air inquiet tandis qu'il posait le bout de ses chaussures à boucles sur l'extrême bord du sol rocheux. Gardant en l'air sa main serrée, il leva l'autre bras et tapota son poing du bout de sa baguette.

Aussitôt, une grosse chaîne d'un vert cuivré, surgie de nulle part, apparut dans sa main, émergeant des profondeurs du lac. Dumbledore donna quelques coups de baguette sur la chaîne qui se mit à glisser entre ses doigts à la manière d'un serpent et s'enroula sur le sol dans un cliquetis dont l'écho résonnait bruyamment contre les parois de pierre. La chaîne tirait quelque chose du fond de l'eau noire. Harry étouffa une exclamation en voyant la proue fantomatique d'un minuscule bateau de la même couleur vert cuivré crever la surface et s'avancer vers eux, une ride à peine visible dans son sillage.

– Comment avez-vous découvert ça ? demanda Harry, abasourdi.

– La magie laisse toujours des traces, répondit Dumbledore, alors que le bateau heurtait la rive avec un léger bruit. Et même parfois des traces très significatives. J'ai été le professeur de Tom Jedusor. Je connais son style.

– Ce... ce bateau n'est pas dangereux ?

– Non, je ne le pense pas. Voldemort avait besoin d'un

moyen de traverser le lac sans provoquer l'ire des créatures qu'il y a placées, au cas où il aurait voulu reprendre son Horcruxe.

– Donc, ces choses qui se trouvent dans l'eau ne nous feront rien si nous empruntons le bateau de Voldemort ?

– Je crois que nous devons nous y résigner : à un moment ou à un autre, elles se rendront compte que nous ne sommes pas Lord Voldemort. Jusqu'à présent, cependant, nous nous sommes bien débrouillés. Elles nous ont laissé sortir le bateau de l'eau.

– Mais pourquoi n'ont-elles pas réagi ? demanda Harry qui ne pouvait chasser de son esprit la vision de tentacules jaillissant des eaux sombres dès le moment où ils se seraient éloignés de la rive.

– Voldemort devait raisonnablement croire que seul un très grand sorcier serait capable de découvrir le bateau, répondit Dumbledore. A ses yeux, l'hypothèse que quelqu'un d'autre le trouve était hautement improbable, il a donc pris ce risque sachant qu'il avait dressé d'autres obstacles que lui seul avait la capacité de franchir. Nous allons voir s'il a eu raison.

Harry regarda à l'intérieur du bateau. Il était vraiment tout petit.

– Il ne semble pas avoir été prévu pour deux. Est-ce que nous pourrons tenir dedans ? Nous ne serons pas trop lourds ?

Dumbledore eut un petit rire.

– Voldemort ne se sera sûrement pas soucié des questions de poids mais plutôt de la quantité de pouvoir magique susceptible de traverser son lac. Je crois que ce bateau a été ensorcelé pour que ne puisse y monter qu'un seul sorcier à la fois.

– Mais alors ?

– Je ne pense pas que tu comptes, Harry : tu n'es pas majeur et tu n'es pas un sorcier diplômé. Voldemort n'aurait jamais pensé qu'un garçon de seize ans puisse parvenir jusqu'ici. Je ne crois pas que tes pouvoirs seront pris en considération, comparés aux miens.

Ces paroles n'étaient pas de nature à remonter le moral de Harry. Dumbledore l'avait sans doute compris car il ajouta :

– C'est l'erreur de Voldemort, Harry, l'erreur de Voldemort… L'âge mûr devient sot et négligent lorsqu'il sous-estime la jeunesse… Passe le premier, cette fois, et fais bien attention de ne pas toucher l'eau.

Dumbledore s'écarta et Harry monta avec précaution à bord du bateau. Dumbledore y prit place à son tour, déposant la chaîne enroulée au fond de l'embarcation. Ils étaient tellement serrés l'un contre l'autre que Harry ne put s'asseoir normalement et dut s'accroupir, ses genoux dépassant sur le côté du bateau qui se mit aussitôt à avancer. On n'entendait que le bruissement de la proue qui fendait l'eau. Il glissait tout seul à la surface du lac comme si un filin invisible l'avait tiré vers la lumière qui brillait au centre. Bientôt, ils ne virent plus les parois de la caverne. Ils auraient pu se trouver en pleine mer, sauf qu'il n'y avait pas de vagues.

Harry baissa les yeux et vit les reflets d'or du faisceau de sa baguette magique étinceler, scintiller, sur l'eau noire. Le bateau creusait des rides profondes sur l'étendue lisse, tels des sillons dans un miroir obscur…

Puis Harry l'aperçut, d'un blanc de marbre, flottant à quelques centimètres sous la surface.

– Professeur ! s'exclama-t-il.

Sa voix effarée résonna avec force sur l'eau silencieuse.

– Oui, Harry ?

– Je crois que j'ai vu une main dans l'eau… Une main humaine !

– Oui, sûrement, répondit Dumbledore, très calme.

Harry contempla l'eau, cherchant des yeux la main disparue et une nausée lui monta dans la gorge.

– Alors, cette chose qui a jailli de l'eau, tout à l'heure…

Mais Harry obtint la réponse avant même que Dumbledore ait eu le temps de parler. Le rayon lumineux de sa baguette magique lui montra un peu plus loin un homme mort qui flottait à quelques centimètres sous la surface. Ses yeux ouverts avaient un regard flou, comme enveloppés de toiles d'araignée, ses cheveux et sa robe ondulaient autour de lui telles des volutes de fumée.

– Il y a des cadavres, là-dedans ! s'écria Harry d'une voix beaucoup plus aiguë, très différente de ce qu'elle était d'habitude.

– Oui, répondit Dumbledore d'un ton placide, mais nous n'avons pas besoin de nous soucier d'eux pour le moment.

– Pour le moment ? répéta Harry, arrachant son regard du lac pour se tourner vers Dumbledore.

– Tant qu'ils se contentent de flotter paisiblement autour de nous. Il n'y a rien à craindre d'un cadavre, Harry, tout comme il n'y a rien à craindre de l'obscurité. Lord Voldemort qui, bien entendu, craint secrètement l'un et l'autre, ne serait pas d'accord avec cette affirmation. Mais une fois de plus, il révèle son manque de sagesse. C'est l'inconnu qui nous fait peur quand nous contemplons la mort ou l'obscurité, rien d'autre.

Harry resta silencieux. Il ne voulait pas discuter mais l'idée que des cadavres flottent autour et au-dessous d'eux lui paraissait abominable ; en plus, il ne croyait pas du tout qu'ils soient inoffensifs.

– Mais l'un d'eux a sauté en l'air ! dit-il en s'efforçant de contrôler sa voix pour qu'elle semble aussi mesurée et calme que celle de Dumbledore. Quand j'ai essayé le sortilège d'Attraction, un corps a jailli de l'eau.

– En effet, admit Dumbledore. Et je suis certain que lorsque nous aurons pris l'Horcruxe, ils seront beaucoup moins pacifiques. Mais, comme de nombreuses créatures qui vivent dans le froid et l'obscurité, ils ont peur de la lumière et de la chaleur, que nous appellerons donc à la rescousse si le besoin s'en fait sentir. Le feu, Harry, ajouta Dumbledore avec un sourire, en réponse à son expression perplexe.

– Ah... bon..., dit Harry.

Il tourna la tête pour regarder la lueur verdâtre vers laquelle le bateau continuait d'avancer inexorablement. Il ne pouvait prétendre, à présent, qu'il n'avait pas peur. Ce grand lac noir grouillant de cadavres... Il lui semblait qu'il s'était passé des heures et des heures depuis qu'il avait vu le professeur Trelawney et qu'il avait donné à Ron et à Hermione le Felix Felicis... Il regretta soudain de ne pas avoir pris davantage de temps pour leur dire adieu... Et il n'avait pas revu Ginny...

– Nous y sommes presque, annonça Dumbledore d'un ton enjoué.

En effet, la lumière verte paraissait enfin grandir et quelques minutes plus tard, le bateau s'arrêta, heurtant doucement quelque chose que Harry ne vit pas tout de suite ; mais lorsqu'il leva sa baguette, il s'aperçut qu'ils avaient atteint une petite île de roche lisse qui émergeait au centre du lac.

– Attention de ne pas toucher l'eau, répéta Dumbledore tandis que Harry quittait le bateau.

L'île n'était pas plus grande que le bureau de Dumbledore : une surface de pierre plate et sombre sur laquelle il n'y avait rien d'autre que la source de cette lumière verte, beaucoup plus brillante vue de près. Harry l'observa en plissant les yeux. Tout d'abord, il pensa qu'il s'agissait d'une sorte de lampe puis il vit qu'elle provenait d'un bassin de pierre assez semblable à la Pensine, posé sur un piédestal.

Dumbledore s'en approcha et Harry le suivit. Côte à côte, ils regardèrent à l'intérieur. Le bassin était rempli d'un liquide vert émeraude qui produisait cette lueur phosphorescente.

– Qu'est-ce que c'est ? demanda Harry à voix basse.

– Je ne sais pas très bien, avoua Dumbledore. Quelque chose de beaucoup plus inquiétant que du sang et des cadavres, en tout cas.

Il remonta sa manche au-dessus de sa main noircie et tendit ses doigts brûlés vers le liquide.

– Monsieur, non, n'y touchez pas !

– Je ne peux pas y toucher, répondit Dumbledore en esquissant un sourire. Tu vois ? Il m'est impossible d'en approcher plus près que ça. Essaye, toi.

Le regard fixe, Harry avança la main dans le bassin et tenta de toucher le liquide, mais une barrière invisible l'arrêta à deux centimètres de la surface. Il eut beau pousser de toutes ses forces, ses doigts ne parvenaient pas à franchir cet obstacle immatériel, compact et rigide.

– Écarte-toi, s'il te plaît, Harry, dit Dumbledore.

Il leva sa baguette et exécuta des mouvements complexes au-dessus du liquide, chuchotant des paroles inaudibles. Rien ne se produisit, si ce n'est que le liquide brilla un peu plus. Harry demeura silencieux pendant que Dumbledore opérait mais au bout d'un moment, il le vit abaisser sa baguette et sentit qu'il pouvait à nouveau parler sans crainte de l'interrompre.

– Vous pensez que l'Horcruxe est là-dedans, monsieur ?

– Oh, oui.

Dumbledore scruta plus attentivement l'intérieur du bassin. Harry vit son visage se refléter à l'envers à la surface lisse et verte du liquide.

– Mais comment l'atteindre ? On ne peut pas plonger la main dans cette potion, il est impossible de la faire disparaître, de la fragmenter, de la vider, de la siphonner, de la métamorphoser, de l'ensorceler ou d'en changer la nature de quelque manière que ce soit.

Presque machinalement, Dumbledore brandit à nouveau sa baguette, décrivit un cercle dans les airs et prit la coupe de cristal qu'il venait de faire apparaître.

– J'en arrive à la conclusion qu'il faut la boire.

– Quoi ? s'exclama Harry. Non !

– Si. J'en suis persuadé : il n'y a qu'en la buvant que je pourrai vider le bassin et voir ce qu'il cache dans ses profondeurs.

– Et si… si elle vous tue ?

– Oh, je doute que ce soit le cas, répondit Dumbledore d'un air dégagé. Lord Voldemort ne voudrait pas tuer la personne qui aurait réussi à atteindre cette île.

Harry n'arrivait pas à y croire. Était-ce encore une fois la folle obstination de Dumbledore à voir le bien en chacun ?

– Monsieur, reprit Harry en essayant d'adopter un ton raisonnable, c'est de *Voldemort* que nous…

– Désolé, Harry, j'aurais dû plutôt dire qu'il ne voudrait pas tuer *immédiatement* la personne qui aurait atteint cette île, rectifia Dumbledore. Il voudrait la maintenir en vie suffisamment longtemps pour découvrir comment elle a pu pénétrer ses défenses aussi loin et surtout, pourquoi elle tenait tant à vider le bassin. N'oublie pas que Lord Voldemort croit qu'il est seul à connaître l'existence de ses Horcruxes.

Harry voulut à nouveau parler mais cette fois Dumbledore leva la main pour lui imposer le silence. Les sourcils légèrement froncés, les yeux fixés sur le liquide vert émeraude, il réfléchissait intensément.

– Sans aucun doute, dit-il enfin, cette potion doit avoir pour effet d'empêcher que je m'empare de l'Horcruxe. Elle va peut-être me paralyser, me faire oublier pourquoi je suis ici, provoquer une douleur telle que j'en perdrai la tête, ou me rendre incapable d'agir d'une manière ou d'une autre. Si c'est le cas, Harry, tu auras pour tâche de t'assurer que je continue à la boire, même si tu dois me la verser dans la bouche contre mon gré. Tu comprends ?

Leurs regards se croisèrent au-dessus du bassin, leurs visages blafards éclairés par l'étrange lumière verte. Harry ne prononça pas un mot. Était-ce pour cela que Dumbledore l'avait invité à l'accompagner – pour qu'il l'oblige à boire de force une potion qui allait peut-être lui causer une douleur insupportable ?

– Tu te souviens à quelle condition je t'ai emmené avec moi ? demanda Dumbledore.

Harry hésita, en le regardant droit dans ses yeux bleus devenus verts à la lueur du bassin.

– Mais, dans le cas où...

– Tu as promis, n'est-ce pas, d'obéir à tout ordre que je te donnerais ?

– Oui, mais…

– Je t'avais averti qu'il y aurait peut-être des dangers ?

– Oui, reconnut Harry, mais…

– Eh bien, nous y sommes, dit Dumbledore.

Il remonta à nouveau ses manches et leva la coupe vide.

– Ce sont mes ordres.

– Pourquoi ne pourrais-je pas boire la potion moi-même ? demanda Harry dans une tentative désespérée.

– Parce que je suis beaucoup plus âgé, beaucoup plus habile et beaucoup moins utile que toi, répondit Dumbledore. Une bonne fois pour toutes, Harry, est-ce que j'ai ta parole que tu feras tout ton possible pour m'obliger à boire cette potion jusqu'au bout ?

– Ne pourrais-je pas…

– Est-ce que j'ai ta parole ?

– Mais…

– *Ta parole, Harry.*

– Je… d'accord, mais…

Avant que Harry ait pu émettre de nouvelles objections, Dumbledore abaissa la coupe de cristal. Pendant une fraction de seconde, Harry espéra qu'il ne parviendrait pas plus à toucher la potion avec la coupe qu'avec la main mais le cristal s'y enfonça aisément. Lorsque la coupe fut remplie jusqu'au bord, Dumbledore l'approcha de ses lèvres.

– A ta santé, Harry.

Et il la vida. Terrifié, Harry le regarda, se cramponnant si fort au bord du bassin qu'il ne sentait plus le bout de ses doigts.

– Professeur ? dit-il, anxieux, tandis que Dumbledore abaissait une nouvelle fois la coupe vide. Comment vous sentez-vous ?

Dumbledore hocha la tête, les yeux fermés. Harry se demanda s'il souffrait. A l'aveuglette, il replongea la coupe dans le bassin, la remplit à nouveau et recommença à boire.

Sans dire un mot, Dumbledore vida trois coupes de potion. Puis, au milieu de la quatrième, il se mit à chanceler et tomba contre le bassin. Ses yeux étaient toujours clos, sa respiration haletante.

– Professeur Dumbledore ? dit Harry, la voix tendue. Vous m'entendez ?

Dumbledore ne répondit pas. Son visage se contractait par instants comme s'il était profondément endormi, mais plongé en plein cauchemar. Sa main qui tenait la coupe se relâchait, menaçant de renverser la potion. Harry tendit le bras et attrapa le verre de cristal pour le remettre droit.

– Professeur, vous m'entendez ? répéta-t-il avec force, ses paroles résonnant dans la caverne.

Dumbledore respira avec difficulté puis il s'exprima d'une voix que Harry ne reconnut pas car jamais il ne l'avait vu si effrayé.

– Je ne veux pas… qu'on ne m'oblige pas à…

Harry observa sans savoir que faire le visage blême qu'il connaissait si bien, le nez aquilin, les lunettes en demi-lune.

– … n'aime pas… veux arrêter…, gémit Dumbledore.

– Vous… vous ne pouvez pas arrêter, professeur, répondit Harry. Il faut continuer à boire, vous vous souvenez ? Vous m'avez dit qu'il fallait avaler la potion jusqu'au bout. Tenez…

S'en voulant à lui-même, dégoûté par ce qu'il faisait, Harry porta de force la coupe aux lèvres de Dumbledore et l'inclina pour l'obliger à boire le reste de son contenu.

– Non…, grogna-t-il lorsque Harry replongea la coupe

dans le bassin pour la remplir à nouveau. Je ne veux pas… je ne veux pas… qu'on me laisse…

– Ne vous inquiétez pas, professeur, dit Harry, la main tremblante. Tout ira bien, je suis là…

– Que ça s'arrête, que ça s'arrête, se lamenta Dumbledore.

– Oui… ça va s'arrêter, mentit Harry.

Il versa le contenu de la coupe dans la bouche de Dumbledore.

Celui-ci poussa un hurlement qui retentit dans toute la caverne, au-dessus des eaux noires et mortes.

– Non, non, non… non… Je ne peux pas… Je ne peux pas, il ne faut pas m'obliger, je ne veux pas…

– Tout va bien, professeur, tout va bien ! assura Harry d'une voix forte, ses mains si tremblantes qu'il put tout juste remplir la sixième coupe de potion.

Le bassin était à présent à moitié vide.

– Vous ne courez aucun risque, il ne se passe rien, tout cela n'est pas réel, je vous le promets, ce n'est pas la réalité… Buvez, maintenant, buvez…

Docile, Dumbledore but la coupe comme s'il s'agissait d'un antidote que Harry lui offrait, mais lorsqu'il l'eut vidée, il tomba à genoux, parcouru de tremblements incontrôlables.

– C'est ma faute, entièrement ma faute, sanglota Dumbledore. Par pitié, que ça s'arrête et plus jamais, plus jamais, je ne…

– Tout va s'arrêter, maintenant, professeur, promit Harry, la voix brisée, alors qu'il versait le septième verre de potion dans la bouche de Dumbledore.

Dumbledore se recroquevilla comme s'il était entouré d'invisibles tortionnaires. Il agita la main en tous sens et faillit renverser la coupe à nouveau remplie que Harry tenait en tremblant.

– Il ne faut pas leur faire de mal, surtout ne pas leur faire de mal, gémit Dumbledore, par pitié, par pitié, c'est ma faute, c'est à moi qu'il faut faire du mal…

– Tenez, buvez, buvez ceci et tout ira bien, dit Harry d'un ton désespéré.

Une fois de plus, Dumbledore obéit, ouvrant la bouche, les paupières étroitement closes, parcouru de frissons des pieds à la tête.

Il tomba en avant et se remit à hurler en frappant le sol de ses poings pendant que Harry remplissait la neuvième coupe.

– Pitié, pitié, par pitié, non… Non, pas ça, pas ça. Je ferai n'importe quoi…

– Buvez, professeur, buvez…

Dumbledore s'exécuta, tel un enfant mourant de soif, mais lorsqu'il eut terminé, il se mit à hurler à nouveau comme s'il avait les entrailles en feu.

– Ça suffit, pitié, ça suffit…

Harry remplit une dixième coupe et sentit le cristal racler le fond du bassin.

– C'est presque fini, professeur, buvez encore ça, buvez…

Il le soutint en le prenant par les épaules et Dumbledore vida son verre. Harry se releva et remplit encore la coupe tandis que Dumbledore poussait un cri d'angoisse pire que jamais.

– Je veux mourir ! Je veux mourir ! Que ça s'arrête, que ça s'arrête, je veux mourir !

– Buvez ceci, professeur, buvez…

Dumbledore obéit. A peine eut-il fini qu'il hurla :

– QU'ON ME TUE !

– Ce... cette coupe vous tuera ! dit Harry, haletant. Buvez-la... ce sera terminé... complètement terminé !

Dumbledore avala le liquide jusqu'à la dernière goutte puis, dans un long râle, il roula sur lui-même, face contre terre.

– Non ! s'écria Harry qui s'était relevé pour remplir la coupe une nouvelle fois.

Il la laissa tomber dans le bassin et se précipita au côté de Dumbledore qu'il retourna sur le dos. Ses lunettes étaient de travers, sa bouche largement ouverte, ses yeux clos.

– Non, supplia Harry en le secouant. Non, vous n'êtes pas mort, vous avez dit vous-même que ce n'était pas du poison, réveillez-vous, réveillez-vous – *Revigor !* s'exclama-t-il, sa baguette pointée sur la poitrine de Dumbledore.

Il y eut un éclair rouge mais rien ne se produisit.

– *Revigor*... monsieur... s'il vous plaît...

Dumbledore battit des paupières. Le cœur de Harry se mit à battre plus fort.

– Monsieur, êtes-vous...

– De l'eau, dit Dumbledore d'une voix rauque.

– De l'eau, haleta Harry. Oui...

Il se leva d'un bond et reprit la coupe qu'il avait laissée au fond du bassin, apercevant à peine le médaillon d'or niché au-dessous.

– *Aguamenti !* hurla-t-il, donnant un coup de baguette magique sur le verre qui se remplit d'eau claire.

Harry se laissa tomber à genoux à côté de Dumbledore, lui souleva la tête et porta la coupe à ses lèvres – mais elle était vide. Dumbledore gémit, la respiration soudain saccadée.

– Pourtant, elle était pleine… Attendez… *Aguamenti !* répéta Harry, sa baguette pointée sur la coupe.

Une nouvelle fois, de l'eau claire brilla pendant un instant dans le cristal mais, lorsqu'il l'approcha des lèvres de Dumbledore, elle avait disparu.

– J'essaye, monsieur, j'essaye ! lança Harry, désespéré.

Il ne pensait pas, cependant, que Dumbledore puisse l'entendre. Il avait roulé sur le côté et respirait difficilement, des râles profonds, douloureux, s'échappant de sa gorge.

– *Aguamenti… Aguamenti… AGUAMENTI !*

La coupe se remplit puis se vida encore une fois. La respiration de Dumbledore faiblissait à présent. Paniqué, ses pensées tourbillonnant dans sa tête, Harry sut instinctivement comment obtenir de l'eau, car c'était ce que Voldemort avait prévu…

Il se jeta au bord du lac et y plongea la coupe, la ramenant pleine d'une eau glacée qui ne se volatilisa pas.

– Monsieur… tenez ! s'écria Harry.

Se ruant en avant, le bras tendu, il versa maladroitement le contenu de la coupe sur le visage de Dumbledore.

Il aurait été bien en peine de faire mieux car la sensation glacée qu'il éprouva sur l'autre bras n'était pas due à la fraîcheur de l'eau. Une main blafarde et visqueuse lui avait agrippé le poignet et la créature à laquelle elle appartenait le tirait lentement en arrière, sur le sol de pierre. La surface du lac n'était plus lisse comme un miroir. Des remous l'agitaient et partout où regardait Harry, des têtes et des mains blanchâtres émergeaient de l'eau noire : des hommes, des femmes, des enfants, leurs yeux sans vie enfoncés dans leurs orbites, avançaient vers l'îlot rocheux. Une armée de cadavres surgissant des profondeurs.

– *Petrificus totalus !* hurla Harry.

Il s'accrocha de toutes ses forces à la surface lisse et humide de l'île, la baguette pointée sur l'Inferius qui lui avait saisi le bras. La créature le lâcha, retombant en arrière dans un bruit d'éclaboussures. Harry parvint tant bien que mal à se relever mais de nombreux autres Inferi grimpaient déjà sur le rocher, leurs mains osseuses s'agrippant à la pierre glissante ; le visage émacié, ils le lorgnaient de leurs yeux vides, glacés, des haillons détrempés traînant derrière eux.

– *Petrificus totalus !* s'écria à nouveau Harry.

Il recula en donnant de grands coups de baguette dans les airs. Six ou sept Inferi s'effondrèrent mais d'autres continuaient d'avancer vers lui.

– *Impedimenta ! Incarcerem !*

Plusieurs d'entre eux trébuchèrent, un ou deux ligotés par des cordes, mais ceux qui se hissaient sur le rocher à leur suite marchaient sur les corps tombés à terre ou les enjambaient. Sans cesser de fendre l'air de sa baguette, Harry hurla :

– *Sectumsempra ! SECTUMSEMPRA !*

Des entailles apparurent dans leurs guenilles ruisselantes, sur leur peau glacée, mais ils n'avaient aucun sang à verser ; ils continuaient d'avancer, insensibles à toute douleur, leurs mains ratatinées tendues vers lui. Il recula un peu plus loin et sentit alors des bras se refermer sur lui par-derrière, des bras sans chair, froids comme la mort. Ses pieds quittèrent le sol, ils le soulevaient et l'emportaient, lentement, inexorablement, en direction de l'eau. Il savait qu'ils ne le lâcheraient plus, qu'il se noierait et deviendrait l'un des gardiens morts d'un fragment de l'âme éclatée de Voldemort...

Mais soudain, à travers l'obscurité, un feu jaillit tout autour de l'île, en un cercle de flammes écarlates et dorées. Les Inferi qui maintenaient Harry dans leur étreinte chancelèrent, vacillèrent, n'osant franchir les flammes pour retourner dans l'eau. Ils le relâchèrent enfin et Harry retomba. Dans sa chute, il glissa sur la pierre et s'effondra en s'écorchant les bras. Il se releva péniblement et regarda de tous côtés, sa baguette brandie.

Dumbledore était à nouveau debout, aussi pâle que les Inferi, mais plus grand, le reflet du feu dansant dans ses yeux. Il avait levé sa baguette à la manière d'une torche et les flammes jaillissaient de son extrémité comme un grand lasso qui les enveloppait de chaleur.

Les Inferi se cognaient les uns contre les autres pour essayer d'échapper à l'aveuglette au cercle de feu dans lequel ils étaient enfermés...

Dumbledore prit le médaillon au fond du bassin et le glissa à l'intérieur de sa robe. Sans un mot, il fit signe à Harry de revenir à côté de lui. Affolés par les flammes, les Inferi ne semblaient pas voir que leurs proies s'échappaient tandis que Dumbledore ramenait Harry vers le bateau, l'anneau de feu se déplaçant avec eux, les entourant. Les Inferi désemparés les suivirent jusqu'au bord puis, soulagés, s'enfoncèrent à nouveau dans leurs eaux sombres.

Harry, qui tremblait des pieds à la tête, pensa pendant un instant que Dumbledore ne parviendrait pas à monter à bord du bateau. Il chancelait en essayant de le rejoindre, tous ses efforts tendus pour maintenir autour d'eux le cercle de feu protecteur. Harry le prit par le bras et l'aida à s'asseoir. Lorsqu'ils furent à nouveau serrés l'un contre l'autre, le bateau, toujours cerné de flammes, s'éloigna de l'îlot rocheux et les Inferi qui grouillaient au-dessous d'eux n'osèrent pas réapparaître à la surface.

– Monsieur, dit Harry, le souffle court, j'avais oublié – pour le feu... ils avançaient vers moi et j'ai paniqué...

– C'est très compréhensible, murmura Dumbledore.

Harry s'inquiéta d'entendre sa voix si faible.

Ils touchèrent la rive avec une petite secousse et Harry sauta à terre puis se retourna pour aider Dumbledore. Dès que celui-ci eut posé le pied sur le sol, il laissa retomber sa baguette. Le cercle de feu s'évanouit mais les Inferi ne se montrèrent plus. A nouveau, le petit bateau s'enfonça dans l'eau. Tintant et cliquetant, la chaîne disparut à son tour dans les profondeurs du lac en ondulant comme un serpent. Avec un profond soupir, Dumbledore s'adossa contre la paroi de la caverne.

– Je me sens très faible..., dit-il.

– Ne vous inquiétez pas, monsieur, répondit Harry, anxieux, en voyant son extrême pâleur et son air épuisé. Ne vous inquiétez pas, je vais vous aider à sortir d'ici... Appuyez-vous sur moi...

Passant le bras valide de Dumbledore autour de ses épaules, Harry le guida le long de la rive, supportant le plus gros de son poids.

– La protection... était finalement... bien conçue, balbutia Dumbledore d'une voix éteinte. Il était impossible d'y arriver tout seul... Tu as été très bien, Harry, très bien...

– Ne parlez pas, murmura Harry, effrayé d'entendre sa voix inarticulée, de sentir ses pieds traîner par terre. Économisez vos forces... Nous serons bientôt sortis...

– L'arcade a dû se refermer... mon couteau...

– Ce n'est pas nécessaire, je me suis coupé en tombant

sur le rocher, dit Harry d'un ton décidé. Indiquez-moi seulement l'endroit...

– Ici...

Harry frotta contre la pierre son bras écorché : ayant reçu son tribut de sang, l'arcade se rouvrit instantanément. Ils traversèrent la caverne extérieure et Harry aida Dumbledore à replonger dans l'eau glacée qui remplissait la crevasse de la falaise.

– Tout ira bien, monsieur, répéta Harry à plusieurs reprises, plus préoccupé par le silence de Dumbledore qu'il ne l'avait été par la faiblesse de sa voix. Nous y sommes presque... Je peux nous faire transplaner tous les deux... ne vous inquiétez pas...

– Je ne m'inquiète pas, Harry, répondit Dumbledore, la voix un peu plus ferme malgré l'eau glacée. Je suis avec toi.

27
La tour frappée par la foudre

De retour sous le ciel et ses étoiles, Harry hissa Dumbledore au sommet du rocher le plus proche puis l'aida à se relever. Trempé, frissonnant, soutenant toujours le poids de Dumbledore, Harry se concentra plus intensément qu'il ne l'avait jamais fait sur sa destination : Pré-au-Lard. Les yeux fermés, serrant de toutes ses forces le bras de Dumbledore, il se laissa envahir une fois de plus par cette horrible sensation d'être comprimé de toutes parts.

Avant même d'avoir ouvert les yeux, il sut qu'il avait réussi : l'odeur de sel, la brise de mer avaient disparu. Dumbledore et lui, tremblants, ruisselants, se trouvaient à présent dans la grand-rue de Pré-au-Lard. Pendant un terrible moment, l'imagination de Harry lui donna l'impression que des Inferi rampaient vers lui, émergeant d'entre les boutiques, mais il battit des paupières pour chasser ces images et vit qu'en réalité, rien ne bougeait. Tout était tranquille, l'obscurité complète, à part le scintillement de quelques réverbères et de fenêtres éclairées.

– On a réussi, professeur ! murmura Harry avec difficulté.

Il prit soudain conscience d'une douleur cuisante dans sa poitrine.

– Nous y sommes parvenus ! Nous avons pris l'Horcruxe !

Dumbledore vacilla contre lui. Pendant un instant, Harry crut que c'était son transplanage maladroit qui lui avait fait perdre l'équilibre mais, à la lueur lointaine d'un réverbère,il vit son visage, plus pâle, plus moite que jamais.

– Monsieur, ça va ?

– Il m'est arrivé de me sentir mieux, répondit Dumbledore d'une voix faible, mais il trouva encore la force de contracter les coins de ses lèvres en un sourire. Cette potion… n'était pas une boisson recommandée pour la santé…

Sous les yeux horrifiés de Harry, Dumbledore s'effondra alors par terre.

– Monsieur… Tout va bien… Vous allez vous remettre, ne vous inquiétez pas…

Il regarda désespérément autour de lui pour essayer de trouver du secours mais il n'y avait personne. Il ne voyait d'autre solution que d'amener le plus vite possible Dumbledore à l'infirmerie.

– Il faut que vous reveniez à l'école, monsieur… Madame Pomfresh…

– Non…, dit Dumbledore. C'est… le professeur Rogue dont j'ai besoin… Mais je ne crois pas que… je pourrai marcher bien longtemps…

– Alors, écoutez… Je vais aller frapper à une porte, essayer de trouver un endroit où vous pourrez rester… Ensuite, je courrai chercher Madame…

– Severus, l'interrompit Dumbledore en articulant clairement. J'ai besoin de Severus…

– Très bien, dans ce cas, je vais aller chercher Rogue… Mais il faudra que je vous laisse un moment pour pouvoir…

Avant que Harry ait eu le temps de faire un geste, il entendit des bruits de pas précipités derrière lui. Il sentit son cœur bondir : quelqu'un les avait vus, quelqu'un savait qu'ils avaient besoin d'aide. Se retournant, il reconnut Madame Rosmerta qui courait vers eux, le long de la rue sombre, vêtue d'une robe de chambre en soie brodée de dragons, chaussée de pantoufles à pompons et à talons hauts.

– Je vous ai vus transplaner au moment où je fermais les rideaux de ma chambre ! Dieu merci, Dieu merci, je ne savais plus quoi… Mais qu'est-ce qui vous arrive, Albus ?

Elle s'arrêta, le souffle court, et regarda Dumbledore, les yeux écarquillés.

– Il est blessé, dit Harry. Madame Rosmerta, peut-il attendre aux Trois Balais pendant que je vais à l'école chercher de l'aide ?

– Vous n'allez sûrement pas y aller tout seul ! Vous ne vous rendez pas compte…

– Si vous m'aidez à le porter, poursuivit Harry sans l'écouter, nous pourrons l'amener à l'intérieur…

– Que s'est-il passé ? demanda Dumbledore. Rosmerta, qu'y a-t-il ?

– La… la Marque des Ténèbres, Albus.

Elle pointa le doigt vers le ciel, en direction de Poudlard. En entendant ces mots, Harry fut envahi de terreur… Il se retourna et regarda.

Elle était là, en effet, flottant dans le ciel au-dessus de l'école : la tête de mort verte avec une langue de serpent, la marque que les Mangemorts laissaient derrière eux chaque fois qu'ils avaient pénétré dans une maison... chaque fois qu'ils avaient commis un meurtre...

– Quand est-elle apparue ? interrogea Dumbledore.

Harry sentit douloureusement sa main se serrer sur son épaule tandis qu'il s'efforçait de se relever.

– Il y a quelques minutes, sans doute. Elle n'y était pas quand j'ai fait sortir le chat, mais quand je suis montée...

– Il faut tout de suite retourner au château, dit Dumbledore.

Bien qu'il fût encore chancelant, il semblait maîtriser pleinement la situation.

– Rosmerta, nous avons besoin de moyens de transport... des balais...

– J'en ai deux derrière le bar, répondit-elle, l'air épouvantée. Vous voulez que j'aille les chercher ?

– Non, Harry peut s'en charger.

Harry leva aussitôt sa baguette.

– *Accio les balais de Rosmerta.*

Un instant plus tard, ils entendirent un grand bruit et la porte du pub s'ouvrit à la volée. Deux balais foncèrent dans la rue comme s'ils faisaient la course, puis s'immobilisèrent au côté de Harry, vibrant légèrement, à hauteur de sa taille.

– Rosmerta, s'il vous plaît, envoyez un message au ministère, dit Dumbledore en montant sur le balai le plus proche. Il se peut que personne, à Poudlard, ne se soit encore rendu compte de ce qui se passe... Harry, mets ta cape d'invisibilité.

Harry sortit sa cape de sa poche et la déploya sur lui avant d'enfourcher son balai. Madame Rosmerta retournait déjà vers son pub d'une démarche vacillante tandis que Harry et Dumbledore décollaient et s'élevaient dans les airs. Filant vers le château, Harry jeta un regard en biais à Dumbledore, prêt à le rattraper si jamais il menaçait de tomber, mais la vision de la Marque des Ténèbres semblait avoir agi sur lui comme un stimulant : il était penché sur le manche de son balai, les yeux braqués sur la Marque, ses longs cheveux et sa barbe argentés voletant dans l'air frais de la nuit. Harry contemplait également la tête de mort, la peur enflant en lui comme une bulle vénéneuse, comprimant ses poumons, chassant de son esprit toute autre préoccupation...

Combien de temps étaient-ils partis ? Est-ce que la chance de Ron, d'Hermione et de Ginny, apportée par Felix Felicis, était épuisée à présent ? Était-ce pour la mort de l'un d'eux qu'était apparue la Marque au-dessus de l'école, ou pour celle de Neville, ou de Luna, ou d'un autre membre de l'A.D. ? Et s'il en était ainsi... C'était lui qui leur avait demandé de patrouiller dans les couloirs, de quitter la sécurité de leurs lits... Allait-il être à nouveau responsable de la disparition d'un ami ?

Alors qu'ils volaient au-dessus de la route sombre et sinueuse qu'ils avaient auparavant parcourue à pied, Harry entendit, dominant le sifflement du vent dans ses oreilles, Dumbledore marmonner à nouveau dans une langue étrange. Il comprit pourquoi lorsqu'il sentit son balai trépider au-dessus des murailles qui délimitaient le parc : Dumbledore conjurait les enchantements qu'il avait lui-même mis en place autour de l'école pour qu'ils puissent pénétrer dans son enceinte sans ralentir. La Marque des Ténèbres brillait juste au-dessus de la tour d'astronomie, la plus haute du château. Cela signifiait-il que le meurtre avait eu lieu ici même ?

Dumbledore avait déjà franchi les remparts crénelés de

la tour et descendait de son balai. Harry atterrit à côté de lui quelques secondes plus tard et regarda de tous côtés.

Le sommet de la tour était désert. La porte donnant sur l'escalier en colimaçon qui descendait dans le château était fermée. Il n'y avait aucune trace de lutte, de combat mortel, de cadavre.

– Qu'est-ce que ça signifie ? demanda Harry à Dumbledore en levant les yeux vers la tête de mort verdâtre à la langue de serpent qui jetait des lueurs maléfiques au-dessus d'eux. Est-ce la vraie Marque ? Est-ce que quelqu'un a vraiment été... Professeur ?

Dans la faible lumière que diffusait la Marque, Harry vit Dumbledore crisper sa main noircie sur sa poitrine.

– Va réveiller Severus, dit celui-ci d'une voix faible mais distincte. Raconte-lui ce qui s'est passé et amène-le-moi. Ne fais rien d'autre, ne parle à personne et n'enlève pas ta cape. Je t'attendrai ici.

– Mais...

– Tu as promis de m'obéir, Harry. Vas-y !

Harry se précipita vers la porte qui ouvrait sur l'escalier mais à peine avait-il mis la main sur l'anneau de fer qu'il entendit des bruits de pas de l'autre côté. Il se retourna vers Dumbledore qui lui fit signe de reculer. Harry s'écarta, tirant sa baguette magique de sa poche.

La porte s'ouvrit à la volée et quelqu'un surgit en criant :

– *Expelliarmus !*

Le corps de Harry devint raide et figé et il se sentit tomber en arrière contre le mur crénelé de la tour, appuyé contre la pierre comme une statue instable, incapable de bouger ou de parler. Il ne comprenait pas ce qui avait pu se produire – Expelliarmus n'était pas un sortilège de Blocage...

Puis, à la lueur de la Marque, il vit la baguette de Dumbledore s'envoler en décrivant un arc au-dessus des remparts. Il comprit alors... Dumbledore, sans prononcer d'incantation, avait immobilisé Harry et l'instant nécessaire pour exécuter le sortilège lui avait ôté toute chance de se défendre.

Debout contre les remparts, le visage livide, Dumbledore ne manifestait toujours aucun signe de panique ou de détresse. Il se contenta de regarder celui qui l'avait désarmé et lança :

– Bonsoir, Drago.

Malefoy s'avança, jetant un rapide coup d'œil alentour pour s'assurer qu'il était seul avec Dumbledore. Son regard tomba sur le deuxième balai.

– Qui est avec vous ?

– Une question que je pourrais te retourner. A moins que tu n'agisses seul ?

Harry vit les yeux pâles de Malefoy se reporter sur Dumbledore, dans l'éclat verdâtre de la Marque.

– Non, déclara-t-il. J'ai des renforts. Il y a des Mangemorts dans votre école, ce soir.

– Intéressant, dit Dumbledore, comme si Malefoy était en train de lui montrer un travail scolaire ambitieux. C'est très bien, vraiment. Tu as donc trouvé le moyen de les faire entrer ?

– Oui, répondit Malefoy, la respiration saccadée. Juste sous votre nez et sans que vous vous en rendiez compte !

– Ingénieux. Pourtant... pardonne-moi, mais... où sont-ils en ce moment ? Tu n'as pas l'air d'avoir beaucoup de renforts.

– Ils ont dû affronter quelques membres de votre garde rapprochée. Ils se battent à l'étage inférieur. Ce ne sera plus très long… Je suis monté le premier. J'ai… j'ai un travail à accomplir.

– Eh bien, dans ce cas, accomplis-le, mon garçon, conseilla Dumbledore à voix basse.

Il y eut un silence. Harry restait prisonnier de son propre corps, invisible et paralysé, le regard fixé sur eux, tendant l'oreille pour essayer d'entendre des bruits lointains du combat que menaient les Mangemorts. Devant lui, Drago Malefoy se contentait d'observer Albus Dumbledore qui, aussi incroyable que cela puisse paraître, souriait.

– Drago, Drago, tu n'es pas un tueur.

– Comment le savez-vous ? répliqua aussitôt Malefoy.

Il sembla prendre conscience de la puérilité de ses paroles. Harry le vit rougir dans le halo verdâtre de la Marque.

– Vous ne savez pas de quoi je suis capable, reprit-il d'un ton plus résolu. Vous ne savez pas ce que j'ai fait !

– Oh, si, je le sais, assura Dumbledore avec douceur. Tu as presque réussi à tuer Katie Bell et Ronald Weasley. Tu as désespérément essayé de me tuer moi-même tout au long de l'année. Pardonne-moi, Drago, mais ces tentatives étaient bien timides… si timides, pour être franc, que je me demande si tu y as vraiment mis tout ton cœur…

– Bien sûr que oui ! s'exclama Malefoy avec véhémence. J'y ai travaillé toute l'année et ce soir…

Quelque part dans les profondeurs du château, Harry entendit un cri étouffé. Malefoy se raidit et jeta un regard en arrière.

– Quelqu'un est en train de livrer un beau combat, commenta Dumbledore sur le ton de la conversation. Mais que disais-tu… Ah oui, tu as réussi à introduire des Mangemorts dans l'école, ce que j'estimais impossible, je dois l'admettre… Comment t'y es-tu pris ?

Mais Malefoy ne répondit pas. Il écoutait toujours ce qui se passait au-dessous et semblait presque aussi paralysé que Harry.

– Peut-être devrais-tu faire le travail tout seul, suggéra Dumbledore. Imagine que tes renforts soient repoussés par ma garde rapprochée ? Comme tu t'en es peut-être rendu compte, il y a aussi des membres de l'Ordre du Phénix, ce soir. Et finalement, tu n'as pas vraiment besoin d'aide… Je n'ai pas de baguette pour me défendre.

Malefoy se contenta de le regarder.

– Je comprends, dit Dumbledore d'un ton aimable en voyant qu'il restait immobile et silencieux. Tu as peur d'agir tant qu'ils ne t'auront pas rejoint.

– Je n'ai pas peur ! gronda Malefoy, sans faire cependant le moindre geste pour attaquer Dumbledore. C'est vous qui devriez avoir peur !

– Pourquoi donc ? Je ne crois pas que tu vas me tuer, Drago. Tuer n'est pas aussi simple que le croient les innocents… Dis-moi plutôt, pendant que nous attendons tes amis… Comment as-tu réussi à les faire entrer ici ? Il semble qu'il t'ait fallu beaucoup de temps pour trouver le moyen d'y parvenir.

Malefoy semblait combattre une forte envie de hurler ou de vomir. Il déglutit et respira profondément à plusieurs reprises, lançant des regards mauvais à Dumbledore, sa baguette pointée droit sur son cœur. Puis, comme si c'était plus fort que lui, il dit :

– J'ai dû réparer cette Armoire à Disparaître qui était cassée et dont personne ne s'était plus servi depuis des années. Celle dans laquelle Montague s'est perdu l'année dernière.

– Aaaah.

Dumbledore avait poussé un soupir qui était pour moitié un gémissement. Il ferma les yeux un instant.

– C'était astucieux... Il y en avait deux, j'imagine ?

– L'autre est chez Barjow et Beurk, répondit Malefoy. Il existait une sorte de passage entre elles. Montague m'a dit que quand il s'est retrouvé coincé dans celle de Poudlard, il était prisonnier d'une sorte de vide, mais parfois, il entendait ce qui se passait dans l'école, et parfois ce qui se passait dans la boutique, comme si l'armoire voyageait entre les deux. Lui, cependant, n'arrivait pas à se faire entendre de qui que ce soit... Finalement, il a réussi à sortir en transplanant bien qu'il n'ait jamais passé son permis. Il a failli en mourir. Tout le monde a pensé que c'était une excellente histoire mais j'ai été le seul à comprendre ce que cela signifiait – même Barjow ne le savait pas. Moi seul ai compris qu'il y avait peut-être un moyen de pénétrer à Poudlard grâce à ces deux armoires si j'arrivais à réparer celle qui était cassée.

– Très bien, murmura Dumbledore. Donc, les Mangemorts ont pu passer de chez Barjow et Beurk jusque dans l'école... un plan ingénieux, très ingénieux... Et, comme tu le disais, juste sous mon nez...

– Oui, répondit Malefoy qui, bizarrement, semblait tirer courage et réconfort des éloges de Dumbledore. Oui, exactement !

– Mais il y a eu des moments, poursuivit Dumbledore, où tu n'étais pas sûr de pouvoir réparer l'armoire ? Tu t'es donc rabattu sur d'autres méthodes plus grossières, moins bien imaginées, m'envoyer par exemple un collier ensorcelé qui ne pouvait atteindre qu'une mauvaise cible... ou empoisonner un hydromel que j'avais très peu de chance de jamais boire...

– Il n'empêche que vous ne saviez pas qui se cachait derrière tout ça, ricana Malefoy.

Dumbledore glissa légèrement contre le rempart de la tour, ses jambes faiblissant, et Harry lutta en vain, incapable de parler, contre l'enchantement qui le paralysait.

– Il se trouve que si, répondit Dumbledore. J'étais sûr que c'était toi.

– Dans ce cas, pourquoi ne pas m'avoir empêché d'agir ? interrogea Malefoy.

– J'ai essayé, Drago. Le professeur Rogue, sur mes instructions, a gardé l'œil sur toi...

– Pas sur *vos* instructions, c'est à ma mère qu'il a promis...

– Bien sûr, Drago, c'est ce qu'il te disait, mais...

– C'est un agent double, espèce de vieillard stupide, il ne travaille pas pour vous, contrairement à ce que vous croyez !

– Il faut admettre que nous différons sur ce point, Drago. Il se trouve que j'ai confiance dans le professeur Rogue...

– Eh bien, vous vous mettez le doigt dans l'œil ! railla Malefoy. Il m'a proposé son aide – il voulait toute la gloire pour lui... il voulait participer à l'action... « Qu'est-ce que vous faites ? me disait-il. C'est vous, le coup du collier ? Voilà qui était stupide, cela aurait pu tout gâcher... » Mais je ne lui ai pas révélé ce que je préparais dans la Salle sur Demande. Quand il se réveillera demain, tout sera terminé et il ne sera plus le favori du Seigneur des Ténèbres, il ne sera plus rien, comparé à moi !

– Très flatteur, dit Dumbledore d'une voix douce. Il est toujours agréable de voir son travail apprécié, bien sûr… mais tu as quand même dû avoir un complice… Quelqu'un à Pré-au-Lard qui a pu glisser à Katie le… le… aaaah…

Dumbledore ferma une nouvelle fois les yeux et dodelina de la tête comme s'il était sur le point de s'endormir.

– … Bien sûr… Rosmerta, reprit-il. Depuis combien de temps est-elle soumise au sortilège de l'Imperium ?

– Vous avez enfin compris ? lança Malefoy d'un ton sarcastique.

Il y eut un autre cri au-dessous, un peu plus fort cette fois. Malefoy, nerveux, jeta encore un coup d'œil derrière lui, puis se tourna à nouveau vers Dumbledore qui poursuivit :

– Donc, cette pauvre Rosmerta a été obligée de se cacher dans ses propres toilettes pour donner le collier à la première élève de Poudlard qui entrerait seule ? Et l'hydromel empoisonné… Bien entendu, Rosmerta pouvait y verser le poison à ta place avant d'envoyer la bouteille à Slughorn en croyant que ce serait mon cadeau de Noël… Oui, très habile… très habile… Ce malheureux Mr Rusard n'aurait jamais pensé, bien entendu, à vérifier une bouteille de chez Rosmerta… Dis-moi, comment t'y prenais-tu pour entrer en relation avec elle ? Je croyais que tous les moyens de communication entre l'école et l'extérieur étaient surveillés.

– J'utilisais des pièces de monnaie ensorcelées, répondit Malefoy, comme s'il se sentait obligé de s'expliquer, la main dans laquelle il tenait sa baguette agitée de tremblements. J'en avais une, elle avait l'autre, je pouvais ainsi lui envoyer des messages…

– N'est-ce pas le moyen de communication secret dont

se servait l'année dernière le groupe qui s'était donné pour nom l'armée de Dumbledore ?

Dumbledore parlait d'une voix légère, sur le ton de la conversation, mais Harry le vit glisser encore de quelques centimètres contre le rempart.

– Oui, c'est eux qui m'ont donné l'idée, dit Malefoy avec un sourire de travers. J'ai aussi eu l'idée d'empoisonner l'hydromel grâce à la Sang-de-Bourbe Granger. Je l'ai entendue dire à la bibliothèque que Rusard n'arrivait pas à reconnaître les potions...

– S'il te plaît, n'emploie pas ce mot offensant devant moi, l'interrompit Dumbledore.

Malefoy éclata d'un rire grinçant.

– Ça vous ennuie que je dise Sang-de-Bourbe alors que je ne vais pas tarder à vous tuer ?

– Oui, ça m'ennuie, répliqua Dumbledore, et Harry vit ses pieds glisser légèrement sur le sol tandis qu'il s'efforçait de se maintenir debout. Quant à me tuer, Drago, tu as eu de longues minutes pour le faire. Nous sommes seuls. Jamais tu n'aurais pu espérer me trouver si peu en état de me défendre et pourtant, tu n'as toujours pas agi...

La bouche de Malefoy se tordit involontairement comme s'il venait de goûter quelque chose de très amer.

– En ce qui concerne les événements de ce soir, continua Dumbledore, je suis un peu perplexe... Tu savais que j'avais quitté l'école ? Oui, bien sûr, se répondit-il à lui-même, Rosmerta m'a vu partir, elle t'a sûrement prévenu en utilisant tes pièces de monnaie...

– Exactement, confirma Malefoy, mais elle m'a dit que vous vouliez simplement boire un verre, que vous alliez revenir...

– J'ai bu un verre, sans aucun doute... Et je suis

revenu… tant bien que mal, marmonna Dumbledore. Tu avais donc décidé de me tendre un piège ?

– Nous avons fait apparaître la Marque des Ténèbres au-dessus de la tour en sachant que vous vous dépêcheriez de venir voir qui avait été tué, dit Malefoy. Et ça a marché !

– Plus ou moins…, répliqua Dumbledore. Dois-je en conclure que personne n'a été tué ?

– Quelqu'un est mort, annonça Malefoy d'une voix qui sembla monter d'un octave. Un de vos alliés… Je ne sais pas qui, il faisait sombre… J'ai enjambé le corps… J'étais censé attendre ici votre retour mais les gens du Phénix se sont mis en travers du chemin…

– Oui, ils font souvent ça, remarqua Dumbledore.

Il y eut au-dessous une détonation et des cris plus sonores que jamais, comme si on se battait dans l'escalier en colimaçon qui menait au sommet de la tour. Le cœur de Harry se mit à battre à tout rompre, silencieux dans sa poitrine invisible… Quelqu'un était mort… Malefoy avait enjambé le corps… Mais qui était-ce ?

– Il ne reste plus beaucoup de temps, quoi qu'il arrive, dit Dumbledore. Alors, examinons tes options, Drago.

– Mes options ! s'exclama Malefoy. Je suis là avec ma baguette à la main… Je m'apprête à vous tuer…

– Mon cher ami, cessons de jouer à ce jeu. Si tu avais dû me tuer, tu l'aurais fait dès que tu m'as désarmé, tu n'aurais pas perdu de temps à bavarder agréablement sur les moyens mis en œuvre.

– Je n'ai aucune option ! s'écria Malefoy qui était devenu brusquement aussi pâle que Dumbledore. Je dois aller jusqu'au bout ! Sinon, il me tuera ! Et il tuera toute ma famille !

– Je mesure la difficulté de ta position, dit

Dumbledore. Pourquoi donc crois-tu que je n'ai pas essayé de t'arrêter plus tôt ? Parce que je savais que tu aurais été tué si Lord Voldemort s'était rendu compte que je te soupçonnais.

Malefoy eut une grimace en entendant prononcer le nom.

– Je n'ai pas voulu te parler de la mission qu'il t'avait confiée et dont j'étais au courant, de peur qu'il se serve contre toi de la legilimancie, poursuivit Dumbledore. Mais maintenant, au moins, nous pouvons dialoguer sans détour... Aucun mal n'a été fait, tu n'as blessé personne, bien que tu aies eu de la chance que tes victimes imprévues aient survécu... Je peux t'aider, Drago.

– Non, vous ne le pouvez pas, répliqua Malefoy, la main qui tenait sa baguette secouée d'intenses tremblements. Personne ne le peut. Il m'a ordonné de le faire, sinon, il me tuerait. Je n'ai pas le choix.

– Rejoins le bon camp, Drago, et nous te cacherons mieux que tu ne saurais l'imaginer. En plus, je peux envoyer des membres de l'Ordre chercher ta mère dès ce soir pour la cacher aussi. Actuellement, ton père est en sécurité à Azkaban... Le moment venu, nous pourrons le protéger à son tour... Passe du bon côté, Drago... Tu n'es pas un tueur...

Malefoy regarda Dumbledore dans les yeux.

– Je suis arrivé jusqu'ici, non ? dit-il lentement. Ils pensaient que je ne sortirais pas vivant de ma tentative, mais je suis là... et vous êtes en mon pouvoir... C'est moi qui ai une baguette à la main... vous, vous êtes à ma merci...

– Non, Drago, répondit Dumbledore à voix basse. C'est ma merci qui compte à présent, pas la tienne.

Malefoy resta silencieux. Il avait la bouche ouverte,

sa main toujours tremblante. Harry crut voir sa baguette s'abaisser légèrement…

Soudain, un martèlement de pas retentit dans l'escalier. Quelques secondes plus tard, Malefoy fut violemment repoussé par quatre personnes vêtues de robes noires qui firent irruption au sommet de la tour. Toujours paralysé, sans même pouvoir ciller des yeux, Harry regarda avec terreur les quatre nouveaux venus : apparemment, les Mangemorts avaient remporté le combat qui s'était déroulé au-dessous.

Un homme massif, le regard oblique, les traits étrangement de travers, pouffa de rire d'une voix sifflante.

– Dumbledore coincé ! s'exclama-t-il.

Il se tourna vers une petite femme trapue, au sourire avide, qui donnait l'impression d'être sa sœur.

– Dumbledore sans baguette, Dumbledore seul ! Bravo, Drago, bien joué !

– Bonsoir, Amycus, dit Dumbledore, très calme comme s'il recevait des amis à dîner. Tu es venu avec Alecto… C'est charmant…

La femme eut un petit rire courroucé.

– Tu crois que tes fines plaisanteries vont t'aider sur ton lit de mort ? ricana-t-elle.

– Des plaisanteries ? Oh, non. C'est ce qu'on appelle les bonnes manières, répliqua Dumbledore.

– Vas-y donc, dit l'homme qui se trouvait le plus près de Harry, un personnage massif aux longs membres, avec des cheveux et des favoris gris en bataille, et dont la robe noire de Mangemort paraissait trop serrée pour lui.

Jamais Harry n'avait entendu une telle voix, on aurait dit une sorte d'aboiement rauque. Une puissante odeur de terre, de sueur et, à n'en pas douter, de sang, émanait de lui. Ses mains crasseuses avaient de longs ongles jaunes.

– C'est toi, Fenrir ? demanda Dumbledore.

– En effet, répondit l'autre de sa voix râpeuse. Ça te fait plaisir de me voir, Dumbledore ?

– Non, pas vraiment...

Fenrir Greyback sourit, montrant des dents pointues. Du sang coulait sur son menton et il se léchait lentement les babines, avec une expression obscène.

– Tu sais à quel point j'aime les enfants, Dumbledore.

– Dois-je en conclure que tu n'attends même plus la pleine lune pour attaquer, désormais ? C'est très inhabituel... Tu as donc un tel goût pour la chair humaine qu'il ne lui suffit plus d'être satisfait une fois par mois ?

– Exactement, répondit Greyback. Ça te choque, n'est-ce pas, Dumbledore ? Ça te fait peur ?

– Je ne peux pas prétendre en tout cas que ça ne me dégoûte pas, répliqua Dumbledore. Et en effet, je suis un peu choqué que Drago t'ait amené dans cette école où habitent tous ses amis...

– Ce n'est pas moi qui l'ai fait venir, dit Malefoy dans un souffle.

Il ne regardait pas Greyback, ne voulait même pas lui jeter un coup d'œil.

– Je ne savais pas qu'il serait ici...

– Je ne manquerais pour rien au monde une visite à Poudlard, Dumbledore, lança Greyback de sa voix rauque. Il y a ici tant de gorges à lacérer... Délicieux, délicieux...

Il leva un ongle jauni avec lequel il se cura les incisives, lorgnant Dumbledore.

– Je pourrais m'occuper de toi en guise de dessert, Dumbledore...

– Non, dit sèchement le quatrième Mangemort.

Il avait une tête aux traits grossiers, brutaux.

– Nous avons des ordres. C'est Drago qui doit le faire. Vas-y, Drago, dépêche-toi.

Malefoy semblait moins résolu que jamais. Il avait l'air terrifié en regardant Dumbledore, dont le visage encore plus pâle n'était pas à la même hauteur que d'habitude, car il s'affaissait de plus en plus contre le rempart de la tour.

– En tout cas, il n'en a plus pour très longtemps, si vous voulez mon avis ! dit l'homme au visage de travers, provoquant le rire sifflant de sa sœur. Regardez-le. Qu'est-ce qui t'arrive, Dumby ?

– Oh, une moindre résistance, des réflexes plus lents, Amycus, répondit Dumbledore. Bref, la vieillesse... Peut-être que ça t'arrivera aussi un jour... Si tu as la chance de parvenir jusque-là...

– Qu'est-ce que ça veut dire ? Hein ? Qu'est-ce que ça veut dire ? s'écria le Mangemort, soudain violent. Toujours pareil, avec toi, pas vrai Dumby, tu causes et tu ne fais rien, rien de rien. Je ne comprends même pas pourquoi le Seigneur des Ténèbres se donne la peine de te tuer ! Allez, Drago, vas-y !

Mais à cet instant, d'autres bruits de lutte retentirent un peu plus bas et une voix cria :

– *Ils ont bloqué l'escalier ! Reducto ! REDUCTO !*

Le cœur de Harry fit un nouveau bond dans sa poitrine. Ces quatre-là n'avaient donc pas neutralisé toute opposition, ils avaient simplement réussi à monter jusqu'au sommet de la tour et, d'après ce qu'on entendait, avaient dressé derrière eux une barrière invisible...

– Vite, Drago, maintenant ! dit avec colère l'homme aux traits grossiers.

Mais la main de Malefoy tremblait toujours tellement qu'il était incapable de viser.

– Je vais m'en occuper moi-même, gronda Greyback en s'avançant vers Dumbledore les bras tendus, les dents découvertes.

– J'ai dit non ! s'écria l'homme aux traits grossiers.

Il y eut un éclair de lumière et le loup-garou fut projeté en arrière. Il heurta les remparts et vacilla, l'air furieux. Le cœur de Harry, prisonnier du sortilège de Dumbledore, lui martelait les côtes avec une telle force qu'il semblait impossible que personne ne l'entende… Si seulement il avait pu bouger, il aurait lancé un maléfice sous sa cape…

– Drago, vas-y ou alors écarte-toi pour que l'un de nous…, vociféra la femme d'une voix perçante.

Mais au même instant, la porte s'ouvrit une nouvelle fois et Rogue apparut, la main crispée sur sa baguette. Ses yeux noirs balayèrent la scène, allant de Dumbledore, affalé contre le rempart, jusqu'aux Mangemorts, y compris le loup-garou enragé et Malefoy.

– Nous avons un problème, Rogue, dit Amycus, l'homme à la silhouette massive, dont le regard et la baguette étaient dirigés l'un et l'autre vers Dumbledore. Ce garçon ne semble pas capable de…

Mais quelqu'un d'autre avait prononcé le nom de Rogue, d'une voix très faible.

– Severus…

Rien, au cours de cette soirée, n'aurait pu autant terrifier Harry : pour la première fois, Dumbledore avait un ton suppliant.

Rogue resta silencieux. Il s'avança et repoussa brutalement Malefoy. Les Mangemorts reculèrent sans un mot. Même le loup-garou paraissait intimidé.

Rogue observa Dumbledore un moment, et l'on voyait la répugnance, la haine creuser les traits rudes de son visage.

– Severus… S'il vous plaît…

Rogue leva sa baguette et la pointa droit sur Dumbledore.

– *Avada Kedavra !*

Un jet de lumière verte jaillit de la baguette de Rogue et frappa Dumbledore en pleine poitrine. Le cri d'horreur que Harry aurait voulu pousser ne parvint pas à sortir de sa gorge. Silencieux et immobile, il ne put que regarder Dumbledore qui fut projeté dans les airs comme par une explosion. Pendant une fraction de seconde, il sembla suspendu sous la tête de mort étincelante puis retomba lentement en arrière, par-dessus les remparts, telle une grosse poupée de chiffon, avant de disparaître dans le vide.

28
La fuite du Prince

Harry eut l'impression que lui aussi était précipité dans le vide. *Ce n'était pas vrai... Il n'avait pas pu arriver une chose pareille...*

– Vite, filons d'ici, dit Rogue.

Il attrapa Malefoy par la peau du cou et l'obligea à franchir la porte, en passant devant les autres. Greyback, ainsi que l'homme à la silhouette massive et sa sœur trapue, les suivirent, ces deux derniers haletant d'excitation. Lorsqu'ils furent hors de vue, Harry s'aperçut qu'il avait retrouvé sa liberté de mouvement. Cette fois, ce n'était plus un sortilège qui le paralysait dos au mur, mais l'horreur et le désarroi. Il rejeta sa cape d'invisibilité au moment où le dernier Mangemort, l'homme aux traits grossiers, franchissait la porte et disparaissait dans l'escalier.

– *Petrificus totalus !*

Le Mangemort se cambra comme s'il avait reçu un coup dans le dos et tomba par terre, raide comme une figure de cire, mais à peine avait-il touché le sol que Harry l'enjambait déjà et dévalait l'escalier obscur.

Il sentait son cœur déchiré d'effroi... Il devait retrouver

Dumbledore et attraper Rogue… D'une certaine manière, les deux choses étaient liées… S'il parvenait à faire l'une et l'autre, il pourrait inverser le cours des événements… Il était impossible que Dumbledore soit mort…

Il sauta d'un bond les dix dernières marches de l'escalier en colimaçon et s'immobilisa à l'endroit où il avait atterri, sa baguette levée : le couloir faiblement éclairé était envahi de poussière. La moitié du plafond semblait s'être effondrée et un combat faisait rage un peu plus loin. Mais alors qu'il essayait de distinguer les adversaires, il entendit la voix haïe s'écrier : « C'est fini, il faut partir, maintenant ! » Et il vit Rogue disparaître à l'angle d'un mur, tout au bout du couloir. Malefoy et lui avaient réussi à traverser la bataille indemnes. Lorsque Harry se lança à leur poursuite, l'un des combattants se détacha de la mêlée et se rua sur lui : c'était Greyback, le loup-garou. Il renversa Harry avant que celui-ci ait pu brandir sa baguette. Il tomba en arrière, des cheveux répugnants collés contre son visage, une odeur pestilentielle de sueur et de sang le prenant à la gorge, un souffle brûlant et avide dans son cou…

– *Petrificus totalus !*

Harry sentit Greyback s'effondrer sur lui. Dans un prodigieux effort, il repoussa le loup-garou qui roula sur le sol. Un jet de lumière verte jaillit alors dans sa direction. Il se baissa et se précipita tête la première au cœur de la bataille. Ses pieds se posèrent sur quelque chose de glissant, de poisseux, et il trébucha : il y avait deux corps par terre, allongés à plat ventre dans une mare de sang, mais il n'avait pas le temps de les regarder de plus près. Car il venait d'apercevoir devant lui des cheveux roux qui voletaient comme des flammes : Ginny affrontait Amycus, le

Mangemort à la silhouette massive, esquivant les maléfices qu'il lui jetait en rafales. Amycus gloussait de rire, trouvant le jeu très amusant.

– *Endoloris... Endoloris...* Tu ne pourras pas toujours danser comme ça, ma jolie...

– *Impedimenta !* s'écria Harry.

Son sortilège atteignit Amycus en pleine poitrine. Il poussa un petit cri de goret, fut soulevé par le choc et violemment projeté contre le mur opposé, glissant à terre derrière Ron, le professeur McGonagall et Lupin, qui combattaient chacun un Mangemort. Plus loin, Harry vit Tonks aux prises avec un énorme sorcier blond. Celui-ci envoyait de tous côtés des maléfices qui ricochaient contre les murs, craquelant la pierre, fracassant la fenêtre la plus proche...

– Harry, d'où viens-tu ? s'écria Ginny, mais il n'eut pas le temps de lui répondre.

Tête baissée, il fonça droit devant, évitant de justesse une explosion qui projeta sur eux une pluie de débris arrachés au mur. Il ne fallait pas que Rogue s'échappe, il devait à tout prix le rattraper...

– Prends *ça* ! s'écria le professeur McGonagall.

Harry aperçut Alecto, la femme Mangemort, qui s'enfuyait dans le couloir, les bras au-dessus de la tête, son frère sur ses talons. Harry se rua à leur poursuite mais son pied heurta quelque chose et il se retrouva étalé de tout son long en travers des jambes de quelqu'un : il tourna la tête et distingua le visage rond et pâle de Neville, contre le sol.

– Neville, qu'est-ce que...

– 'a va, marmonna Neville, les mains crispées sur le ventre. Harry... Rogue et Malefoy... Ils sont passés...

– Je sais, j'essaye de les rattraper ! dit Harry, toujours par terre, lançant un maléfice à l'énorme Mangemort blond qui était à lui seul le responsable principal du chaos.

L'homme poussa un hurlement de douleur lorsque le maléfice l'atteignit en pleine tête. Il pivota, chancela, puis s'enfuit à toutes jambes derrière le frère et la sœur.

Harry se releva et se précipita le long du couloir, indifférent aux détonations qui résonnaient dans son dos, aux hurlements des autres qui lui criaient de revenir, à l'appel muet des silhouettes étendues à terre et dont il ignorait le sort...

Il dérapa en tournant l'angle du mur, ses baskets rendues glissantes par le sang qui s'y était collé. Rogue avait une avance considérable. Était-il déjà entré dans l'Armoire à Disparaître de la Salle sur Demande ou l'Ordre du Phénix avait-il réussi à en interdire l'accès, à empêcher les Mangemorts de s'échapper par ce moyen ? Il n'entendit plus que le martèlement de ses pas et le battement de son cœur, tandis qu'il s'élançait dans un nouveau couloir désert. Il aperçut alors une empreinte ensanglantée qui montrait qu'un des Mangemorts au moins se dirigeait vers l'entrée du château... L'accès de la Salle sur Demande était peut-être bel et bien bloqué...

Au moment où il tournait un autre coin de mur dans une longue glissade, un maléfice lui siffla aux oreilles et il plongea derrière une armure qui explosa. Il vit le frère et la sœur Mangemorts dévaler l'escalier de marbre devant lui et leur lança plusieurs sortilèges, mais il ne parvint à atteindre que quelques sorcières en perruque qui se trouvaient dans un tableau accroché au mur et s'enfuirent en hurlant dans les peintures voisines. Harry sauta par-dessus les débris de l'armure et entendit à nouveau des cris. D'autres personnes dans le château semblaient s'être réveillées...

Il s'engouffra dans un raccourci, espérant dépasser le frère et la sœur et se rapprocher de Rogue et de Malefoy qui étaient sûrement descendus dans le parc, à présent. Sans oublier de sauter par-dessus la marche escamotable, au milieu de l'escalier dérobé, il arriva en bas, franchit une tapisserie et fit irruption dans un couloir où se tenaient plusieurs Poufsouffle effarés, vêtus de pyjamas.

– Harry ! Nous avons entendu du bruit et quelqu'un a parlé de la Marque des Ténèbres..., commença Ernie Macmillan.

– Dégagez ! hurla Harry en repoussant brutalement deux élèves.

Il se précipita vers le palier et descendit le reste de l'escalier de marbre. Les portes de chêne avaient été forcées. On voyait des traces de sang sur le sol et des élèves terrifiés s'étaient blottis contre les murs, un ou deux d'entre eux se protégeant le visage de leurs bras. Le sablier géant de Gryffondor avait été fracassé par un sortilège et les rubis qu'il contenait ruisselaient sur les dalles dans un tintement sonore...

Harry traversa le hall à toutes jambes et sortit dans le parc. Il distingua alors trois silhouettes qui couraient sur la pelouse, en direction du portail, au-delà duquel on pouvait transplaner... Il reconnut le gigantesque Mangemort blond et un peu plus loin devant lui, Rogue et Malefoy...

L'air froid de la nuit lui déchira les poumons tandis qu'il bondissait à leur poursuite. Il aperçut au loin un éclair de lumière qui dessina brièvement les contours des fugitifs. Il ne savait pas ce qui l'avait provoqué mais il continua à courir, attendant d'être plus près d'eux pour lancer un maléfice...

Un autre éclair, des cris, des jets de lumière en riposte et Harry comprit : Hagrid avait surgi de sa cabane et tentait d'empêcher les Mangemorts de fuir. Malgré la sensation que chaque respiration lui lacérait les poumons, malgré le point de côté qui le brûlait comme une flamme, Harry continua de courir, une voix répétant dans sa tête : « Pas Hagrid... pas Hagrid aussi... »

Soudain, quelque chose frappa violemment Harry au creux des reins et il tomba en avant, sa tête heurtant le sol, du sang coulant à flots de son nez. Au moment même où il roula sur le dos, sa baguette pointée, il sut que le frère et la sœur qu'il avait dépassés grâce au raccourci le rattrapaient...

– *Impedimenta !* hurla-t-il.

Il roula une nouvelle fois sur lui-même et resta tapi contre le sol plongé dans l'obscurité. Miraculeusement, son maléfice avait atteint l'un de ses poursuivants qui trébucha et s'effondra, entraînant l'autre dans sa chute. Harry se releva d'un bond et courut à nouveau derrière Rogue...

Il voyait à présent l'immense silhouette de Hagrid, illuminée par la lumière du croissant de lune qui venait d'apparaître derrière les nuages. Le Mangemort blond lançait des maléfices en cascade, mais la force colossale de Hagrid, la peau épaisse qu'il avait héritée de sa mère géante semblaient le protéger. Rogue et Malefoy, pendant ce temps, continuaient de courir. Ils auraient bientôt atteint le portail derrière lequel ils pourraient transplaner...

Harry passa en trombe devant Hagrid et son adversaire, visa le dos de Rogue et s'écria :

– *Stupéfix !*

Il rata sa cible. Le jet de lumière manqua la tête de Rogue qui s'exclama :

– *Courez, Drago !* puis fit volte-face.

A vingt mètres l'un de l'autre, Harry et lui se regardèrent un instant avant de brandir leurs baguettes simultanément.

– *Endol...*

Mais Rogue para le maléfice, projetant Harry en arrière sans lui laisser le temps d'aller jusqu'au bout. Harry roula par terre puis se releva pendant que le gigantesque Mangemort hurlait derrière lui :

– *Incendio !*

Harry entendit une explosion et une lumière dansante aux teintes orangées se répandit sur eux : la cabane de Hagrid était en flammes.

– Crockdur est à l'intérieur, espèce d'abominable..., s'écria Hagrid.

– *Endol...*, lança Harry pour la deuxième fois, visant la silhouette illuminée par l'incendie, mais Rogue para à nouveau le maléfice.

Harry le vit ricaner.

– Vous n'allez quand même pas me jeter des Sortilèges Impardonnables, Potter ! s'exclama-t-il, sa voix couvrant le rugissement des flammes, les cris de Hagrid et les aboiements frénétiques de Crockdur, coincé dans la cabane embrasée. Vous n'en avez ni l'audace, ni la capacité.

– *Incarc...*, gronda Harry mais Rogue dévia le sortilège d'un geste du bras presque désinvolte.

– Battez-vous ! lui cria Harry. Battez-vous, espèce de lâche...

– Vous m'avez traité de lâche, Potter ? hurla Rogue. Lorsque votre père m'attaquait, c'était toujours à quatre contre un, alors je me demande comment vous l'appelleriez, lui ?

– *Stupé...*

– Paré, encore et toujours, jusqu'à ce que vous appreniez à vous taire et à fermer votre esprit, Potter ! railla Rogue en déviant une nouvelle fois le sortilège. Et toi, maintenant, *viens* ! cria-t-il au gigantesque Mangemort qui se trouvait derrière Harry. Il est temps de partir d'ici, avant que les gens du ministère arrivent...

– *Impedi...*

Mais avant qu'il ait fini de prononcer la formule, Harry ressentit une effroyable douleur et bascula dans l'herbe. Quelqu'un hurlait. Il ne pourrait certainement pas survivre à une telle souffrance, Rogue allait le torturer jusqu'à ce qu'il en meure ou en devienne fou...

– Non ! rugit la voix de Rogue et la douleur cessa aussi soudainement qu'elle était apparue.

Harry était recroquevillé dans l'herbe sombre, haletant, la main crispée sur sa baguette. Quelque part au-dessus de lui, Rogue s'exclama :

– Avez-vous oublié les ordres ? Potter appartient au Seigneur des Ténèbres. Nous devons le lui laisser ! Allez-vous-en d'ici ! Filez !

Harry sentit le sol trépider contre sa joue tandis que le frère et la sœur ainsi que le gigantesque Mangemort obéissaient, courant vers le portail. Harry poussa un cri de rage inarticulé : en cet instant, il ne lui importait plus de vivre ou de mourir. Se relevant péniblement, il s'avança à l'aveuglette, la démarche chancelante, en direction de Rogue, l'homme qu'il haïssait autant à présent qu'il haïssait Voldemort...

– *Sectum...*

Rogue agita sa baguette et le maléfice fut à nouveau repoussé. Mais Harry n'était plus qu'à quelques mètres de lui, maintenant, et il voyait enfin distinctement sa tête : Rogue ne ricanait plus, ne se moquait plus. Les flammes éclatantes révélaient un visage plein de fureur. Rassemblant tout son pouvoir de concentration, Harry pensa : « *Levic...* »

– Non, Potter ! s'écria Rogue.

Il y eut un BANG retentissant et Harry fut violemment précipité en arrière, tombant à nouveau sur le sol. Cette fois, sa baguette lui sauta des mains. Il entendit Hagrid vociférer et Crockdur hurler à la mort pendant que Rogue s'approchait de lui et le regardait de toute sa hauteur. Harry était étendu par terre, sans baguette, sans défense, comme Dumbledore l'avait été lui-même. Le visage blafard de Rogue, illuminé par la cabane en flammes, était baigné de la même haine qu'il avait laissée paraître avant de foudroyer Dumbledore.

– Vous osez m'attaquer avec mes propres sortilèges, Potter ? C'est moi qui les ai inventés – moi, le Prince de Sang-Mêlé ! Et vous voudriez retourner mes inventions contre moi, comme votre ignoble père, n'est-ce pas ? Je ne crois pas que vous y arriverez... *Non !*

Harry avait plongé vers sa baguette mais Rogue lança un maléfice et elle fut expédiée quelques mètres plus loin, hors de vue dans l'obscurité.

– Alors, tuez-moi, dit Harry, la voix haletante.

Il n'éprouvait aucune peur, simplement de la rage et du mépris.

– Tuez-moi comme vous l'avez tué lui, espèce de lâche...

– NE ME TRAITEZ PAS DE LÂCHE ! hurla Rogue.

Son visage était devenu soudain dément, inhumain,

comme s'il éprouvait la même douleur que le chien jappant, gémissant, coincé dans la cabane en feu de Hagrid.

Rogue fendit l'air de sa baguette et Harry sentit quelque chose de brûlant, comme un fouet chauffé à blanc, lui frapper le visage en le plaquant brutalement contre le sol. Des taches de lumière explosèrent devant ses yeux et pendant un moment, il lui sembla impossible de reprendre son souffle. Puis il entendit au-dessus de lui un bruissement d'ailes et vit une forme gigantesque obscurcir les étoiles : Buck avait fondu sur Rogue qui recula en chancelant sous les serres aiguisées comme des rasoirs qui essayaient de le lacérer. Lorsque Harry se redressa, assis dans l'herbe, la tête lui tournant encore après son dernier choc avec le sol, il vit Rogue s'enfuir à toutes jambes, l'énorme bête battant des ailes derrière lui et hurlant comme jamais Harry ne l'avait entendue hurler...

Il se releva tant bien que mal et regarda alentour, hébété, à la recherche de sa baguette, espérant pouvoir reprendre la poursuite, mais lorsque ses doigts tâtonnèrent dans l'herbe, écartant des brindilles, il sut qu'il serait trop tard. En effet, quand il eut enfin remis la main sur sa baguette magique, il se retourna et vit l'hippogriffe voler en cercle au-dessus du portail : Rogue avait réussi à transplaner, juste derrière l'enceinte de l'école.

– Hagrid, marmonna Harry, encore étourdi, lançant des regards de tous côtés. HAGRID ?

Il s'avança vers la maison d'un pas vacillant et aperçut une immense silhouette qui émergeait des flammes, portant Crockdur sur son dos. Avec un cri de gratitude, Harry tomba à genoux, tremblant des pieds à la tête, le corps douloureux, le souffle saccadé, chaque respiration lui transperçant les poumons.

– Ça va, Harry ? Pas blessé ? Dis-moi quelque chose…

La grosse tête hirsute de Hagrid flottait au-dessus de lui, masquant les étoiles. Harry sentit une odeur de feu de bois et de poils de chien brûlés. Il tendit la main et caressa la tiédeur rassurante, vivante, de Crockdur qui frissonnait à côté de lui.

– Ça va bien, répondit Harry, haletant. Et vous ?

– Bien sûr que oui… Il en faut plus que ça pour m'avoir.

Hagrid prit Harry par le bras et le souleva avec une telle force que ses pieds quittèrent le sol un instant avant qu'il se remette debout. Il vit du sang couler d'une profonde entaille sur la joue de Hagrid, juste au-dessous de son œil qui enflait rapidement.

– Nous devrions éteindre le feu, dit Harry. La formule, c'est *Aguamenti*…

– Je savais que c'était quelque chose comme ça, grommela Hagrid.

Il leva un parapluie rose à fleurs qui sentait le roussi et lança :

– *Aguamenti !*

Un jet d'eau jaillit alors de l'extrémité du parapluie. A son tour, Harry brandit sa baguette au bout de son bras qui lui sembla lourd comme du plomb et murmura également l'incantation. Ensemble, ils arrosèrent ainsi la maison jusqu'à ce que la dernière flamme s'éteigne.

– Ce n'est pas trop grave, affirma Hagrid, optimiste, en contemplant quelques minutes plus tard les ruines fumantes. Rien que Dumbledore ne puisse réparer…

Lorsqu'il entendit prononcer le nom, Harry éprouva une douleur déchirante au creux de l'estomac. Dans le silence et l'immobilité, il sentit l'horreur monter en lui.

– Hagrid…

– J'étais en train d'attacher les pattes de deux Botrucs

quand je les ai entendus arriver, dit Hagrid avec tristesse, les yeux toujours fixés sur sa cabane dévastée. Ils ont dû être réduits en cendres, les malheureux…

– Hagrid…

– Qu'est-ce qui s'est passé, Harry ? J'ai simplement vu ces Mangemorts qui sortaient du château en courant mais qu'est-ce que Rogue pouvait bien fabriquer avec eux ? Où est-il passé ? Il les poursuivait ?

– Il…

Harry s'éclaircit la gorge, desséchée par la fumée et la panique.

– Hagrid, il a tué…

– Tué ? s'exclama Hagrid en le regardant avec des yeux ronds. Rogue a tué ? Qu'est-ce que tu racontes ?

– Dumbledore, acheva Harry. Rogue a tué… Dumbledore.

Hagrid le regarda. Ce que sa barbe laissait voir de son visage exprimait une totale incompréhension.

– Dumbledore quoi, Harry ?

– Il est mort. Rogue l'a tué…

– Ne raconte pas des choses pareilles, répliqua Hagrid d'un ton brusque. Rogue tuer Dumbledore… Ne sois pas stupide, Harry. Qu'est-ce qui te fait dire ça ?

– Ça s'est passé sous mes yeux.

– Impossible.

– Je l'ai vu, Hagrid.

Hagrid hocha la tête : il paraissait incrédule mais compatissant, croyant visiblement que Harry avait reçu un choc sur le crâne, qu'il avait l'esprit embrouillé, peut-être à la suite d'un maléfice…

– Ce qui a dû se passer, c'est que Dumbledore a dit à Rogue de repartir avec les Mangemorts, assura Hagrid d'un ton confiant. Il faut qu'il continue à jouer son rôle, je suppose. Écoute, je vais te raccompagner à l'école. Viens, Harry...

Harry n'essaya pas de discuter ni d'expliquer. Il était toujours secoué de tremblements incontrôlables. Hagrid découvrirait la vérité bien assez tôt, beaucoup trop tôt... Quand ils repartirent vers le château, Harry vit qu'un grand nombre de fenêtres étaient allumées, à présent : il imaginait facilement ce qui se passait à l'intérieur, les élèves allant de salle en salle, se racontant que des Mangemorts étaient entrés, que la Marque brillait au-dessus de Poudlard, que quelqu'un avait dû être tué...

Les portes de chêne étaient ouvertes, la lumière qui provenait de l'intérieur inondant l'allée et la pelouse. Lentement, d'un pas indécis, des élèves descendaient les marches, jetant des regards inquiets autour d'eux, guettant le moindre signe de la présence des Mangemorts qui s'étaient enfuis dans la nuit. Les yeux de Harry, cependant, étaient fixés sur le sol, au pied de la plus haute tour. Il crut distinguer une forme noire, recroquevillée dans l'herbe, bien qu'il fût beaucoup trop loin pour cela. Mais tandis qu'il observait en silence l'endroit où il pensait que se trouvait le corps de Dumbledore, il vit plusieurs personnes converger dans cette direction.

– Qu'est-ce qu'ils regardent ? demanda Hagrid.

Harry et lui approchaient du château, Crockdur les suivant aussi près que possible.

– Qui est-ce qui est allongé dans l'herbe ? ajouta brusquement Hagrid.

Il se hâtait à présent vers la tour d'astronomie au bas de laquelle un groupe s'était formé.

– Tu as vu, Harry ? Juste au pied de la tour ? Sous la

Marque... Mon Dieu... tu crois que quelqu'un a été jeté de...

Hagrid se tut, cette pensée lui paraissant trop horrible pour être exprimée à haute voix. Harry marchait à côté de lui, ressentant des élancements et des douleurs sur le visage et les jambes, là où l'avaient atteint les maléfices lancés au cours de la dernière demi-heure. Mais ses sensations étaient étrangement détachées comme si c'était quelqu'un d'autre qui les éprouvait à côté de lui. Ce qui était bien réel, en revanche, ce à quoi il ne pouvait échapper, c'était l'horrible sentiment d'oppression qui lui serrait la poitrine...

Hagrid et lui traversèrent comme dans un rêve la foule murmurante et parvinrent au premier rang, à l'endroit où élèves et professeurs muets de stupéfaction avaient laissé un espace libre.

Harry entendit Hagrid gémir sous le choc et la douleur mais il ne s'arrêta pas. Il continua d'avancer lentement jusqu'à l'endroit où Dumbledore était étendu et s'accroupit auprès de lui.

Harry avait su qu'il n'y avait plus d'espoir dès le moment où il s'était trouvé libéré du sortilège du Saucisson auquel Dumbledore l'avait soumis. Il savait que cela ne pouvait se produire que si celui qui l'avait jeté était mort. Mais il n'était toujours pas préparé à voir ainsi étendu les bras en croix, brisé, le plus grand sorcier qu'il ait jamais rencontré ou qu'il rencontrerait jamais.

Les yeux de Dumbledore étaient clos. Si ses bras et ses jambes n'avaient pas formé cet angle étrange, on aurait pu croire qu'il dormait. Harry tendit la main, rajusta les lunettes en demi-lune sur le nez aquilin et essuya avec sa propre manche un filet de sang qui coulait de sa bouche. Puis il baissa les yeux vers le visage ridé du vieux sage et essaya d'assimiler cette vérité monstrueuse et incompréhensible : jamais plus Dumbledore ne lui parlerait, jamais plus il ne pourrait lui venir en aide...

La foule murmurait derrière Harry. Au bout d'un long moment, il se rendit compte qu'il s'était agenouillé sur quelque chose de dur et regarda ce que c'était.

Le médaillon dont ils avaient réussi à s'emparer plusieurs heures auparavant était tombé de la poche de Dumbledore. Il s'était ouvert, sans doute sous la violence du choc. Bien qu'il fût incapable d'éprouver davantage de douleur, d'horreur, de tristesse qu'il n'en ressentait déjà, Harry sut en le ramassant qu'il y avait quelque chose d'anormal...

Il retourna le médaillon entre ses mains. Il n'était pas aussi grand que celui qu'il avait vu dans la Pensine, aucun signe n'était gravé dessus, et on n'y voyait pas le S ornementé qui était censé être la marque de Serpentard. Par surcroît, il n'y avait rien à l'intérieur, à part un morceau de parchemin plié, glissé à l'endroit où aurait dû se trouver un portrait.

Machinalement, sans vraiment penser à ce qu'il faisait, Harry ôta le morceau de parchemin, le déplia et le lut à la lumière des nombreuses baguettes magiques qui s'étaient allumées autour de lui :

Au Seigneur des Ténèbres,
Je sais que je ne serai plus de ce monde
bien avant que vous ne lisiez ceci
mais je veux que vous sachiez que c'est moi
qui ai découvert votre secret.
J'ai volé le véritable Horcruxe
et j'ai l'intention de le détruire dès que je le pourrai.

J'affronte la mort dans l'espoir
que lorsque vous rencontrerez un adversaire de votre taille,
vous serez redevenu mortel.
R.A.B.

Harry ne savait pas ce que signifiait ce message et il s'en fichait. Une seule chose comptait : ce médaillon n'était pas un Horcruxe. Dumbledore s'était affaibli pour rien en buvant cette terrible potion. Harry chiffonna le parchemin entre ses doigts et des larmes lui brûlèrent les yeux tandis que Crockdur, derrière lui, hurlait à la mort.

29
LA LAMENTATION DU PHÉNIX

– Viens, Harry.
– Non.
– Tu ne peux pas rester ici… Viens, maintenant…
– Non.

Il ne voulait pas quitter Dumbledore, il ne voulait aller nulle part. Sur son épaule, la main de Hagrid tremblait. Une autre voix dit alors :

– Harry, viens.

Une main beaucoup plus petite, beaucoup plus chaleureuse, s'était refermée sur la sienne et l'incitait à se relever. Il obéit à sa pression sans vraiment y penser. Ce fut seulement en traversant la foule dans l'autre sens, sans rien voir autour de lui, qu'un parfum de fleur lui fit comprendre que Ginny le ramenait au château. Des paroles incompréhensibles l'assaillaient, des sanglots, des cris, des gémissements transperçaient la nuit, mais Harry et Ginny continuèrent d'avancer et remontèrent les marches du hall d'entrée : des visages flottaient dans le champ de vision de Harry, des gens l'observaient, murmuraient, se posaient des questions, et les rubis de Gryffondor brillaient par terre comme des gouttes de sang tandis que Ginny et lui se dirigeaient vers l'escalier de marbre.

– On va à l'infirmerie, dit Ginny.

– Je ne suis pas blessé, répondit Harry.

– Ce sont les ordres de McGonagall, insista-t-elle. Tout le monde y est, Ron, Hermione, Lupin, tout le monde…

Harry sentit à nouveau la peur monter en lui : il avait oublié les corps inanimés qu'il avait laissés derrière.

– Ginny, qui d'autre est mort ?

– Ne t'inquiète pas, personne d'entre nous.

– Mais la Marque des Ténèbres… Malefoy a dit qu'il avait enjambé un corps…

– Il a enjambé Bill, mais ça va, il est vivant.

Il y avait pourtant dans sa voix un ton qui n'annonçait rien de bon, songea Harry.

– Tu es sûre ?

– Évidemment… Il est… Il n'est pas en très bon état, c'est tout. Greyback l'a attaqué. Madame Pomfresh dit que… qu'il n'aura plus jamais le même aspect… – la voix de Ginny trembla un peu. Nous ne savons pas exactement quels seront les effets… Je veux dire, Greyback est un loup-garou, mais il n'était pas métamorphosé quand c'est arrivé.

– Et les autres… Il y avait d'autres corps par terre…

– Neville est à l'infirmerie mais Madame Pomfresh pense qu'il sera bientôt rétabli et le professeur Flitwick a été assommé, mais il va bien, il est juste un peu secoué. Il a insisté pour sortir s'occuper des Serdaigle. Et un Mangemort a été abattu par un des sortilèges de mort que l'énorme blond lançait de tous les côtés… Harry, si nous n'avions pas eu ta potion de Felix Felicis, je crois que nous aurions tous été tués, mais les maléfices semblaient passer à côté de nous sans nous atteindre…

Ils étaient arrivés à l'infirmerie. Poussant la porte, Harry vit Neville, apparemment endormi, étendu sur un lit à côté de l'entrée. Ron, Hermione, Luna, Tonks et Lupin étaient rassemblés autour d'un autre lit tout au bout de la salle. En entendant la porte s'ouvrir, ils levèrent tous la tête. Hermione courut vers Harry et le serra contre elle. Lupin s'avança également, l'air anxieux.

– Ça va, Harry ?

– Très bien... Et Bill ?

Personne ne répondit. Harry regarda par-dessus l'épaule d'Hermione et vit sur l'oreiller un visage méconnaissable, si terriblement lacéré, déchiré, qu'il en paraissait grotesque. Madame Pomfresh étalait sur les plaies de Bill un onguent vert à l'odeur âcre. Harry se souvenait avec quelle facilité Rogue avait guéri à l'aide de sa baguette magique les blessures infligées à Malefoy par le Sectumsempra.

– Vous ne pouvez pas le soigner avec un sortilège ou quelque chose comme ça ? demanda-t-il à Madame Pomfresh.

– Aucun sortilège ne peut agir sur de telles blessures, répondit-elle. J'ai essayé tout ce que je connais, mais il n'y a pas de remèdes contre les morsures de loup-garou.

– Il n'a pas été mordu à la pleine lune, dit Ron qui fixait le visage de son frère comme s'il avait pu forcer ses plaies à se refermer par son simple regard. Greyback ne s'était pas métamorphosé, donc Bill ne deviendra sûrement pas un... un vrai...

Hésitant, il se tourna vers Lupin.

– Non, je ne pense pas que Bill deviendra un vrai loup-garou, acheva Lupin. Mais cela ne signifie pas qu'il n'y aura pas une certaine contamination. Ce sont des blessures ensorcelées. Il y a peu de chances qu'elles guérissent jamais complètement et… et il se peut que Bill ait désormais certaines caractéristiques du loup.

– Peut-être que Dumbledore connaît un remède qui serait efficace ? dit Ron. Où est-il ? C'est sur son ordre que Bill s'est battu contre ces fous furieux. Dumbledore a une dette envers lui, il ne peut pas le laisser dans cet état…

– Ron… Dumbledore est mort, annonça Ginny.

– Non !

Lupin jeta un regard effaré à Ginny, puis à Harry comme s'il espérait que celui-ci démentirait la nouvelle mais voyant qu'il n'en était rien, il s'effondra sur une chaise à côté du lit de Bill, le visage dans les mains. Harry n'avait encore jamais vu Lupin perdre le contrôle de lui-même. C'était comme s'il avait surpris quelque chose d'intime, d'inconvenant. Il tourna la tête et croisa les yeux de Ron, échangeant avec lui un regard muet qui confirma ce que Ginny avait dit.

– Comment est-il mort ? murmura Tonks. Comment est-ce arrivé ?

– Rogue l'a tué, répondit Harry. J'étais là, je l'ai vu. En revenant, nous avons atterri au sommet de la tour d'astronomie, là où se trouvait la Marque… Dumbledore était malade, affaibli, mais je crois qu'il s'est rendu compte que c'était un piège quand on a entendu quelqu'un monter l'escalier en courant. Il m'a immobilisé, je ne pouvais rien faire, j'étais sous la cape d'invisibilité… A ce moment-là, Malefoy a poussé la porte et l'a désarmé…

Hermione plaqua ses mains contre sa bouche et Ron poussa un gémissement. Les lèvres de Luna tremblaient.

– D'autres Mangemorts sont arrivés… Et puis Rogue… C'est Rogue qui l'a tué. Avec l'Avada Kedavra.

Harry fut incapable de continuer.

Madame Pomfresh fondit en larmes. Personne ne lui prêta attention, sauf Ginny qui murmura :

– Chut ! Écoutez !

Dans un sanglot, Madame Pomfresh, les yeux écarquillés, pressa ses doigts contre ses lèvres. Quelque part dans l'obscurité, un phénix lançait un chant que Harry n'avait encore jamais entendu : une lamentation déchirante d'une terrible beauté. Comme il lui était déjà arrivé de le ressentir lorsque chantait le phénix, il eut l'impression que la musique ne venait pas de l'extérieur mais qu'elle était en lui : c'était son propre chagrin, transformé par magie en une mélodie, qui s'élevait dans le parc et leur parvenait par les fenêtres du château.

Combien de temps restèrent-ils à l'écouter, il ne le savait pas, il ne savait pas non plus pourquoi entendre ainsi chanter leur chagrin paraissait soulager un peu leur douleur. Il lui sembla en tout cas qu'il s'était écoulé un temps très long lorsque la porte de l'infirmerie s'ouvrit à nouveau et que le professeur McGonagall entra dans la salle. Comme les autres, elle portait les marques du combat : elle avait des estafilades sur le visage et sa robe était déchirée.

– Molly et Arthur arrivent, dit-elle.

Le sortilège de la musique fut rompu : ils s'éveillèrent comme s'ils sortaient d'une transe, se tournant à nouveau vers Bill, se frottant les yeux, hochant la tête.

– Harry, que s'est-il passé ? D'après Hagrid, vous étiez avec le professeur Dumbledore lorsqu'il... lorsque cela s'est produit. Il dit que le professeur Rogue est impliqué d'une certaine...

– Rogue a tué Dumbledore, déclara Harry.

Elle le regarda un moment dans les yeux puis vacilla dangereusement. Madame Pomfresh qui semblait avoir repris ses esprits se précipita, faisant apparaître une chaise qu'elle glissa sous le professeur McGonagall.

– Rogue, répéta McGonagall d'une voix faible en se laissant tomber sur la chaise. Nous nous demandions tous... Mais il a toujours... eu confiance... *Rogue*... Je n'arrive pas à y croire...

– Rogue était un occlumens de très haut niveau, dit Lupin, avec une dureté qui ne lui était pas familière. Nous l'avons toujours su.

– Mais Dumbledore jurait qu'il était de notre côté ! murmura Tonks. J'ai toujours pensé qu'il savait sur Rogue quelque chose que nous ignorions...

– Il laissait entendre qu'il avait une raison indiscutable de lui faire confiance, marmonna le professeur McGonagall qui tamponnait à présent le coin humide de ses paupières avec un mouchoir bordé de motifs écossais. Bien sûr... étant donné l'histoire de Rogue... il était inévitable qu'on se pose des questions... Mais Dumbledore m'a dit explicitement que le repentir de Rogue était absolument sincère... Il ne voulait pas entendre exprimer le moindre doute à ce sujet !

– J'aimerais bien savoir ce que Rogue a pu lui raconter pour le convaincre, se demanda Tonks.

– Je le sais, répondit Harry.

Tous les regards se tournèrent vers lui.

– Rogue a donné à Voldemort l'information qui l'a lancé sur les traces de ma mère et de mon père. Il a dit ensuite à Dumbledore qu'il ne s'était pas rendu compte des conséquences de son acte, qu'il regrettait profondément de l'avoir fait, il regrettait que mes parents soient morts.

– Et Dumbledore a cru ça ? s'étonna Lupin, incrédule.

Dumbledore a cru que Rogue regrettait que James soit mort ? Rogue *haïssait* James...

– Et il se fichait complètement de ma mère, ajouta Harry, parce qu'elle était d'origine moldue... Il la traitait de Sang-de-Bourbe...

Personne ne demanda comment Harry savait cela. Tous semblaient abasourdis et terrifiés, essayant de digérer la monstrueuse nouvelle.

– Tout est de ma faute, déclara soudain le professeur McGonagall.

Elle paraissait désemparée, tordant entre ses mains son mouchoir humide.

– Ma faute. J'ai envoyé Filius chercher Rogue, ce soir, je l'ai envoyé chercher pour qu'il vienne nous aider ! Si je n'avais pas averti Rogue de ce qui se passait, peut-être ne serait-il jamais venu prêter main-forte aux Mangemorts. Je ne pense pas qu'il ait été au courant de leur présence avant que Filius ne le prévienne, il ne savait sans doute pas qu'ils devaient venir.

– Non, ce n'est pas votre faute, Minerva, assura Lupin d'un ton ferme. Nous voulions tous des renforts, nous étions contents que Rogue vienne nous rejoindre...

– Alors, quand il est arrivé pendant la bataille, il s'est rangé du côté des Mangemorts ? demanda Harry.

Il voulait connaître tous les détails de la duplicité et de l'infamie de Rogue, recueillant fébrilement de nouvelles raisons de le haïr, de jurer vengeance.

– Je ne sais pas exactement ce qui s'est produit, répondit le professeur McGonagall, égarée. Tout était si confus... Dumbledore nous avait dit qu'il quitterait l'école pendant quelques heures et il nous a demandé de patrouiller dans les couloirs, au cas où... Remus, Bill et Nymphadora devaient se joindre à nous… Nous avons donc patrouillé. Tout paraissait tranquille. Les passages secrets communiquant avec l'extérieur étaient tous surveillés. Nous savions que personne ne pouvait arriver par la voie des airs. Chaque entrée du château était protégée par de puissants enchantements. Je ne sais toujours pas comment les Mangemorts ont fait pour entrer…

– Moi, je le sais.

Harry leur parla en quelques mots des deux Armoires à Disparaître et du chemin magique qui les reliait entre elles.

– Ils sont donc arrivés par la Salle sur Demande.

Presque contre sa volonté, il lança un regard à Ron et à Hermione qui paraissaient tous deux anéantis.

– J'ai tout fait de travers, avoua Ron d'un air sombre. On a suivi tes instructions : on a regardé la carte du Maraudeur et comme Malefoy n'y était pas, on a pensé qu'il devait se trouver dans la Salle sur Demande. Ginny, Neville et moi, on est allés la surveiller… mais Malefoy a réussi à nous échapper.

– Il est sorti de la salle environ une heure après qu'on eut commencé la surveillance, dit Ginny. Il était seul et il serrait contre lui cette horrible main desséchée…

– La Main de Gloire, précisa Ron. Elle permet à celui qui la tient d'avoir de la lumière quand les autres sont dans le noir, tu te souviens ?

– Il avait dû aller vérifier si la voie était libre avant de laisser sortir les Mangemorts, reprit Ginny. Dès qu'il nous a repérés, il a jeté quelque chose en l'air et tout est devenu d'un noir d'encre…

– La poudre d'Obscurité Instantanée du Pérou, dit Ron avec amertume. On en trouve chez Fred et George. Je vais leur dire un mot sur la façon dont ils choisissent leurs clients.

– On a tout essayé, Lumos, Incendio, poursuivit Ginny. Pas moyen d'obtenir la moindre lueur. Tout ce qu'on a pu faire, c'est sortir du couloir à tâtons et pendant ce temps-là, on entendait des gens qui passaient en courant à côté de nous. Malefoy, lui, pouvait voir et les guider grâce à cette main mais on n'a pas osé lancer de maléfices pour ne pas risquer de se les envoyer les uns aux autres. Quand on a enfin réussi à atteindre un couloir éclairé, ils avaient disparu.

– Heureusement, dit Lupin d'une voix rauque, Ron, Ginny et Neville sont presque tout de suite tombés sur nous et ils nous ont raconté ce qui s'était passé. Quelques minutes plus tard, on a trouvé les Mangemorts qui se dirigeaient vers la tour d'astronomie. De toute évidence, Malefoy ne s'était pas attendu à ce qu'il y ait d'autres personnes en faction. En tout cas, il avait épuisé ses réserves de poudre d'Obscurité. Un combat s'est engagé, ils se sont dispersés et nous les avons poursuivis. L'un d'eux, Gibbon, a réussi à s'enfuir dans l'escalier de la tour...

– Pour faire apparaître la Marque ? demanda Harry.

– Sans doute, oui. Ils avaient dû prévoir ça avant de quitter la Salle sur Demande. Mais je pense que Gibbon n'aimait pas trop l'idée d'attendre Dumbledore tout seul au sommet de la tour parce qu'il a très vite redescendu l'escalier pour se lancer à nouveau dans la bataille et il a été touché par un sortilège de mort qui m'a raté de peu.

– Et toi, où étais-tu pendant que les autres surveillaient la Salle sur Demande ? interrogea Harry en se tournant vers Hermione.

– Devant le bureau de Rogue, murmura Hermione, les yeux brillants de larmes. Avec Luna. Nous sommes restées là une éternité et tout était calme... Nous ne savions pas du tout ce qui se passait là-haut, Ron avait emporté la carte du Maraudeur... Il était presque minuit quand le professeur Flitwick a dévalé l'escalier des cachots. Il criait qu'il y avait des Mangemorts dans le château, je ne crois pas qu'il ait remarqué qu'on était là, Luna et moi, il est simplement entré en trombe dans le bureau de Rogue et on l'a entendu lui dire qu'il devait absolument venir les aider, ensuite, il y a eu un bruit de chute et Rogue est sorti en courant de son bureau, il nous a vues et... et...

– Quoi ? demanda Harry d'un ton pressant.

– J'ai été tellement bête, Harry ! murmura Hermione d'une petite voix aiguë. Il nous a dit que le professeur Flitwick s'était évanoui et que nous devrions nous occuper de lui pendant que... pendant qu'il allait aider à combattre les Mangemorts...

Elle se couvrit le visage dans un geste de honte et continua de parler entre ses doigts, la voix étouffée :

– Nous sommes entrées dans son bureau pour voir si nous pouvions aider le professeur Flitwick et nous l'avons trouvé étendu par terre, inconscient... et... oh, c'est tellement évident, maintenant. Rogue a dû stupéfixer Flitwick, mais on ne s'en est pas rendu compte, Harry, on ne s'en est pas rendu compte, on a simplement laissé filer Rogue !

– Ce n'est pas votre faute, assura Lupin. Hermione, si vous n'aviez pas obéi à Rogue, si vous vous étiez mises en travers de son chemin, il vous aurait sans doute tuées, vous et Luna.

– Il est donc monté dans les étages, dit Harry – qui voyait clairement dans sa tête Rogue grimper quatre à quatre l'escalier de marbre, sa robe noire voltigeant derrière lui, tirant sa baguette de sous sa cape –, et il a très vite découvert l'endroit où se déroulait le combat...

– Nous avions des difficultés, nous étions en train de perdre, expliqua Tonks à voix basse. Gibbon avait été tué mais les autres Mangemorts semblaient prêts à livrer un combat sans merci. Neville avait été blessé, Bill sauvagement attaqué par Greyback… Il faisait noir… les maléfices volaient en tous sens… Le jeune Malefoy avait disparu, il avait dû réussir à se faufiler et à monter dans la tour… Puis d'autres ont couru à sa suite et l'un d'eux a bloqué derrière lui l'accès à l'escalier, avec je ne sais quel sortilège… Neville a foncé droit dedans et il s'est retrouvé projeté en l'air…

– Aucun de nous n'a pu passer, dit Ron, et pendant ce temps-là, cet énorme Mangemort jetait des maléfices de tous les côtés, ils ricochaicnt sur les murs et nous manquaient de justesse…

– Et puis Rogue est arrivé, poursuivit Tonks, et il a très vite disparu…

– Je l'ai vu courir vers nous, reprit Ginny, mais à ce moment-là, un des sortilèges du gigantesque Mangemort m'a ratée de peu, je me suis baissée et je n'ai plus suivi ce qui se passait.

– Il a foncé droit sur la barrière ensorcelée et l'a traversée comme si elle n'existait pas, raconta Lupin. J'ai essayé de le rattraper, mais j'ai été rejeté en arrière comme Neville…

– Il devait connaître un antisort que nous ignorions, murmura McGonagall. Après tout, il était professeur de défense contre les forces du Mal… J'ai simplement cru qu'il s'était lancé à la poursuite des Mangemorts qui s'échappaient dans l'escalier de la tour…

– En effet, dit Harry, d'un ton féroce, mais c'était pour les aider, pas pour les arrêter… Et je vous parie qu'il fallait avoir la Marque des Ténèbres sur le bras pour traverser cette barrière invisible… Qu'est-ce qui s'est passé quand il est redescendu ?

– Le gros Mangemort venait de jeter un sort qui avait fait s'effondrer la moitié du plafond et avait également détruit le maléfice de la barrière invisible, expliqua Lupin. Nous nous sommes tous précipités dans l'escalier – ceux d'entre nous qui tenaient encore debout – puis Rogue et le jeune Malefoy ont émergé de la poussière et, bien entendu, nous n'avons pas songé à les attaquer…

– On les a laissés passer, dit Tonks d'une voix éteinte, on a pensé qu'ils étaient poursuivis par les Mangemorts… Un instant plus tard, les autres Mangemorts et Greyback étaient revenus se battre contre nous. Il me semble avoir entendu Rogue crier quelque chose, mais je n'ai pas compris quoi…

– Il a crié : « C'est fini », dit Harry. Il avait fait ce qu'il avait décidé de faire.

Tout le monde se tut. Au-dehors, la lamentation de Fumseck continuait de s'élever dans l'obscurité du parc. Tandis que l'écho de son chant résonnait dans les airs, des pensées involontaires, indésirables, s'insinuaient dans l'esprit de Harry… Avaient-ils déjà emporté le corps de Dumbledore ? Que deviendrait sa dépouille ? Où reposerait-il ? Il serra étroitement les poings dans ses poches et sentit le contact froid du faux Horcruxe contre les jointures de sa main droite.

Tout à coup, la porte de l'infirmerie s'ouvrit à la volée en les faisant tous sursauter : Mr et Mrs Weasley traversaient la salle à grands pas, suivis de Fleur, son beau visage terrifié.

– Molly… Arthur…, dit le professeur McGonagall qui

s'était levée d'un bond et se précipitait pour les accueillir. Je suis vraiment navrée...

– Bill, murmura Mrs Weasley qui passa très vite devant elle en voyant le visage ravagé de son fils. Oh, Bill !

Lupin et Tonks se levèrent aussitôt et s'écartèrent pour que Mr et Mrs Weasley puissent s'approcher du lit. Mrs Weasley se pencha sur son fils et posa ses lèvres sur son front ensanglanté.

– Vous m'avez dit que c'est Greyback qui l'a attaqué ? demanda Mr Weasley, effaré, au professeur McGonagall. Mais il n'était pas métamorphosé ? Alors, qu'est-ce qui va se passer ? Qu'est-ce qui va arriver à Bill ?

– Nous ne le savons pas encore, répondit le professeur McGonagall en regardant Lupin d'un air désemparé.

– Il y aura sans doute une forme de contamination, Arthur, déclara Lupin. C'est un cas étrange, peut-être unique... Nous ne savons pas ce que sera son comportement quand il se réveillera...

Mrs Weasley prit des mains de Madame Pomfresh l'onguent malodorant et commença à l'étaler sur les plaies de Bill.

– Et Dumbledore..., reprit Mr Weasley. Minerva, est-il vrai qu'il est... Il est véritablement...

Tandis que le professeur McGonagall confirmait la nouvelle d'un signe de tête, Harry sentit Ginny bouger à côté de lui et il se tourna vers elle. Ses yeux légèrement plissés étaient fixés sur Fleur qui regardait Bill, le visage figé.

– Dumbledore est mort, murmura Mr Weasley, mais Mrs Weasley ne s'intéressait qu'à son fils aîné.

Elle se mit à pleurer, des larmes tombant sur le visage mutilé de Bill.

– Bien sûr, l'apparence physique ne compte pas beaucoup... Ça n'a pas t... tellement d'importance... Mais c'était un très beau petit g... garçon... il a toujours été très beau... et il... il devait se marier !

– Qu'est-ce que vous voulez dire par là ? s'exclama soudain Fleur. Qu'est-ce que vous voulez dire par il *devait* se marier ?

Mrs Weasley, interloquée, leva son visage ruisselant de larmes.

– Eh bien... maintenant...

– Vous pensez que Bill ne voudra plus se marier avec moi ? demanda Fleur d'un ton impérieux. Vous pensez qu'à cause de ces morsures, il ne m'aimera plus ?

– Non, ce n'est pas ce que...

– Parce qu'il m'aimera toujours ! répliqua Fleur qui se redressa de toute sa taille et rejeta en arrière sa longue chevelure d'un blond argenté. Il faudrait plus qu'un loup-garou pour empêcher Bill de m'aimer !

– Certainement, j'en suis sûre, répondit Mrs Weasley mais je pensais que peut-être... étant donné... la façon dont il...

– Vous croyez que je ne voudrais plus me marier avec lui ? Ou c'est peut-être ce que vous espérez ? lança Fleur, les ailes du nez frémissantes. Qu'est-ce que ça peut me faire, son physique ? Je suis suffisamment belle pour deux, il me semble ! Ces cicatrices montrent simplement que mon mari est courageux ! Et d'ailleurs, c'est moi qui vais m'occuper de lui ! ajouta-t-elle d'un ton féroce en écartant Mrs Weasley et en lui prenant l'onguent des mains.

Mrs Weasley tomba en arrière contre son mari et, avec une expression très étrange, regarda Fleur étaler l'onguent sur les blessures de Bill. Personne ne prononça un mot. Harry n'osait pas bouger. Comme tous les autres, il attendait l'explosion.

– Notre grand-tante Muriel, dit Mrs Weasley après un long silence, possède un très beau diadème – fabriqué par des gobelins – et je suis sûre que je pourrais la convaincre de vous le prêter pour le mariage. Elle aime beaucoup Bill, et ce diadème vous irait à merveille, avec vos cheveux.

– Merci, répondit Fleur avec raideur. Ce sera sûrement ravissant.

Un instant plus tard – Harry n'avait pas très bien vu comment les choses s'étaient passées –, les deux femmes pleuraient dans les bras l'une de l'autre. Complètement désorienté, se demandant si le monde n'était pas devenu fou, il se retourna : Ron paraissait aussi abasourdi que lui et Ginny échangeait avec Hermione des regards surpris.

– Tu as vu ! dit une voix crispée.

Tonks regardait Lupin d'un œil noir.

– Elle veut toujours l'épouser, même s'il a été mordu ! Elle s'en fiche !

– C'est différent, répondit Lupin, remuant à peine les lèvres, l'air soudain tendu. Bill ne sera pas un loup-garou à part entière. Les deux cas sont très...

– Mais ça m'est égal, ça m'est complètement égal ! s'écria Tonks.

Elle attrapa Lupin par le devant de sa robe et le secoua.

– Je te l'ai répété un million de fois...

La signification du Patronus de Tonks, la couleur souris de ses cheveux, la raison pour laquelle elle était montée voir Dumbledore après avoir entendu dire que quelqu'un avait été attaqué par Greyback, tout devint soudain clair pour Harry. Finalement, ce n'était pas de Sirius que Tonks était tombée amoureuse...

– Et moi, je t'ai répété un million de fois, répliqua Lupin, les yeux fixés sur le sol, refusant de croiser le regard de Tonks, que je suis trop vieux pour toi, trop pauvre... trop dangereux...

– Je t'ai dit depuis le début que ton attitude était ridicule, Remus, lança Mrs Weasley par-dessus l'épaule de Fleur qu'elle tapotait dans le dos.

– Je ne suis pas ridicule, répondit Lupin avec fermeté. Tonks mérite quelqu'un qui soit jeune et sain.

– Mais c'est toi qu'elle veut, objecta Mrs Weasley en esquissant un sourire. D'ailleurs, Remus, les hommes jeunes et sains ne le restent pas forcément.

Elle montra d'un geste triste son fils étendu entre eux.

– Ce n'est pas... le moment d'en parler, déclara Lupin, qui évita le regard des autres en détournant les yeux d'un air égaré. Dumbledore est mort...

– Dumbledore aurait été plus heureux que quiconque de penser qu'il y a un peu plus d'amour dans le monde, dit sèchement le professeur McGonagall.

A cet instant, la porte de l'infirmerie s'ouvrit à nouveau et Hagrid entra.

La petite partie de son visage que sa barbe et ses cheveux laissaient voir était humide et bouffie. Un grand mouchoir à pois à la main, il était secoué de sanglots.

– Je... je l'ai fait, professeur, annonça-t-il d'une voix étranglée. Je... j'ai transporté son corps. Le professeur Chourave a renvoyé les élèves se coucher. Le professeur Flitwick est allé s'allonger mais il pense qu'il sera très vite remis et le professeur Slughorn m'a dit que le ministère avait été informé.

– Merci, Hagrid, répondit le professeur McGonagall.

Elle se leva aussitôt et se tourna vers le groupe rassemblé autour du lit de Bill.

– Il faudra que je voie les gens du ministère quand ils seront là. Hagrid, s'il vous plaît, dites aux directeurs de maison – Slughorn peut représenter Serpentard – que je veux tout de suite les rencontrer dans mon bureau. J'aimerais que vous soyez là aussi.

Hagrid acquiesça d'un signe de tête, pivota sur ses talons et ressortit d'un pas traînant. Le professeur McGonagall regarda alors Harry.

– Avant cette réunion, je voudrais vous dire rapidement un mot, Harry. Si vous voulez bien venir avec moi…

Harry se leva, murmura : « A tout à l'heure » à l'adresse de Ron, d'Hermione et de Ginny, et suivit le professeur McGonagall hors de la salle. Les couloirs étaient déserts et on n'entendait d'autres sons que le chant lointain du phénix. Il se passa plusieurs minutes avant que Harry s'aperçoive qu'ils ne se dirigeaient pas vers le bureau du professeur McGonagall mais vers celui de Dumbledore et il lui fallut encore quelques secondes pour se souvenir qu'elle avait le titre de directrice-adjointe… apparemment, elle était à présent directrice… La pièce gardée par la gargouille était donc la sienne, désormais…

Ils gravirent en silence l'escalier mobile et entrèrent dans le bureau circulaire. Harry ne savait pas très bien à quoi il s'était attendu : que la pièce, peut-être, soit drapée de noir, ou même que le corps de Dumbledore y ait été transporté. En fait, elle était presque exactement telle que Dumbledore et lui l'avaient quittée quelques heures auparavant : les instruments d'argent bourdonnaient en laissant échapper des volutes de fumée sur les tables aux pieds effilés, l'épée de Gryffondor luisait dans sa vitrine à la lueur du clair de lune, le Choixpeau magique était posé sur son étagère derrière le bureau. Le perchoir de Fumseck, en revanche, était vide. Le phénix chantait toujours sa longue plainte dans le parc du château. Et un nouveau portrait avait rejoint les rangs des anciens directeurs et directrices de Poudlard... Dumbledore somnolait dans un cadre d'or, au-dessus du bureau, ses lunettes en demi-lune perchées sur son nez aquilin, l'air paisible et serein.

Après avoir jeté un coup d'œil au portrait, le professeur McGonagall eut un étrange mouvement, comme si elle rassemblait tout son courage, puis elle contourna le bureau pour regarder Harry en face, le visage tendu, ridé.

– Harry, dit-elle, je voudrais savoir ce que le professeur Dumbledore et vous-même étiez allés faire lorsque vous avez quitté l'école.

– Je ne peux pas vous le révéler, professeur, répondit Harry.

Il s'était attendu à la question et avait préparé sa réponse. C'était ici, dans cette même pièce, que Dumbledore lui avait fait promettre de ne jamais confier à quiconque d'autre que Ron et Hermione le contenu de leurs leçons.

– Harry, il se peut que ce soit très important, insista le professeur McGonagall.

– C'est très important, en effet, mais il ne voulait pas que j'en parle à qui que ce soit.

Le professeur McGonagall le regarda d'un œil noir.

– Potter (Harry remarqua qu'elle l'appelait à nouveau par son nom de famille), étant donné la mort du professeur Dumbledore, vous devez comprendre, je pense, que la situation a changé...

– Je ne le crois pas, répliqua Harry en haussant les épaules. Le professeur Dumbledore ne m'a jamais dit que je devais cesser d'obéir à ses ordres s'il mourait.

– Mais…

– Il y a quand même une chose que vous devriez savoir avant l'arrivée des représentants du ministère. Madame Rosmerta est soumise au sortilège de l'Imperium, elle aidait Malefoy et les Mangemorts, c'est comme ça que le collier et l'hydromel empoisonné ont été…

– Rosmerta ? l'interrompit le professeur McGonagall, incrédule.

Elle n'eut pas le temps de poursuivre : au même instant, on frappa à la porte et les professeurs Chourave, Flitwick et Slughorn entrèrent dans la pièce d'un pas lourd, suivis de Hagrid qui pleurait toujours abondamment, son immense carcasse secouée de sanglots.

– Rogue ! vociféra Slughorn, qui paraissait le plus ébranlé, le teint pâle, le front couvert de sueur. Rogue ! Je l'ai eu pour élève ! Je croyais le connaître !

Mais avant qu'aucun d'eux ait pu répondre, une voix tranchante retentit en haut d'un mur : un sorcier au teint cireux, avec une courte frange de cheveux noirs, venait de réapparaître dans un tableau vide.

– Minerva, le ministre sera là dans quelques secondes, il vient de transplaner de son bureau.

– Merci, Everard, répondit le professeur McGonagall.

Elle se tourna aussitôt vers ses enseignants.

– Avant son arrivée, je voudrais vous parler de ce qui s'est passé à Poudlard, dit-elle précipitamment. En ce qui me concerne, je ne suis pas convaincue que l'école devrait rouvrir l'année prochaine. Le meurtre du directeur par la main d'un de nos collègues est une terrible tache sur l'histoire de Poudlard. C'est horrible.

– Je suis sûre que Dumbledore aurait voulu que l'école reste ouverte, dit le professeur Chourave. Je pense que, même s'il n'y avait qu'un seul élève qui veuille suivre ses études ici, l'école devrait rester ouverte pour lui.

– Mais aurons-nous un seul élève après ce qui vient de se passer ? interrogea Slughorn qui épongeait son front en sueur avec un mouchoir de soie. Les parents voudront garder leurs enfants à la maison et j'aurais du mal à leur en vouloir. Personnellement, je ne crois pas que nous soyons davantage en danger à Poudlard que n'importe où ailleurs, mais on ne peut pas demander aux mères de penser la même chose. Elles voudront que leur famille reste groupée, c'est bien naturel.

– Je suis d'accord, approuva le professeur McGonagall. Et en tout cas, il est faux de dire que Dumbledore n'a jamais envisagé de fermer Poudlard. Lorsque la Chambre des Secrets a été rouverte, il a considéré l'éventualité d'une fermeture de l'école. Et je dois vous avouer que le meurtre du professeur Dumbledore est à mes yeux plus bouleversant que l'idée du monstre de Serpentard vivant à notre insu dans les entrailles du château...

– Il faut consulter les membres du conseil d'administration, dit le professeur Flitwick de sa petite voix aiguë.

Il avait un gros hématome sur le front mais ne semblait pas garder d'autres séquelles du choc subi dans le bureau de Rogue.

– Nous devons suivre les procédures. Surtout pas de décision hâtive.

– Hagrid, vous n'avez pas donné votre avis, remarqua le

professeur McGonagall. Qu'en pensez-vous ? L'école doit-elle rester ouverte ?

Hagrid, qui avait pleuré silencieusement dans son mouchoir à pois pendant toute cette conversation, leva ses yeux rougis et gonflés et répondit d'une voix rauque :

– Je ne sais pas, professeur... C'est aux directeurs de maison et à la directrice de Poudlard de décider...

– Le professeur Dumbledore attachait toujours beaucoup d'importance à votre point de vue, dit avec douceur le professeur McGonagall. Et moi aussi.

– Eh bien, je reste, affirma Hagrid, de grosses larmes continuant de couler au coin de ses paupières et se perdant dans sa barbe en bataille. C'est chez moi, ici, chez moi depuis que j'ai treize ans. Et s'il y a des enfants qui veulent que je leur enseigne quelque chose, je le ferai. Mais... je ne sais pas... Poudlard sans Dumbledore...

Sa voix s'étrangla et il disparut à nouveau derrière son mouchoir. Puis ce fut le silence.

– Très bien, répondit le professeur McGonagall en jetant un coup d'œil par la fenêtre pour voir si le ministre arrivait. Pour ma part, je suis d'accord avec Filius pour dire qu'il convient de consulter le conseil d'administration qui prendra la décision finale. En ce qui concerne le retour des élèves chez eux... Il vaut mieux l'organiser le plus vite possible. Nous pourrions faire venir le Poudlard Express demain si nécessaire...

– Et les funérailles de Dumbledore ? demanda Harry, parlant enfin.

– Eh bien, dit le professeur McGonagall, la voix soudain tremblante, le ton radouci, je... je sais que c'était la volonté de Dumbledore de reposer ici, à Poudlard...

– Cette volonté sera donc respectée ? interrogea Harry d'un ton féroce.

– Si le ministère le juge opportun, répondit le professeur McGonagall. Aucun autre directeur, ni directrice, n'a jamais été...

– Aucun autre directeur, ni directrice, n'a jamais autant donné à cette école, gronda Hagrid.

– Poudlard doit devenir la dernière demeure de Dumbledore, assura le professeur Flitwick.

– Absolument, approuva le professeur Chourave.

– Dans ce cas, reprit Harry, vous ne devriez pas renvoyer les élèves chez eux avant l'enterrement. Ils voudront lui dire...

Le dernier mot s'étouffa dans sa gorge mais le professeur Chourave se chargea de le prononcer à sa place :

– ... adieu.

– Bien parlé, couina le professeur Flitwick. Très bien parlé ! Nos élèves doivent lui rendre hommage, c'est tout à fait normal. Nous pourrons ensuite nous occuper de leur retour chez eux.

– Je suis d'accord, aboya le professeur Chourave.

– Oui... moi aussi, je pense..., ajouta Slughorn d'une voix tendue.

Hagrid laissa échapper un sanglot d'approbation.

– Il arrive, annonça soudain le professeur McGonagall en jetant un regard dans le parc. Le ministre... et apparemment, il est venu avec une délégation...

– Puis-je m'en aller, professeur ? demanda aussitôt Harry.

Il n'avait aucune envie de voir Rufus Scrimgeour ce soir, ni de répondre à ses questions.

– Vous pouvez, dit le professeur McGonagall, et dépêchez-vous.

Elle s'avança à grands pas pour aller lui ouvrir la porte. Harry dévala l'escalier en spirale et se hâta le long du couloir désert. Sa cape d'invisibilité était restée au sommet de la tour d'astronomie mais peu lui importait. Il n'y avait personne pour le voir passer, pas même Rusard, Miss Teigne ou Peeves. Il ne rencontra pas âme qui vive jusqu'à ce qu'il arrive dans le couloir qui menait à la salle commune de Gryffondor.

– C'est vrai ? murmura la grosse dame lorsqu'il s'approcha d'elle. C'est la vérité ? Dumbledore… mort ?

– Oui, répondit Harry.

Elle poussa un gémissement et, sans attendre qu'il ait prononcé le mot de passe, pivota pour libérer le passage.

Comme Harry s'en doutait, la salle commune était pleine à craquer. Lorsqu'il se glissa par le trou du portrait, tout le monde se tut. Il vit Dean et Seamus assis un peu plus loin, parmi un groupe d'élèves, ce qui signifiait que le dortoir devait être vide ou presque. Sans parler à personne, sans croiser un regard, Harry traversa la pièce et franchit la porte du dortoir.

Comme il l'avait espéré, Ron l'attendait, toujours habillé, assis sur le lit. Harry s'installa sur le sien et pendant un instant, ils se contentèrent de rester face à face, sans prononcer un mot.

– Ils parlent de fermer l'école, dit enfin Harry.

– C'est ce qu'avait prévu Lupin, répondit Ron.

Il y eut un silence.

– Alors ? reprit Ron à voix très basse, comme s'il craignait que les meubles l'entendent. Vous en avez trouvé un ? Vous l'avez eu ? Le… l'Horcruxe ?

Harry fit non de la tête. Tout ce qui s'était passé autour de ce lac noir lui apparaissait comme un ancien cauchemar, à présent. Cela s'était-il vraiment produit, et seulement quelques heures auparavant ?

– Vous ne l'avez pas trouvé ? demanda Ron, déconfit. Il n'était pas là ?

– Non, dit Harry. Quelqu'un l'avait déjà pris et l'avait remplacé par un faux.

– Déjà *pris* ?

Sans un mot, Harry sortit le faux médaillon de sa poche, l'ouvrit et le tendit à Ron. Les détails de l'histoire pouvaient attendre... Ce soir, ce n'était pas important... Rien n'était important, à part la fin, la fin de leur aventure inutile, la fin de la vie de Dumbledore...

– R.A.B., murmura Ron. Qui c'était, ça ?

– Sais pas, répondit Harry.

Il s'allongea tout habillé sur son lit, le regard perdu. Il n'éprouvait aucune curiosité à l'égard de R.A.B. Il lui semblait même qu'il n'éprouverait plus jamais de curiosité pour quoi que ce soit. Étendu sous son baldaquin, il s'aperçut soudain que le parc était redevenu silencieux. Fumseck ne chantait plus.

Il sut alors, bien qu'il eût été incapable de dire comment il le savait, que le phénix était parti, qu'il avait à jamais quitté Poudlard, tout comme Dumbledore avait quitté son école, avait quitté le monde... avait quitté Harry.

30
La tombe blanche

Tous les cours furent suspendus et les examens repoussés à une date ultérieure. Dans les deux jours qui suivirent, des parents se dépêchèrent de retirer leurs enfants de Poudlard – les sœurs Patil étaient parties avant le petit déjeuner, au lendemain de la mort de Dumbledore, et Zacharias Smith quitta le château escorté par son père, un sorcier à l'air hautain. Seamus Finnigan, en revanche, refusa tout net de retourner chez lui avec sa mère. Il y eut un échange de cris dans le hall d'entrée et sa mère finit par accepter qu'il reste pour l'enterrement. Elle eut du mal à trouver une chambre à Pré-au-Lard, raconta Seamus à Harry et à Ron, car sorciers et sorcières affluaient dans le village pour venir rendre un dernier hommage à Dumbledore.

Une certaine excitation se répandit parmi les élèves les plus jeunes, qui n'avaient encore jamais vu ce spectacle, lorsque, la veille de l'enterrement, un carrosse bleu pastel de la taille d'une maison, tiré par une douzaine de gigantesques chevaux ailés, tous des palominos, surgit dans le ciel à la fin de l'après-midi et atterrit à la lisière de la forêt. Harry regarda par la fenêtre et vit une femme immense, d'une très grande beauté, les cheveux noirs et le teint olivâtre, descendre le marchepied du carrosse et se jeter dans les bras de Hagrid qui l'attendait. Pendant ce temps, une délégation de membres du ministère, dont le ministre de la Magie lui-même, étaient reçus au château. Harry s'appliqua à éviter tout contact avec eux. Il était certain que, tôt ou tard, on lui demanderait à nouveau de révéler où était allé Dumbledore la dernière fois qu'il était parti de Poudlard.

Harry, Ron, Hermione et Ginny ne se quittaient pas. Le ciel magnifique semblait se moquer d'eux. Harry imaginait les bons moments qu'ils auraient pu partager si Dumbledore n'était pas mort, s'ils avaient eu toutes ces journées à passer ensemble en cette fin d'année, les examens de Ginny terminés, la pression des devoirs disparue... et heure par heure, il repoussait le moment où il dirait ce qu'il savait qu'il devait dire, où il ferait ce qu'il savait qu'il devait faire, car il lui était trop difficile de renoncer à sa plus grande source de réconfort.

Ils se rendaient à l'infirmerie deux fois par jour : Neville en était sorti mais Bill continuait de recevoir les soins de Madame Pomfresh. Ses cicatrices étaient toujours aussi terribles. Il présentait maintenant une ressemblance frappante avec Maugrey Fol Œil bien que, par bonheur, il eût encore deux bras et deux jambes, mais sa personnalité ne semblait pas avoir subi de changement. La seule différence, c'était qu'il avait à présent un goût prononcé pour les steaks très saignants.

– C'est une chance qu'il se marie avec moi, assura Fleur d'un ton joyeux en retapant les oreillers de Bill, parce que les British font trop cuire leur viande, je l'ai toujours dit.

– Il faudra bien que j'accepte l'idée qu'il va vraiment l'épouser, soupira Ginny un peu plus tard.

Harry, Ron, Hermione et elle étaient assis devant la fenêtre ouverte de la salle commune de Gryffondor et contemplaient le parc à la lumière du soleil couchant.

– Elle n'est pas si mauvaise, dit Harry. Mais pas très jolie, ajouta-t-il précipitamment en voyant Ginny hausser les sourcils.

A contrecœur, elle laissa échapper un petit rire.

– J'imagine que si maman arrive à la supporter, j'y arriverai aussi.

– D'autres gens qu'on connaît sont morts ? demanda Ron à Hermione qui lisait *La Gazette du sorcier*.

La brutalité forcée de sa voix arracha une grimace à Hermione.

– Non, répondit-elle d'un ton réprobateur en repliant le journal. Ils continuent de rechercher Rogue, mais ils n'ont aucune piste.

– Bien sûr que non, dit Harry qui se mettait en colère chaque fois qu'ils abordaient le sujet. Ils ne trouveront pas Rogue tant qu'ils n'auront pas trouvé Voldemort et, comme ils n'y sont jamais parvenus depuis tout ce temps...

– Je vais me coucher, annonça Ginny en bâillant. Je n'ai pas très bien dormi depuis... enfin... un peu de sommeil ne me fera pas de mal.

Elle embrassa Harry (Ron prit soin de regarder ailleurs), adressa un signe de la main aux autres et se dirigea vers le dortoir des filles. Dès que la porte se fut refermée derrière elle, Hermione se pencha vers Harry avec une expression très hermionesque sur le visage.

– Harry, j'ai trouvé quelque chose ce matin, à la bibliothèque...

– R.A.B. ? demanda-t-il en se redressant.

Harry ne ressentait plus ce qu'il avait si souvent éprouvé auparavant, l'excitation, la curiosité, le désir brûlant de percer un mystère. Il savait simplement que la tâche de découvrir la vérité sur le vrai Horcruxe devait être accomplie avant qu'il puisse avancer un peu plus loin sur le chemin obscur et sinueux qui s'ouvrait devant lui, le chemin sur lequel ils s'étaient engagés ensemble, avec Dumbledore, et dont il savait qu'il devrait désormais le parcourir seul. Sans doute y avait-il toujours quatre Horcruxes cachés quelque part et chacun devait être retrouvé puis détruit avant qu'il soit possible de tuer Voldemort. Il ne cessait de s'en réciter la liste comme si, en les nommant, il pourrait les amener à sa portée : « Le médaillon... la coupe... le serpent... un objet ayant appartenu à Gryffondor ou à Serdaigle... Le médaillon... la coupe... le serpent... un objet ayant appartenu à Gryffondor ou à Serdaigle... »

Cette litanie lui tournait dans la tête lorsqu'il s'endormit le soir et ses rêves furent peuplés de coupes, de médaillons et de mystérieux objets qu'il n'arrivait pas à atteindre ; Dumbledore venait à son secours en lui apportant une échelle de corde mais elle se transformait en serpents dès l'instant où Harry essayait d'y monter...

Le lendemain de la mort de Dumbledore, il avait montré à Hermione le mot trouvé dans le médaillon. Les initiales ne lui rappelaient aucun nom d'obscur sorcier qu'elle aurait pu rencontrer au hasard de ses lectures mais, depuis, elle filait à la bibliothèque un peu plus souvent qu'il n'était nécessaire pour quelqu'un qui n'avait plus aucun devoir à faire.

– Non, dit-elle avec tristesse, j'ai essayé, Harry, mais je

n'ai rien découvert… Il existe deux sorciers relativement connus qui portent ces initiales : Rosalind Antigone Bungs et Rupert « A la Hache » Brookstanton… Mais ils ne semblent pas du tout correspondre. A en juger par ce mot, la personne qui a volé l'Horcruxe connaissait Voldemort et je n'ai pas pu découvrir la moindre preuve que Bungs ou « A la Hache » aient jamais eu affaire à lui… Non, en fait, ce que j'ai trouvé concerne… heu… Rogue.

Elle eut l'air inquiète lorsqu'elle prononça à nouveau ce nom.

– De quoi s'agit-il ? demanda Harry d'un ton accablé en s'affalant dans son fauteuil.

– Eh bien, finalement, j'avais quand même raison à propos de cette histoire de Prince de Sang-Mêlé, dit-elle timidement.

– Il faut vraiment que tu insistes, Hermione ? Tu ne crois pas que c'est déjà assez pénible pour moi ?

– Non, non, Harry, ce n'est pas ce que je voulais dire ! répondit-elle aussitôt en regardant autour d'elle pour s'assurer qu'on ne pouvait pas les entendre. J'avais simplement raison au sujet de cette Eileen Prince qui aurait pu posséder le livre. Figure-toi que… c'était la mère de Rogue !

– Je croyais qu'elle n'était pas très belle, fit remarquer Ron.

Hermione ne lui accorda aucune attention.

– En lisant d'autres anciens numéros de *La Gazette*, j'ai trouvé un minuscule faire-part annonçant le mariage d'Eileen Prince à un homme du nom de Tobias Rogue. Plus tard, une autre annonce disait qu'elle avait donné naissance à un…

– Assassin, lança sèchement Harry.

– Heu... oui, approuva Hermione. Donc... j'avais raison, d'une certaine manière. Rogue devait être fier d'être « mêlé de Prince », tu comprends ? Tobias Rogue était un Moldu d'après *La Gazette.*

– Oui, ça se tient, admit Harry. Il a mis en avant la branche sang-pur de sa famille pour que Lucius Malefoy et les autres l'acceptent parmi eux... Il est exactement comme Voldemort. Une mère sang-pur, un père moldu... honteux de ses origines, essayant de se faire craindre par la magie noire, se donnant un nouveau nom plus impressionnant – *Lord* Voldemort, le *Prince* de Sang-Mêlé. Comment Dumbledore a-t-il pu ne pas voir...

Il s'interrompit et regarda par la fenêtre. Il ne pouvait s'empêcher de repenser sans cesse à cette confiance inexcusable que Dumbledore accordait à Rogue... Mais comme Hermione venait de le lui rappeler par inadvertance, lui-même s'était laissé abuser... En dépit du caractère de plus en plus odieux de ces sortilèges griffonnés dans les marges, il avait refusé de croire aux intentions mauvaises de ce garçon si brillant, qui l'avait tant aidé...

Aidé... Cette pensée était presque insupportable, à présent...

– Je ne comprends toujours pas pourquoi il ne t'a pas dénoncé pour t'être servi de ce livre, dit Ron. Il devait bien savoir d'où tu tenais tout ça.

– Il le savait, assura Harry avec amertume. Il l'a su quand j'ai lancé le Sectumsempra. Il n'avait même pas besoin de legilimancie... Peut-être même l'a-t-il su avant, quand Slughorn lui racontait à quel point j'étais brillant en cours de potions... Il n'aurait pas dû laisser son ancien livre au fond de ce placard.

– Mais je le répète, pourquoi ne t'a-t-il pas dénoncé ?

– Je pense qu'il ne voulait pas qu'on l'associe à ce livre, répondit Hermione. Je ne crois pas que Dumbledore aurait été très content s'il avait été au courant. Et même si Rogue avait prétendu que le manuel n'était pas le sien, Slughorn aurait immédiatement reconnu son écriture. En plus, le livre se trouvait dans l'ancienne classe de Rogue et je suis sûre que Dumbledore savait que sa mère s'appelait Prince.

– J'aurais dû l'apporter à Dumbledore, dit Harry. Pendant tout ce temps, il m'a montré le mal chez Voldemort, même quand il était à l'école, et moi, j'avais la preuve que Rogue était comme lui...

– Le mot « mal » est un peu trop fort, répliqua Hermione à voix basse.

– C'est toi qui n'as pas arrêté de me répéter que ce livre était dangereux !

– J'essaye de te faire comprendre, Harry, que tu exagères ta responsabilité. Je trouvais que le Prince avait un sens de l'humour détestable mais je n'aurais jamais pensé que c'était un tueur en puissance...

– Aucun de nous n'aurait pu deviner que Rogue aurait... enfin, vous me comprenez..., dit Ron.

Ils se turent, chacun plongé dans ses réflexions, mais Harry était convaincu que, tout comme lui, ils pensaient à ce qui se passerait le lendemain matin, lorsque la dépouille de Dumbledore serait portée en terre. Harry n'avait encore jamais assisté à un enterrement. Il n'y avait eu aucun corps à ensevelir lorsque Sirius était mort. Il ne savait à quoi s'attendre et s'inquiétait un peu de ce qu'il allait voir, de ce qu'il allait ressentir. Il se demanda si la mort de Dumbledore lui paraîtrait plus réelle une fois que les funérailles auraient eu lieu. A certains moments, le fait lui-même menaçait de le submerger d'horreur, mais il y avait aussi des périodes d'hébétude, d'engourdissement, où il lui était très difficile de croire à la disparition de Dumbledore, même si personne ne parlait d'autre chose dans tout le château. Cette fois, cependant, contrairement à ce qui s'était passé pour Sirius, il n'avait pas désespérément cherché une faille, une possibilité que Dumbledore revienne parmi les vivants… Il tâtonna dans sa poche à la recherche de la chaîne du faux Horcruxe qu'il emportait partout avec lui, désormais, non comme un talisman mais comme un rappel du prix qu'il avait fallu payer et de ce qu'il restait à faire.

Le lendemain, Harry se leva de bonne heure pour préparer ses bagages. Le Poudlard Express partirait une heure après l'enterrement. Dans la Grande Salle, l'humeur était à la retenue. Tout le monde avait revêtu des robes de cérémonie et personne ne semblait avoir très faim. Le professeur McGonagall avait laissé vide le fauteuil en forme de trône, au milieu de la table des enseignants. La chaise de Hagrid était également désertée : Harry songea qu'il n'avait peut-être pas eu le courage d'affronter le petit déjeuner. La place de Rogue, en revanche, était occupée, sans cérémonie, par Rufus Scrimgeour. Harry évita ses yeux jaunâtres qui balayaient la salle. Il eut l'impression désagréable que Scrimgeour le cherchait. Dans l'entourage du ministre, Harry repéra les cheveux roux et les lunettes à monture d'écaille de Percy Weasley. Ron ne donnait pas l'impression d'avoir remarqué la présence de Percy mais il transperçait de sa fourchette des morceaux de hareng fumé avec une hargne inaccoutumée.

A la table des Serpentard, Crabbe et Goyle se murmuraient des choses à l'oreille. Ils avaient beau être grands et massifs, ils paraissaient étrangement seuls sans la haute silhouette pâle de Malefoy entre eux pour leur donner des ordres. Harry n'avait pas beaucoup pensé à lui. Son hostilité était entièrement concentrée sur Rogue mais il n'avait pas oublié la peur dans la voix de Malefoy, au sommet de la tour, ni le geste qu'il avait eu en abaissant légèrement sa baguette avant l'arrivée des autres Mangemorts. Harry ne croyait pas que Malefoy aurait tué Dumbledore. Il le méprisait toujours pour son goût de la magie noire mais désormais, une once de pitié nuançait son aversion. Où était Malefoy à présent, se demanda Harry, et qu'est-ce que Voldemort l'obligeait à faire sous peine de le tuer et de tuer ses parents ?

Les pensées de Harry furent interrompues par le coup de coude que lui donna Ginny. Le professeur McGonagall s'était levée et la morne rumeur qui résonnait dans la salle s'évanouit aussitôt.

– L'heure est presque arrivée, dit-elle. Veuillez suivre s'il vous plaît vos directeurs de maison dans le parc. Les Gryffondor, regroupez-vous derrière moi.

Dans un silence presque total, ils se levèrent de leurs bancs et sortirent en file indienne. Harry aperçut Slughorn à la tête des Serpentard, vêtu d'une somptueuse robe vert émeraude brodée d'argent. Il n'avait jamais vu le professeur Chourave, directrice de Poufsouffle, aussi impeccable. Son chapeau ne comportait pas le moindre rapiéçage. A leur arrivée dans le hall d'entrée, Madame Pince était debout à côté de Rusard. Elle s'était enveloppée d'un épais voile noir qui lui descendait jusqu'aux genoux ; il portait, pour sa part, un antique costume et une cravate également noirs qui sentaient la naphtaline.

Lorsque Harry franchit la porte et s'avança sur les marches de pierre, il vit que tout le monde se dirigeait vers le lac. La chaleur du soleil lui caressa le visage tandis qu'ils suivaient en silence le professeur McGonagall vers l'endroit où des centaines de chaises avaient été alignées. Elles étaient séparées par une allée au bout de laquelle se dressait une table de marbre. C'était une magnifique journée d'été.

Une assistance d'une extraordinaire diversité s'était déjà installée sur la moitié des chaises : des tenues misérables côtoyaient les mises élégantes, les jeunes se mêlaient aux vieux. Harry n'avait jamais rencontré la plupart des personnes présentes mais il reconnaissait certaines d'entre elles, notamment des membres de l'Ordre du Phénix : Kingsley Shacklebolt, Maugrey Fol Œil, Tonks, ses cheveux ayant miraculeusement retrouvé une teinte rose vif, Remus Lupin, dont elle tenait la main, Mr et Mrs Weasley, Bill soutenu par Fleur et suivi de Fred et de George qui portaient des vestes noires en peau de dragon. Il y avait aussi Madame Maxime, qui occupait deux chaises et demie à elle toute seule, Tom, le patron du Chaudron Baveur, Arabella Figg, la voisine cracmolle de Harry, la bassiste chevelue du groupe des Bizarr' Sisters, Ernie Danlmur, le chauffeur du Magicobus, Madame Guipure, la couturière du Chemin de Traverse, et d'autres que Harry connaissait seulement de vue, comme le barman de La Tête de Sanglier et la sorcière qui poussait le chariot de friandises du Poudlard Express. Les fantômes du château étaient également présents, à peine visibles dans la clarté du soleil. On ne les discernait que lorsqu'ils se déplaçaient dans l'atmosphère illuminée, tel un miroitement immatériel.

Harry, Ron, Hermione et Ginny allèrent s'asseoir au bout d'une rangée, près du lac. Autour d'eux, des chuchotements bruissaient comme des herbes sous la brise mais le chant des oiseaux dominait les murmures. La foule continuait de grandir. Avec un élan d'affection, Harry vit Neville s'asseoir, aidé par Luna. Ils avaient été les deux seuls membres de l'A.D. à avoir répondu à l'appel d'Hermione la nuit où Dumbledore était mort. Harry savait pourquoi : c'étaient ceux qui regrettaient le plus la fin de l'A.D... Sans doute les seuls qui regardaient régulièrement leurs fausses pièces de monnaie dans l'espoir qu'il y aurait une nouvelle réunion...

Cornelius Fudge passa à côté d'eux, en direction des premiers rangs, la mine affligée, tortillant, comme à l'ordinaire, son chapeau melon vert entre ses mains. Harry reconnut ensuite Rita Skeeter et fut indigné de voir qu'elle serrait un bloc-notes dans sa main aux ongles rouges, pointus comme des serres. Puis, avec un sursaut de colère encore plus vif, il aperçut Dolores Ombrage, une expression de chagrin très peu convaincante sur son visage de crapaud, un nœud de velours noir sur ses cheveux aux boucles gris fer. A la vue du centaure Firenze qui se tenait comme une sentinelle au bord de l'eau, elle eut un haut-le-corps et se hâta d'aller s'asseoir à bonne distance.

Les professeurs prirent enfin place. Harry observa Scrimgeour, grave et digne, assis au premier rang à côté du professeur McGonagall. Il se demanda si le ministre ou quiconque parmi tous ces personnages importants regrettait vraiment la mort de Dumbledore. Une musique étrange s'éleva alors, comme venue d'un autre monde.

Oubliant son aversion pour le ministère, il regarda autour de lui. Il n'était pas le seul : de nombreuses têtes se tournaient, un peu inquiètes.

– Là-bas, murmura Ginny à l'oreille de Harry.

Il les distingua dans l'eau claire et verte, étincelante de soleil, à quelques centimètres sous la surface, lui rappelant l'horrible souvenir des Inferi. Un chœur d'êtres de l'eau chantait dans une langue insolite qu'il ne comprenait pas, des vaguelettes ondulant sur leurs visages blafards, leurs chevelures violacées flottant autour d'eux. Harry sentit un frisson sur sa nuque. Le chant n'était pas désagréable pour autant. De toute évidence, il évoquait le deuil et le désespoir. En regardant les visages farouches des chanteurs, il eut le sentiment qu'eux, au moins, regrettaient la mort de Dumbledore. Soudain, Ginny lui donna un nouveau coup de coude et il se retourna.

Hagrid remontait lentement l'allée qui séparait les chaises. Il pleurait en silence, le visage luisant de larmes. Dans ses bras, enveloppé de velours pourpre parsemé d'étoiles d'or, il portait, Harry le savait, le corps de Dumbledore. A cette vision, il sentit monter dans sa gorge une terrible douleur : pendant un moment, l'étrange musique et la proximité de la dépouille de Dumbledore donnèrent l'impression que l'atmosphère s'était vidée de toute chaleur. Ron était blême, bouleversé. Ginny et Hermione pleuraient, de grosses larmes tombant sur leurs genoux.

Ils n'arrivaient pas à voir distinctement ce qui se passait devant eux. Hagrid semblait avoir déposé avec précaution le corps sur la table de marbre. Il repartait à présent le long de l'allée, se mouchant avec des bruits de trompette qui lui attirèrent quelques regards scandalisés, dont celui, remarqua Harry, de Dolores Ombrage… Harry savait cependant que

Dumbledore ne s'en serait pas formalisé. Il essaya d'adresser un geste amical à Hagrid au moment où celui-ci passait à sa hauteur mais ses yeux étaient si gonflés qu'on se demandait comment il parvenait à voir où il allait. Harry jeta un coup d'œil en direction du dernier rang vers lequel Hagrid continuait d'avancer et comprit alors ce qui le guidait. Habillé d'une veste et d'un pantalon, chacun de la taille d'un petit chapiteau, Graup le géant était assis là, sa grosse tête repoussante en forme de rocher inclinée, docile, presque humaine. Hagrid prit place à côté de son demi-frère et Graup lui tapota la tête avec une telle force que les pieds de la chaise s'enfoncèrent dans le sol. Harry ressentit soudain une merveilleuse envie de rire. Mais le chant se tut et il regarda à nouveau devant lui.

Un petit homme, les cheveux en épi, vêtu d'une simple robe noire, s'était levé et se tenait à présent devant le corps de Dumbledore. Harry n'entendait pas ce qu'il disait. Des mots étranges leur parvenaient, flottant au-dessus des centaines de têtes rassemblées autour d'eux : « Noblesse d'esprit... Contribution intellectuelle... Grandeur d'âme... » Cela n'avait pas beaucoup de sens et, en tout cas, pas grand rapport avec Dumbledore tel que Harry l'avait connu. Il se souvint tout à coup de ce qu'avait dit un jour Dumbledore après avoir annoncé qu'il allait prononcer quelques mots : « Nigaud ! Grasdouble ! Bizarre ! Pinçon ! » et une nouvelle fois, il dut réprimer un sourire... Que lui arrivait-il ?

Il y eut à sa gauche un léger bruit d'éclaboussures et il vit les êtres de l'eau émerger à la surface du lac pour écouter eux aussi le discours. Il se rappelait Dumbledore accroupi sur la rive, deux ans auparavant, tout près de l'endroit où Harry était à présent assis, et conversant en langue aquatique avec la sirène qui était le chef des êtres de l'eau. Harry se demanda où Dumbledore avait appris leur langue. Il y avait tant de choses qu'il ne lui avait jamais demandées, tant de choses qu'il aurait dû dire...

Alors, brusquement, l'insupportable vérité le submergea, plus absolue, plus indéniable encore : Dumbledore était mort, il était parti à jamais... Il serra à s'en faire mal le médaillon dans sa main mais ne put empêcher des larmes brûlantes de couler sur ses joues. Il détourna la tête pour que Ginny et les autres ne le voient pas et fixa son regard sur le lac, en direction de la forêt, tandis que le petit homme en noir poursuivait son discours d'une voix monotone... Il y eut un mouvement parmi les arbres. Les centaures étaient venus eux aussi rendre un dernier hommage à Dumbledore. Ils ne s'avancèrent pas à découvert mais Harry les apercevait, immobiles, à moitié cachés dans l'ombre, observant les sorciers, leurs arcs en bandoulière. Il se rappela le cauchemar de sa première incursion dans la forêt, sa première vision de la chose qu'était Voldemort à l'époque, il se rappela comment il s'était retrouvé face à lui, et ce que Dumbledore lui avait dit peu après sur les combats que l'on menait et qui semblaient perdus. Il était important, disait-il, de se battre, de se battre encore et toujours, car c'était seulement ainsi qu'on pouvait tenir le mal à distance, sans jamais l'éradiquer complètement...

Tandis qu'il était assis là sous le soleil brûlant, Harry voyait plus clairement que jamais comment ceux qui l'aimaient s'étaient dressés devant lui, les uns après les autres, pour le défendre, sa mère, son père, son parrain et enfin Dumbledore, tous résolus à le protéger. Mais maintenant, c'était fini. Il ne pouvait laisser quiconque d'autre s'interposer entre lui et Voldemort. Il lui fallait abandonner à jamais l'illusion qu'il aurait dû perdre dès l'âge d'un an : qu'il ne pouvait rien lui arriver de mal tant qu'il se trouvait à l'abri dans les bras de ses parents. Il était impossible de s'éveiller de ce cauchemar, aucun murmure ne viendrait le réconforter dans l'obscurité, lui assurer qu'il ne craignait rien, que tout était un effet de son imagination. Le dernier et le plus grand de ses protecteurs était mort et il était plus seul qu'il ne l'avait jamais été.

Le petit homme en noir avait enfin cessé de parler et était retourné s'asseoir. Harry attendit que quelqu'un d'autre se lève. Il avait pensé qu'il y aurait d'autres discours, sans doute du ministre lui-même, mais personne ne bougea.

Des cris retentirent alors dans l'assistance. Des flammes blanches, éclatantes, avaient jailli autour du corps de Dumbledore : elles s'élevèrent de plus en plus haut, masquant la dépouille. Une volute de fumée blanche tournoya en dessinant d'étranges formes ; Harry sentit son cœur s'arrêter de battre quand il crut voir soudain un phénix s'envoler joyeusement dans le bleu du ciel mais, un instant plus tard, le feu s'était éteint. A la place, une tombe de marbre blanc renfermait le corps de Dumbledore et la table sur laquelle il reposait.

Il y eut d'autres cris lorsqu'une pluie de flèches apparut dans les airs mais elles retombèrent bien loin de la foule. Harry le savait, c'était l'hommage des centaures : il les vit faire volte-face et disparaître sous la fraîcheur des arbres. A leur tour, les êtres de l'eau s'enfoncèrent lentement dans l'eau verte et disparurent.

Harry regarda Ginny, Ron et Hermione : le visage de Ron était crispé comme s'il avait le soleil dans l'œil. Celui d'Hermione brillait de larmes, mais Ginny ne pleurait plus. Elle se tourna vers Harry avec ce même regard flamboyant qu'elle avait eu en le serrant dans ses bras, après qu'ils eurent remporté la Coupe de Quidditch en son absence. Il sut qu'en cet instant, ils se comprenaient parfaitement, que lorsqu'il lui annoncerait ce qu'il allait faire, elle ne répondrait pas : « Sois prudent » ou : « Ne le fais pas », mais accepterait sa décision parce qu'elle n'en attendait pas moins de lui. Il rassembla donc son courage pour lui dire ce qu'il avait le devoir de lui dire depuis la mort de Dumbledore.

– Ginny, écoute, murmura-t-il, alors que la rumeur des conversations enflait autour d'eux et que les gens commençaient à se lever. Je ne peux plus rester avec toi. Nous devons cesser de nous voir. Nous ne pouvons pas continuer ensemble.

Avec un sourire étrangement tordu, elle répondit :

– J'imagine que c'est pour de stupides et nobles raisons ?

– Ces dernières semaines avec toi, c'était comme... comme si j'avais vécu la vie de quelqu'un d'autre, dit Harry. Mais je ne peux pas... Nous ne pouvons pas... Il y a des choses que je dois faire seul maintenant.

Elle ne pleura pas, se contenta de le regarder dans les yeux.

– Voldemort se sert des proches de ses ennemis. Il t'a déjà utilisée comme appât dans le passé, parce que tu es la sœur de mon meilleur ami. Songe aux dangers encore plus grands que tu devrais affronter si nous continuons. Il l'apprendra, il te trouvera. Il essaiera de m'atteindre à travers toi.

– Et si je m'en fiche ? répliqua Ginny d'un ton féroce.

– Moi, je ne m'en fiche pas, poursuivit Harry. A ton avis, qu'est-ce que je ressentirais si c'était ton enterrement qui venait d'avoir lieu… et que j'en sois responsable… ?

Elle tourna la tête vers le lac.

– Je n'avais jamais vraiment renoncé à toi, reprit-elle. Pas vraiment. J'espérais toujours… Hermione m'a conseillé de vivre ma vie, peut-être de sortir avec d'autres garçons, de me détendre un peu en ta présence parce que je n'arrivais plus à dire un mot quand tu étais dans la même pièce, tu te souviens ? Elle pensait que tu me remarquerais peut-être davantage si j'étais un peu plus… moi-même.

– Une fille intelligente, cette Hermione, commenta Harry en s'efforçant de sourire. Je regrette simplement de ne pas t'avoir demandé plus tôt de sortir avec moi. Nous aurions eu beaucoup plus de temps… des mois… des années peut-être…

– Mais tu étais trop occupé à sauver le monde des sorciers, dit Ginny en riant à moitié. Bah… Je ne peux pas prétendre que je sois surprise. Je savais que ça finirait de cette façon. Je savais que tu ne serais jamais heureux si tu ne te lançais pas à la poursuite de Voldemort. C'est peut-être ce qui me plaît tant, chez toi.

Harry ne pouvait plus supporter d'entendre cela ; il ne pensait pas qu'il pourrait s'en tenir longtemps à sa décision s'il restait assis à côté d'elle. Il vit que Ron serrait à présent Hermione contre lui et lui caressait les cheveux tandis qu'elle sanglotait sur son épaule. Lui-même pleurait, des larmes coulant au bout de son long nez. Dans un geste d'une terrible tristesse, Harry se leva, tourna le dos à Ginny et à la tombe de Dumbledore puis s'éloigna le long de la rive. Bouger lui était beaucoup moins pénible que de rester assis, immobile. De même, il aurait préféré partir le plus vite possible à la recherche des Horcruxes pour tuer ensuite Voldemort, plutôt que d'attendre encore davantage...

– Harry !

Il se retourna. Rufus Scrimgeour, de sa démarche claudicante, se hâtait vers lui, appuyé sur sa canne.

– J'espérais pouvoir vous dire un mot... Vous voulez bien que nous marchions un peu ensemble ?

– Oui, répondit Harry, indifférent, en reprenant son chemin.

– Harry, c'est une terrible tragédie, déclara Scrimgeour à voix basse. Vous ne pouvez pas savoir à quel point j'ai été atterré en apprenant la nouvelle. Dumbledore était un très grand sorcier. Nous n'étions pas toujours d'accord, comme vous le savez, mais personne ne sait mieux que moi...

– Qu'est-ce que vous voulez ? demanda Harry à brûle-pourpoint.

Scrimgeour parut agacé mais, comme d'habitude, il se contrôla et s'efforça d'afficher une expression à la fois compréhensive et chagrinée.

– Vous êtes anéanti, je le comprends, reprit-il. Je sais que vous étiez très proche de Dumbledore. Je pense que vous deviez être son élève préféré. Le lien qui vous unissait tous les deux...

– Qu'est-ce que vous voulez ? répéta Harry en s'arrêtant de marcher.

Scrimgeour s'immobilisa à son tour, s'appuya sur sa canne et fixa Harry d'un regard qui se voulait pénétrant, à présent.

– D'après ce qu'on dit, vous étiez avec lui quand il a quitté l'école, la nuit où il est mort.

– Qui dit cela ? demanda Harry.

– Quelqu'un a stupéfixé un Mangemort au sommet de la tour, après la mort de Dumbledore. Il y avait également deux balais là-haut. Le ministère n'est pas stupide, Harry.

– Content de l'apprendre, répliqua Harry. Eh bien, sachez que l'endroit où je suis allé avec Dumbledore et ce que j'y ai fait ne regarde que moi. Il ne voulait pas que cela se sache.

– Une telle loyauté est certainement admirable, assura Scrimgeour, qui semblait avoir du mal à réprimer son exaspération. Mais Dumbledore est mort, Harry. Il a disparu.

– Il ne disparaîtra vraiment de l'école que lorsque plus personne ne manifestera de loyauté envers lui, répondit Harry en souriant involontairement.

– Mon cher ami… même Dumbledore ne peut pas revenir de…

– Je ne prétends pas le contraire. Vous ne comprendriez pas. Mais je n'ai rien à vous dire.

Scrimgeour hésita puis poursuivit, sur un ton qui se voulait délicat :

– Le ministère peut vous offrir toute sorte de protections, savez-vous, Harry ? Je serais ravi de mettre deux de mes Aurors à votre disposition…

Harry éclata de rire.

– Voldemort veut me tuer de sa main et ce ne sont pas vos Aurors qui l'arrêteront. Alors, merci pour votre proposition mais ce n'est pas la peine.

– Donc, reprit Scrimgeour d'un ton froid, à présent, la demande que je vous ai faite à Noël…

– Quelle demande ? Ah, oui… Quand j'étais censé dire

à qui voulait l'entendre quel magnifique travail vous faites, ce qui aurait permis en échange...

– ... de remonter le moral de tout le monde, coupa Scrimgeour d'un ton sec.

Harry le considéra un moment.

– Vous avez relâché Stan Rocade ?

Le teint de Scrimgeour prit une horrible couleur violette qui évoquait irrésistiblement l'oncle Vernon.

– Je vois que vous êtes...

– L'homme de Dumbledore jusqu'au bout, acheva Harry. C'est vrai.

Scrimgeour lui lança un regard noir puis tourna les talons et s'éloigna en boitant sans ajouter un mot. Harry voyait un peu plus loin Percy et le reste de la délégation ministérielle qui l'attendaient en jetant des coups d'œil inquiets à Hagrid, secoué de sanglots, et à Graup, toujours assis à côté de lui. Ron et Hermione accoururent vers Harry, croisant Scrimgeour qui revenait en sens inverse. Harry poursuivit lentement son chemin, attendant qu'ils le rattrapent, ce qu'ils firent à l'ombre d'un hêtre sous lequel ils étaient venus s'asseoir en des temps plus heureux.

– Que voulait Scrimgeour ? murmura Hermione.

– La même chose qu'à Noël, répondit Harry en haussant les épaules. Que je lui donne des informations confidentielles sur Dumbledore et que je fasse la publicité du ministère.

Pendant un instant, Ron sembla lutter contre lui-même puis il dit à Hermione d'une voix forte :

– Laisse-moi mettre mon poing dans la figure de Percy !

– Non, répliqua-t-elle fermement en lui saisissant le bras.

– Je me sentirai mieux !

Harry éclata de rire. Hermione elle-même esquissa un sourire qui s'effaça lorsqu'elle regarda le château.

– Je ne peux pas supporter l'idée que nous ne reviendrons peut-être plus jamais ici, se désola-t-elle. Comment pourrait-on fermer Poudlard ?

– Ça n'arrivera peut-être pas. Nous ne courons pas de plus grands dangers ici que chez nous, fit remarquer Ron. C'est partout pareil, maintenant. Je dirais même que Poudlard est plus sûr, il y a davantage de sorciers, ici, pour nous défendre. Qu'est-ce que tu en penses, Harry ?

– Je ne reviendrai pas, même si l'école rouvre, répondit-il.

Ron le regarda bouche bée tandis qu'Hermione soupirait avec tristesse :

– Je savais que tu dirais ça. Mais que vas-tu faire ?

– Je vais retourner chez les Dursley parce que Dumbledore le voulait, déclara Harry. Mais je n'y resterai pas longtemps. Après, je partirai pour de bon.

– Où iras-tu si tu ne reviens pas à l'école ?

– Je pensais retourner à Godric's Hollow, marmonna Harry.

Cette idée lui était venue depuis la nuit où Dumbledore était mort.

– Pour moi, tout a commencé là-bas. J'ai l'impression que je dois y revenir. Et j'aimerais bien me rendre sur la tombe de mes parents.

– Et ensuite ? demanda Ron.

– Ensuite, il faut que je retrouve les autres Horcruxes, répondit Harry, les yeux fixés sur la tombe blanche de Dumbledore qui se reflétait dans l'eau, de l'autre côté du lac. C'était ce qu'il voulait que je fasse, c'est pour cela qu'il m'a tout révélé. Si Dumbledore avait raison – ce qui est le cas, j'en suis sûr –, il y en a encore quatre. Je dois les retrouver et les détruire, après je partirai en quête du septième morceau de l'âme de Voldemort, la partie qui est toujours dans son corps. Et je serai celui qui le tuera. Si en chemin je rencontre Severus Rogue, ajouta-t-il, tant mieux pour moi, tant pis pour lui.

Il y eut un long silence. La foule s'était presque entièrement dispersée, les retardataires restant à bonne distance de Graup qui essayait de consoler Hagrid dont les longues plaintes retentissaient toujours à la surface de l'eau.

– On viendra te retrouver, Harry, promit Ron.

– Quoi ?

– Chez ton oncle et ta tante. Et on t'accompagnera, où que tu ailles.

– Non, répliqua aussitôt Harry.

Il ne s'était pas attendu à cela. Il avait voulu au contraire leur faire comprendre qu'il entreprendrait tout seul ce périlleux voyage.

– Tu nous as dit un jour, rappela Hermione à voix basse, qu'il était encore temps pour nous de revenir en arrière, si nous le voulions. Ce temps, nous l'avons largement eu, non ?

– Nous serons avec toi quoi qu'il arrive, assura Ron. Mais avant toute autre chose, avant même d'aller à Godric's Hollow, tu devras d'abord revenir à la maison, chez ma mère et mon père.

– Pourquoi ?

– Le mariage de Bill et de Fleur, tu te souviens ?

Harry le regarda, surpris. L'idée que quelque chose d'aussi normal qu'un mariage puisse encore exister lui paraissait incroyable et merveilleux à la fois.

– Oui, nous ne devons pas rater ça, dit-il enfin.

Ses doigts se refermèrent machinalement sur le faux Horcruxe mais, en dépit de tout, en dépit du chemin sombre et tortueux qui s'ouvrait devant lui, en dépit de sa confrontation finale avec Voldemort qu'il savait inéluctable, dans un mois, dans un an, dans dix ans, il se sentit le cœur plus léger à la pensée qu'il pouvait encore profiter d'une dernière journée paisible et ensoleillée en compagnie de Ron et d'Hermione.

TABLE DES MATIÈRES

L'AUTRE MINISTRE 7
L'IMPASSE DU TISSEUR 29
DERNIÈRES VOLONTÉS ET MAUVAISE VOLONTÉ 50
HORACE SLUGHORN 71
FLEURK 97
L'ESCAPADE DE DRAGO 124
LE CLUB DE SLUG 150
LA VICTOIRE DE ROGUE 180
LE PRINCE DE SANG-MÊLÉ 199
LA MAISON DES GAUNT 226
LA MAIN SECOURABLE D'HERMIONE 252
ARGENT ET OPALE 275
LE SECRET DE JEDUSOR 299
FELIX FELICIS 322
LE SERMENT INVIOLABLE 350
UN NOËL GLACIAL 376
UN SOUVENIR BRUMEUX 403
SURPRISES D'ANNIVERSAIRE 431
DES ELFES SUR LES TALONS 460
LA REQUÊTE DE LORD VOLDEMORT 487
LA SALLE INTROUVABLE 515
APRÈS L'ENTERREMENT 540
LES HORCRUXES 566
SECTUMSEMPRA 590
A L'ÉCOUTE DE LA VOYANTE 615
LA CAVERNE 638

La tour frappée par la foudre 665
La fuite du Prince 685
La lamentation du phénix 701
La tombe blanche 725

J. K. ROWLING

L'AUTEUR

J. K. Rowling est née à Chipping Sodbury, dans le Gloucestershire en Angleterre, en 1965. Elle a suivi des études à l'université d'Exeter et à la Sorbonne à Paris. Elle est diplômée en littérature française et en philologie. Elle a d'abord travaillé à Londres au sein de l'association Amnesty International.

C'est en 1990 que l'idée de Harry Potter et de son école de sorciers germe dans son esprit, lors d'un voyage en train de Manchester à Londres. L'année suivante, Joanne part enseigner l'anglais au Portugal. Puis, en 1992, elle épouse un journaliste portugais et donne naissance à une petite fille, Jessica. Après son divorce, quelques mois plus tard, elle s'installe à Édimbourg avec son bébé. Vivant dans une situation précaire, elle se plonge dans l'écriture de la première aventure de Harry et termine la rédaction de ce manuscrit qui l'avait accompagnée de Londres à Porto, jusqu'aux cafés d'Édimbourg.

La suite ressemble à un conte de fées. Le premier agent auquel elle envoie son manuscrit le retient et une petite maison d'édition britannique décide de publier le livre.

Les droits du livre sont ensuite vendus aux enchères aux États-Unis pour la plus grosse avance jamais versée à un auteur pour la jeunesse à l'époque !

Le premier volume de Harry Potter a rencontré dès sa parution, grâce au bouche à oreille, un succès grandissant qui est devenu phénoménal, tant en Grande-Bretagne qu'à l'étranger.

Il a été traduit en trente langues et vingt millions d'exemplaires ont été vendus dans le monde entier en l'espace de dix-huit mois. *Harry Potter à l'école des sorciers* a remporté les prix les plus prestigieux dans tous les pays où il a été publié. Il a été en tête des ventes « adultes » et « jeunesse » confondues en Grande-Bretagne et aux États-Unis. Les volumes suivants ne cessent quant à eux de confirmer le succès du premier. La saga Harry Potter est devenue une des œuvres littéraires les plus lues au monde.

Comme nul ne l'ignore plus, c'est le septième et dernier volume qui apportera le dénouement d'une œuvre à laquelle Joanne Rowling aura consacré plus de quinze ans de sa vie.

J. K. Rowling s'est remariée en 2001 et a donné à Jessica un petit frère, David, en 2003 et une petite sœur, Mackenzie, en 2005. Elle vit toujours en Écosse avec sa famille, se tenant aussi éloignée que possible des médias et du succès étourdissant de ses livres, afin de se concentrer sur l'écriture des aventures du plus célèbre des sorciers.

Imprimé sur du papier certifié FSC
(Forest Stewardship Council) par l'imprimerie
BRODARD ET TAUPIN
La Marque du Forest Stewardship Council
(FSC) signifie qu'une proportion des fibres
de bois, utilisées dans la fabrication du
papier, proviennent d'une forêt correctement
gérée satisfaisant à des normes
rigoureuses au niveau environnemental,
social et économique.
Cette forêt d'origine a été inspectée
et évaluée de façon indépendante
sur la base des principes et critères
de gestion forestière acceptés et approuvés
par le Forest Stewardship Council.
FSC est une association internationale
à but non lucratif dont les adhérents sont
composés de groupes environnementaux
et sociaux, d'entreprises de gestion
forestière et de distributeurs de produits
en bois, travaillant en partenariat
pour améliorer la gestion forestière
à travers le monde.
www.fsc.org

Sources Mixtes
**Groupe de produits issu de forêts
bien gérées, de sources contrôlées
et de bois ou fibres recyclés.**

**Cert no. EUR-COC-051002
www.fsc.org
© 1996 Forest Stewardship Council**

Imprimeur certifié par EUROCERTIFOR - BVQI

Composition : Firmin-Didot

Loi n° 49-956 du 16 juillet 1949
sur les publications destinées à la jeunesse
ISBN 2-07-057764-3
Numéro d'édition : 144311
Numéro d'impression : 36515
Dépôt légal : août 2006
Imprimé en France

FOLIO JUNIOR

J.K. Rowling

Harry Potter ET LE PRINCE DE SANG-MÊ[LÉ]

Dans un monde de plus en plus inquiétant, Harry se prépare à retrouver Ron et Hermione. Bientôt, ce sera la rentrée à Poudlard, avec les autres étudiants de sixième année. Mais pourquoi Dumbledore vient-il en personne chercher Harry chez les Dursley ? Dans quels extraordinaires voyages au cœur de la mémoire va-t-il l'entraîner ?

FOLIO JUNIOR

Émotion, **humour**, **art du suspense**... J.K. Rowling révèle dans ce sixième tome la **fascinante** complexité de l'univers qu'elle a créé, et met en place tous les **ressorts** du dénouement.

1. HARRY POTTER À L'ÉCOLE DES SORCIERS
2. HARRY POTTER ET LA CHAMBRE DES SECRETS
3. HARRY POTTER ET LE PRISONNIER D'AZKABAN
4. HARRY POTTER ET LA COUPE DE FEU
5. HARRY POTTER ET L'ORDRE DU PHÉNIX
6. HARRY POTTER ET LE PRINCE DE SANG-MÊLÉ

www.gallimard-jeunesse.fr

Écoutez en CD audio les aventures de Harry Potter lues par Bernard Giraudeau.

ISBN 2-07-057764-3
9 782070 577644
A57764 Catégorie 10